Juden in Berlin
1671 – 1945

Juden in Berlin
1671 – 1945

Ein Lesebuch

Mit Beiträgen von
Annegret Ehmann
Rachel Livné-Freudenthal
Monika Richarz
Julius H. Schoeps
Raymond Wolff

Nicolai

Das Manuskript zu diesem Buch beruht teilweise auf Vorarbeiten für ein Buch, das unter dem Titel „Juden in Berlin – ein Lesebuch", herausgegeben von Manfried Hammer und Julius H. Schoeps, im Oberbaum-Verlag Berlin erscheinen sollte.

Satz: MEDIAtrend, Berlin
Lithos: O.R.T. Kirchner + Graser GmbH, Berlin
Druck: Heenemann & Co, Berlin
Bindung: Lüderitz + Bauer, Berlin
Layout: Werner Kattner
Wiss. Redaktion: Hermann Meier-Cronemeyer
Gesamtredaktion: Carolin Hilker-Siebenhaar

Printed in Germany
ISBN 3-87584-250-2

Inhalt

Vorwort

Das vorliegende Werk nennt sich ein „Lesebuch". Dieser Begriff weckt Erinnerungen an Kindheit und Jugend. „Lesebücher" haben uns in die Welt der Buchstaben geführt. Gleichzeitig weckt er aber auch Erwartungen, in eine neue, vielleicht sogar unbekannte Welt geführt zu werden.

Viele dieser Erwartungen werden bei der Lektüre dieses Buches erfüllt. Der Leser lernt die jüdische Welt in Berlin in allen ihren Schattierungen kennen. Sie erschließt sich ihm in einer besonderen Weise, denn in diesem Buch kommen vor allem Betroffene zu Wort. So kann das Buch einerseits für sich Objektivität und Authentizität beanspruchen. Andererseits zeigt es, daß gerade auch die als objektiv geltende Geschichte über die berühmten zwei Seiten einer Medaille verfügt. Die eine Seite weist die „nackten" Tatsachen auf, die andere Seite zeigt die Interpretation dieser Tatsachen. Jede Seite wird „Geschichte" genannt.

Ich möchte an dieser Stelle die Möglichkeit nutzen und den Autoren danken. Mit ihren Beiträgen geben sie dem Leser die Möglichkeit, sich ein eigenes Bild von der Geschichte der Juden in Berlin zu machen.

Einen anderen Aspekt dieses Buches möchte ich hier erwähnen. Die Grausamkeit und Unmenschlichkeit der am jüdischen Volk verübten Taten in der Zeit des Nationalsozialismus wird dem Leser wieder eindringlich – aber über einen neuen Weg – vor Augen geführt.

Dieser Weg des Lesers durch die Geschichte der Juden in Berlin 1671–1945 führt über die Darstellung der ersten gesellschaftlichen Fortschritte für die Juden, über die Gewährung der bürgerlichen Rechte in Preußen im frühen 19. Jahrhundert, über die Aufzeichnungen ihrer wirtschaftlichen, wissenschaftlichen und kulturellen Beiträge in den vergangenen Jahrhunderten bis zu den schrecklichen Verbrechen gegen sie in den Jahren 1933–1945. Er zeigt die Unfaßbarkeit dieses Handelns mit einer Klarheit auf, die die Betroffenheit über diese Untaten noch tiefer gehen läßt.

1945 ist nicht der Schlußpunkt der Geschichte der Juden in Berlin. Nach 1945 wurde – trotz der furchtbaren Vergangenheit – ein neuer Anfang gemacht, der nach anfänglicher vorsichtiger Annäherung heute von neuer gegenseitiger Freundschaft geprägt ist.

Ich wünsche mir, daß uns diese „neue Welt" seit 1945 von jüdischen Mitbürgern genauso aufgezeichnet und erschlossen wird.

Eberhard Diepgen
Regierender Bürgermeister von Berlin

Editorische Notiz

Das jüdische Leben in Berlin, das fragmentarisch in den folgenden Texten – zumeist in Selbstzeugnissen einstmals jüdischer Bürger dieser Stadt – geschildert wird, existiert nicht mehr, und es ist der Mehrheit der heutigen Bevölkerung auch als historisches Wissen unbekannt.

Die kaum noch zu überschauende Literatur zur jüdischen Geschichte ist überwiegend unter der isolierten Betrachtung von Verfolgung und Leiden geschrieben. Auch wenn sich diese Sichtweise aufgrund der historischen Tatsache des Massenmords an den Juden schier unabweislich aufdrängt, so ist doch die Wirkung dieser Geschichtsschreibung bedenklich. In Darstellungen, die in guter Absicht zur Aufklärung über die lange Tradition der Judenfeindschaft und die nationalsozialistischen Verbrechen an den Juden vor allem Texte in der Sprache und Argumentation der Antisemiten und Nationalsozialisten verwenden, werden die Menschen, über die berichtet wird, sowohl aus dieser Perspektive als auch vorwiegend in der Rolle von anonymen und passiven Opfern wahrgenommen. Die daraus resultierende vorherrschende Assoziation von Juden mit Tod und deutscher Schuld hat eine Form der „Bewältigungs- und Gedenkliteratur" und eine ebensolche ritualisierte öffentliche „Gedenkkultur" hervorgebracht, die Juden nun aus positiver Sicht erneut selektiert, typisiert und ihre Geschichte je nach Bedarf in Teilen vereinnahmt und instrumentalisiert, sei es als „jüdischer Beitrag zur deutschen Kultur", als Erblasser im „christlich-jüdischen Dialog" oder als Objekte von Sentimentalität und Betroffenheit, an denen Bedürfnisse nach Absolution und Katharsis gestillt werden können.

Die hier dargebotene Textsammlung will die Entwicklung, Vielfalt und Dynamik jüdischen Lebens in dieser Stadt durch drei Jahrhunderte in die Gegenwart zurückholen. Die Auswahl sehr verschiedener Textgattungen folgt nicht streng historischen Gesichtspunkten und möchte keine Interpretation vorgeben. Hier kommen jüdische Menschen als aktiv handelnde, subjektiv empfindende und urteilende Individuen aus den unterschiedlichsten Schichten und politischen sowie religiösen Gruppen zu Wort. Ihre Erlebnisse, die Wahrnehmung ihrer Umwelt aus jüdischer Sicht, ihre Wertvorstellungen und Irrtümer, Hoffnungen und Enttäuschungen fordern aktive Auseinandersetzung und Empathie heraus, die Voraussetzung für Erinnern und Gedenken sind.

Dieses Lesebuch soll dazu anregen, mit individuellem Interesse den aufgezeigten Spuren dieser Menschen selbst forschend nachzugehen. Ihre Geschichte und ihre Namen sollen in Erinnerung bleiben.

1671–1786

21.5.1671	Aufnahme-Edikt des Großen Kurfürsten
1672	Kauf eines Grundstücks in der Großen Hamburger Straße für den jüdischen Friedhof
1675	Beginn des Protokollbuchs der Beerdigungsgesellschaft
1701	Preußen wird Königreich
1708	Einrichtung einer „Judencommission" in Berlin, die bis 1750 die Angelegenheiten der Juden in Preußen regelt
1.1.1714	Einweihung der ersten Synagoge in der Heidereutergasse
Februar 1723	Beginn des „Protokollbuchs der Gemeinde zu Berlin" („Pinqas Kehilat Berlin")
1740–1786	Friedrich II., König von Preußen
1743	Moses Mendelssohn kommt nach Berlin
1750	„Revidiertes General-Privilegium und Reglement für die Juden" bringt weitere Beschränkung ihrer Rechte
März 1753	Der Verleger Christian Voss veröffentlicht in Berlin eine Schrift zur bürgerlichen Gleichstellung der Juden
1756–1763	Siebenjähriger Krieg
1778	Gründung der „Jüdischen Freyschule"
1780–1783	Moses Mendelssohns Übersetzung der „Fünf Bücher Moses"
1781	Christian Wilhelm Dohms „Über die bürgerliche Verbesserung der Juden" erscheint in Berlin bei Friedrich Nicolai
1786	Tod von Moses Mendelssohn und Friedrich II.

Im Dunkel der Aufklärung

Die Geschichte der neuen jüdischen Gemeinde von Berlin beginnt in Wien. Am 28. Februar 1671 verkündete der kaiserliche Hof den Beschluß, die Juden hätten die Stadt bis Pfingsten des kommenden Jahres zu verlassen. Die Reichen unter den Wiener Juden unterhielten enge Handelsbeziehungen mit dem Ausland. Mit ihrer Tätigkeit als Händler, Heereslieferanten, Münzwechsler und Vermittler von Krediten – Berufe, die wohlhabenden Juden in den christlichen Ländern seit dem Mittelalter durch das Verbot jeder anderen Erwerbsmöglichkeit zugewiesen wurden – hatten sie einen wichtigen Anteil an der Entwicklung der Stadt, und mit ihren Abgaben stellten sie eine nicht zu unterschätzende Geldquelle für den ständig verschuldeten Hof dar.

An dieser ihrer Tätigkeit war Friedrich Wilhelm von Brandenburg – genannt der Große Kurfürst – besonders interessiert. Brandenburg-Preußen, das nicht einmal über ein zusammenhängendes Staatsgebiet verfügte und weit hinter den westeuropäischen Ländern zurückgeblieben war, sollte zu einem mitbestimmenden Faktor in der europäischen Politik gemacht werden – mit einer zentralistisch gesteuerten Wirtschafts- und Bevölkerungspolitik als Basis, einem ständigen Heer und einer dem Fürsten ergebenen Beamtenschaft als den politischen Säulen der neuen zentralistischen Macht. Einwanderer sollten angelockt, die Produktion auf moderne Methoden umgestellt, der Handel und dabei vor allem der Export sollten gefördert und der Reichtum des Staates gesteigert werden.

Die wirtschaftliche Tätigkeit der Juden wie die anderer Gruppen wollte man in diesem Sinne nutzbar machen. Darüber hinaus sollten sie durch ihren „Handel und Wandel" das die wirtschaftliche Entwicklung hemmende Monopol der Gilden brechen und mit ihren Abgaben, die dem Kurfürsten unmittelbar zur Verfügung standen, ihn aus der Abhängigkeit von den städtischen Magistraten weitgehend befreien, die die Kontrolle über die Steuern innehatten.

Deshalb beauftragte Friedrich Wilhelm seinen Gesandten in Wien, wohlhabende jüdische Familien in die Mark Brandenburg einzuladen, und am 21. Mai 1671 wurde das „Edikt wegen aufgenommener 50 Familien Schutzjuden, jedoch daß sie keine Synagogen halten" in Berlin veröffentlicht. Die Anfänge waren bescheiden. Am 10. September 1671 hatten aufgrund des Ediktes zwei Wiener Juden, Benedikt Veit und Abraham Riess, Schutzbriefe für sich und ihre Familien erhalten und siedelten sich in Berlin an. Schon Ende 1672 erhoben die Landstände Klage gegen die Juden mit dem Ziel, diese Vertreter einer neuen Wirtschaftspolitik aus dem Land „auszuschaffen“. Der Kurfürst meinte jedoch, „...die Juden mit ihren Handlungen (erscheinen) uns und dem Lande nicht schädlich sondern vielmehr nutzbar“. Später entschieden die jeweiligen innenpolitischen Konstellationen, ob die Herrscher die Juden weiterhin unter Schutz nahmen oder durch Einschränkungen ihrer „Handlungen“ den Ständen Konzessionen machten.

Edikte, Generalreglements und Anordungen, die die rechtliche Lage der Juden bis zum Emanzipationsedikt (1812) regelten, spiegeln die Judenpolitik der Hohenzollern wider: Während sie die wirtschaftliche Funktion der Juden – als Heeres- und Münzlieferanten, als Händler, die den Umsatz der einheimischen Waren besorgten, und als Geldverleiher sowie später Fabrikanten – durch persönlich erteilte Sonderrechte weiterhin förderten, lag ihnen der Gedanke an deren rechtliche und soziale Integration fern. Im Unterschied zu anderen Gruppen, die im Rahmen der neuen Bevölkerungspolitik in die Mark Brandenburg eingeladen worden waren, wurden die Juden als eine abgesonderte, fremde Gruppe behandelt; sie durften nur den ihnen vorgeschriebenen Berufen nachgehen und wurden in ihrer Zahl und ihren Rechten beschränkt. So entstand eine Diskrepanz zwischen ihrem ökonomischen und ihrem sozialen Status. Während ihre gesellschaftliche Lage in den kommenden hundert Jahren durch die scheinbar widersprüchliche Judenpolitik der Hohenzollern bestimmt wurde, ging die innere Entwicklung der Gemeinde weitgehend dahin, diese Diskrepanz aufzuheben.

Der Status Berlins als Residenzstadt einerseits und die strengen Niederlassungsbestimmungen für die Juden andererseits prägten den Charakter der Berliner Gemeinde. Die Stadt zog Juden an, erlaubte aber nur den reichen, sich hier niederzulassen. So wurde 1737 laut Kabinettsordre die Zahl der Juden auf 120 Familien reduziert, „die Besten und Vermögendsten“ wurden ausgesucht, 584 Juden mußten die Stadt innerhalb von drei Wochen verlassen. Da die Juden als Gesamtheit ihre Steuern und Abgaben bezahlten und diese ständig erhöht wurden, war auch die Gemeinde nur an vermögenden Juden als Mitgliedern interessiert und kooperierte oft mit den Behörden bei der Ausweisung „unvergleiteter Juden“, nämlich jener, die keine Schutzbriefe nachweisen konnten. Eine der Aufgaben der Vorsteher war die tägliche Ausweisung armer Juden an die Tore der Stadt.

Wie in früheren Zeiten organisierte sich die Gemeinde um die traditionellen Inhalte, Institutionen und Zeremonien. 1672 wurde das Grundstück in der Großen Hamburger Straße für einen Friedhof gekauft, Ende 1675 der Krankenpflege- und Bestattungsverein gegründet. Zahlreiche Wohlfahrtsvereine übernahmen in der folgenden Zeit die Versorgung der Armen und Kranken. Reiche Juden unterhielten in ihren Privathäusern Betstuben und Schulen, für die sie jährlich an die königliche Kasse Sonderabgaben zu bezahlen hatten. Im Jahre 1700 zählte die Gemeinde 70 Mitglieder.

1712 begann man mit dem Bau der ersten Synagoge in der Heidereutergasse. An der Einweihung 1714 nahm der inzwischen preußische königliche Hof teil. Für die Erlaubnis, diesen „Tempel" in Berlin zu benutzen, mußten 3000 Taler an die königliche Kasse bezahlt werden.

Sozial und wirtschaftlich aufeinander angewiesen und von der umgebenden Gesellschaft angefeindet, zogen die Juden zusammen in Straßen nahe der Stadtmauer. Die Gemeinde genoss eine weitgehende Autonomie mit eigener Gerichtsbarkeit.

Im Zuge der Durchsetzung der zentralistischen Macht mischten sich die Staatsbehörden immer mehr in die Angelegenheiten ein. Anlaß zum Einschreiten in die eigene Verwaltung gaben oft die ständigen Streitereien und Vorwürfe gegen die Vorsteher, die an den Hof getragen wurden und dort die Befürchtung erweckten, die unkontrollierten Ausgaben der Gemeinde könnten ihre regelmäßigen Abgaben bedrohen.

Im März 1722 erließ Friedrich Wilhelm I. das „Reglement für die Ober- und anderen Ältesten der Berliner Judenschaft", dem im Februar 1723 ein weiteres folgte. Dieses Reglement sollte vor allem eine genaue Buchführung und detaillierte Berichterstattung an die 1708 gegründete Judenkommission sichern. Zu diesem Zweck wurde ab 1723 das „Protokollbuch der Gemeinde" („Pinqas Kehilat Berlin") geführt.

Die innere Spannung zwischen der rechtlichen und sozialen Diskriminierung der Juden und ihrer praktischen Intergration als Vertreter und Mitträger eines neuen Wirtschaftssystems erreichte ihren Höhepunkt zur Zeit Friedrichs II. Der „aufgeklärte König", der die Freiheit aller Religionen im Staate predigte, unterschrieb 1750 das „revidierte Generalprivilegium und Reglement für die Juden", das ihre soziale Lage entscheidend verschlechterte. Das Reglement unterschied nun zwischen „ordentlichen" und „außerordentlichen Schutzjuden". Die „ordentlichen" durften ihren Schutzbrief auf ein Kind vererben; die „Ansetzung" weiterer Kinder war gesetzlich untersagt, praktisch jedoch für höhere Geldbeträge möglich. Die Schutzbriefe der „außerordentlichen Schutzjuden" liefen mit ihrem Tod ab. In Berlin zählten 203 Familien zu den ersten, 63 Familien zu der zweiten Kategorie. Eine Liste mit ihren Namen wurde dem Reglement beigefügt.

Als besonders diskriminierend empfanden die Juden die „solidarische Haftbarkeit", nach der im Falle eines von einem Juden begangenen Diebstahls „die sämtliche Judenschaft des Ortes ex officio angehalten werde, den Werth der gestohlenen oder verhceleten Sache (...) zu bezahlen".

Das Verbot, „ein bürgerliches Handwerk zu treiben" und Land zu kaufen sowie die Beschränkung auf wenige Handelszweige förderten die Konzentration der Juden auf wenige Berufe. Während die reicheren Großhandel betrieben und durch Anlegen von Manufakturen auch in die Produktion gelangten, war den armen der Hausier- und Trödelhandel zugewiesen. Nur weniger als ein Zehntel waren Handwerker, die unzünftiges Handwerk treiben durften.

Der Status der Reichen, der die Kontakte mit den höheren Schichten der Gesellschaft förderte und möglich machte, bestimmte auch ihre Orientierung an diesen Schichten, deren Werte und kulturelle Leistungen sie sich aneigneten. Unter der jüdischen Aristokratie begann ein Prozeß der Assimilation, in dessen Verlauf die alten, herkömmlichen, als anachronistisch angesehenen jüdischen Werte und Lebensformen durch neue kulturelle und politische Werte ersetzt werden sollten. Vor allem legte man Wert auf die „weltliche" Erziehung der Kinder. Während in den Lehrhäusern den Jungen ausschließlich traditionelle jüdische Inhalte (Bibelkunde, Talmud, rabbinische Literatur) vermittelt wurden, stellten die reichen Juden Privatlehrer ein, die ihre Kinder in die deutsch-europäische Kultur einführen sollten. Diesen Tendenzen innerhalb der Judenschaft kam die Aufklärungsbewegung entgegen, die im 18. Jahrhundert in Deutschland Fuß faßte und zur Zeit Friedrichs II. in Berlin eines ihrer Zentren fand. Die Aufklärung forderte die politische Mündigkeit des Individuums im Staat, die allgemeine Herrschaft der Vernunft und Toleranz gegenüber Andersdenkenden. Als Ideologie des aufsteigenden Bürgertums formulierte die Bewegung ihre theoretischen Erkenntnisse auch als politische Forderungen, nämlich nach Gleichheit aller Bürger vor dem Gesetz, also auch die bürgerliche Gleichstellung der Juden. Um ihren Ideen Nachdruck zu verleihen, gingen die Aufklärer, vor allem durch Zeitschriften, an die Öffentlichkeit.

Von den Gegnern der „Judenemanzipation" wurden jetzt nicht mehr wie früher religiöse, sondern vielmehr pseudo-soziologische Argumente in die Diskussion geworfen. Der Handel, der per Gesetz fast die ausschließliche Erwerbsmöglichkeit für die Juden war, wurde ihnen vorgeworfen; sie seien nur am Profit orientiert, in ihrem Charakter verdorben und bildeten mit ihrer eigenen Lebensart einen Staat im Staate. Diese neuen Vorurteile bargen den Keim des späteren rassischen Antisemitismus.

Die Befürworter der Emanzipation leugneten zwar nicht die Tatsache, daß die Juden eine eigentümliche Gruppe bildeten, führten jedoch wie Christian Wilhelm Dohm ihr als Nachteil verstandenes Anderssein auf die jahrhundertelange Unterdrückung durch die Christen zurück.

Während die politische Gleichstellung der Juden vom Staate gefordert wurde, erwartete man von den Juden selbst eine durch erzieherische Maßnahmen geförderte „bürgerliche Verbesserung", durch die sie ihre Emanzipation „verdienen" sollten. Diese Auffassung teilte auch die jüdische Aufklärung, „Harskala", die im Berlin von Moses Mendelssohn entstand und sich rasch verbreitete, zumal als mit den Teilungen Polens gegen Ende des Jahrhunderts jüdische Siedlungsgebiete unter preußische Herrschaft gerieten.

So wie die deutsche bezweckte auch die jüdische Aufklärungsbewegung nicht den Bruch mit der Religion. Hatte die deutsche Aufklärung zwischen der religiösen Ethik und der klerikalen Politik unterschieden und letztere zur Zielscheibe der Kritik gemacht, so erklärten die jüdischen Aufklärer den Krieg gegen die rabbinische Tradition, die sie für die Absonderung der Juden und für die Hemmung jeden Fortschritts verantwortlich machten. Die Mauern des Ghettos, die wirtschaftlich bereits durchbrochen waren, sollten auch geistig überwunden werden. Schon 1778 wurde die „Jüdische Freyschule" errichtet, in der auch „weltliche Bildung" vermittelt wurde; in der 1783 entstandenen Druckerei „Orientalische Buchhandlung" wurde neben Beiträgen deutscher und jüdischer Aufklärer auch das Organ der Bewegung „Hameassef", der Sammler, gedruckt. Immer lauter wurden die Stimmen in der Gemeinde, die eine gründliche Reform des jüdischen Gesetzes und der traditionellen Lebensart forderten. Die Diskrepanz zweier Welten symbolisierte der aus Galizien stammende Poet Itzchak Halewy Stanow, wenn er unter seinem langen Kaftan kurze moderne Hosen zu tragen pflegte und dazu sagte: „Oben geistlich, unten weltlich."

Aber nichts macht die Problematik deutlicher als Leben und Werk Moses Mendelssohns. Er lebte streng nach dem jüdischen Ritualgesetz, und Lessing bedauerte, daß sein Freund Moses es ablehnte, eine Mahlzeit bei ihm einzunehmen. Gleichwohl war er gleichzeitig ein wichtiger Mitträger der deutschen Aufklärung, und schon 1755 boten ihm die Gründer des „gelehrten Kaffeehauses", einer der ersten Treffpunkte der Aufklärer Berlins, die Mitgliedschaft an. Sein Versuch, die jüdische Tradition mit den Werten der europäischen Kultur zu verbinden, drängte ihn, einen neuen Begriff vom Judentum zu erarbeiten; denn die herkömmliche Einheit von Religion, Tradition, Kultur und Nation, die den Juden bis jetzt eigen war, bedurfte einer grundsätzlichen Korrektur im Sinne der Aufklärung.

Diesen neuen Begriff vom Judentum formulierte Mendelssohn in seinem 1783 in Berlin erschienenen Buch „Jerusalem oder Über religiöse Macht und Judentum". Das Judentum, schrieb er, sei keine geoffenbarte Religion, sondern ein „geoffenbartes Gesetz", das als eine Form – unter anderen möglichen – der allgemeinen moralischen Werte allein die jüdische Gemeinschaft verpflichte und diese ausmache.

Die Juden seien eine religiöse Gemeinschaft und nicht, wie es später hieß, eine „Nation innerhalb der Nation". Die die Juden absondernde Gesetzgebung solle im Sinne der „Sitten und Verfassung des Landes", in dem sie leben, interpretiert werden. Damit formulierte Mendelssohn im Ansatz das spätere Selbstverständnis der deutschen Juden, das sich im 19. Jahrhundert in der Formel „Deutsche Staatsbürger mosaischen Glaubens" niederschlug. Zwischen den Rabbinern, die in den Tendenzen der Aufklärung die Aufgabe der eigentümlichen jüdischen Lebensart sahen, und den Aufklärern entzündete sich eine heftige Auseinandersetzung, die zu einem Kampf zwischen Reform und Orthodoxie wurde und nicht allein das Klima in der Berliner Gemeinde bis in das 20. Jahrhundert hinein kennzeichnete, sondern weltweit die geistige Entwicklung des Judentums vorantrieb. Schon bei der folgenden Generation zeigte es sich, daß die Verbindung zweier Welten unmöglich war, ohne daß eine von ihnen wesentliche Elemente ihrer Substanz einbüßte, denn sowohl die politische Forderung nach bürgerlicher Gleichstellung als auch die Vorstellungen der Aufklärung verbanden die Emanzipation mit dem Verzicht auf die Besonderheit des Judentums. Auch bei den Juden selbst ersetzte allmählich das Gefühl der nationalen und kulturellen Identität mit dem deutschen Volk die alten Verbindungen zur jüdischen Gemeinschaft. Aber auch die Religion, als Gesetz interpretiert, konnte den aufgeklärten Juden keinen Halt mehr bieten.

Rachel Livné-Freudenthal

Edikt wegen aufgenommenen 50 Familien Schutz-Juden, jedoch daß sie keine Synagogen haben

21. Mai 1671

Wir, Friedrich Wilhelm von Gottes Gnaden, Markgraf zu Brandenburg, des Heil. Röm. Reichs Erz Cämmerer und Kurfürst u.s.w. bekennen hiermit öffentlich und geben einem jeden, dem es nötig, in Gnaden zu wissen, wie daß Wir aus sonderbaren Ursachen und auf untertänigstes Anhalten Hirschel Lazarus, Benedict Veit und Abraham Ries, Juden, bevorab zu Beforderung Handels und Wandels bewogen worden, einige von andern Orten sich wegbegebende jüdische Familien, und zwar 50 derselben, in Unser Lande der Kur- und Mark Brandenburg und in Unseren sonderbaren Schutz gnädigst auf- und anzunehmen, tun auch solches hiermit und kraft dieses auf folgende Conditiones:

1. Wollen wir ermelten[1] 50 jüdischen Familien, derer Namen und Anzahl von Personen, auch an was Ort sich jedweder niedergelassen, uns forderlichst durch eine richtige Specification kund getan werden soll, in gedachte Unsere Lande der Kur- und Mark Brandenburg, auch in Unser Herzogtum Krossen und incorporirte Landen hiermit aufgenommen haben, dergestalt und also, daß ihnen Macht gegeben sein soll, in denen Orten und Städten, wo es ihnen am gelegensten ist, sich niederzulassen, allda Stuben oder ganze Häuser, Wohnungen und Commodität[2] vor sich zu mieten, zu erkaufen oder zu erbauen, doch in der Masse, daß, was sie kaufweise an sich bringen, wiederkäuflich geschehe und was sie erbauen, auch nach Verfliessung gewisser Jahre an den Christen wieder verlassen werden müsse, jedoch, daß ihnen die Unkosten davor restituiret werden.

2. Soll diesen jüdischen Familien vergönnt sein, ihren Handel und Wandel im ganzen Lande dieser Unser Kur- und Mark Brandenburg, Herzogtum Krossen und inkorporirten Orten, Unsern Edicten gemäß zu treiben, (...) daß sie dadurch keine Vervorteilung im Kauf oder Verkauf gebrauchen noch auch denen Rats-Wagen, oder wo der Magistrat das große Gewichte hat, etwas abgehe, mit neuen und alten Kleidern zu handeln.

3. Gleich wie Wir sie aber obig auf Unsere Edikten verwiesen, also sollen sie ferner denen Reichs Constitutionibus[3], so der Juden halber verfüget, ihren Handel gemäß führen. (...)

4. Die Zölle, (...) sollen sie gleich andern Unsern Untertanen ohne einige Vervorteilung entrichten, von dem Leibzolle aber, welchen sonst alle durchreisende Juden geben müssen, weil sie allhie im Lande gesessen, auch in diesen Unseren Zöllen befreiet sein, jedoch, daß unter diesen Praetext nicht andere Juden, die nicht dazu gehören, mit durchgehen mögen, daneben von je-

der Familie jährlich acht Rtl.[4] an Schutzgelde, und so oft einer der ihren heiratet, einen Goldgulden (...).

6. Soll ihnen zwar nicht verstattet sein, eine Synagoge zu halten, doch aber mögen sie in ihren Häusern einem zusammenkommen, allda ihr Gebet und Ceremonien, doch ohne gebendes Aergernis an die Christen, verrichten, bevorab sich alles Lästern und Blasphemirens bei harter Strafe enthalten, soll auch einen Schlächter und einen Schulmeister, so ihre Kinder unterrichtet zu haben ihnen hiermit nachgegeben sein, und wegen derer Freiheit gleich im Halberstädtischen mit ihnen gehalten werden. (...)

8. Soll jeden Orts Magistrat in dieser Unser Kur Mark Brandenburg, Herzogtum Krossen und inkorporirten Landen, woselbst sich einige Juden von mehrgedachten 50 Familien niederlassen wollen, nicht allein hiemit gndst. und ernstlich anbefohlen sein, diese vergleitende Judenschaft willig und gern aufzunehmen, ihnen allen Vorschub und guten Willen zu ihrer Accomodirung zu erweisen, und ihnen namens Unser allen gebührenden Schutz, bis an Uns selber zu halten, sondern auch sonst sie in der Behandlung, welche sie ihres Verbleibens und der Landes onerum halben mit ihnen zu pflegen, sie billig zu tractiren, von niemand sie beschimpfen oder beschwören zu lassen. (...) Diesem nach gebieten Wir allen Unsern Untertanen und Bedienten, was Standes und Würden die auch sein, daß sie von dato an die 20 Jahr über oftgedachte Judenschaft in Unserm ganzen Kurfürstentum und dabei genannten Landen allenthalben frei und sicher passiren, die offenen Jahrmärkte, Niederlage und Handlungsörter zu besuchen, alle ihre Waren öffentlich feil zu haben und ihrer Gelegenheit nach ehrbaren Handel und unverbotene Kaufmannschaft zu treiben ganz frei und unverhindert verstatten, auch sich an ihnen nicht zu vergreifen, inmaßen dann auch ferner alle und jede Magistrate- und Gerichts-Verwalter ihnen auf ihr Ansuchen, zu deme so sie befuget, gebührlich verhelfen und gleich andern Gastrecht widerfahren lassen, und solches bei Vermeidung Unserer hohen Ungnade und darzu einer Strafe von fünfzig Goldgulden auch nach Befinden wohl einer höheren, keinesweges anders halten sollen.

Zu Urkund dessen allen ist dieses Privilegium und Schutzbrief von Uns eigenhändig unterschrieben und mit Unserm Gnadensiegel bestärket worden. Potsdam, den 21. Mai 1671.

Friderich Wilhelm

Selma Stern, Der preußische Staat und die Juden, Erster Teil, Zweite Abteilung, Tübingen 1962, S. 13ff.

1 erwähnte
2 Aborte
3 Verfassungsgesetze
4 Reichstaler

Den Juden soll der Handel verboten werden

1673

Die Gilden und Innungen Berlins sahen sich durch die Konkurrenz der Juden gefährdet. Sie versuchten ihr durch Eingaben an den Hof zu begegnen, wie z. B. in dieser Bittschrift der sämtlichen Innungen in Berlin und Kölln vom 23. August 1673. Bis zum Beginn des 19. Jahrhunderts schlossen Statuten der Berliner Kaufmannschaft die Juden aus.

Ob wir wohl als Ew. Kurf. Durchl. gehorsamste Untertanen die allgemeine Landesbürden getreulich tragen helfen und unter der allerschwersten Last mit den edlen Kleinod der damaligen Nahrung uns dennoch notdürftig, wie hart es auch gehalten, geholfen haben, daß wir nicht zu Grunde gangen seind, so will doch nunmehr, da wir eine Zeit her durch das freie Hantieren der fremden Kaufleute meistens abgemergelt worden, unser gänzlicher Verderb durch den Zulauf der Juden leider vollends befordert werden. Dann diese Unchristen laufen von Dorfe zu Dorfe, von Städten zu Städten, geben eines an und nehmen das andere wieder, wodurch sie nicht allein ihre abgelegene und verdorbene Waren loswerden und mit alten Lumpen die Leute betrügen, sondern auch alle Arbeit, und vor andern den Handkauf, sonderlich in Silber, Messing, Zinn und Kupfer (dessen wir garnicht mehr mächtig werden können) verderben und halten dergestalt allenthalben und alle Tage Jahrmarkt, daß wir auch nunmehro auf den ordentlichen Jahrmärkten im Lande, die uns sonsten ziemliche Nahrung gegeben, nicht das Fuhrlohn, geschweige denn andere Kosten, noch weniger das liebe Brot mehr verdienen können. (...)

Das ist, Durchlauchtigster Kurfürst, gnädigster Herr, die notdringende Ursache, dadurch wir gezwungen seind, Ew. Kurf. Durchl. selbst dies unser Unglück in aller Untertänigkeit vorzustellen, welches so groß ist, daß wir, ja mit uns die ganze Stadt und in derselben Kirchen und Schulen, in welchen die Ehre Gottes fortgepflanzet werden soll, dadurch verderben müssen. Wie nun von Ew. Kurf. Durchl. wir genugsam versichert seind, daß Sie zur Wohlfahrt dieser Stadt und des ganzen Landes uns, die wir die Landesbürden tragen, auch in unserer Nahrung zu erhalten und zum Aufnehmen zu befördern gnädigst trachten:

So bitten Ew. Kurf. Durchl. wir in aller Untertänigkeit gehorsamst, Sie wollen gnädigst geruhen, zu Erhaltung Dero gnädigsten und landesväterlichen Intention den Juden, wann sie ja geduldet werden sollen (...) das Herumziehen auf dem Lande nebst allen Handkauf und Verstechen, es sei mit was vor Waren es immer wolle, ernstlich und bei Verlust der Waren zu inhibiren und E. E. Rat dieser Residenzien, daß sie darüber halten, auch allen andern fremden Kaufleuten, sie haben bei Ew. Kurf. Durchl. Verordnung expracticiret oder nicht, binnen den öffentl. Jahrmärkten den Handel verbieten sollen, gnädigst zu befehlen.

Selma Stern, Der preußische Staat und die Juden, Erster Teil, Zweite Abteilung, Tübingen 1962, S. 33f.

Ein Gemeindestatut

9. Juni 1674

Durch das Aufnahmeedikt nur für 20 Jahre geschützt und dem Konkurrenzneid der christlichen Kaufleute ausgesetzt, versuchten die zugelassenen Juden, sich gegen den Zuzug weiterer Juden abzuschirmen. Das folgende Dokument kann aufgrund einiger Formulierungen als eine Art Gemeindestatut angesehen werden.

Nachdem Ihr Kurf. Durchl., Unser gnädigster Herr, so gnädig uns angesehen und Privilegium gegeben, allhier in der Residenz zu wohnen, wofür wir billig Gott dem Allmächtigen zuforderst und dann Sr. Kurf. Durchl. zu danken; so erfordert unsere Schuldigkeit, so viel möglich ist, diesen Ort rein zu halten, daß nicht untüchtige Personen, allhier einschleichen, welches der hohen gnädigen Landesobrigkeit wie auch den Einwohnern allerhand Ungelegenheit verursachen möchte; haben wir gut befunden und dieses eigenhändig unterschrieben, daß keine Privats-Persone von uns Juden, die allhier wohnen, sich unterstehen soll, einem oder dem andern, welcher allhier um Sr. Kurf. Durchl. Schutzbrief anhalten will, in deren Residenz zu wohnen, im geringsten behülflich zu sein, bei hundert Rtlr. fiskalischer Strafe an Sr. Kurf. Durchlaucht. Imgleichen soll er so lang bei uns nach jüdischen Ceremonien mit der Strafe des Bannes beleget sein; sondern so einer oder der andere begehren möchte, allhier in der Kurf. Residenz zu wohnen, so soll er schuldig sein, sich bei den sämtlichen Unterschriebenen anzumelden, und so sie befinden werden, daß er tüchtig ist, wollen sie ihn nicht allein nicht hindern, sondern auch in allen Dingen behilflich sein, bei Ihrer Kurf. Durchl. so viel als möglich ist. Im widrigen, so er untüchtig ist und kein Vermögen hat, sein wir schuldig, Sr. Kurf. Durchl. untertänigst zu berichten, daß solche Personen nicht möchten in Schutz genommen werden, allhier zu wohnen. Und wann einig und allein drei von uns unterschriebenen Personen gewisse Ursachen vorbringen, daß er nicht tüchtig wäre anzunehmen, sein wir schuldig, so viel uns möglich ist, denjenigen zurück zu halten.

So aber einer um Schutzbrief auszuwirken, sich bemühen sollte und die unterschriebene in Zwiespalt geraten wären, und einer oder der andere denjenigen nicht vor tüchtig erkennete, einen Schutzbrief zuerlangen, dagegen aber die andern ihn vor tüchtig erkenneten, so soll denjenigen, der die Privilegia suchet und auch seinen Gegenteil freistehen, unparteiische Juden zu erwählen, und was dieselben dareinsprechen, das soll beiden Parten wohl tun; So aber einer oder andere von den allhiesigen wohnenden Juden, die unterschrieben oder nicht unterschrieben haben, es sei Mann und Frau, wider dieses aufgerichtetes und unterschriebenes Instrument heimlich oder öffentlich handeln werden, oder einen Freund oder Fremden behülflich sein, ein Schutzbrief auszuwirken, ohne Vorbewußt der Unterschriebenen, sollen dieselbigen Personen Ihr Kurf. Durchl. mit 100 Rtlr. verfallen sein und wir schuldig, ihn bei zu halten, wie es einen solchen Delinquenten gebühret. Dieses alles haben wir mit solcher Condition unterschrieben, so ferne es Ihr Kurf. Durchl. gndst. belieben und es confirmiren wollen, denn wir ohnedem in keinerlei Wegen Sr. Kurf. Durchl., unsern gnädigsten Herrn, wollen vorgegriffen haben, und wann solches dieses von Ihr Kurf. Durchl. confirmiret, soll er sodann von uns steif und fest gehalten werden, damit Ehrbarkeit erhalten und gepflogen werden (...)

Model Riess, österr. Jude
Benjamin Wolff aus der Wilda
Jacob Model Riess Sohn. Österreicher
Aaron Salomon von Großgloge
Hirsch Model Riessens Sohn von Österreich
Salomon Frankel, Öster. Jude
Jeremias Jacob v. Halberstadt
Benj. Frankel, östr. Jude
Moyses Levin v. Helmstedt
Salomon Moyses v. Großgloge
Abraham Model Riessens Sohn, öst. Jude
Jacob Abraham, oest. Jude

Selma Stern, Der preußische Staat und die Juden, Erster Teil, Zweite Abteilung, Tübingen 1962, S. 38f.

Verzeichnis der Haushaltsvorstände Berliner Juden

1688

Vergleitete

1.) Isaak Veith
2.) Benjamin Frenkel
3.) Coppel Rieß
4.) Hirschel Rieß
5.) Aaron Salomon
6.) Levin Jacob
7.) Wolf Salomon Frenkel
8.) David Rieß
9.) Michel Abraham
10.) Jeremias Herz
11.) Jacob Joseph
12.) Joseph Abraham
13.) Jost Liebmann
14.) Heinrich Först
15.) Joseph Schulhoff

Unvergleitete

1.) Wolf Bruck, Benjamin Frenkels Schwiegersohn
2.) Samuel Schulhoff
3.) Jacob Schulhoff
4.) Josias Israel
5.) Nahum Geistel
6.) Levin, Schulmeister
7.) Jacob Ephraim, Schulklöpper
8.) nicht leserlich
9.) Aaron Samuel
16.) Michel Hirsch
17.) Wolf Frenkel
18.) Veitel Meyer
19.) Abraham Speyer
20.) Ruben Forst
21.) Salomon Moses
22.) Berend Wulf
23.) Güdel Süsmann
24.) Levin Heinemann
25.) Manasse Benjamin
26.) Wolf Simon Brandes
27.) Benedikt Veit
28.) Abraham Rieß Witwe
29.) Henoch Salomon
30.) Anschel Schulhoff
31.) Aaron Isaac

Selma Stern, Der preußische Staat und die Juden, Erster Teil, Zweite Abteilung, Tübingen 1962, S. 526

Schutzgeld

1702

Die Berliner Schutzjuden hatten am 24. Mai 1702 erklärt, es sei ihnen eine „pure Unmöglichkeit“, das Geld aufzubringen, da die Armut und das Unvermögen unter ihnen so groß wie niemals seien, „und die besten bemittelsten Leute teils verstorben, teils aber durch Schuld anderer Leute, wovon sie betrogen, in Abgang ihrer Habseligkeit geraten“. Als der Kurfürst, seit 1701 „König in Preußen“, auf der Zahlung bestand, reichten am 10. Juni 1702 Jeremias Hertz, Joseph Jacob, David Riess, Michel Abraham und Bermann Benjamin Frenkel folgende Eingabe ein:

„Es haben Sr. Kgl. Maj. durch Dero Hausvogt uns unlängst andeuten lassen, daß die hiesige vergleitete Judenschaft 5000 Taler erlegen solle, bei Vermeidung der Exekution. Weil damals aber noch nicht Älteste oder Verordnete der Gemeine gewesen, so sind abgewichenen letzten Feiertag die meisten von der Judenschaft zusammen kommen, und unter sich einen Rezeß aufgesetzet, dergestalt, daß aus der sämtlichen Judenschaft durch ein Los 7 Personen gezogen werden möchten, und die 7 sollten hinwieder 5 Personen erwählen, welche sich bemühen sollen, mit Euer Kgl. Maj. die Sache abzutun, und einen modum zu machen, wie das Geld aufgebracht werden könne, wie auch über 50 Personen solches bereits unterschrieben und der Rabbiner darüber seinen Konsens erteilet, daß er es gut befunden, auch selbst mit unterschrieben. So sind wir unterschriebene zwar wider unsern Willen dazu erwählet, haben uns aber dessen nicht entbrechen können, und darauf uns zusammengetan und wegen der Anlage einen nach den andern fordern lassen und solche Einteilung gemacht, daß einer vor den andern nicht beschweret. Nun besorgen wir, daß bei solcher Kollekte nicht nach eines jeden Willen es gleich geschehen könne, sondern bei Ew. Maj. darüber Beschwer geführet werden dürfe, uns aber nicht müglich, es also einzurichten, daß es einem jeden gefällig, wiewohl wir ganz keine Affekten gebrauchet“.

Selma Stern, Der preußische Staat und die Juden, Erster Teil, Zweite Abteilung, Tübingen 1962, S. 236

Innenansicht der Synagoge in der Heidereutergasse, um 1720

Die erste Synagoge in der Heidereutergasse

1712

Am 3. Jjar 5472 (Mai 1712) wurde der Grundstein für die Synagoge in der Heidereutergasse gelegt. Das Gebäude durfte nicht höher als ein Bürgerhaus sein und erhielt deshalb seinen Hauptraum unter dem Straßenniveau. Der Entwurf stammte von dem Baumeister Michael Kemmeter. Bei der Feier verlas der Kantor Hirschel Benjamin Fränkel auf deutsch das folgende auf Pergament geschriebene Gebet. Es wurde in einem „Kupfernen Kästgen verwahret" und in den Grundstein gelegt.

Im 12ten Jahr Friedrichs des Ersten, unseres Allergnädigsten Königs in Preußen, da er ließ ankündigen auch durch Schriften und sagen: Wer unter dem Volk ist, mit dem sey sein Gott, und baue das Haus des Herrn zu dem jüdischen Gottesdienst allhier in Königl. Residence Berlin. Da machten sich auf die Obersten Väter aus den Juden, zu bauen das Haus des Herrn, und etliche der Obristen Väter und Ältesten spendeten freywillig zum Hause Gottes, daß man es setze auf seine Stätte, und gaben nach ihrem Vermögen; und alle, die umb sie her waren, stärkten ihre Hände mit Silber und Gold.

Mit allergnädigster Erlaubnis unseres allgdsten. Königs wurde der Grund des Hauses gelegt am 3. des Monats Jjar im Jahre 5472 nach Erschaffung der Welt. Ein Bethaus wurde es geheißen, zu beten allda zu Gott, und zu bitten für des großen Friedrich, unseres allergnädigsten, frommen und barmherzigen Königs, Dero Gemahlin, der Königin, des Durchlauchtigsten Kronprinzen, der Kronprinzessin und des ganzen Königlichen Hauses langes Leben. Gott der Allmächtige vergrößere und erhebe ihr Glück; ja, wo sie sich hinkehren und wenden, sollen sie beglückt seyn.

Gelobet sey der Herr, unserer Väter Gott, der solches hat dem Könige eingegeben, daß Er das Haus Gottes zieret, und hat zu uns Barmherzigkeit gezeigt vor dem König und dem Durchl. Kronprinzen und Ihren Ratgebern, auch allen Ihren Bedienten, die uns zur Rechten gestanden, daß Er hat befohlen, zu bauen ein Haus dem Namen Gottes. O Du gütiger, ewiger, barmherziger Gott, wie Du angehoben, uns zu erzeigen Deine Herrlichkeit und hast unserm allergnädigsten Könige und dem Durchl. Kronprinzen ins Herz gesetzet, uns solche große Gnade zu erweisen, so wolltest Du auch ferner Deine Gnade über uns ergehen lassen, und ihr und ihrer Ratgeber Herz regieren, daß sie mit uns künftig in Güte und Gnaden verfahren zu ewigen Zeiten.

Hiermit wollen wir unser Gebet zu dem allmächtigsten Gott beschließen, daß aller Segen, so in der heiligen Thora stehet, solle auf ihren Häuptern ruhen, und ihre Stammwurzel soll ewig währen. Das sey Dein gnädiger Wille! Darauf sagen wir alle: Amen.

Eugen Wolbe, Geschichte der Juden in Berlin und in der Mark Brandenburg, Berlin 1937, S. 126f.

Wie hat an eines Kaufmann Ruin der Jude schuld?

23. Oktober 1714

In einer Denkschrift vom 13. August 1714 beklagten sich „sämtliche deutsche und französische Kauf- und Handelsleute der kgl. preußischen Haupt- und Residenzstadt Berlin“ über den jüdischen Handel. Sie forderten, diejenigen Kramläden der Juden zu schließen, in denen „mit neuen goldenen, silbernen, seidenen und wollenen Waren und Laken gehandelt wird“. Die Juden sandten ihre „Gegenvorstellung der sämtlich vergleiteten Judenschaft hiesiger Königl. Residentien contra einige unruhige Crämer untern Namen sämtlicher teutsch- und französischen Handelsleute daselbst und deren ungegründete Klagen“ an den „Soldatenkönig“ Friedrich Wilhelm I.

(...) Bei Erteilung solcher Begnadigungen aber lässet sich wohl keine Majestät oder landesfürstl. Hoheit von ihren Untertanen Mass oder Ziel setzen, noch weniger Gesetze vorschreiben, wie weit sie darinnen gehen solle, sondern es werden vielmehr die Begnadigte bei ihren allergnädigsten Privilegiis geschützet, zumalen wenn dafür, wie wir zu zwei oder dreien Malen alleruntertänigst schon getan, sehr ansehnliche Geldsummen der kgl. Schatull bezahlet und sonsten niemalen befunden worden, dass dergleichen Gnadenerteilungen des Landes Wohlfahrt zuwider liefen. (...)

Wenn wir an des Christenkaufmanns Ruin Schuld hätten, so müsse keiner dergleichen an Orten und Enden, wo kein Jude wohnhaft ist, bankerottiren. (...) Ja, wenn der Jude alleine durch seine, wie wohl von denen Gegnern gar spöttisch beschriebene sorgfältige Conduite[1] in Handel und Wandel sich das Glück schmieden könnte; so würde folgen, dass auch kein Jude jemalen falliren[2] und in Abgang seiner Nahrung geraten möchte, davon doch auch Exempel vorhanden, dass es geschehen, wenn nämlich ihm ein Unglück widerfahren, oder er seinem Gewerbe nicht behutsam genug vorgestanden. Was ist aber auch bei den Christenkaufleuten gewöhnlicher als eine Handlung anstellen und selbige doch nicht verstehen? Und was kann daraus Gutes folgen, bevorab wenn der Handelsherr sich auf die Diener verlässet und selbsten nicht die Handlung, sondern viel lieber sein gut Essen und Trinken abwartet, vor der Zeit einen Staat führet und das wenige gelöste Geld in Wein- und Bierhäuser verträget? Muss hiebei nicht die Elle länger denn der Kram währen, insonderheit wenn die vielen unnötigen Diener und Domestiken den unwissenden Herrn dazu wacker bestehlen? Wie hat nun an eines solchen Kaufmann Ruin der Jude schuld?

Auf eine andre Art und noch eher werden manche Kaufleute fertig, wenn sie ihren Handel ohne Geld und mit blossem Credit anfangen. Sie werden von ihren Creditoren bei dem Borg auch so hoch übersetzet, dass, wenn sie nicht 50 und mehr Procent gewinnen, sie unmöglich handeln können und müssen sie diesem zufolge ihre Ware teuerer halten. Ein anderer (wie wir) der sein eigen Geld vernegotiiret[3], darf davon nicht erst dem Tertio bei Übernahme der Waren einen grossen Profit statt der Interessen lassen, sondern wenn er mit seinem Gelde nur etwas Profit machen kann, so schlägt er die Waren wieder los und ist ohne Schaden, wenn er gleich den Preis derselben geringer als ein anderer hält, und da kann's nicht fehlen, jener blosse Credithändler muss die Waren zur Last behalten und darüber bankerott werden, wenn dieser oder jener bei seinen billigeren Preisen ein ehrlicher Mann bleiben mag, er sei im übrigen Jude oder Christe! (...)

Selbst Amsterdam, der Stapel aller Handlung, vergönnet sowohl denen hochteutschen als auch portugiesischen Juden allen Handel zu Wasser und zu Lande, welches nicht geschehen würde, wenn nicht die der wahren Handelschaft am besten kundigen Holländer aus der Erfahrung gelernet, dass durch die Juden das Commercium nicht zugrunde gerichtet, sondern vielmehr befördert würde und ihrer Republik daher ein Grosses zuwachse (...) sind wir allezeit bei unserem Handelsprivilegio allergnädigst geschützet worden: insonderheit weil Ew. Kgl. Maj. in Gott ruhenden Herrn Vorfahren höchsterleuchtet angemerket haben, wie Ihnen durch uns, wir wollen nicht eben sagen ein allzu grosser Vorteil, dennoch aber auch nicht der geringste Schaden zugewachsen. Denn der öftern sehr ansehnlichen Confirmations-, auch Schutz-, Silber- und andren Gelder vor jetzo nicht zu gedenken (mit welchem wir allein vor anderen Untertanen beschweret sind), wir nur die gemeine bürgerliche Onera[4] erwägen, da Kopf- und andere Steuern ausgeschrieben it: Servis und Wachten gefordert werden[5]: so ist jedesmal der Beitrag auf Seiten unser ungleich höher und trägt ein gemeiner Jude mehr als ein vornehmer Bürger.

Selma Stern, Der preußische Staat und die Juden, Zweiter Teil, Zweite Abteilung, Tübingen 1962, S. 28 ff.

1 Verhalten
2 Bankrott gehen
3 verleihen
4 Abgaben
5 Steuern für Dienste und Nachtwachen

Reglement für die Ober- und anderen Ältesten der Berliner Judenschaft

16. März 1722

Dieses Reglement des preußischen Königs sollte genaue Buchführung und detaillierte Berichterstattung an die „Judencommission" (1708–1750) gewährleisten.

Nachdem zeithero bei der hiesigen Judenschaft und deren Ältesten viele Unordnungen, Streit und Widerwillen entstehen wollen, wodurch unter andern auch die richtige Abführung der kgl. und anderen Praestandorum[1] gehindert werden: Als haben S.K.M.[2] (...) zu Abstellung dieses Unwesens allgdst. gut befunden und verordnen hiermit:
1.) dass die jetzige und folgende Älteste zur Beförderung des kgl. Interesse und Handhabung guter Ordnung unter der hiesigen Judenschaft ihr Amt ohne alle Passion, Privat- und Nebenabsichten, auch ohne Hintansetzung ihrer Nebenältesten jederzeit gehörig verrichten und sich hiebei alles unnötigen Streitens und Zankens bei Vermeidung nachdrücklicher Bestrafung enthalten sollen. (...)
12.) Müssten die Älteste wegen der fremden und durchreisenden Juden fleissige Aufsicht haben, damit sie sich nicht länger, als ihnen vergönnet wird, allhier aufhalten, und dass nicht gar fremde Familien allhier aufhalten (...) und einschleichen. Und sollen dahero die Älteste alle Woche eine richtige, von allen Ältesten unterschriebene Specification, was vor fremde Juden anhero kommen, wie lange ihnen vergönnet zu bleiben und aus was Ursachen, welche Fremde wieder abgereiset und wie lange sie hier gewesen, bei 10 Tlrn. Strafe ex propriis der Commission übergeben. (...)
14.) Ingleichen sollen die Älteste alle Jahre vor denen aus der Gemeinde ordentlich erwählten 3 Männern die Rechnung über die ganze Einnahme und Ausgabe ablegen und wegen ihrer Administration Red und Antwort geben, welche 3 Männer dann jedesmal nebst Beilegung der Rechnung, so deutsch aufzusetzen, der Commission davon referiren sollen.
15.) Damit auch die Commission von denen geführten Rechnungen bedürfenden Falle jederzeit zureichende Nachricht haben könne: So sollen sowohl die Ältesten als der Cassirer und die Vorsteher jederzeit ihre Rechnungen nicht nur hebräisch, sondern auch deutsch zu führen gehalten sein. (...)
Schliesslich soll dieses Reglement jedes Jahr in der Zeit, so die Commission benennet, in der Synagoge öffentlich abgelesen werden, und haben sich die Älteste und Judenschaft allhier darnach allergehorsamst zu achten.

Selma Stern, Der preußische Staat und die Juden, Zweiter Teil, Zweite Abteilung, Tübingen 1962, S. 153 ff.

1 Abgaben 2 Seine Königliche Majestät

Die erste Seite des Protokollbuchs der Jüdischen Gemeinde zu Berlin

1723

Da unser Herr der erhabene König in seiner Gnade uns befohlen hatte, daß die Vorsteher und die Gemeinde, der Hort Israel bewahre sie, in Ordnung und Einigkeit sein sollen, wie alle Gemeinden, (Israels) an allen Orten der Diaspora, und daß sie neue Wahlen anordnen sollen, nach dem jüdischen Brauch so wie in allen Heiligen Gemeinden, also haben sich die Anführer, Vorsteher und Führer unserer Gemeinde, der Hort Israels bewahre sie, die große Mehrheit der Vorzüglichsten, gehorsam versammelt; und in dieser Versammlung haben sich die Anführer mehrheitlich darauf geeinigt, von den zweiunddreißig versammelten Männern, sieben taugliche Männer durch das Los zu wählen, und daß diese sieben Männer die Männer für alle Ämter unserer Gemeinde, der Hort Israels bewahre sie, wählen sollen. Und diese Angelegenheit ist glücklich zu Ende gekommen, so daß man sieben Männer, deren Namen folgen, als tauglich für die Ämter der Gemeinde ausgesucht hat.

Heute, den fünften des Monats Schwat, im Jahr (fünftausend-) vierhundertdreiundachtzig (Januar 1723), hier (in der) Heiligen Gemeinde zu Berlin, Gott bewahre sie. Es folgen die Leute, die nach dem Los zu Tauglichen der Gemeinde, der Hort Israels bewahre sie, gewählt wurden und in der folgenden Reihenfolge:

- Der Anführer, der Raw R' (Raw Rabbi) Hirsch Goldschmidt
- Der Anführer, Vorsteher und Führer, der geehrte Raw, R' Mosche Clewe
- Der Anführer, Vorsteher und Führer, der geehrte Raw, R' Aharon Cohen
- Der gelehrte Anführer, geehrte Raw, R' Hirsch Cohen-Zedek
- Der Anführer, Raw R' Anschel Aswi
- Der hochgestellte, geehrte Raw, R' Joel Fileh
- Der teuere geehrte Raw, R' Elijahu Kratsin

Josef Meisel (Hrsg.), Protokoll der jüdischen Gemeinde Berlin (1723–1854), Jerusalem 1962, S. 1 ff.

הקצין הרר הירש גאלד שמיד

הקצין פו כהרר משה קליוואֵ

הקצין פו כהרר אהרן כהן

האלוף התורני כהרר הירש כ״ן

האלוף הרר אנשיל עשווי

הנעלה כהרר יואל פילא

היקר כה׳ אלי קראטשין

Die erste Seite des Protokollbuchs der Jüdischen Gemeinde zu Berlin

Gottlob, daß sie weg seyn

1737

Auf einer am 1. Juni 1737 beginnenden mehrtägigen Sitzung des Generaldirektoriums, der Kurmärkischen Kriegs- und Domänenkammer und der Judenkommission wurden Maßnahmen besprochen, wie die Anzahl der ansässigen Juden in Berlin auf die 120 wohlhabenden Familien beschränkt werden könne. Daß die entsprechende Kabinettsorder des Königs so schnell, wie er es wollte, nicht zu verwirklichen war, geht aus dem folgenden Protokoll hervor. Am 26. Juni 1737 konnte das Generaldirektorium dann doch dem König melden: „Es haben bereits 387 Juden Berlin verlassen, trotzdem die vom König verordnete Frist von drei Wochen noch nicht verflossen ist. Das Generaldirektorium wird die übrigen 200 Juden ebenfalls anhalten, von hier wegzuziehen." König Friedrich Wilhelm I. schrieb an diesen Bericht als eigenhändige Randbemerkung: „Gottlob, daß sie weg seyn, sollen die anderen auch wegschaffen, aber sollen sich nicht in meine andere Städte und Provintzien niederlassen, sollen sie auch wegschaffen."

Praesentibus: Von Seiten des Generaldirektoriums: Geh. Finanzrath Holtzendorff, Geh. Finanzrat Deutsch, von Seiten der Churmärk. Kr. u. D. Kammer: Geh. Rat und Kammerdirektor Reinhardt, Kriegs- und Domänenrat von Klinggräff, von Seiten der Juden-Commission: Geh. Rat und General Fiscal Gerbett, Geh. Rat von Freytag, Hofrat Ulrich.

Antrag vom 31. Mai a.c.[1] wegen allergdst. anbefohlener retranchirung[2] derer Juden Familien in Berlin dato eine Conferenz beliebet und darin beschlossen worden, die Regulirung derselben denen hier neben benannten H. H.[3] Geheimden auch Krieges- und Hofräthen fernerweitig aufzutragen und denenselben überlassen werden sollte, dieserhalb gewisse billige und unpassionirte[4] principia regulativa specialia[5] ausfindig zu machen, wornach ermeldete Judenschaft der kgl. allergdsten Cabinets Ordre vom 26. April a.c. gemäss eingeschränket, auf 120 Familien gesetzet und denenselben dabei 250 Domestiken männ- und weiblichen Geschlechts inclusive der publiquen Bedienten gelassen und zugestanden werden sollen, allerhöchstgedachte Sr. Königl. Majestät aber dabei insonderheit allergdst. wohlbedächtlich befohlen, dass zu denen in Berlin bleibenden 120 Familien die besten und vermögendsten ausgesuchet, die übrigen aber aus der Stadt und dem Lande geschaffet werden sollen. (...)

So hat die Commission zwar noch denselben Tag Nachmittages anbefohlenermassen mit der Conferenz continuiret[6] und, wie diese Sache am besten und schleunigsten anzufangen deliberiret[7], da es sich aber nach vielen Hin- und Herreden befunden, dass alles dieses in so kurzer Zeit zu bewerkstelligen eine pure Unmöglichkeit sei und Sr. Kgl. Majst. dannenhero solches autgst.[8] zu referiren und noch eine ganz kurze Zeit zu Berichtigung alles dieses unumgänglich auszubitten versuchet werden müsste, hat E. Hohes General Ober

(...) Directorium auf gehorsamsten Antrag der Commission unter eben diesem dato vom 1. Junii an allerhöchstgedachte Sr. Königl. Maj. autgst. referiret, dass man sich mit der Juden Commission und dem General Fiscal zusammen getan, um die 120 Familien, so hier bleiben sollen, ausfindig zu machen und dazu folgende Puncta vorläufig zum Fundament genommen (...)
1) Die mit Häusern angesessene Juden,[9]
2) Diejenige, so von anno 1714 her allhier zu wohnen privilegiret und sonst die Vermögendsten, auch was zu denen 120 Familien nicht zureichend aus denen übrigen in Berlin sich aufhaltenden Juden ebenfalls die Vermögendsten genommen.
3) Dass wegen der von Sr. Kgl. Maj. diesen 120 Familien accordirten[10] 230 Domestiken und publiquen Bedienten[11] festgesetzet worden, dass, wann Eltern wären, deren Kinder auch privilegiret, dennoch aber als Häupter von Juden Familien hier nicht bleiben könnten, denen Eltern und respective Kindern freigestellet werden möchte, sich von ihren Eltern so lange als Domestiken gebrauchen zu lassen, bis die Eltern verstürben und sie etwan in der Eltern privilegium praestitis praestandis[12] treten könnten. (...)

Nach diesem Fuss belaufen sich die hier bleibende Juden Familien nach inliegender von der Commission sorgfältig zusammen getragenen Liste auf 120 Hauptstämme, darunter nicht mehr als 10 Familien sein, welche unter 1000 rtlr., wohl aber verschiedene, so von 2, 3, 5, 10 bis 20 rtlr. und darüber in Vermögen haben und nach dieser Proportion vermöge der Juden Ältesten producirten Anlage de anno 1733 bisher collectiret[13] worden, wenn man sonst ermelter[14] Anlage Glauben beimessen und solche vor unpassionirt ansehen kann oder will. Commissio wenigstens hat ausser dieser Anlage kein ander Fundament und Richtschnur nehmen noch finden, als auch damit weiter nicht kommen können, als sich darauf gänzlich zu reposiren[15]. In so ferne aber, wie gar nicht zu zweifeln, sich so wohl Juden als vor dieselbe portirte[16] Christen hervortun sollten, die das aus der Anlage gezogene Fundament und principium zu Manifestirung des Vermögens dieses oder jenes Juden anfechten oder vor verdächtig ansehen und diese commissarische Einrichtung vor unrichtig oder wenigstens nicht allzu feststehend anfechten wollte, kann Commissio dagegen weiter nichts vorkehren noch kommen als dass Sr. Kgl. Maj. Resolution allenfalls zu überlassen wäre, die Juden Ältesten und Cassirer mit einem körperl. Eide zu belegen, um die Richtigkeit ihrer Anlage und des darin gesetzeten principii zu Erforschung eines jeden darin zugeteilten Vermögens damit zu befestigen; anerwegen der Commission Werk sonst allenfalls nicht sein würde, dieserhalb über kurz oder lang sich responsable[17], noch weniger aber zu einem ungegründeten oder gegründeten Verdacht exponiret[18] zu sehen, in dieser Sache etwas nach Privat Absichten oder gar Passionen an Hand gegeben zu haben. (...)

Diese 120 festgesetzte Familien nun bestehen mit Weib, Kindern und bei sich habenden Verwandten in 794 Seelen männ- und weiblichen Geschlechts, worunter an Kinder unter 10 Jahre 278 begriffen sein. An jüdischen publiquen Bedienten sind ihnen auf Verlangen 63 Personen gutgetan und von denen 250 Domestiken abgezogen worden. An Verwandten, so als Domestiken angesetzet und wegen ihrer Jahre und Gesundheitszustandes als Domestiken Dienste tun können, befinden sich 8, des übrigen Gesindes aber, so als wirkliche Domestiken von den Stammfamilien namentl. angezeiget und respective verlanget worden, sind 187, wodurch denn der von Sr. Königl. Maj. ihnen zugestandene Numerus der 250 absolviret und bewirket worden, überhaupt aber die ganze in Berlin bleibende Anzahl der sämtlichen Juden auf 1198 Seelen allerlei Geschlechts und Standes gekommen ist. (...)

Selma Stern, Der preußische Staat und die Juden, Zweiter Teil, Zweite Abteilung, Tübingen 1962, S. 368 ff.

1 des Jahres
2 Verminderung
3 Hochwürdige Herren
4 sachlich
5 besondere Ordnungsgrundsätze
6 fortfahren
7 erörtern
8 höchstselbst
9 Juden, die Häuser besitzen
10 dazugehören
11 Haus- und Gemeindeangestellte
12 Privilegien, für die die Gebühren entrichtet wurden
13 sammeln
14 erwähnen
15 zu beziehen
16 rufen
17 verantwortlich
18 geraten

Gegen assimilatorische Tendenzen

1740

Die Rabbiner und Vorsteher der Gemeinde versuchten, das herkömmliche Judentum gegen assimilatorische Tendenzen abzuschirmen. So war auch das Lesen und Besitzen deutscher Bücher streng verboten. Gerson Jacob Bleichröder, der Großvater des Bankiers und Beraters Bismarcks, Gerson Bleichröder, erinnerte sich:

„Ich kam im Jahre 1740 als armer 14jähriger Knabe nach Berlin und fand Moses Mendelssohn in der Lehranstalt für den Talmud. Dieser gewann mich lieb, unterrichtete mich im Lesen und Schreiben und theilte oft mit mir sein kümmerliches Brodt. Aus Dankbarkeit war ich dem Mendelssohn durch kleine Dienstleistungen behülflich, und so schickte er mich unter anderm irgend wohin, um ein deutsches Buch zu holen. Mit diesem Buche in der Hand begegnete mir ein jüdischer Armenverweser, der mich mit den Worten anfuhr: was hast du da? wohl gar ein deutsches Buch? Sogleich riß er mir das Buch aus der Hand und schleppte mich zum Vogt, dem er den Befehl gab, mich aus der Stadt zu weisen. Mendelssohn, der Kenntnis von meinem Schicksal erhielt, gab sich alle Mühe, meine Rückkehr zu bewirken, allein vergeblich. Er schaffte mir später eine Stelle auf der damaligen Talmudschule in Halberstadt, und ich verdanke ihm mein zeitiges Wohl."

Moses Mendelssohn's Gesammelte Schriften, hrsg. von G. B. Mendelssohn, Leipzig 1863, Nachdruck Hildesheim 1972, S. 104

Von den Regierungsformen und Pflichten der Könige

1777

Friedrich II.

„Die Religionen Müssen alle Tolleriret werden und Muß der fiscal nuhr das auge darauf haben das keine der anderen abbruch tuhe, da hier mus ein jeder nach Seiner faßon selich werden", schrieb Friedrich II. als Randglosse an seine Behördenvorlage zur Frage der Religionsausübung 1740. Warum er die Ansiedlung von Juden befürwortete, formulierte er 1756 so: „Es sollen keine Juden Privilegien kriegen, es sey, daß sie neue Fabriquen anlegen..."

Schließlich der Punkt von den Manufakturen und dem Handel, der nicht weniger wichtig ist. Damit ein Land blühen kann, ist es durchaus notwendig, daß die Handelsbilanz zu seinen Gunsten ausfällt: wenn es mehr für den Import bezahlt, als es durch den Export gewinnt, muß es notwendigerweise von Jahr zu Jahr ärmer werden. Man stelle sich eine Börse vor, in der sich hundert Dukaten befinden: man nehme täglich einen heraus, und tue nichts hinein, so wird man zugeben, daß nach hundert Tagen die Börse leer ist. Folgendes sind die Mittel, um diesen Verlust zu vermeiden: man soll alle Rohstoffe, die man besitzt, verarbeiten lassen, man soll die Stoffe, die man aus dem Ausland bezieht, verarbeiten lassen, um aus der Arbeit Gewinn zu ziehen, und man soll billig arbeiten, um sich das Absatzgebiet des Auslands zu verschaffen. Beim Handel dreht sich alles um drei Punkte: um den Überfluß an Bodenprodukten des eigenen Landes, die exportiert werden; um die Bodenprodukte der Nachbarstaaten, die man verkauft und dadurch reich wird; und um die Waren des Auslands, deren man bedarf und die man importiert. Auf diese Produkte, die wir eben genannt haben, muß sich der Handel eines Staates stützen; dafür ist er von der Natur der Dinge bestimmt. England, Holland, Frankreich, Spanien, Portugal haben Besitzungen in beiden Indien und reichere Hilfsquellen für ihre Handelsmarine als die andern Reiche; der Rat der Vorsicht ist: man benutze die Vorteile, die man hat, und unternehme nichts über seine Kräfte. (...)

Wir gehen jetzt zu einem andern Punkt über, der vielleicht ebenso interessant ist. Es gibt wenig Länder, in denen die Bürger in Sachen Religion gleich denken; (...) Es erhebt sich nun die Frage: ist es nötig, daß alle Bürger gleich denken, oder kann man jedem erlauben, zu denken, was ihm beliebt? (...) Man kann einen armen Teufel mit Gewalt zwingen, eine bestimmte Formel herzusagen, der er innerlich nicht zustimmt; so hat der Verfolger nichts gewonnen. Aber wenn man zum Ursprung der Gesellschaft zurückgeht, ist nicht der geringste Zweifel, daß der Herrscher kein Recht über die Denkart der Bürger hat. Müßte man nicht verrückt sein, wenn man sich vorstellen wollte, Menschen hätten zu einem Menschen ihresgleichen gesagt: Wir erheben dich über uns, weil wir gern Sklaven sind, und geben dir die Macht, unsere Gedanken nach deinem Willen zu lenken? Sie haben im Gegenteil gesagt: Wir brauchen dich, damit du die Gesetze schützest, denen wir gehorchen wollen, damit du uns weise regierst, damit du uns verteidigst; im übrigen verlangen wir von dir, daß du unsre Freiheit respektierst (...). Er ist nur der erste Diener des Staates und ist verpflichtet, rechtlich, klug und gänzlich uneigennützig zu handeln, wie wenn er in jedem Augenblick seinen Bürgern von seinem Regiment Rechenschaft geben müßte.

Friedrich der Große, Von den Regierungsformen und Pflichten der Könige, in: Drei politische Schriften, hrsg. von Karl Zuchardt, Leipzig o.J., S. 29ff.

Revidirtes General-Privilegium und Reglement, vor die Judenschaft im Königreiche Preußen

17. April 1750

„Ein Gesetz, eines Kannibalen würdig", nannte Mirabeau das revidierte General-Privilegium für die Juden vom April 1750. Der Wunsch der Juden, das Gesetz nicht zu veröffentlichen, wurde gewährt; eine Veröffentlichung hätte ihrer auswärtigen Kreditwürdigkeit und ihrem Ruf im Ausland geschadet. Das Gesetz wurde erst 1756 bei der Herausgabe einer Gesetzessammlung veröffentlicht.

Wir, Friedrich, von Gottes Gnaden, König in Preußen, Marggraf zu Brandenburg, des Heil. Römischen Reichs Ertz-Cämmerer und Churfürst, Souverainer und Oberster Hertzog von Schlesien e.c.e.c. Thun kund und fügen hiermit zu wissen: Nachdem wir in Unserm Königreiche (...) besonders auch in hiesigen Residentzien, bey denen darinnen vergleiteten und geduldeten Juden, verschiedene Mängel und Mißbräuche anvermercket, insonderheit aber gar eigentlich beobachtet haben, daß derselben überhand nehmende Vermehrung nicht nur dem Publico, besonders aber denen Christlichen Kaufleuten und Einwohnern ungemein Schaden und Bedrückung zugefüget, sondern auch der Judenschafft selbst dadurch und durch Einschleichung unvergleiteter, Fremden und fast nirgends zu Hause gehörenden Juden, viele Beschwerden und Nachtheil erwachsen. (...) Als jetzen ordnen und wollen Wir hiermit und Kraft dieses,

I. Daß von nun an kein ander Juden-Privilegium oder Schutz-Brief in Unserem Königreiche und obgedachten Unseren Landen Statt haben und gültig seyn solle, als welches diesem Unsern Neuen nach der Ordre vom 7ten Februarii 1749. revidirten und deklarirten General-Privilegio de anno 1730. in allen folgenden Puncten gemäß ist. Solchemnach haben wir (...)

II. in Gnaden und ein für allemahl gut gefunden, und festgesetzt, daß von nun an, sowohl in Unsern Residentzien als allen anderen Haupt- und Land-Städten nicht mehr, als dienenigen ordentlichen und ausserordentlichen Schutz-Juden-Familien, so in denen am Ende dieses Reglements von jeder Provintz befindlichen Listen sub. Lit. A. & B.[1] vergleitet, und samt ihrer benöthigten festgesetzen publiquen Bedienten, Kindern und Gesinde beyderley Geschlechts sollen geschützet und geduldet seyn. (...)

III. Verzeichnis derer erlaubten publiquen Jüdischen Bedienten in Berlin. Wegen der publiquen Bedienten wird in hiesigen Residentzien, Berlin, folgendes festgesetzet.

1. Ein Rabbi oder ein Vice-Rabbi.
2. Vier Beysitzer.
3. Ein Ober- und Unter-Cantor mit seinen Bassisten und Discantisten, welche letztere aber unverehlicht seyn müssen.
4. Vier Klepper[2], davon der Eine dem Policey-Directorio zu Anmeldung der fremden Juden täglich aufwarten muß.
5. Zwey Schul-Bedienten bey der Synagoge.
6. Sechs Todten-Gräber, welche zugleich bey der Gemeine mit aufwarten.
7. Einen Kirchhof-Wächter.
8. Drey Kollers[3].
9. Drey Fleisch-Hacker.
10. Ein Scharn-Schreiber[3] samt dessen Controlleur.
11. Drey Bäcker und ein Gar-Koch.
12. Ein publiquer Gesetz-Schreiber.
13. Zwey Thorsteher mit einem Gehülffen.
14. Zwey Lazareth-Aufwärter.
15. Ein Medicus.
16. Ein Bade-Bedienter mit einer Bade-Frau.
17. Ein Feder-Vieh-Mäster.
18. Acht Kranken-Wärter.
19. Zwey Ebräische Buchdrucker.
20. Zwey Mädgens-Schulmeister, so beweibet. (...)

V. 1. Wird ein Unterschied gemacht, unter denen ordentlichen Schutz-Juden und denenjenigen, so ausser Ordnung auf Lebens-Zeit geduldet werden. Zu letzteren gehören die, so eines Schutz-Juden Wittwe geheyrathet, oder sonst eine Concession erhalten haben, wie auch die Wittwen und und übrige Kinder von der Familie, worauf bereits ein Kind angesetzet, dergestalt, daß Künftighin nur diejenige für ordentliche Schutz-Juden gehalten werden, welche das Recht haben, ein Kind anzusetzen. (...)
2. Die vorhin benannte ausserordentliche Juden sind nicht befugt, ein Kind anzusetzen, noch ihres Ortes auf ihr Recht zu verheyrathen. Hiernächst muß das eine Kind, so auf derer Eltern Schutz-Brief angesetzet werden will, ein Vermögen von 1000 Rthlr. wozu jedoch das tägliche Haus-Geräthe und Kleidung samt ungewissen Schulden nicht zu rechnen, nachweisen; (...)
3. Soll Inhalts Unser unterm 23ten May 1749 allergnädigst ertheilten Cabinets-Ordre die einmal nunmehro festgesetzte Anzahl der Juden-Familien ohne Unsere allerhöchste Ordre nicht überschritten, und es (...) dergestalt gehalten werden, daß derjenige Jude, welcher ein Privilegium hat, solches zuvorderst nur für seine Person geniesse, jedoch auch die Freyheit habe, seine Kinder bey sich zu behalten, so daß diese, so lange er lebet, seines Schutzes mit geniessen, jedennoch aber keine besondere Handlung vor sich führen müssen.

4. Wenn derjenige Jude, so ein Privilegium hat, mit Tode abgehet, so fället nach eben dieser Unserer allergnädigsten Ordre sodann das Privilegium auf sein ältestes Kind, dessen Brüder und Geschwister aber, können keinen weitern Schutz zur Handlung darauf geniessen. (...)
5. Es soll keinem ordentlichen Schutz-Juden, wegen der darunter bishero begangenen Unterschleise[4], künftig erlaubet seyn, seinem angesetzten Kinde bey Lebzeiten seinen Platz abzutreten, weil dasselbe ihm ohne das folget. (...)
6. Denen ordentlichen Schutz-Juden aber, wird erlaubet, daß sie bey ihren Lebzeiten Ein Kind, Sohn oder Tochter, worin sie aber die einmal getroffene Wahl hernach zu ändern nicht befugt seyn sollen, auf ihren Schutzbrief ansetzen und dieselben, wenn sie sich vorher gehörig legitimiret, heyrathen lassen mögen. (...)
9. Fremden Juden soll in Unseren Landen sich anzusetzen gar nicht erlaubt seyn; Jedoch dafern ein solcher würcklich zehen tausen Rthlr. Vermögen hätte, und selbige ins Land brächte, auch dieses zugleich zuverlässig darthäte, soll bey uns darüber, und was alsdann an Chargen-Juribus zu erlegen sey? angefraget werden. (...)
11. Diejenigen, welche ihren Sohn oder Tochter verheyrathen und ansetzen wollen, müssen eine solche Schwieger-Tochter oder Schwieger-Sohn erwählen, welche ein gutes Vermögen haben, und zu deren Ansetzung und Mitgifften die Eltern sich nicht erst um ihr eigenes Vermögen bringen dürffen; (...)
12. Publique Bediente, Pettschier-Stecher[5], Brillenmacher, optische Glaß-Schleiffer, Mahler und andere, welche sich mit einer denen Juden erlaubten Profession ernähren, oder von der Juden-Gemeine Unterhalt bekommen, müssen nicht nur keinen andern Handel als ihr erlerntes Gewerbe treiben. (...)
13. Damit hinführe alle Unterschleife, Erschleichungen, heimliche und unzuläßige Vermehrung der Familien destomehr vermieden werden; So soll keinem Juden eine Heyrath verstattet, noch einige Erlaubniß, sich auf eine oder andere Art anzusetzen gegeben, noch derselbe eher getrauet werden, als bis von den Krieges- und Domainen-Cammern eine gründliche Untersuchung mit Zuziehung des Officii Fisci[6] desfals geschehen, und darüber ein, allen diesen Grund-Sätzen und neuem General-Privilegio gemäßes Gutachten; (...) Knechten, Mägden und anderen Domestiquen aber, wird zu heyrathen gar nicht gestattet, sondern sobald sie solches unternehmen, müssen sie nicht weiter geduldet werden. (...)

VI. Wegen Aufbringung des Schutz-Geldes und andere Publiquen-Abgaben, wird es bey dem bisherigen modo collectandi[7] gelassen, und muß solcher allezeit nach dem befundenen Vermögen eingerichtet werden. (...)

XI. Auf daß nun aber diese in Unserm Schutze stehende Juden hiesiger Residentzien sowohl, als andernwärts auch in den Stand gesetzet und erhalten werden mögen, alle diese und andere ihnen obliegende Abgaben zu bestreiten, sich ehrlich zu ernähren und dem gemeinen Wesen nicht zur Last zu fallen, noch weniger denen Christlichen Kauf- und Handels-Leuten. (...) So setzen ordnen und wollen Wir hiemit fernerweitig und ernstlich: Daß kein Jude ein bürgerlich Handwerck treiben (soll) (...)

XV. Mit Weine aber müssen sie weder ins grosse noch ins kleine handeln, vielweniger solchen verschencken. Zu ihrem eigenen Gebrauche aber stehet ihnen nach wie vor frey, den sogenannten Kauscher-Wein[8] und Meeth auswerts kommen, und einer dem andern etwas abzulassen, den Meeth auch selbst zu brauen.

XX. Und da angemercket werden, daß viele Juden und Juden-Jungen aus anderen Unserer Botmäßigkeit unterworffenen Städten und Provintzien Jahr aus Jahr ein und fast tagtäglich sich in Berlin aufgehalten, sich untereinander mit ab- und zugehen gleichsam abgelöset, und durch heimlich und öffentlichen Handel sowohl dem gantzen Publico als insbesondere der gantzen Christlichen und erlaubten Jüdischen Nahrung ungemeinen Schaden verursachet, zugleich auch Unsere Cassen durch allerhand Defraudirung[9] und boßhafte practiquen betrogen und hintergangen haben; so setzen, ordnen und wollen wir hiermit und Kraft dieses, daß ausserhalb denen hiesigen Jahrmärckten kein, nicht nach Berlin gehöriger Jude, er sey auch sonst gleich in Unseren Landen vergleitet oder nicht, mit andern Waaren als mit Bruch-Gold und Silber in diese Stadt gelassen, auch ausserhalb den Jahrmärckten kein dergleichen auswärtiger Jude männlich, oder weiblichen Geschlechts;(...)

XXI. Es sollen auch alle fremden Juden, die nicht etwa mit denen Posten Extra Posten oder eigen Fuhrwerk, sondern zu Fusse und zu reiten kommen, zu Berlin in keinen andern Thoren als zum Prentzlauer- und Hallischen-Thore einpassiren. (...)

XXV. Da auch das Geld-Verkehr insbesondere zur Jüdischen Nahrung mit gehöret, so bleibet zwar denen Juden nach wie vor erlaubet, Geld auf Pfänder auszuleihen, sie müssen aber von keinem Unter-Officier und Soldaten Pfänder annehmen, oder etwas kaufen, wo sie nicht genugsam versichert, daß solche derselben rechtmäßiges Eigenthum (...) überdem auch der Übertreter angehalten werden, den völligen Werth der gestohlenen oder verheelten Sachen dem rechten Besitzer, wie dieser es allenfalls beschweren möchte, zu bezahlen; Wann er aber solches nicht thun kan, über den cassirten Schutz-Brief und fortgeschafften dazu gehörigen Familie, die sämtliche Judenschafft des Ortes ex Officio[10] angehalten werden, den Werth der gestohlenen oder verheelten Sachen in subsidium[11] baar und ohne alle Wieder-Rede dem bestohlenen Eigenthümer zu bezahlen. (...)

XXVIII. Die Schutz-Juden, so keine eigene Häuser haben, sollen auch ohne besondere vorher erlangte Concessiones keine kauffen, sondern wenn solches heimlich geschiehet, der Kauf an sich null und nichtig seyn. Auch da sich bey der in Augusto 1747 geschehenen Special-Untersuchung befunden, daß 40 von Juden als eigenthümlich besessene Häuser in Berlin vorhanden; (...) So soll es bey dieser Zahl zwar verbleiben, und die Gerichte solche, wenn es von denen Possessoribus[12] verlanget wird, denen Gerichts-Büchern einverleiben, diese Zahl aber niemals vermehret werden. (...)

XXXII. Was das Forum der Berlinischen Judenschaft betrifft, so bleibet es in Criminal- und Civil-Sachen bey der Disposition Unserer Justiz-Ordnungen, daß dieselben in allen solchen Sachen bey den neu verordneten Senaten des Cammer-Gerichts verhandelt, jedoch in Successions- und andern dergleichen Fällen, so in die Jüdische Ritus einschlagen, nach der Disposition des Mosaischen Gesetzes erkannt werden. (...)

Ismar Freund, Die Emanzipation der Juden in Preußen, Berlin 1912, Zweiter Band, S. 22ff.

1 Listen unter den Buchstaben A und B mit den Namen der vergleiteten (landesherrlichen Schutz genießenden) Juden
2 Gemeindediener, die Steuern eintreiben
3 Kollers: Gemeindebedienstete, die mit der Beschaffung von Koscherfleisch zu tun haben; Scharn-Schreiber: Gemeindebedienstete, die das rituell geschlachtete Fleisch an die Gemeindemitglieder verteilen und die (christlichen) Metzger bezahlen
4 Betrug
5 Stempelschneider
6 Steuerbeamte
7 Art und Weise, wie Geld aufgebracht wird
8 Koscherer Wein
9 Diebstahl
10 von Amts wegen
11 ersatzweise
12 Eigentümer

Das Rosenthaler Tor

Juden durften die Stadt nur durch bestimmte Tore betreten. Zunächst war es wahrscheinlich das Rosenthaler Tor allein, im General Reglement von 1750 wurden auch das Prenzlauer Tor und das Hallesche Tor genannt. Der in Dessau 1729 geborene und aufgewachsene Moses Mendelssohn folgte 1743 seinem Dessauer Lehrer David Fränkel nach Berlin, um seine Talmudstudien fortzusetzen. Seinen Lebensunterhalt verdiente er durch Kopieren hebräischer Texte, später als Hauslehrer und Buchhalter.

Das Rosenthaler Tor, 1865

Plädoyer für die Judenemanzipation

1753

Levi Israel

Die wohl erste in Deutschland veröffentlichte Schrift, die sich für die Emanzipation der Juden einsetzte, erschien unter einem Pseudonym, hinter dem sich ein vermutlich christlicher Autor aus den Kreisen um Lessing und Nicolai verbarg.

Mein Herr:
Ich bin ihnen für die Ehre, die sie mir durch Übersendung der Fortsetzung von ihrem Entwurf der Politik erweisen, sehr verbunden. (...) Weil sie aber ausdrücklich verlangen, dass ich wenigstens etwas von meinen Gedanken hinzufügen soll, so nehme ich mir die Freyheit, meine Meynung wegen eines anderweitigen Mittels zur Vermehrung der Einwohner eines Landes in gegenwärtigen Zeiten anzuführen und ihrer Beurteilung zu unterwerfen. Ich sehe zum voraus, dass dieser Vorschlag denen Christen lächerlich, ihnen aber, mein Herr, mit vielen Unbequemlichkeiten verknüpft zu seyn scheinen wird. Jedoch habe ich zugleich das Vertrauen zu ihnen, sie werden ihrem Freund Gerechtigkeit wiederfahren lassen, und ihn nicht eher verurtheilen bis sie ihn angehöret haben.

Sie wissen, dass die von meiner Nation in Spanien und Portugall gar keinen Aufenthalt finden; dass sie in Deutschland gröstentheils der Erlaubniss beraubet sind, Häuser und Aecker zu kaufen, und alle Arten der Professionen zu treiben; dass sie selbst die Handlung, welche das eintzige Hülfs-Mittel ihres Unterhalts bleibet, nicht anders als gegen Erlegung besonderer Imposten führen können; dass sie zwar in Pohlen, Litthauen und einigen Gegenden von Böhmen fast alle diese Freyheiten geniessen, dennoch aber dabey verachtet und unterdrücket werden. Wenn also ein Souverain den Juden gleich den Christen ohne Schwierigkeit verstattete, hegende Gründe zu besitzen, Ackerbau, Künste und Professionen zu treiben, gegen Erlegung der gewöhnlichen Gaben zu handeln, und im übrigen ihnen in allen Stücken denselben Schutz und dieselbe Vorsorge wie den christlichen Einwohnern angedeyhen liesse, so ist kein Zweifel, dass binnen kurzer Zeit, die in einem solchen Gebiet bereis wohnende Juden an ihrem Vermögen zunehmen, viele tausend aus fremden Ländern sich setzen, und sämtlich den Umlauf des Geldes vermehren, den Werth aller liegenden Gründe erhöhen, und die Aufnahme des Staats nebst dem Zuwachs der Einkünfte des Landes-Herrn befördern würden. (...)

Es kömt also darauf an, dass ich diejenige Zweifel errathe und beantworte, die sie abhalten mögten meiner Meynung Beyfall zu geben. Sie werden vielleicht sagen, dass *meinem Vorschlag zufolge die Juden das ganze Land überschwemmen werden.* Ich muss es gestehen. Allein alsdann wird auch das ganze Land mit Einwohnern überschwemmet werden, und dieses ist es ja, was sie einem Fürsten zur Wohlfarth seines Staats anrathen. (...) Man wird mir ferner einwenden, dass dem ohngeachtet sodann *die Juden den Christen einigermassen die Nahrung benehmen werden.* Dieses thun in gewissem Verstande alle Colonisten. (...) *Die Juden sind nicht so ordentlich in ihrer Kleidung und Haushaltung wie die Christen.* Sie als Philosoph werden leicht einsehen, dass solches den Juden nicht wesentlich ist, indem Armuth und Verachtung Wirckungen von dieser Art bey allen Menschen zuwege bringen. (...) *Die Juden taugen nicht zu Soldaten, und wenn auch dieses wäre, so erlaubet eine tief eingewurtzelte Gewohnheit nicht, sie dazu anzunehmen.* Wider den ersten Punct könte ich vieles anführen, indem weder die Beschaffenheit ihres Cörpers noch ihr Gesetz sie an dem Soldatenstande verhindert. (...) *Wenn auch ein Landesherr, saget man, der Jüdischen Nation eben die Freyheiten wie den Christen wiederfahren liesse, so würden nur Arme ins Land kommen, woran dem Staat wenig gelegen ist.* Die Armen welche sich von Almosen ernähren, gereichen einem Lande zur Last; allein dieses findet man bey Juden und bey Christen, und hierwider sind Mittel vorhanden. Im Gegentheil dienen die Armen von beyden Religionen, wenn sie gesund und arbeitsam sind, zur Bereicherung des Staats, dergestalt dass auch die gröste Menge der letzteren dem Nutzen des gemeinen Wesens im geringsten nicht schädlich, sondern vielmehr höchst vorteilhaft ist. Sie werden, mein Herr, ausser den vorigen Einwürfen vielleicht noch einwenden, *dass die Gründe so ich zum Besten meiner Glaubensgenossen anführen kann, durch den starken Eindruck der nachtheiligen Vorstellungen überwogen werden, die man sich überall von ihnen zu machen pfleget.* Es ist wahr, beydes die Gottesgelehrten und das Elend meiner Glaubensgenossen eines grossen Theils bringen denen Christen sehr üble und fast unauslöschliche Begriffe von meiner ganzen Nation bey.

Hingegen weil mit Aufhebung der Ursachen auch die Folgen aufhören, ist auf der andern Seite klar, dass die Juden überhaupt wohlhabend, vernünftig, gesittet, mit einem Wort den Christen gleich werden könnten (...) Demnach erhellet aus einer aufmerksamen Betrachtung des vorhergehenden, dass eine den Juden zu ertheilende Verstattung gleichmässiger Vorrechte mit den übrigen Einwohnern des Landes, zur Glückseligkeit einer verlassenen Nation und zu einem Anwachs neuer Unterthanen, des Reichthums und der Ehre des Staats den Anfang machen, und den Abscheu der Christen gegen die Juden endigen werde.

Dieses sind die Gründe worauf meine Meynung beruhet. Nunmehro überlasse ich, mein Herr die Sache meiner Glaubensgenossen dero Entscheidung. Verlieren sie den Process vor einem billigen und erleuchteten Richter, so muss entweder die Ungeschicklichkeit des Advocaten, oder, welches ich jedoch auf

das äusserste bedauern würde, die Ungerechtigkeit ihrer Sache Schuld daran seyn. Woferne aber dero Ausspruch meine Gedancken bekräftiget, so wird er statt des vollkommensten Beweises von deren Richtigkeit dienen, und in diesem Falle ersuche ich sie, gegenwärtige Anmerckungen in Ordnung zu bringen, und sie ihrem Entwurf der Politik einzuverleiben; in Hoffnung, dass solcher Punct ihres Tractats dermaleins zur Errettung meiner Landesleute aus ihrem betrübten Zustand Gelegenheit geben könne. (...)
M ... den 24 Mertz 1753 Levi Israel

Schreiben eines Juden an einen Philosophen nebst der Antwort, Berlin 1753
Rekonstruktion des Textes der ersten Auflage anhand einer Rezension und eines Exemplars der zweiten Auflage im Besitz des Hebrew Union College, Cincinnati, bei Jacob Toury, Eine vergessene Frühschrift zur Emanzipation der Juden in Deutschland, in: Bulletin des Leo Baeck Instituts, 12. Jahrgang, Tel Aviv 1969, S. 253ff.

Das Palais Ephraim

Während des Siebenjährigen Krieges verpachtete Friedrich II. das Münzrecht an Daniel Itzig und Veitel Ephraim und forderte sie auf, die Finanznot der Monarchie durch Münzverschlechterung zu decken. Diese Münzpolitik brachte dem König das nötige Geld, den Pächtern jedoch neben einem höheren Einkommen den Haß der Bevölkerung. Die Münzen mit dem Porträt des Königs wurden „Ephraimiten" genannt. Im Volksmund hieß es über sie: „Außen schön und innen schlimm – außen Friedrich, innen Ephraim". 1761 kaufte Veitel Ephraim, Oberältester der Judenschaft von 1750–1775, das Palais in der Poststraße 16 am Mühlendamm und baute es aus. Mit seinen Säulen, seinen von Konsolen getragenen Balkons, schönen schmiedeeisernen Gittern, der gewundenen Holztreppe, dem „chinesischen Zimmer" und seinen in Holz getäfelten, bunt bemalten Wänden war es eines der schönsten Privathäuser Berlins. Es beherbergte später das 1795 gegründete Bankhaus Abraham Mendelssohn und ging 1843 in den Besitz der Stadt Berlin über. Das Gebäude wurde im Zweiten Weltkrieg zerstört. Erhaltene Teile der Fassade wurden beim Wiederaufbau verwendet.

Rechte Seite: Das Ephraimsche Palais in der Poststraße/Ecke Mühlendamm, um 1890

Lager v. C.
CARL

Moses Mendelssohn, 1787

Sie haben Niederlassungsberechtigung in Berlin

1762

Moses Mendelssohn

Moses Mendelssohn lernte Latein und Griechisch, Französisch, Englisch und auch, sich gewandt in der deutschen Sprache auszudrücken. Gefördert durch Lessing und Nicolai wurde er ein anerkannter Schriftsteller, gefeiert schließlich als deutscher Sokrates und jüdischer Plato. Mit seiner in zehn Sprachen übersetzten Schrift „Phaedon oder über die Unsterblichkeit der Seele" errang er Weltruhm. In den in deutscher Sprache verfaßten, jedoch in hebräischen Buchstaben geschriebenen Briefen an seine Braut Fromet Gugenheim ist seine jiddische, mit hebräischen Redewendungen durchsetzte Muttersprache noch deutlich spürbar.

Berlin, 26. März 1762

Liebe Fromet! Mit aller Hochachtung von einer Mademoiselle kallo[1] gesprochen: Sie lügen! Ich habe Sie nit ohne Briefe gelassen, und wenn Sie böse seyn wollen, so seyen Sie über den Post-Träger böse. Das war der...[2] zu meinem Brief!

Und nun mehr habe ich Ihnen eine Neuigkeit zu melden. Gestern sind unsere kijjumim be-efras ha-Schem[3] accordirt worden. Nun mehr sind Sie so gut als R. Mausche Wesel ein preußischer Untertahn, und müssen die preußische Partey ergreifen. Sie werden also auf gut preußisch alles glauben, was zu unserem Vorteil ist. Die Russen, die Türken, die Amerikaner stehen uns alle zu Dienst, und erwarten nur unsern ersten Wink. Unsere Münz wird noch besser werden als Banco, die ganze Welt wird Sicherheit in Berlin suchen, und unsere Börs wird berühmt seyn, von dem Schloßplatz bis an unser Haus. Dieses alles müssen Sie glauben, denn Sie haben kijjumim b'-Berlin.

Der emes[4] aber ist, daß chozer[5] noch so bald nit wiederkommen dürfte. Mikauach ha-scholaum 'im[6] Rußland haben wir guten Grund zu vermuten, daß solcher bereits geschlossen sey. Doch hat man noch keine Gewißheit. Daß Sie sollten mischom[7] flüchten müssen, davon halte ich gar wenig. Denn die Mährchen, die sich die politische Welt hier einander ins Ohr erzählt, haben gar zu wenig Grund.

Aber warum lassen Sie die Göttingen so schwer-mütig seyn? Ich wollte, daß ich nur eine schoo schom[8] seyn könnte, sie aus-zu-lachen. Ein preußisch Herz muß unerschrocken seyn. Pfui! Wer wird weinen? Und wenn ich morgen ein Kind bekommen sollte, so könnte ich nit weinen. Ich hoffe auch, daß es sich geben wird, wenn sie es erst gewohnt werden wird. Noch ist ihr der Auf-Tritt zu neu. Bey Madame Rösele war es zu letzt nur ein Zeit-Vertreib.

Ich schmiere immer weg, und merke nit, daß es spät wird. Lebe wohl! Ich bin Ihr aufrichtiger Mausche mi-Dessau.[9]

Moses Mendelssohn, Brautbriefe, Berlin 1936, S. 105f.

1 Braut
2 Lücke im Brief
3 Niederlassungsberechtigung, mit Gottes Hilfe
4 Wahrheit
5 Der (königliche) Hof
6 Wegen des Friedens mit
7 von dort
8 Stunde da (dort)
9 Mosche (Moses) aus Dessau (Mendelssohn pflegte so seine Briefe zu unterschreiben)

Bitte um dero allergnädigsten Schutz

1763

Moses Mendelssohn

Der Philosoph war weder Hof- noch Schutzjude, sondern als Angestellter eines mit Schutzbrief ausgestatteten Seidenfabrikanten nur „geduldet". Dem Drängen seiner Freunde, um einen Schutzbrief zu bitten, widersetzte sich Mendelssohn zunächst, da es ihn schmerzte, „um das Recht der Existenz erst bitten" zu sollen. Die folgende Bittschrift vom April 1763 blieb unbeantwortet. Einer zweiten fügte der Marquis d'Argens hinzu: „Ein Philosoph, der ein schlechter Katholik ist, bittet einen Philosophen, der ein schlechter Protestant ist, einem Philosophen, der ein schlechter Jude ist, den Schutzbrief zu gewähren. Hierin steckt zu viel Philosophie, als daß die Vernunft nicht auf Seiten der Bitte stünde." Im Oktober erhielt Mendelssohn das Privileg eines Außerordentlichen Schutzjuden.

„Ich habe von meiner Kindheit beständig in Ew. Majestät Staaten gelebt und wünsche, mich auf immer in denselben niederlassen zu können. Da ich aber im Auslande geboren bin und das nach dem Reglement erforderliche Vermögen nicht besitze, so erkühne ich mich alleruntertänigst zu bitten, Ew. Majestät wollen allergnädigst geruhen, mir mit meinen Nachkommen dero allergnädigsten Schutz nebst den Freiheiten, die dero Untertanen zu genießen haben, angedeihen zu lassen, in Betracht, daß ich den Abgang an Vermögen durch meine Bemühungen in den Wissenschaften ersetze, die sich Ew. Majestät Protektion zu erfreuen haben."

Bertha Badt-Strauss (Hrsg.), Moses Mendelssohn. Der Mensch und das Werk, Berlin 1929, S. 85f.

Das „Judenporzellan“

21. März 1769

Unter Friedrich II. wurden die Juden besonders oft zur Kasse gebeten. Zu den früheren Sonderabgaben – z. B. bei Heirat, Geburt, Todesfall und Hausbau – kamen immer neue Anordnungen dazu. Berühmt ist die Kabinettsorder an das Generaldirektorium zur Porzellansteuer, die der „Königlichen Porzellanmanufaktur“ (KPM) zu höherem Umsatz verhelfen sollte. In einem späteren Zusatz zu diesem Reskript wurde ausdrücklich festgehalten, daß diese Porzellansteuer zusätzlich zu anderen Warenübernahmen durch Juden zu verstehen sei: „Es versteht sich von selbst, dass diejenigen Juden, die sich bereits zum Debit eines bestimmten quanti einländischer Fabriquen Waren an die Ausländer verbindlich gemacht haben, solcher Oligation ein Genüge leisten müssen, und nicht berechtiget sind, anstatt solcher Fabriquen Waren das hiesige echte Porcellain zu substituiren.“

Seine Kgl. Maj. in Preussen..., Unser allergn. Herr, haben zu Beförderung des Vertriebs derer bei Dero Porcellain Manufactur verfertigten Porcellaine und um solche ausser Landes mehr und mehr bekannt zu machen, allergnädigst resolviret[1], dass die Juden bei ihrer jedesmaligen Ansetzung, auch wenn sie die Erlaubnis erhalten, ein Haus zu acquiriren[2], ein für allemal ein gewisses mässiges Quantum Porcellain, und zwar ein Jude, der auf ein General-Privilegium angesetzet wird oder solches erlanget, für 500 rtl., ein ordinairer Schutz-Jude für 300 rtl. und, bei Erlangung einer Concession zum Haus-Ankauf oder einer sonstigen Beneficirung[3], gleichfalls für 300 rtl. zu nehmen und ausser Landes zu debitiren[4] und, dass beides geschehen, durch Beibringung hinlänglicher Bescheinigungen vor Extradition[5] des Privilegii darzutun gehalten sein sollen, und solches Dero General-Directorio und dass selbiges auf dessen genauen Befolgung bei jedem vorkommenden Fall sehr ernstlich halten soll, hierdurch allergnädigst bekannt machen wollen (...)

Selma Stern, Der preußische Staat und die Juden, Dritter Teil, Zweite Abteilung, Erster Halbband, Tübingen 1971, S. 511 f.

1 beschlossen
2 erwerben
3 Vergünstigung
4 abzusetzen
5 Aushändigung

Bitte um Schutz vor den Judenältesten

1773

Nicht privilegierte Juden mußten nicht allein ihre Ausweisung durch die preußischen Behörden fürchten, sondern auch die Vertreibung durch die Berliner jüdische Gemeinde. So bat der Jude Raphael in einem Brief vom 26. März 1773 um den Schutz des Ministers v. Zedlitz.

Bereits vor einigen Jahren haben mich, den zurückgezogen lebenden Gelehrten und Sprachenlehrer, die Ältesten hier nicht dulden wollen, da ich ohne Schutzprivileg war. Nur der mächtigen Befürwortung des verstorbenen Marquis d'Argens und meines noch lebenden Freundes Oberst v. Quintus hatte ich es zu verdanken, daß man mich in Frieden ließ. Jetzt haben die Verfolgungen von Neuem eingesetzt, man hat mich bereits vor die Ältesten zitiert, und meine Freunde versichern mir, daß man mich, gleich andern fremden herumlaufenden handelnden Juden, nicht länger hier dulden werde, wenngleich ich bereits 26 Jahre ein ruhiges, und, wie ich hoffe, untadelhaftes Leben geführt habe. Gegen dieses furchtbare, mir drohende Verhängnis habe ich auf Anraten meiner Freunde in einer Immediateingabe des Königs Schutz gesucht. An Excellenz ergeht nun meine Bitte, durch Ihre vielvermögenden Vermittelungen es dahin zu bringen, daß ich den kleinen Rest meines Lebens ungestört und in philosophischer Ruhe vollenden möge. Das Recht der Menschlichkeit und die Weisheit von Ew. Excellenz lassen es mich hoffen.

Selma Stern, Der preußische Staat und die Juden, Dritter Teil, Zweite Abteilung, Erster Halbband, Tübingen 1971, S. 561

Statuten der Berliner Heiratsgesellschaft

1776

Diese Versicherung zur Ausstattung von Töchtern erfreute sich der Protektion Moses Mendelssohns. Der deutsche Wortlaut ist in hebräischen Lettern geschrieben.

Plan und Einrichtung einer Heiratsgesellschaft, die mit Beginn des Jahres 5537 (1776) ihren Anfang nehmen soll:

Es verbinden sich eine Anzahl Mitglieder unserer Gemeinde kraft ihrer Unterschrift, um sich einander die Last und schweren Ausgaben bei der Ausstattung und Verheiratung ihrer Töchter zu erleichtern und um, sooft einer von ihnen zu Masal tow eine Tochter verheiratet, ihn durch einen unten zu bestimmenden Beitrag gemeinschaftlich zu unterstützen. Um nun diesen Beitrag auf eine leichte und sichere Art zu leisten, wird folgendes festgesetzt:

Erstens: Jedes Mitglied zahlt jedesmal, wenn ein Mitinteressent eine Tochter zu Masal tow ausgibt, einen Beitrag, der nicht weniger als sechzehn Groschen und nicht mehr als einen Reichstaler sein soll, wie unten im Artikel dreizehn hierüber des Näheren bestimmt und festgesetzt werden wird.

Zweitens: Damit die Gesellschaft die erste vorfallende Zahlung ohne Zeitverlust aufbringen kann, zahlt jedes Mitglied, sobald die Gesellschaft zustande kommt, einen Reichstaler Eintrittsgeld. (...)

Drittens: Sobald eine Summe von zweihundert Reichstalern beisammen ist, soll sichergestellt werden, daß auf Erfordern die benötigte Summe sogleich ausgezahlt werden kann. (...)

Siebentens: Einer dieser Vorsteher, nämlich Herr Eisik Dessau, übernimmt zunächst die Einnahmen und Ausgaben und sorgt dafür, daß das Geld sicher untergebracht wird. Wenn eine Tochter ausgestattet werden soll, besorgt er den Beitrag von den Interessenten und die Auszahlung an den, der sie erhalten muß, weshalb die Mitglieder, die ihre Töchter wirklich verlobt haben und im Laufe des Jahres Hochzeit halten wollen, es zu Anfang des Jahres den Vorstehern zu melden haben, die dann das Erforderliche besorgen. Es bekommt der Vater der Verlobten sogleich eine von den Vorstehern unterschriebene Anweisung, gegen die ihm acht Tage nach der Hochzeit die bestimmte Summe ausgezahlt werden soll. (...)

Zwölftens: Ein Mitglied, das in der Entrichtung seines Beitrags nachlässig ist, soll einmal umsonst durch den Boten erinnert werden, und wenn es nach acht Tagen mit seinem Beitrag noch zurückbleibt, soll es zum letztenmal gegen Entrichtung von zwei Groschen an den Boten erinnert werden. Wenn es dieser Erinnerung ungeachtet mit seinem Beitrag noch weitere acht Tage zurückbleibt, verliert es sein Recht an die Gesellschaft und geht seines Beitrages bis dahin verlustig, als hätte es niemals zur Gesellschaft gehört. (...)

Dreizehntens: Die Anzahl der Mitglieder wird vorderhand auf dreihundert und der jedesmalige Beitrag auf sechzehn Groschen festgesetzt, damit jedes Mitglied bei Verheiratung einer Tochter, seinen eigenen Beitrag mitgerechnet, die Summe von zweihundert Reichstalern erhalten kann.

Fünfzehntens: Zum Leben und nicht zum Tode – wenn ein Mitglied verscheidet, so hat diejenige Tochter, welche der Vater dazu ernannt hat, bei ihrer Verheiratung den Beitrag zu genießen, wenngleich sie nach dem Tode des Vaters den Beitrag nicht fortsetzen kann. Es hängt jedoch von der Lage des Verstorbenen ab, ob der Beitrag nicht sofort nach seinem Tode seiner Witwe und seinen Waisen zu Zwecken der Ernährung gegeben werden soll. Wenn aber die von dem Vater ernannte Tochter noch zu seinen Lebzeiten oder nach seinem Tode unverheiratet sterben sollte, fällt der Anspruch auf die nächstfolgende Tochter. Falls er keine andere hat, ist der Anspruch völlig aufgehoben, wenn die Tochter zu seinen Lebzeiten gestorben ist. Ist sie ihm aber nach seinem Tode unverheiratet gefolgt, so verbleibt der Anspruch seinen Waisen, oder, wenn er keine Kinder hinterlassen hat, seiner Witwe.

Zur Beglaubigung ist die in fünfzehn Punkten verfaßte Einrichtung der gegründeten Heiratsgesellschaft von den derzeitigen (...) Vorstehern eigenhändig unterschrieben: Berlin, am Neumondstag des Ellul 5536.
Daniel Berlin – Eisik Dessau – Secharjahu Veitel – Mosche aus Dessau

Kurt Wilhelm, Von jüdischer Gemeinde und Gemeinschaft, Berlin 1938, S. 94ff.

Der erste Schritt zur Kultur

29. Juni 1779

Moses Mendelssohn an August von Hennings

In der Aneignung der deutschen Sprache sah Mendelssohn den ersten Schritt zur kulturellen Assimilation der Juden; diese sollte Hand in Hand mit ihrer politischen Emanzipation gehen. Mendelssohn begann daher mit der Übersetzung der Fünf Bücher Moses ins Deutsche. August von Hennings lernte Mendelssohn als dänischer Diplomat in Berlin kennen und unterstützte ihn gegen die Angriffe von christlicher und jüdischer Seite auf seine Bibel-Übersetzung; auf den Pentateuch folgte die Übersetzung der Psalmen ins Deutsche.

Nach dem ersten Plane meines Lebens, so wie ich ihn in meinen besseren Jahren entwarf, war ich weit entfernt, jemals ein Bibelherausgeber oder Übersetzer zu werden. Ich wollte mich bloß darauf einschränken, des Tages seidene Zeuge verfertigen zu lassen und in Nebenstunden der Philosophie einige Liebkosungen abzugewinnen. Es hat aber der Vorsehung gefallen, mich einen ganz anderen Weg zu führen. Ich verlor die Fähigkeit zu meditieren und mit ihr anfangs den größten Teil meiner Zufriedenheit. Nach einiger Untersuchung fand ich, daß der Überrest meiner Kräfte noch hinreichen könne, meinen Kindern und vielleicht einen ansehnlichen Teil meiner Nation einen guten Dienst zu erzeigen, wenn ich ihnen eine bessere Übersetzung und Erklärung der heiligen Bücher in die Hände gebe, als sie bisher gehabt. Dieses ist der erste Schritt zur Kultur, von welcher meine Nation leider! in einer solchen Entfernung gehalten wird, daß man an der Möglichkeit einer Besserung beinahe verzweifeln möchte. Ich hielt mich indessen für verbunden, das Wenige zu tun, was in meinem Vermögen steht, und das übrige der Vorsehung zu überlassen, die sich zur Ausführung ihres Planes mehrenteils mehr Zeit nimmt, als wir übersehen können. Je mehr Widerstand nun dieser schwache Versuch findet, desto notwendiger erscheint er mir und desto eifriger werde ich ihn auszuführen suchen. Aber zu unanständigen Maßregeln werde ich mich auf keine Weise durch den Zelotismus[1] verleiten lassen. Jenes Jugendfeuer, das uns öfters in der besten Absicht von der Welt über Maß und Ziel hinwegzutreiben pflegt, hat mich sehr frühe verlassen, und ich habe mich kaum nach demselben umgesehen. Jetzt, da ich so nahe am Ufer bin, würde es Torheit sein, meine Segel jedem Ungestüm preiszugeben. (...)

Moses Mendelssohn's Gesammelte Schriften, hrsg. von G. B. Mendelssohn, Leipzig 1863, Nachdruck Hildesheim 1972, Bd. 7, S. XXII f.

1 übergroßer Glaubenseifer

Und oft sieht man es ihnen kaum an, daß sie Juden sind

1779

Aus den „Bemerkungen eines Reisenden durch die Königlich Preußischen Staaten“.

Die Judenschaft in Berlin ist ansehnlich. Die Juden wohnen größtenteils in dem eigentlichen Berlin, besonders in der Jüden-, Königs-, Spandauer- und einigen anderen Straßen. Unter den Linden hat der Bankier Ephraim (der Münzjude Friedrichs des Großen) ein prächtiges Haus. In der Friedrichstadt wohnte kein einziger. Es gibt sehr reiche Juden in Berlin: Moses, (Daniel) Itzig und die Ephraim werden für die reichsten gehalten. Einige haben Fabriken, die meisten ernähren sich jedoch durch den Handel. Ihr Benehmen, besonders derjenigen, welche eine gute Erziehung genossen haben, ist fein und artig. Sie haben lange nicht das Steife, Niedrige und Grobe, was ihrer Nation eigen zu sein pflegt. Die Vornehmen oder überhaupt diejenigen, welche nach guten Grundsätzen erzogen sind, gehen viel mit Christen um, nehmen gemeinschaftlich mit ihnen an unschuldigen Zersteuungen teil, und oft sieht man es ihnen kaum an, daß sie Juden sind. Sehr viele tragen ihre Haare jetzt ebenso wie die Christen und unterscheiden sich auch in der Kleidung nicht von uns.

Es gibt verschiedene Gelehrte unter ihnen, denen man den Ruhm nicht absprechen kann, daß sie sich mit bemerkenswertem Eifer den Wissenschaften widmen. Wem ist Moses Mendelssohn nicht bekannt? Doktor Bloch ist ein großer Kenner der Naturgeschichte und Physik. Doktor Herz liest jetzt philosophische Kollegia. Übrigens lieben sie die Lektüre mehr als jemals. Schöngeisterei und Dichtkunst wechseln bei ihnen mit der Lektüre der Wochenschrift und dem Besuche des Schauspiels ab. Die Romansucht ist außerordentlich unter ihnen eingerissen, und besonders kranken die Frauenzimmer daran. Das schöne Geschlecht der Israeliten spielt in Berlin eine grosse Rolle. Es gibt wirklich Schönheiten im eigentlichsten Sinne unter ihnen. (...) Unter allen Vergnügungen lieben die Juden das Schauspiel am meisten. Am Sonnabend ist das Parterre großenteils von ihnen besetzt. Bei gutem Wetter sieht man sie an diesem Tage in Scharen im Tiergarten oder Unter den Linden spazieren gehen.

Henriette Herz, Ihr Leben und ihre Zeit, hrsg. v. Hans Landsberg, Weimar 1913, S. 6f.

Bittschrift der Direktoren der Jüdischen Freyschule

30. Dezember 1781

Issac Daniel Itzig und David Friedländer

1778 gründeten die Kaufleute und Aufklärer David Friedländer, Issak Daniel Itzig und Hartwig Wessely die erste „Jüdische Freyschule". Für Kinder aus armen Familien mußte kein Schulgeld bezahlt werden. In der Freischule wurde neben traditionellen jüdischen Lehrinhalten auch „weltliche Bildung", vor allem Deutsch, Französisch, aber auch Buchhaltung usw., vermittelt. Zu den Absolventen der Schule, die 48 Jahre lang bestand, zählten führende Männer der späteren Reformbewegung. Unter den Absolventen gab es am Anfang des 19. Jahrhunderts auch christliche Schüler. 1819 wurde es christlichen Kindern verboten, jüdische Schulen zu besuchen. Zur Unterstützung der Schule wurde 1783 die „Orientalische Buchhandlung" und eine Druckerei gegründet, die der Verbreitung der Ideen der Aufklärung unter den Juden dienen sollte. Der Bittschrift wurde durch Kabinettsorder vom 1. Januar 1782 entsprochen.

Durch den mildtätigen Beitrag einiger Mitglieder der hiesigen Jüdischen Gemeinde sind wir in den Stand gesetzt worden, seit 4 Jahren eine namhafte Anzahl jüdischer Kinder durch christliche und jüdische Lehrer in den Anfangsgründen der nötigen Kenntnisse des Menschen unterrichten zu lassen; das unruhige Geräusch, welches in einer öffentlichen Schule bei einer Anzahl Knaben unvermeidlich ist, hat uns aber oft genötiget, von einem Haus ins andere zu ziehen. Um dieser Ungemächlichkeit vorzubeugen, sehen wir uns gemüssiget, ein kleines Haus zum Gebrauch dieser Schule zu kaufen. Wir bitten demnach Ew. Kgl. Maj. alleruntertgst. uns in Betracht des Nutzens dieses für die Nation und die Menschheit überhaupt abzweckenden Instituti von der gewöhnlichen Abnahme der 300 rtlr. Porcellaine allergndgst. zu befreien und diesem zu verkaufenden Hause die Praerogative[1] anderer öffentlicher Häuser allerhuldreichst angedeihen zu lassen.

Selma Stern, Der preußische Staat und die Juden, Dritter Teil, Zweite Abteilung, Erster Halbband, Tübingen 1971, S. 645

1 Vorrechte

Ueber

die bürgerliche Verbesserung

der

Juden

von

Christian Wilhelm Dohm.

Mit Königl. Preußischem Privilegio.

Berlin und Stettin,

bei Friedrich Nicolai,

1781.

Titelblatt des Buches „Über die bürgerliche Verbesserung der Juden" von Christian Wilhelm Dohm, erschienen 1781

Über die bürgerliche Verbesserung der Juden

1781

Christian Wilhelm Dohm

In dem Buch des Kriegsrats, Archivars und Schriftstellers C. W. Dohm (1751–1820) „Über die bürgerliche Verbesserung der Juden" (erschienen Berlin 1781 im Verlag von Friedrich Nicolai) wird die Auffassung der Aufklärer von der bürgerlichen Gleichstellung der Juden systematisch dargestellt. Dohm gehörte zusammen mit Mendelssohn und Nicolai zu den wichtigsten Berliner Aufklärern. Sein Buch beeinflußte die Diskussion über die „Judenfrage" weit über die Grenzen Deutschlands hinaus, insbesondere auch das Toleranzedikt Josephs II.

Ist dieses Raisonnement richtig, haben wir in der bisherigen Drückung und in der eingeschränkten Beschäftigung der Juden die wahre Quelle ihrer Verderbtheit gefunden; so haben wir auch zugleich das Mittel entdeckt, diese Verderbtheit zu heilen und die Juden zu bessern Menschen und nützlichen Bürgern zu bilden. Mit der unbilligen und unpolitischen Behandlung der Juden werden auch die üblen Folgen derselben verschwinden, und wenn man aufhört, sie auf eine Art der Beschäftigung zu beschränken, wird auch der nachtheilige Einfluß derselben nicht mehr so merkbar seyn. Mit der Bescheidenheit, ohne die ein Privatmann seine Gedanken über öffentliche Angelegenheiten nie sagen sollte, und mit der sichern Ueberzeugung, daß allgemeine Vorschläge allemal in jedem Staat nach dem besondern Local bestimmt werden müssen, wenn sie nützlich angewandt werden sollen – wage ich es, nach dem bisher Gesagten itzt noch genauer meine Ideen anzugeben, wie die Juden glücklichere und bessere Glieder der bürgerlichen Gesellschaften werden können.

Um sie dazu zu machen, müßten sie Erstlich vollkommen gleiche Rechte mit allen übrigen Unterthanen erhalten. Sie sind fähig die Pflichten derselben zu erfüllen, und dürfen also auf gleich unparteyische Liebe und Vorsorge des Staates gerechten Anspruch machen. (...)

Zweytens. Da es besonders die auf den Handel eingeschränkte Beschäftigung der Juden ist, welche ihrem sittlichen und politischen Charakter eine nachtheilige Richtung gegeben; so würde die vollkommenste Freyheit der Beschäftigungen und Mittel des Erwerbs eben so sehr der Gerechtigkeit als der menschenfreundlichen Politik, die Juden zu brauchbaren und glücklichen Gliedern der Gesellschaft zu bilden, angemessen seyn. (...)

Drittens. Auch mit dem Ackerbau sich zu nähren müßte den Juden nicht verwehrt seyn. (...) Einige haben auch den Vorschlag gethan, daß man den Juden ganz abgesonderte Districte und Orte anweisen, und sie daselbst von den übrigen Unterthanen getrennt erhalten möchte, welches, glaubt man, die trennenden Religionsgrundsätze mildern, und wenn den Juden auch die obrigkeitlichen Stellen überlassen wären, den Trieb der Öffentlichen Ehre und Gemeingeist hervorbringen würde. Meiner Einsicht nach aber dürfte es nicht rathsam seyn, hiedurch die religiöse Trennung noch merkbarer und vermuthlich auch dauernder zu machen. Die Juden würden unter sich selbst zu sehr beschränkt, in ihren Vorurtheilen gegen die Christen, und diese gleichfalls in den ihrigen gestärkt werden. (...)

Viertens. Jede Art des Handels sollte zwar den Juden unverwehrt seyn, aber keine müßte ihnen ausschliessend überlassen, zu keiner müßten sie durch Ermunterungen und Vorzüge vor andern geleitet werden. Durch die Begünstigung der Handwerke und des Ackerbaues müßten die Juden vielmehr von dem Handel mehr entfernt werden, und in der Absicht, den Einfluß dieser so lange einzigen Beschäftigung zu schwächen, würde es, wie ich schon bemerkt habe, nicht zu mißbilligen seyn, wenn wenigstens in der ersten Zeit die Zahl der handelnden Juden etwas beschränkt, oder durch einige Auflagen erschwert und dadurch ein Fond zu Ermunterung anderer Beschäftigungen in der Nation gegründet würde. (...)

Fünftens. Jede Kunst, jede Wissenschaft, müßte auch dem Juden, wie jedem andern freyen Menschen, offen stehen. Auch er muß seinen Geist, so weit er vermag, ausbilden, auch ihn müssen seine entwickelte Talente zu Unterscheidung, Ehre und Belohnung leiten. (...) Sechstens müßte es ein besondres angelegnes Geschäft einer weisen Regierung seyn, für die sittliche Bildung und Aufklärung der Juden zu sorgen, und dadurch wenigstens die kommenden Geschlechter einer mildern Behandlung und des Genusses aller Vortheile der Gesellschaft empfänglicher zu machen. (...) Siebtens. Mit der sittlichen Verbesserung der Juden müßte aber dann auch die Bemühung den Christen ihre Vorurtheile und ihre lieblosen Gesinnungen zu benehmen, in gleichem Schritte gehen. Früh in der Jugend müßten sie schon belehrt werden, die Juden wie ihre Brüder und Mitmenschen zu betrachten, die auf einem andern Wege das Wohlgefallen Gottes zu erhalten suchten. (...) Achtens. Ein wichtiger Theil des Genusses aller Rechte der Gesellschaft würde auch dieser seyn, daß den Juden an allen Orten eine völlig freye Religionsübung, Anlegung von Synagogen und Anstellung von Lehrern auf ihre Kosten, verstattet würde. Diese Freyheit müßte nur in besondern Fällen, allenfalls aus dem Policeygrunde, eingeschränkt werden, wenn eine eigne Synagoge einer kleinen Judengemeine zu kostbar fallen, und die Unterhaltung zu vieler Lehrer, die eines Jeden zu dürftig machen würde; so wie aus gleichem Grunde auch oft christlichen Gemeinen eigne Lehrer und Kirchen versagt sind. Die Versorgung ihrer Armen könnte entweder wie bisher, ohne Zuthun der Regierung, den Juden allein überlassen werden, oder sie müßten zu dem allgemeinen Fond dieser Anstalten verhältnismäßig beytragen und deren Vortheile geniessen. (...) Neuntens. Sowohl die schriftlichen Gesetze Moses, welche sich nicht auf Palästina und die ehmalige gerichtliche und gottesdienstliche Verfassung beziehn, als die durch mündliche Ueberlieferung erhaltene, werdcn von den Juden für Gebote Gottes von immerwährender Verbindlichkeit gehalten. Auch verschiedne Erklärungen dieser Gesetze und Argumentationen aus denselben von berühmten jüdischen Lehrern haben bey der Nation ein gesetzliches Ansehn erhalten. (...) Eine nach diesen Grundsätzen eingerichtete Verfassung würde, dünkt mich, die Juden unter die nützlichen Glieder der Gesellschaft einführen, und zugleich dem mannichfachen Uebel abhelfen, das man Ihnen angethan und dessen sich schuldig zu machen, man sie gezwungen hat.

Christian Wilhelm Dohm, Über die bürgerliche Verbesserung der Juden, Berlin und Stettin 1781, S. 117ff.

Gegen den Rabbinismus: Worte des Friedens und der Wahrheit

1782

Naphtaly Hartwig Wessely

Als N. H. Wessely (1724–1805) aus Anlaß der von Joseph II. in Österreich eingeführten Erziehungsreformen unter dem Titel „Worte des Friedens und der Wahrheit" ein an die Jüdische Gemeinde von Triest gerichtetes Sendschreiben mit scharfen Angriffen gegen die herkömmlichen Erziehungsmethoden der Rabbiner veröffentlichte, steigerte sich die Auseinandersetzung zwischen den Orthodoxen und den Aufklärern unter den Juden zum Kulturkampf. Die Rabbiner versuchten Wessely aus Berlin ausweisen zu lassen und den Druck seiner Schrift zu verhindern. In einem Brief an David Friedländer, der dem entgegentrat, schrieb Moses Mendelssohn am 17. April 1782: „Will er den Rabbinern antworten, so kann er sich bloß darauf berufen, daß in Deutschalnd die Pressefreiheit allgemein gesichert und gesetzlich sci; man könnte dagegen schreiben und drucken: abcr nichts verfügen, wodurch jemand verhindert wird, seine Meinung zu sagen." Wesseley dichtete Oden auf Hebräisch und arbeitete auch an dem Kommentar von Mendelssohn zum Pentateuch (Fünf Bücher Moses) mit.

Ein Volk aber gibt es in diesen Ländern, bei dem auf die menschliche Lehre nicht geachtet und der Jugend in den Schulen die sittlichen, natürlichen und wissenschaftlichen Gesetze nicht mehr beigebracht worden. Da sind wir, die Israeliten, die, in den Ländern Europas zerstreut, in den meisten Reichen dieses Erdteiles wohnen. Wir, besonders die Bewohner Deutschlands und Polens, haben uns von dieser Lehre gänzlich abgewendet. Zwar finden sich unter uns viele mit Verstand und Einsicht Begabte, viel wahrheitsliebende und gottesfürchtige Männer, deren Beschäftigung und Studium jedoch von ihrer Jugend an nur den göttlichen Gesetzen und Lehren gewidmet ist, während sie von der menschlichen Lehre nichts erfahren und nichts gelernt haben. Selbst die Grammatik der heiligen Sprache ist ihnen fremd. Sie wissen nichts von dem Wohlklange, den Sprachgesetzen, der Schönheit ihrer Dichtungen, diesen stets rinnenden Quellen der Weisheit und Belehrung, noch viel weniger daher von der Sprache des Volkes, unter dem sie wohnen, die viele von ihnen kaum zu lesen, geschweige denn zu schreiben verstehen. Verborgen ist ihnen die Kunde von der Beschaffenheit der Erde, von geschichtlichen Ereignissen, und ebenso unbekannt sind ihnen die Moral- und Sittengesetze, die natürlichen wie die Erfahrungswissenschaften. Von alledem ist ihnen niemals etwas mitgeteilt worden, weder durch ihre Eltern noch durch ihre Lehrer, die ja selbst nichts davon gewußt haben. (...)

Wisset aber, daß nicht wir die Schuld für diese Zustände tragen; wir haben nicht uns selber anzuklagen, sondern die Völker, die seit mehr als tausend Jahren vor uns gelebt haben. Diese waren unser Verderben. Auf Befehl ihrer Könige und Räte haben sie uns sehr wehe getan und vieler unedlen Rücksichten wegen uns zu verderben und bis in den Staub zu erniedrigen gesucht, indem sie uns vernunftwidrige Gesetze auferlegten. Sie waren es, die sich gegen die menschliche Lehre vergingen; denn sie haben unsere Seele in den Staub gebeugt und unseren Geist erniedrigt. Von jener Zeit an ward es in den Herzen der Unsrigen finster, so daß sie von der Beschäftigung mit menschlichem Wissen abließen. (...) Denn sie sagten: „Was soll uns dies alles? Die Bewohner des Landes sind uns feindlich gesinnt, sie werden weder auf unseren Rat hören noch unsere Kräfte in Anspruch nehmen. Wir selbst aber besitzen weder Felder noch Weinberge in diesem Lande. So lassen wir denn all diese Wissenschaften und beschäftigen uns mit Handel, um uns und unsere Kinder zu ernähren. Haben sie uns doch nichts anderes übriggelassen und auch das mit kleinem Maße und großer Sparsamkeit zugemessen. (...)

Julius Höxter, Quellenbuch zur jüdischen Geschichte und Literatur, IV. Teil, Frankfurt am Main 1928, S. 160 ff.

An das „Haus Jacobs“

1783

Moses Mendelssohn

„Schickt Euch in die Sitten und in die Verfassung des Landes, in welches Ihr versetzt seid“, schrieb Mendelssohn in seinem Buch „Jerusalem oder Über religiöse Macht und Judentum“ und formulierte damit die Forderung der Aufklärung an die Juden, ihre nationale und kulturelle Absonderung aufzugeben.

Und noch jetzt kann dem Hause Jacobs keine weiserer Rath ertheilt werden, als eben Dieser. Schicket Euch in die Sitten und in die Verfassung des Landes, in welches Ihr versetzt seid; aber haltet auch standhaft bei der Religion Eurer Väter. Traget beider Lasten, so gut Ihr könnet! Man erschweret Euch zwar von der einen Seite die Bürde des bürgerlichen Lebens, um der Religion willen, der ihr treu bleibet, und von der andern Seite macht das Clima und die Zeiten die Beobachtung Eurer Religionsgesetze, in mancher Betrachtung, lästiger, als sie sind. Haltet nichts desto weniger aus, stehet unerschüttert auf dem Standorte, den Euch die Vorsehung angewiesen, und lasset Alles über Euch ergehen, wie Euch Euer Gesetzgeber lange vorher verkündiget hat. (...)

Und Ihr, lieben Brüder und Mitmenschen! die Ihr der Lehre Jesu folget, solltet uns verargen, wenn wir das thun, was der Stifter Eurer Religion selbst gethan, und durch sein Ansehen bewährt hat? Ihr solltet glauben, uns nicht bürgerlich wieder lieben, Euch mit uns nicht bürgerlich vereinigen zu können, so lange wir uns durch das Ceremonialgesetz äußerlich unterscheiden, nicht mit Euch essen, nicht von Euch heirathen, das, so viel wir einsehen können, der Stifter Eurer Religion selbst weder gethan, noch uns erlaubt haben würde? – Wenn Dieses, wie wir von christlich gesinnten Männern nicht vermuthen können, Eure wahre Gesinnung sein und bleiben sollte; wenn die bürgerliche Vereinigung unter keiner andern Bedingung zu erhalten, als wenn wir von dem Gesetze abweichen, das wir für uns noch für verbindlich halten, so thut es uns herzlich leid, was wir zu erklären für nöthig erachten; so müssen wir lieber auf bürgerliche Vereinigung Verzicht thun.

Moses Mendelssohn's Gesammelte Schriften, hrsg. von G. B. Mendelssohn, Leipzig 1863, Nachdruck Hildesheim 1972, Bd. 3, S. 355 ff.

Es ist eines Theils der Natur des Menschen daß er den Boden liebt, auf welchem ihm wohl ist

1783

Moses Mendelssohn

Sobald die Juden Bürger werden, werden sie auch Deutsche sein, meinte Mendelssohn; die Religion wird lediglich Juden und Christen, nicht aber Deutsche und Juden unterscheiden. Die Veröffentlichung der Schrift von Dohm führte zu einer Diskussion in den Zeitschriften. Der Theologe Johann David Michaelis (1717–91) wandte sich heftig gegen die Thesen von Dohm. Gegen ihn schrieb Mendelssohn in der „Anmerkung zu des Ritters Michaelis Beurteilung des ersten Theils von Dohm, über die bürgerliche Verbesserung der Juden".

Die gehoffte Rückkehr nach Palästine, die Herr M. so besorgt macht, hat auf unser bürgerliches Verhalten nicht den geringsten Einfluß. Dieses hat die Erfahrung von jeher gelehrt, an allen Orten, wo Juden bisher Duldung genossen, und es ist eines Theils der Natur des Menschen gemäß, der, wenn er nicht Enthusiast ist, den Boden liebt, auf welchem ihm wohl ist, und wenn seine religiöse Meinungen dawider sind, diese für die Kirche und die Gebetsformeln versparet und weiter nicht daran denkt, andern Theils aber der Vorsorge unsrer Weisen zuzuschreiben, die uns den Verbot im Talmud sehr oft eingeschärft, *an keine gewaltsame Rückkehr zu denken;* ja ohne die in der Schrift verheißene große Wunder und außerordentliche Zeichen, nicht den geringsten Schritt zu thun, der eine gewaltsame Rückkehr und Wiederherstellung der Nation zur Absicht hätte. Diesen Verbot haben sie auf eine etwas mystische, doch sehr einnehmende Weise, durch den Vers im Hohenliede ausgedrückt (Cap. 2, V. 7, und Cap. 3, V. 5).

> Ich beschwöre Euch,
> Töchter Jerusalems!
> Bei den Hirschen,
> Bei den Hinden des Waldes.
> Daß Ihr nicht wecket
> Und nicht rege machtet
> Die Liebe,
> Bis es ihr gefällt.

(...) Anstatt Christen und Juden bedient sich Herr Michaelis beständig des Ausdruckes *Deutsche* und *Juden*. Er entsiehet sich wohl, den Unterschied bloß in Religionsmeinungen zu sehen, und will uns lieber als Fremde betrachtet wissen, die sich die Bedingungen gefallen lassen müssen, welche ihnen von den Landeigenthümern eingeräumt werden. Allein erstlich ist Dieses ja die vorliegende Frage: ob den Landeigenthümern nicht besser gerathen ist, wenn sie diese Geduldeten als Bürger aufnehmen, als daß sie mit schweren Kosten andere Fremden ins Land ziehen? – Sodann möchte ich auch erörtert wissen: wie lange, wie viel Jahrtausende dieses Verhältniß, als Landeigenthümer und Fremdling fortdauern soll? Ob es nicht zum Besten der Menschheit und ihrer Cultur gereiche, diesen Unterschied in Vergessenheit kommen zu lassen?

Moses Mendelssohn's Gesammelte Schriften, hrsg. von G. B. Mendelssohn, Leipzig 1863, Nachdruck Hildesheim 1972, Bd. 3, S. 365

Zwischen zwei Welten

Ephraim Moses Kuh

Ephraim Kuh wurde 1731 in Breslau geboren, er war Kaufmann und der erste deutsch-jüdische Dichter. Berühmt wurde er durch seine Oden, seine Epigramme und Gedichte, die Christian Wilhelm Dohm in der Zeitschrift „Deutsches Museum" veröffentlichte. Seit 1763 lebte Kuh in Berlin, wo er mit dem Kreis um Mendelssohn und Lessing zusammentraf. Kuh zerbrach an der Zwiespältigkeit des Lebens zwischen zwei Welten, er starb 1790 in Breslau. Auf seinem Grabstein steht: „Hier liegt der Dichter Kuh/den bald das schnöde Glück/bald auch des Schurken Tücke/geneckt – hier hat er Ruh." Berthold Auerbach schilderte sein Leben in dem Roman „Der Dichter und der Kaufmann".

Gebet eines Hofmanns

Ihr Götter, steht mir heute bei,
Daß ich nicht meine Pflicht vergesse,
Daß mir der Fürst recht gnädig sei
Und auch sein Hund und die Mätresse.

Toren und Weise

Der Tor gedeiht, den Weisen beugt
Verdruss und Not und Plage,
Die Welt ist eine Waage,
Das Schwere sinkt, das Leichte steigt.

Leibzoll

Zöllner: „Du, Jude, musst drei Thaler Zoll erlegen!

Jude: Drei Thaler? so viel Geld? mein Herr, weswegen?

Zöllner: Das fragst du noch! weil du ein Jude bist.
Wärst du ein Türk', ein Heid', ein Atheist,
So würden wir nicht einen Deut begehren.
Als einen Juden müssen wir dich scheren.

Jude: Hier ist das Geld! – Lehrt euch dies euer Christ?"

Arthur Galliner, Ephraim Kuh, in: Bulletin des Leo Baeck Instituts, 5. Jahrgang, Tel Aviv 1962, S. 191 ff.

Huldigungsgedicht für Friedrich Wilhelm II.

1786

„Gesang und Gebet zum Huldigungstage unsers Allerdurchlauchtigsten, Großmächtigsten und Allergnädigsten Königs und Herrn Friedrich Wilhelm des Zweiten von der Jüdischen Gemeinde zu Berlin am Zehnten Tage des siebenten Monats am Versöhnungstage (den 2. Oct. 1786). Gedruckt in der Jüdischen Freyschule."

Erwach o Königstadt! und schmücke festlich dich;
Statt dumpfer Traurigkeit ertöne dein Harfenspiel:
Denn Friedrich Wilhelm herrscht! Dein Licht – es strahlt!
Nur Segen ahndet jedes Herz, verkündet Heil,
Aus jedem Mund' erschallet freudenvoll: Wilhelm, Du –
Wirst größer als der Ahnen ganze Schaar.
(...)
Du wirst Regent – nun wird es Licht! Du strahlest uns!
Du zeigest, daß der Ew'ge dich zum Beherrscher schuf,
In dessen Glanze Nationen gehn.
Dein Auge winket Lieb' und jedes Herz ist Dein!
Holdselig strömt von Deinen Lippen nur Vaterhuld,
Die auf erhabne Tugenden sich stützt.
(...)

Und Du, den Tugend mehr als Kron' und Zepter schmückt,
Du wirst die Zierde aller Könige ewig seyn,
Ein mächt'ger Held, ein Menschenfreund!
Versüßen wirst Du, Honigbächen gleich, den Zwist:
Wirst uns, wie Wasserström' auf ödem Gefild' erfreun;
Und Fried' und Wahrheit schmückt durch Dich die Welt.

Schau darum, großer König, um Dich her und sieh,
Wie unser Angesicht von lauterer Freude glänzt;
Wie jeder Gott, dem Herrn des Himmels, fleht:
„O Gott! Es lebe Wilhelm! Er beherrsche uns!
Wie Thau das dürre Erdreich tränkt, so sey Er uns!
Sein Anlitz leucht' uns lange Jahre noch".

Auf Jakobs Kinder, die Dich lieben, schau herab.
Sie sehn's, daß Gottesfurcht wie Kronen Dein Haupt umgiebt,
Verehren Deine Größ' und Majestät:
Sie bringen heute diese kleine Gabe Dir,
Und beugen vor des Thrones Stufen voll Ehrfurcht sich.
O! laß sie Gnad in Deinen Augen schau'n.

An diesem Tage, da wir Gott um Gnade flehn,
Der uns Versöhnungstag für unsere Sünden ist,
Wird Gott bei Dir uns Gnad und Huld verleihn.
Auch wir sind Deine Kinder, sind Dir zugethan:
Auch wir vertrauen Deiner Güte voll Zuversicht,
Auch hoffen wir von Deiner Weisheit Trost.

Ludwig Geiger, Geschichte der Juden in Berlin, Berlin 1871–1890, Nachdruck Leipzig 1988, Ergänzung II, S. 36f.

1786–1871

1792	Gründung der Berliner „Gesellschaft der Freunde“
1799	David Friedländers „Sendschreiben“ an Probst Teller
11. 3. 1812	„Edikt, betreffend die bürgerlichen Verhältnisse der Juden in dem Preußischen Staate“ (sogenanntes Emanzipationsedikt); die Juden werden Staatsbürger
1819	Gründung des „Vereins für Cultur und Wissenschaft“
1822	Entzug des Rechtes, höhere Militärchargen und akademische Lehr- und Schulämter zu bekleiden
9. 12. 1823	Kabinettsorder gegen jüdische Reformbestrebungen
1827	Eröffnung des Friedhofs Schönhauser Allee
1840	Eröffnung des Zunz’schen Seminars, das zehn Jahre bestand
1845	Gründung der „Genossenschaft für Reform im Judentum“
1847	Unter Mitwirkung des Ersten Vereinigten Preußischen Landtages von 1847 am 23. Juli verabschiedetes Gesetz über die Verhältnisse der Juden und die Stellung der Gemeinden
18. 3. 1848	Volksaufstand und Barrikadenkampf
31. 1. 1850	Juristische Gleichstellung aller Preußen, auch der Juden, durch Art. 4 der revidierten preußischen Verfassung (1869 übernommen in den Staaten des Norddeutschen Bundes; 1871 im Deutschen Reich)
1859	Gründung und Eröffnung der Lehrerbildungsanstalt
23. 5. 1861	Statut der Jüdischen Gemeinde zu Berlin
6. 6. 1861	Gründung der linksliberalen Fortschrittspartei
1866	Einweihung der großen Synagoge Oranienburger Straße
3. 7. 1869	Der Norddeutsche Bund verfügt die völlige rechtliche Gleichstellung der Juden

Ringen um Reform und Emanzipation

Die Berliner Gemeindeältesten begannen unmittelbar nach dem Tode Friedrichs II. mit ihren Bemühungen um eine Aufhebung der die Juden betreffenden Sondergesetze, errangen jedoch nur bescheidene Erfolge. So wurde die Solidarhaftung eingeschränkt und schließlich aufgehoben. Auch bemühten die jüdischen Aufklärer sich weiter, die „Constitution der Religion" zu reformieren, wie Saul Ascher sich ausdrückte. Der Buchhändler und Schriftsteller vertrat die Ideen der Französischen Aufklärung, die den Juden die Gleichberechtigung brachte, und wandte sich mit seiner 1792 erschienenen Schrift „Leviathan oder über die Religion in Rücksicht auf das Judentum" gegen die Absonderung der Juden von der übrigen Gesellschaft. Er gehörte zu der im gleichen Jahr von Joseph Mendelssohn, dem ältesten Sohn des Philosophen, mit einem Kreis junger Männer aus den angesehensten jüdischen Familien Berlins gegründeten „Gesellschaft der Freunde", die bis zur Zwangsauflösung nach dem Novemberpogrom 1938 bestand. Enttäuscht über das Stokken der Reformen, übermittelte David Friedländer, ein Schüler Moses Mendelssohns, an den protestantischen Probst W.A. Teller ein Sendschreiben, in dem er die Errichtung einer gemeinsamen jüdisch-christlichen Kirche vorschlug, die auf den Morallehren beider Religionen beruhen sollte. Der Probst lehnte diesen Vorschlag ab und forderte Friedländer auf, zum Christentum überzutreten. Er löste damit eine Debatte aus, die jahrelang mit Heftigkeit geführt wurde und Aufsehen erregte.

Erst als nach dem völligen Zusammenbruch Preußens im Krieg gegen das Frankreich Napoleons die Bestrebungen zu einer grundlegenden Reform der erstarrten Staats- und Gesellschaftsordnung sich durchsetzten, wurden die Voraussetzungen für die bürgerliche Gleichstellung der Juden geschaffen. Die sogenannte Bauernbefreiung und die Aufhebung des Zunftzwanges, die ersten Schritte also zur Gewerbefreiheit und später zum Freihandel, bezweckten die Stärkung des Staates durch Liberalisierung der Wirtschaft, Modernisierung der Verwaltung und größeres Engagement der Bürger. Die Städteordnung vom 19. November 1808 brachte den Juden das Bürgerrecht sowie den Anspruch auf städtische Ehrenämter. David Friedländer und Salomon Veit waren die ersten Juden, denen es 1809 gelang, in Berlins Magistrat und Stadtverordnetenversammlung einzuziehen. Entscheidend aber war schließlich das Emanzipationsgesetz vom 11. März 1812, das die Schutzjudenschaft aufhob, den Sonderabgaben ein Ende machte und die preußischen und damit auch die Berliner Juden zu „Einländern und Staatsbürgern" erklärte. Kehrseite der Befreiung der einzelnen Juden war die Aufhebung der

Gemeindeautonomie und das Entstehen eines Jahrzehnte währenden rechtlichen Vakuums, in dem die Gemeinden leben mußten, ohne daß dies den Juden zunächst sonderlich gewahr wurde.

Die anfängliche Hochstimmung erfuhr jedoch bald einen Dämpfer, denn es zeigte sich, daß die Wirkung des Emanzipationsedikts auf den Geltungsbereich der Grenzen Preußens von 1812 beschränkt blieb und die Übersiedlung von Juden aus den neu erworbenen oder zurückgewonnenen Provinzen nach Berlin kaum möglich war. Es war dies, neben der Taufbewegung, die seit der Jahrhundertwende die sozial höher stehenden Schichten ergriffen hatte, der Grund, warum die jüdische Bevölkerung der Stadt nur langsam – von 1812 bis 1847 von 3000 auf 8300 Personen – anwuchs.

Mit der staatsbürgerlichen Emanzipation änderte sich auch die Denk- und Lebensweise. Die Berliner Juden bemühten sich jetzt immer mehr, Anschluß an die deutsche Kultur zu finden, sich den Normen der Umwelt anzupassen. David Friedländer trat nach 1812 dafür ein, durch völlige Umkehr im Erziehungs- und Kulturwesen die Emanzipation zu ergänzen. Seine Bemühungen fanden ihre teilweise Verwirklichung in dem reformierten Gottesdienst, den zuerst der aus Kassel nach Berlin übergesiedelte frühere Hoffaktor Israel Jacobson und der Bankier Jakob Herz Beer, der Vater des Komponisten Meyerbeer, gegen starke Widerstände des gesetzestreuen Teiles der Gemeinde eingerichtet hatten.

Der Versuch, den Gottesdienst, in dem viele Gebete in deutscher Sprache vorgetragen wurden und in dem die Liturgie verkürzt war, als Gemeindegottesdienst einzuführen, sowie der Vorschlag, die „Gebete, Katechisationen und öffentlichen Vorträge“ einer Kommission des protestantischen Konsistoriums zur Prüfung einzureichen, wurden von den Behörden zurückgewiesen. Maßgebende Regierungskreise argwöhnten, hinter den jüdischen Reformbestrebungen stünden Bemühungen, eine neue jüdische Sekte zu bilden. Durch behördliches Eingreifen fanden die Reformbestrebungen ein vorläufiges Ende. Eine Kabinettsorder vom 9. Dezember 1823 entschied, „daß der Gottesdienst der Juden in der hiesigen Synagoge und nur nach dem hergebrachten Ritus ohne die geringste Neuerung in der Sprache und in der Zeremonie, Gebeten und Gesängen gehalten werden soll“.

Eine kurze Lebensdauer hatte auch der von Leopold Zunz, Eduard Gans und dem Freund von Heinrich Heine, Moses Moser, als Reaktion auf die außerhalb Preußens grassierende antisemitische Hep-Hep-Bewegung des Jahres 1819 gegründete „Verein für Cultur und Wissenschaft der Juden“. Das dort geplante Unterrichtsreformprogramm konnte nur bedingt umgesetzt werden. Dennoch sind von dieser Arbeit wichtige Impulse ausgegangen, wie die Gründung der Anfang 1826 ins Leben gerufenen Knabenschule der Gemeinde, die Zunz bis 1829, dann Baruch Auerbach bis 1851 leitete. Ein dauernder Erfolg der Vereinstätigkeit war die Begründung der „Wissenschaft des

Judentums", deren berühmtester Wortführer Leopold Zunz werden sollte.

Zwischen den durch Bildung und Besitz aufgestiegenen Kreisen der Berliner Gemeinde und der kultivierten Oberschicht von Bürgertum und Adel entwickelte sich seit der Jahrhundertwende ein reger gesellschaftlicher Verkehr. Berühmt als Orte der Begegnung und des Gedankenaustausches wurden die Salons von Dorothea Veit-Mendelssohn, der späteren Frau Friedrich von Schlegels, von Henriette Herz, der Frau des Arztes und Philosophen Marcus Herz, und der geistvollen Rahel Varnhagen. Auf den literarischen Geschmack der Zeit haben sie einigen Einfluß ausgeübt, aber auch der Stellung der Frau im geistigen Deutschland jener Jahre eine neue Bedeutung verliehen.

Die religiöse Lage der Gemeinde in den dreißiger und Anfang der vierziger Jahre war problematisch. Es fehlte ein festangestellter Rabbiner, was damit zusammenhing, daß einmal widerstreitende Richtungen innerhalb der Gemeinde die Einstellung eines Rabbiners unmöglich machten, zum anderen die Regierung Schwierigkeiten bereitete. Heftige Auseinandersetzungen brachte die Gründung des zweiten Kulturvereins 1840, vor allem aber die von Sigismund Stern ausgegebene Losung einer „deutsch-jüdischen Kirche". Die mehr traditionell eingestellten Gemeindemitglieder blickten mit großem Unbehagen auf Tendenzen, wie sie sich z. B. in der 1845 auf Anregung von Sigismund Stern und Aaron Bernstein gegründeten „Genossenschaft für Reform im Judentum" zeigten. Diese Bewegung – der Historiker Simon Dubnow nannte sie später eine „Unterwerfung der Religion unter die Ziele der Germanisierung und der bürgerlichen Emanzipation" –, die sich ursprünglich nur auf eine oberflächliche Reform des Gottesdienstes beschränkt hatte, begann sich sehr bald zu einer offenen Rebellion gegen die traditionellen Formen des Judentums (Beschneidung, Ehegesetz, Gottesdienst, Sabbatfrage, Trauergebräuche, Ritualbad u.a.) zu entwickeln. Obwohl auch die liberale Mehrheit der Juden vor einer allzu radikalen Reform zurückschreckte, gewannen die Berliner Bemühungen insbesondere um die feierliche Gestaltung der Gottesdienste weltweite Bedeutung für die Entwicklung des Judentums.

Kulturell und wirtschaftlich waren die Berliner Juden in der ersten Hälfte des 19. Jahrhunderts im Aufschwung begriffen. Schlechter war es um ihre staatsbürgerliche Stellung bestellt. Ihnen blieben der Zugang zur Staatsverwaltung, zum Militär, aber auch zu einer Universitätskarriere verschlossen. In ihrer Mehrzahl standen sie deshalb dem politischen Liberalismus nahe. Sie begrüßten die unter Mitwirkung des Ersten Vereinigten Preußischen Landtages 1847 erlassenen gesetzlichen Bestimmungen, die eine Verbesserung ihrer Rechte und eine Regelung der Gemeindeverhältnisse brachten, ließen sich aber dadurch nicht in ihrer Sympathie für die sich formierende revolutionäre Bewegung abhalten. Als die Revolution ausbrach, standen viele von ihnen auf den Barrikaden.

Auch wenn die Revolution scheiterte und die politischen und sozialen Verhältnisse nach 1848 weitgehend beim alten blieben, die Lage der Juden wendete sich dennoch zum Besseren. Denn in der revidierten Verfassung vom 31. Januar 1850 war die Gleichheit aller Preußen vor dem Gesetz, auch die der Juden, festgelegt.

Im „Reaktionsjahrzehnt", den fünfziger Jahren, konsolidierten sich auch die Berliner Gemeindeverhältnisse. Entsprechend dem Gesetz von 1847 wurden ein Vorstand und eine Repräsentantenversammlung gebildet und ein Statut verabschiedet (am 23. Mai 1861), das zunächst die Einheit der Gemeinde wahrte. In der Kultusgestaltung pendelte man sich zwischen Reformern und Konservativen auf die Mitte hin ein. So war die 1866 eingeweihte zweite Gemeindesynagoge in der Oranienburger Straße bemüht, in den kulturellen Einrichtungen (Orgel, Chorgesang, Gebetsordnung u. a.) eine gemäßigte Linie zu vertreten. Die historisch ausgerichteten konservativen Kreise fühlten sich jedoch in ihren Paritätswünschen benachteiligt und gründeten 1869 eine eigene Gemeinde, Adass Isroel, deren rabbinisches Haupt Israel Hildesheimer wurde.

In der kurzen Blüte des deutschen Liberalismus seit den sechziger Jahren wurde auch der jahrzehntelang währende Kampf um die bürgerliche Gleichstellung der Juden durch die Gesetzgebung des Norddeutschen Bundes abgeschlossen. Nur die Gleichberechtigung der Synagogengemeinden mit den christlichen Kirchen stand noch aus. Die Integration der Juden in die deutsche Gesellschaft schien gelungen, ohne daß sie ihre religiöse Eigenart hätten aufgeben müssen. Aber gerade dieser rasche Aufstieg ins Bürgertum weckte Ressentiments.

Julius H. Schoeps

Die Ältesten schlugen das Gesuch ab

um 1789

Salomon Maimon

Der Philosoph Salomon Maimon (1754–1800) ist durch seine Autobiographie bekannt geworden, die trotz starker Subjektivität für die Kenntnis der inneren Verhältnisse des polnischen Judentums und speziell des damals noch in seinen Anfängen stehenden Chassidismus wertvolles Material enthält. Sein erstes größeres Werk, „Versuch über die Transzendentalphilosophie" (1790), ist eine produktive Kritik der Kantischen Philosophie vom Standpunkt des absoluten Idealismus aus. Für die jüdische Geistesgeschichte bedeutsam ist sein Kommentar zum ersten Teil des „More Newuchim", in dem er sein philosophisches System auch in hebräischer Sprache entwickelte.

Endlich erreichte ich diese Stadt. Hier glaubte ich meinem Elende ein Ende zu machen und alle meine Wünsche zu erreichen, betrog mich aber leider sehr.

Da, wie bekannt, in dieser Residenzstadt kein Betteljude gelitten wird; so hat die jüdische Gemeinde zur Versorgung ihrer Armen ein Haus am Rosenthaler Tore bauen lassen, worin die Armen aufgenommen, von den jüdischen Ältesten über ihr Gesuch in Berlin befragt und nach Befinden entweder, wenn sie krank sind, oder einen Dienst suchen, in der Stadt aufgenommen, oder weiter verschickt werden. Auch ich wurde also in dieses Haus gebracht, das teils mit Kranken, teils aber mit liederlichem Gesindel angefüllet war. Lange Zeit sah ich mich vergebens nach einem Menschen um, mit dem ich mich über meine Angelegenheiten hätte besprechen können.

Endlich bemerkte ich einen Menschen, der nach seinem Anzuge zu urteilen ein Rabbiner sein mußte; ich wandte mich also an diesen, und wie groß war nicht meine Freude, als ich von ihm erfuhr, daß er wirklich ein Rabbiner und in Berlin ziemlich bekannt sei. Ich unterhielt mich mit ihm über allerhand Gegenstände der rabbinischen Gelehrsamkeit, und da ich sehr offenherzig bin, so erzählte ich ihm meinen Lebenslauf in Polen, eröffnete ihm mein Vorhaben, in Berlin Medizin zu studieren, zeigte ihm meinen Kommentar über den *More Newuchim* usw. Dieser merkte sich alles und schien sich für mich sehr zu interessieren. Aber auf einmal verschwand er mir aus dem Gesichte.

Endlich gegen Abend kamen die jüdischen Ältesten. Es wurde ein jeder der Anwesenden vorgerufen und über sein Gesuch befragt. Die Reihe kam auch an mich, und ich sagte ganz offenherzig, ich wünsche in Berlin zu bleiben, um daselbst Medizin zu studieren.

Die Ältesten schlugen mein Gesuch geradezu ab, gaben mir meinen Zehrpfennig und gingen fort. Die Ursache dieses Betragens gegen mich besonders war keine andere als diese. Der Rabbiner, von dem ich vorher gesprochen habe, war ein eifriger Orthodox. Nachdem er also meine Gesinnungen und

Vorhaben ausgeforscht hatte, ging er in die Stadt, benachrichtigte die Ältesten der Gemeinde von meiner ketzerischen Denkungsart, indem ich den *More Newuchim* kommentiert neu herausgeben wolle, und daß mein Vorhaben nicht sowohl sei, Medizin zu studieren und als Profession zu treiben, sondern hauptsächlich mich in Wissenschaften überhaupt zu vertiefen und meine Erkenntnis zu erweitern.

Dies letztere sehen die orthodoxen Juden als etwas, der Religion und den guten Sitten Gefährliches an, besonders glauben sie dieses von den polnischen Rabbinern, die, durch einen glücklichen Zufall aus der Sklaverei des Aberglaubens befreiet, auf einmal das Licht der Vernunft erblicken und sich von jenen Fesseln losmachen. Dieses ist auch zum Teil wahr. Sie sind mit einem Menschen zu vergleichen, der nach lange ausgestandenem Hunger auf einmal an einen wohlbesetzten Tisch kommt; der also mit heftiger Begierde zugreifen und sich bis zum Überladen sättigen wird.

Die Verweigerung der Erlaubnis, in Berlin zu bleiben, war für mich ein Donnerschlag. Das letzte Ziel aller meiner Hoffnungen, meiner Wünsche, wurde mir auf einmal, da ich demselben so nahe war, verrückt. Ich befand mich in der Lage des Tantalus und wußte mir nicht zu helfen. Besonders schmerzte mich das Betragen des Aufsehers dieses Armenhauses, der auf Befehl seiner Obern auf meine schleunige Abreise drang und nicht eher nachließ, als bis er mich vor dem Tore sah.

Hier warf ich mich auf die Erde nieder und fing an bitterlich zu weinen.

Es war ein Sonntag, viele Menschen gingen wie gewöhnlich vor dem Tor spazieren. Die mehrsten kehrten sich an mich winselnden Wurm nicht; einigen mitleidigen Seelen aber fiel dieser Anblick sehr auf; sie fragten mich nach der Ursache meines Wehklagens; ich antwortete ihnen: aber sie konnten mich, teils wegen meiner unverständlichen Sprache, teils auch wegen häufiger Unterbrechung durch Weinen und Schluchzen nicht verstehn.

Ich war so alteriert, daß ich in ein hitziges Fieber geriet.Die Soldaten, die am Tore die Wache hielten, meldeten dieses im Armenhause.

Der Aufseher kam und holte mich herein. Ich blieb den Tag über da und freute mich in der Hoffnung recht krank zu werden und auf diese Art einen längeren Aufenthalt zu erzwingen; während welcher Zeit ich mehrere Bekanntschaften zu machen glaubte, wodurch ich Schutz und Erlaubnis, in Berlin zu bleiben, zu erhalten hoffte.

Aber leider wurde ich in meiner Hoffnung getäuscht. Den folgenden Tag stand ich wieder munter auf, ohne etwas Fieberhaftes zu spüren, ich mußte also fort. Aber wohin? das wußte ich selbst nicht. Ich nahm also den ersten, den besten Weg und überließ mich dem Schicksal.

Salomon Maimons Lebensgeschichte, von ihm selbst geschrieben und hrsg. v. K. Ph. Moritz, Berlin 1792/93

Die „Gesellschaft der Freunde“

1792

Joseph Mendelssohn

1792 wurde die „Gesellschaft der Freunde“ gegründet, die neben den karitativen Aufgaben der gegenseitigen Unterstützung im Falle von Not, Krankheit und Tod insbesondere die Verbreitung der Bildung und Aufklärung förderte. Sie wandte sich gegen die in den religiösen Belangen vorherrschende Orthodoxie, die „Freidenkern“ die Beihilfe in Not und das rituelle Begräbnis verweigerte. Zu ihrem fünfzigjährigen Bestehen, 1842, hatte die Gesellschaft bereits 423 Mitglieder. Im gesellschaftlichen und kulturellen Leben Berlins übte sie großen Einfluß aus. Eines ihrer Hauptanliegen im 19. Jahrhundert war die Verständigung zwischen Juden und Christen. Diese Bemühungen wurden von christlicher Seite nicht entsprechend erwidert. Zur ersten Versammlung, am Sonntag, dem 29. Januar 1792, nachmittags, erschienen gegen 100 junge Männer. In seiner Rede sagte Joseph Mendelssohn:

„Das Licht der Aufklärung, – das sich in unsrem Jahrhundert über ganz Europa verbreitet hat, zeigt seine wohlthätige Wirkung seit mehr als 30 Jahren auch auf unsre Nation. Auch unter uns nimmt die Menge derer täglich zu, die in ihrer väterlichen Religion das Unkraut von dem Waitzen unterscheiden, und besonders in dem Staate, in dem wir leben, ist die Anzahl dieser unsrer aufgeklärt denkenden Religionsbrüder jetzt fast eben so groß, als die Anzahl unsrer älteren Brüder, die alle Beleuchtung der Vernunft in Religionssachen verdammen, und Alles nehmen, wie sie es finden. Nächst Gott verdanken wir diesen ansehnlichen Zuwachs an Vernünftigen der weisen Regierung, unter der wir leben, die dem Verfolgungsgeist die Hände gebunden, und ihm die Kraft benommen, die Aufklärung im Keime zu ersticken.“ Der Redner erinnerte nun daran, wie trotzdem viele wegen des freien Bekenntnisses ihrer Meinungen leider von der gemißbrauchten Macht der Orthodoxen leiden müßten, da diese ein Ganzes bildeten und an der Spitze der Gemeindeverwaltung ständen. Er berührte, wie die Orthodoxie die Andersdenkenden verfolge, hier durch Versagung der Unterstützungen an Arme und der Wartung und Pflege an Kranke, dort selbst durch Beschimpfung der Todten, indem sie diesen das Begräbniß verweigere. Der Redner wies demgemäß auf die Nothwendigkeit hin, daß auch die Freidenkenden der Nation sich verbrüdern müßten, da der Einzelne zu ohnmächtig sei, den ihrer freieren Religionsmeinungen halber unschuldig leidenden Glaubensgenossen zu helfen, um vereinigt sich des dürftigen Kranken und auch des Todten anzunehmen, und so dem Unwesen der Orthodoxen thatkräftig entgegen zu treten. Dann schloß er mit den Worten: „Wir dürfen hoffen, daß Niemand, dem die wahre Verbesserung unserer Nation am Herzen liegt, die allein von ihrer größeren Aufklärung abhängt, sich weigern wird, dieser Gesellschaft beizutreten.“

Ludwig Lesser, Chronik der Gesellschaft der Freunde, Berlin 1842

Die Constitution der Religion

1792

Saul Ascher

Saul Ascher (1767–1822), Sohn eines Berliner Schutzjuden, war Mitglied der „Gesellschaft der Freunde". Ascher, der später in mehreren Zeitschriften Aufsätze zu aktuellen politischen Fragen veröffentlichte, gilt als Wegweiser der jüdischen Reformbewegung.

Wir haben die jetzige Constitution des Judenthums darauf zurückgeführt, daß sie bloß durch Beobachtung des Gesetzes erhalten werde. Allein der Leser wird gewiß aus vorhergehender treffender Schilderung ersehen, daß das Gesetz für uns noch einen geringen Grad von Autorität hat, und daß es auch diesen bei der zunehmenden Aufklärung und bei dem jetzigen Gange der Sachen verlieren muß.

Welche üble Folgen dies nicht allein für die ganze Bildung unserer Nation, und sogar auch für unsern Glauben haben kann, hierüber habe ich ebenfalls einige Winke gegeben. – Ich frage daher: ob man mich als Ketzer oder Feind unsers Glaubens ansehen kann, wenn ich aus moralischen Gründen behaupte: daß unsere Nation anders keine reelle Verbesserung erwarten kann, als wenn wir eine positive Reformation im Gesetze vornehmen?

Wie diese Reformation zu veranstalten sei? Wie weit zu gehen wir Recht haben? Das sind Fragen, die der Theolog beantworten muß, doch glaube ich bereits in den Abhandlungen, wo ich den ganzen Umfang des Judenthums entwickelt, einige Winke gegeben zu haben. Ich will die dort geäußerten Ideen hier summiren, indem ich glaube, daß sie uns eines Theils auf den rechten Weg führen werden.

Erstens zeige ich: daß der einzig mögliche Zweck des Judenthums war, die Menschen so glücklich zu machen als möglich, und mit ihnen in dieser Rücksicht eine Gesellschaft zu constituiren.

Zweitens: daß die einzige Bedingung der Offenbarung im Judenthume Glauben war.

Drittens: daß es daher nicht auf Gehorsam beruhe, sondern daß dieser nur als Mittel, um jenen höchsten Zweck des Judenthums zu erreichen, in gewissen Umständen vom Höchsten gefordert ward.

Viertens: daß es auf einer wahren Autonomie des Willens gegründet ist.

Fünftens: daß es die Absicht des Höchsten nicht gewesen, den Juden Gesetze zu offenbaren, um ihre Autonomie ewig zu stöhren.

Sechstens: daß das Gesetz bloß die Religion constituirt, aber nicht ihr Wesen ausmacht.

Siebentens: daß sie bloß zur Erhaltung der Gesellschaft als Rechte und zum Andenken verschiedener Handlungen und Vorfälle als Verordnungen eingesetzt waren.

Diese Theses, die so consequent und richtig aus der Geschichte des Judenthums abstrahirt sind, könnte ich mit häufigen Stellen aus den Propheten und verschiedenen andern Schriftstellern beleuchten, wenn es meine Absicht wäre, mit Autoritäten zu spielen. Die Sache muß für sich selbst sprechen.

War es höchster Zweck des Allmächtigen, von den Juden einen gesellschaftlichen Körper zu schaffen: so konnte er sie auch nur durch den Glauben vereinigen, und ihn durch die Autonomie erhalten sehen. Der Glaube war bloß eine allgemeine Bedingung, worin die Menschen übereingekommen. Sie fanden sich durch den Glauben für einander geschaffen, aber nicht durch ein gesellschaftliches Band für einander zu leben. Sie mußten daher mit einer Autonomie, oder mit einer Anlage zum völligen Genuß ihrer Kräfte ausgerüstet seyn (...).

(...) Und warum haben wir diese Absicht verkannt? – Weil wir die Constitution unserer Religion für ihr Wesen nahmen; weil wir bei Beobachtung des Gesetzes die ganze Form unsers Glaubens vernachlässigten, und deshalb das Gesetz beibehielten;

(...) Aber nein! Bleibet Kinder Israels auf dem Pfade eurer Aeltern. Unsere Religion ist für alle Menschen, für alle Zeiten; zeigt, daß eure Religion euch zu Menschen machen kann und daß ihr euch bei ihr zu Bürgern bilden könnet, nur muß die Constitution der Religion reformirt werden, die Religion selbst kann nie von ihrem Wesentlichen verlieren. – Könnt ihr dies standhaft, so werden wir ein der Gottheit würdiges Volk unter allen Zonen, unter allen Menschen seyn, es immer bleiben und ungestöhrt es bleiben können. (...)

Saul Ascher, Leviathan oder über die Religion in Rücksicht auf das Judenthum, Berlin 1792

David Friedländer, um 1790

Hochwürdiger Herr

1799

David Friedländer

Um der jungen jüdischen Generation den Weg in die christliche Gesellschaft freizumachen, entschloß sich David Friedländer (1750–1834) zur Absendung des „Sendschreibens einiger Hausväter jüdischer Religion an den Probst Teller“. Wilhelm Abraham Teller (1734–1804) lebte als evangelischer Theologe und Aufklärer in Leipzig, Helmstedt und Berlin. Er veröffentlichte – zu seiner Zeit sehr angefeindete – Untersuchungen zur Neuinterpretation der Bibel und zur christlichen Lehre.

Hochwürdiger Herr,
Verehrungswerter Menschenfreund,

Vergönnen uns Ew. Hochwürden, daß wir, keine Genossen Ihrer Kirche, mit nicht minderm Vertrauen als Ihre dankbarsten Schüler Belehrung, Rat und Unterstützung in der größten und heiligsten Angelegenheit der Menschen, in der Religion, von Ihnen fordern dürfen. (...)

Verleihen Sie uns, edler Mann! ein geneigtes Gehör. So wie wir mit Fug und Recht von Ihrem Geiste gründliches und beruhigendes Urteil in dieser Angelegenheit erwarten dürfen; so erwarten wir mit Ruhe und Vertrauen von Ihrem Herzen die Benennung eines Schrittes, der mit kühner Bedachtsamkeit geschieht.

Wir sind von jüdischen Eltern geboren, und in der jüdischen Religion erzogen. Unsere Erziehung hatte nichts Auszeichnendes vor der Erziehung anderer Genossen. (...) Die Zeremonial-Gesetze wurden in dem väterlichen Hause mit der ängstlichsten Pünktlichkeit beobachtet. Diese verfremdeten uns in dem Zirkel des gewöhnlichen Lebens; sie brachten, als leere Gebräuche, ohne allen Einfluß auf unsere anderen Beschäftigungen, keine andere Wirkung hervor, als daß deren Beobachtung in Gegenwart fremder Religionsverwandten, selbst der Dienstboten, uns scheu, verlegen und oft unruhig machte. (...) Sie sind nicht auf gewisse Zeiten und Tage bestimmt, sondern sie umfassen (des jüdischen Jünglings) ganze Lebenszeit. Vom frühen Morgen bis in die späte Nacht hat er entweder gewisse religiöse Handlungen zu beachten oder aufzumerken, ob er nicht gegen Vorschriften verstößt.

(...) Es ist für ein denkendes Wesen nichts Demütigerendes, als dieser ewige Zustand der Unmündigkeit; ewig, statt vernünftige Gründe über sein Verfahren zu geben, sich auf Autoritäten des Gesetzes berufen zu müssen. (...)

Traurig und niederschlagend senkt sich nun der Blick auf die Geschichte der Juden, die aufgehört haben, eine Nation zu heißen und zu sein. (...) Das

Volk, in der ganzen Welt zerstreut, ohne bleibende Stätte (...), ohne bürgerliches Oberhaupt, ohne geistlichen Führer, ganz sich selbst überlassen, verlor dadurch alles Gefühl für Vernunftwert und allen Sinn für die höhern Wahrheiten, die das Fundament der ursprünglichen Religion ausmachen. (...) Zu diesem allen gesellte sich die Idee von einem Messias, welche vollends die Köpfe verfinsterte und jeden freien Überblick unmöglich machte. (...) Diese Erwartung des Messias und der Rückkehr nach dem gelobten Lande mußte dem Hang, allen Fleiß, alles Nachdenken auf alte Geschichte, auf Tempeldienst und Opfer, auf Zeremonialgesetze zu wenden, neue Kraft verleihen. (...) Die Gebetsformeln, die nun verfaßt wurden, (...) ertönten von ewig wiederkehrenden Klagen über das die Nation drückende Elend, von Seufzern nach der Rückkehr ins verlorene Land. (...) In allen diesen Gebeten ohne Ausnahme (...) erschallte das Klagegeschrei von Sklaven, die nach Erlösung schmachten, das Gebet um einen Messias, der die zerstreuten Reste Israels nach Palästina zurückführe (...).

Sie, welche Sitten und Begriffe Jahrhunderte lang weiter voneinander entfernt hatten, als Meere und Gebirge Menschen von Menschen trennen, haben sich auf eine merkliche Weise genähert. Der mächtigste Gewinn für die Juden ist auch wohl der, daß die Sehnsucht nach Messias und Jerusalem aus dem Herzen sich immer mehr entfernt, so wie die Vernunft diese Erwartungen als Chimären immer mehr verwarf. Immer möglich, daß einzelne in Klausen verschlossene oder sonst von den Weltgeschäften sich entfernende Männer noch dergleichen Wünsche in ihrem Gemüt unterhalten; bei dem größten Teil der Juden, wenigstens in Deutschland, Holland und Frankreich, findet der Gedanke keine Nahrung mehr und wird endlich bis auf die letzte Spur vertilgt werden. Mit der Annäherung der Juden zu den Christen ist ein zweiter großer Vorteil für die erstern durch das erkannte Bedürfnis entstanden, für einen moralischen und vernünftigen Unterricht ihrer Kinder zu sorgen. (...) Die deutsche Sprache gewinnt immer mehr Raum unter uns, und der vorzüglichste Unterricht der Jugend kann aus deutschen Lehrbüchern geschöpft werden. (...)

Die Christen protestantischer Religion sind uns weit vorgeeilt und wir werden Mühe haben, sie in den ersten Zeiten einzuholen. Dieses gilt aber nur von der Entwicklung der Geisteskräfte, von der Erwerbung gelehrter Kenntnisse; nicht von der Moralität. In Ansehung dieser müssen wir vielmehr unsern Mitbrüdern das Zeugnis geben, daß sie, auf der Leiter der moralischen Würdigkeit, nicht um eine Sprosse tiefer als irgend ein anderes, noch so gelehrtes, poliertes und kultiviertes Volk stehen.

Ihr, möchten wir denjenigen zurufen, welche uns durchaus eine angeborne Lasterhaftigkeit aufbürden wollen; Ihr, die ihr uns mit dem bloßen Zurufe: Juden! zu erniedrigen gedenkt, wir fühlen das ganze Gewicht der Verachtung, die ihr in diese zwei kleinen Silben zusammenpreßt; aber wenn ihr wirklich der Wahrkeit und der Menschlichkeit huldigt, wie ihr vorgebt: zeigt uns doch das religiösere Volk, bei welchem die Tugenden der Menschheit häufiger als bei uns angetroffen werden? (...) Die Aufhebung der Zeremonialgesetze unter den jetzigen Umständen ist nach unserer Überzeugung dem Geiste des mosaischen Systems höchst gemäß, und ist nicht allein wünschenswürdig für unsere eigene Erleichterung, sondern selbst auch notwendig, um die Erfüllung der Pflichten eines Staatsbürgers für uns möglich zu machen. (...)

Wie aber, so dürfte man fragen, wenn Autorität des Gesetzgebers, eigne Einsicht, Klugheit und Pflicht; wenn die innigste Überzeugung von der Rechtlichkeit der Handlung, alles auf ein Ziel weist, alles auf Aufhebung der Zeremonialgesetze dringt: warum zaudert ihr, warum steht ihr an, zu erklären, daß diese Gesetze euch nicht mehr verbinden, daß ihr bereit seid, die väterliche Religion, insofern darunter die Beobachtung jener Gesetze und Gebräuche verstanden wird, zu verlassen, und – zu der christlichen überzugehen? –

Hier ist es, ehrwürdiger Tugendfreund, wo wir mit aufgeschrecktem Gewissen erfüllt stehen; hier eben ist die Kluft, die wir weder zu umgehen noch zu überspringen wissen; mit einem Worte: hier ist der Punkt, wo wir um Ihren Rat und Beistand, um Ihre Belehrung bitten.

Pflicht und Gewisssen fordern von uns, daß wir unseren bürgerlichen Zustand durch Reinigung unserer religiösen Verfassung verbessern, aber auch schlechterdings nicht auf Kosten der Wahrheit und der Tugend unsere Glückseligkeit erkaufen oder erschleichen sollen. Wir sehen, daß viele aus unserer Mitte sich leichtsinnig in den Schoß der Kirche werfen: ein paar Worte erretten sie vor Rechtlosigkeit; die Vermehrung solcher Neophyten kann aber einen verständigen Menschen nicht freuen. (...) Belehren Sie uns, edler Tugendfreund: wenn wir uns entschließen sollten, die große christliche protestantische Gesellschaft zum Zufluchtsort zu wählen, welches öffentliche Bekenntnis würden Sie, würden die Männer, die mit Ihnen in dem ehrwürdigen Rate sitzen, von uns fordern? (...)

Sendschreiben an Seine Hochwürden Herrn Oberconsistorialrat und Propst Teller zu Berlin von einigen Hausvätern jüdischer Religion, Berlin 1799

Juden und Christen sind vollkommen gleichzustellen

17. Juli 1809

Wilhelm von Humboldt

Der Gelehrte und Staatsmann Wilhelm von Humboldt (1767–1835) interessierte sich unter dem Einfluß von David Friedländer und Henriette Herz für die Juden. Als preußischer Unterrichtsminister (1809) trat er in einer Denkschrift für die Gleichberechtigung der Juden ein.

Meiner Überzeugung nach wird daher keine Gesetzgebung über die Juden ihren Endzweck erreichen als nur diejenige, welche das Wort Jude in keiner andern Beziehung mehr auszusprechen nötigt als in der religiösen, und ich würde daher allein dafür stimmen, Juden und Christen vollkommen gleichzustellen.

Was man einer völligen und plötzlichen Gleichstellung entgegengesetzt, ist, daß dies ein Sprung von einem Extrem in ein anderes sein würde, und die Gefahr, die daraus für den Staat entstünde.

In dem ersteren liegt offenbar ein Mißverständnis. Wenn ein widernatürlicher Zustand in einen naturgemäßigen übergeht, so ist kein Sprung, wenigstens gewiß kein bedenklicher, vorhanden; diesen kann man nur da finden, wo ein widernatürlicher mit wirklicher Überspringung des natürlichen in einen widernatürlichen entgegengesetzter Art überginge. Wer vom Knecht zum Herrn wird, der macht einen Sprung; denn Herren und Knechte sind ungewöhnliche Erscheinungen. Aber wem man bloß die Hände losbindet, die erst gefesselt waren, der kommt nur dahin, wo alle Menschen von selbst sind. (...)

Ich verstehe gern, daß ich die große Gefahr nicht einsehe. Was sie wenigstens in den Augen aller vermindern muß, sind folgende Betrachtungen:

1. Der Staat übt eine genaue und strenge Polizeiaufsicht, und die nun gleichberechtigten Juden werden den Gesetzen, gerade wie die Christen, zu gehorsamen gezwungen sein, und dann ist keine Gefahr von ihnen zu besorgen.

2. Der Staat bestimme, wo die Beschaffenheit der Sache es erlaubt und erfordert, genau, unter welchen Bedingungen und innerhalb welcher Grenzen jedes Gewerbe getrieben werden soll, und der Jude wird wie der Christ gebunden sein, und kein Gewerbe wird, was doch der einzige Zweck ist, leiden können.

3. Wo der Jude ein Gewerbe zweckwidrig betreibt, wie z. B. wenn er aus Ackerwirtschaft Handelswirtschaft macht, wird ihn sein eigener Vorteil bald eines Besseren belehren.

Wilhelm von Humboldt, 1826

4. Zu Staatsmännern kann ja an sich nicht jeder Berechtigte gelangen, sondern es bedarf einer eigenen Berufung des Staates. Hier hat derselbe also die Sache beständig in der Hand.

5. Die allgemeine Gefahr, daß die Juden die Christen verdrängen würden, ist an sich chimärisch, sie wird aber auch nur durch einen wahren Zirkel im Räsonnement zur Gefahr, indem man erst gern den Unterschied zwischen Juden und Christen politisch aufheben möchte und dann wieder annimmt, daß es auch politisch dennoch nicht gleichgültig sei, ob ein Gewerbe, auch gleich gut, von einem Juden oder Christen getrieben werde.

Ismar Freund, Die Emanzipation der Juden in Preußen, Bd. 2, Berlin 1912, S. 273 f.

Die Christlich-deutsche Tischgesellschaft

1811

Saul Ascher

In Opposition zum Reformkurs Hardenbergs schlossen sich adelige und bürgerliche Romantiker – einer Einladung Achim von Arnims folgend – im Januar 1811 zu einer Berliner „Christlich-deutschen Tischgesellschaft" zusammen. Unter den Teilnehmern der wöchentlichen Zusammenkünfte dieses Vereins, der es innerhalb kurzer Zeit auf 45 Mitglieder brachte, befanden sich Heinrich von Kleist, Clemens Brentano, Adam Müller, Carl von Clausewitz, Johann Gottlieb Fichte und Friedrich Carl von Savigny. Über diese „Tischgesellschaft" berichtet Saul Ascher in Zschokkes „Miszellen":

Sie (die „Christlich-deutsche Tischgesellschaft") soll freilich keine politische Tendenz haben, wie ihr Name auch anzudeuten scheint. Indes enthalten ihre Statuten einige Curiosa, die über den Geist der zeitigen deutschen Kultur einige Winke zu geben vermögen. Eins ihrer Statute setzt nämlich fest, daß kein Jude, kein getaufter Jude und kein Nachkomme eines getauften Juden sogar, als Mitglied aufgenommen werden soll. Weiter kann doch wahrlich die Reinheit nicht getrieben werden! (...) Bei den Zusammenkünften werden Abhandlungen vorgelesen, und man wird sich leicht von dem Geist derselben einen Begriff machen können, wenn, wie Ref. hinterbracht worden, Exzerpte aus dem berüchtigten *Eisenmenger*[1] von einem der Mitglieder der Gesellschaft zum besten gegeben worden. Es gehört doch gewiß einige Keckheit dazu, unter den Augen einer Regierung, die Europa das Muster der Toleranz und der Duldung gegeben, die eben begriffen ist, dem von ihr seit einem Jahrhundert gepflegten Keim der Duldung *für alle Religionsparteien* die Krone aufzusetzen, ein Institut solcher Art zu organisieren. Indes was erlaubt sich die kindische Schwatzhaftigkeit einer faselnden Mystik nicht, der die Regierung Stillschweigen zu gebieten vielleicht unter ihrer Würde halten mag.

Reinhold Steig, Heinrich von Kleists Berliner Kämpfe, Berlin/Stuttgart 1901, S. 610f.

1 Der protestantische Theologe Johann Andreas Eisenmenger war ein berüchtigter Judenfeind, der in seinem 1711 erschienen Buch „Entdecktes Judentum" alle Legenden der Hostienschändung, Ritualmorde und antichristlicher Talmudstellen zusammengetragen hatte. In seiner Antwort auf Fichtes antisemitische Äußerungen in dem „Beitrag zur Berichtigung der Urteile des Publikums über die Französische Revolution" hatte Ascher 1794 den Philosophen „Eisenmenger den Zweiten" genannt.

Edikt, betreffend die bürgerlichen Verhältnisse der Juden in dem Preußischen Staate

11. März 1812

Das Edikt, das in engstem Zusammenhang mit den preußischen Reformen steht, gewährte den Juden der Provinzen Brandenburg, Pommern, Ostpreußen und Schlesien die Anerkennung als preußische Staatsbürger.

Wir Friedrich Wilhelm, von Gottes Gnaden König von Preußen usw. haben beschlossen, den jüdischen Glaubensgenossen in Unserer Monarchie eine neue, der allgemeinen Wohlfahrt angemessene Verfassung zu ertheilen, erklären alle bisherige, durch das gegenwärtige Edikt nicht bestätigte Gesetze und Vorschriften für die Juden für aufgehoben und verordnen wie folget:

§1. Die in Unsern Staaten jetzt wohnhaften, mit General-Privilegien, Naturalisations-Patenten, Schutzbriefen und Konzessionen versehenen Juden und deren Familien sind für Einländer und Preußische Staatsbürger zu achten.

§2. Die Fortdauer dieser ihnen beigelegten Eigenschaft als Einländer und Staatsbürger wird aber nur unter der Verpflichtung gestattet: daß sie fest bestimmte Familien-Namen führen, und daß sie nicht nur bei Führung ihrer Handelsbücher, sondern auch bei Abfassung ihrer Verträge und rechtlichen Willens-Erklärungen der deutschen oder einer andern lebenden Sprache, und bei ihren Namens-Unterschriften keiner andern, als deutscher oder lateinischer Schriftzüge sich bedienen sollen.

§3. Binnen sechs Monaten, von dem Tage der Publikation dieses Edikts an gerechnet, muß ein jeder geschützte oder konzessionierte Jude vor der Obrigkeit seines Wohnorts sich erklären, welchen Familien-Namen er beständig

Gesetz-Sammlung
für die
Königlichen Preußischen Staaten.

No. 5.

(No. 80.) Edikt, betreffend die bürgerlichen Verhältnisse der Juden in dem Preußischen Staate. Vom 11ten März 1812.

Wir Friedrich Wilhelm, von Gottes Gnaden König von Preußen rc. rc.

haben beschlossen, den jüdischen Glaubensgenossen in Unserer Monarchie eine neue, der allgemeinen Wohlfahrt angemessene Verfassung zu ertheilen, erklären alle bisherige, durch das gegenwärtige Edikt nicht bestätigte Gesetze und Vorschriften für die Juden für aufgehoben und verordnen wie folget:

§. 1. Die in Unsern Staaten jetzt wohnhaften, mit General-Privilegien, Naturalisations-Patenten, Schutzbriefen und Konzessionen versehenen Juden und deren Familien sind für Einländer und Preußische Staatsbürger zu achten.

§. 2. Die Fortdauer dieser ihnen beigelegten Eigenschaft als Einländer und Staatsbürger wird aber nur unter der Verpflichtung gestattet:

daß sie fest bestimmte Familien-Namen führen,

und

daß sie nicht nur bei Führung ihrer Handelsbücher, sondern auch bei Abfassung ihrer Verträge und rechtlichen Willens-Erklärungen der deutschen oder einer andern lebenden Sprache, und bei ihren Namens-Unterschriften keiner andern, als deutscher oder lateinischer Schriftzüge sich bedienen sollen.

§. 3. Binnen sechs Monaten, von dem Tage der Publikation dieses Edikts an gerechnet, muß ein jeder geschützte oder konzessionirte Jude vor der

Jahrgang 1812. E Obrigkeit

(ausgegeben zu Berlin den 17ten März 1812.)

Das „Emanzipationsedikt" von 1812

führen will. Mit diesem Namen ist er, sowohl in öffentlichen Verhandlungen und Ausfertigungen, als im gemeinen Leben, gleich einem jedem andern Staatsbürger, zu benennen.

§4. Nach erfolgter Erklärung und Bestimmung seines Familien-Namens erhält ein jeder von der Regierung der Provinz, in welcher er seinen Wohnsitz hat, ein Zeugniß, daß der ein Einländer und Staatsbürger sey, welches Zeugniß für ihn und seine Nachkommen künftig statt des Schutzbriefes dient.

§5. Nähere Anweisungen zu dem Verfahren der Polizei-Behörden und Regierungen wegen der Bestimmung der Familiennamen, der öffentlichen Bekanntmachung derselben durch die Amtsblätter und der Aufnahme und Fortführung der Hauptverzeichnisse aller in der Provinz vorhandenen jüdischen Familien bleiben einer besondern Instruktion vorbehalten.

§6. Diejenigen Juden, welche den Vorschriften §2 und 3 zuwider handeln, sollen als *fremde Juden* angesehen und behandelt werden.

§7. Die für Einländer zu achtende Juden hingegen sollen, in sofern diese Verordnung nichts Abweichendes enthält, gleiche bürgerliche Rechte und Freiheiten mit den Christen genießen.

§8. Sie können daher akademische Lehr- und Schul- auch Gemeinde-Aemter, zu welchen sie sich geschickt gemacht haben, verwalten.

§9. In wie fern die Juden zu andern öffentlichen Bedienungen und Staats-Aemtern zugelassen werden können, behalten Wir Uns vor, in der Folge der Zeit, gesetzlich zu bestimmen.

§10. Es stehet ihnen frei, in Städten sowohl als auf dem platten Lande sich niederzulassen.

§11. Sie können Grundstücke jeder Art, gleich den christlichen Einwohnern, erwerben, auch alle erlaubten Gewerbe mit Beobachtung der allgemeinen gesetzlichen Vorschriften treiben.

§12. Zu der aus dem Staatsbürgerrechte fließenden Gewerbefreiheit, gehöret auch der Handel. (...)

§28. Da, nach den allgemeinen Rechtsgrundsätzen, neue Gesetze auf vergangene Fälle nicht bezogen werden können, so sind die Streitigkeiten über Handlungen, Begebenheiten und Gegenstände, welche das bürgerliche Privatrecht der Juden betreffen, und sich vor der Publikation der gegenwärtigen Verordnung ereignet haben, nach den Gesetzen zu beurtheilen, die bis zur Publikation dieses Edikts verbindend waren, wenn nicht etwa die bei jenen Handlungen, Begebenheiten und Gegenständen Interessierten, in so fern sie dazu rechtlich befugt sind, sich durch eine rechtsgültige Willenserklärung den Bestimmungen der Gegenwärtigen Verordnung, nach deren Publikation, unterworfen haben sollten. (...)

§39. Die nöthigen Bestimmungen wegen des kirchlichen Zustandes und der Verbesserung des Unterrichts der Juden, werden vorbehalten, und es sollen bei der Erwägung derselben, Männer des jüdischen Glaubensbekenntnisses, die wegen ihrer Kenntnisse und Rechtschaffenheit das öffentliche Vertrauen genießen, zugezogen und mit ihrem Gutachten vernommen werden.

Hiernach haben sich Unsere sämmtliche Staats-Behörden und Unterthanen zu richten. Gegeben Berlin, den 11ten März 1812.

Friedrich Wilhelm
Hardenberg. Kircheisen.

Julius Höxter, Quellenbuch zur jüdischen Geschichte und Literatur, V. Teil, Frankfurt am Main 1930, S. 21 f.

Von jeher haben wir die Pflichten des Untertanen erfüllt

18. März 1812

Nach Veröffentlichung des Edikts bedankten sich die Ältesten der Berliner Judenschaft in einem Schreiben, das an den König gerichtet war.

Allerdurchlauchtigster (...)

Innig gerührt über die neue Verfassung, welche Ew. K. M. unsern Glaubensgenossen in Allerhöchstdero Staaten durch das am gestrigen Tage bekannt gemachte Edikt vom 11. dieses zu ertheilen geruht haben, erkühnen sich die bisherigen Aeltesten der Gemeinde zu Berlin, den tiefgefühltesten Dank derselben zu den Füßen des Thrones niederzulegen.

Unsere Voreltern haben von jeher, mit unerschütterlicher, nie wankender Treue die Pflichten des *Unterthanen* erfüllt. Des giebt die Geschichte Zeugniß. Um wieviel stärker und unauflöslicher wird das Band den *Bürger* an die geheiligte Person Ew. K. M. und an das Vaterland fesseln, da nun zur Ehrfurcht und Liebe sich die höchste Dankbarkeit gesellt.

Wir wagen es, diese Gesinnungen im Namen unserer Mitbrüder zu verbürgen, da wir gerührt erkennen müssen, daß selbst der leiseste Anspruch auf staatsbürgerliche Würde die Frucht der Milde und der Weisheit von Ew. K. M. und Allerhöchstdero glorreichen Vorfahren Regierung ist.

Wir ersterben in tiefer Unterwürfigkeit und den höchsten Gefühlen der schuldigsten Treue Ew. K. M.

allerunterthänigste
Die Aeltesten der Judenschaft
David Hirsch. Bendix. Friedländer.
Gumpertz.

Ismar Freund, Die Emanzipation der Juden in Preußen, Berlin 1912

Gesellschaft zur Beförderung der Industrie

1813

Nach dem Emanzipations-Edikt von 1812 setzten sofort Bestrebungen ein, die gewonnenen Freiheiten zu nutzen. Eine der Aktivitäten war die Gründung der „Gesellschaft zur Beförderung der Industrie unter den Bewohnern der Königl. Preußischen Staaten jüdischer Religion", an der Joseph Mendelssohn mitgewirkt hat. In der Einleitung zu den Statuten der Gesellschaft hieß es:

Durch die Staatsbuergerlichen Rechte und Freiheiten, welche die Einwohner juedischer Religion im Preußischen Staate erlangt haben, sind sie in den erfreulichen Stand gesetzt, ihre Erwerbsquellen zu erweitern, ihre Kraefte und Faehigkeiten zur Befoerderung der Industrie geltend zu machen, und ueberhaupt den Beruf zu erfuellen, welcher dem Menschen im gesellschaftlichen Zustande, seiner Bestimmung gemaeß, angewiesen ist.

Ihre bisherige Verfassung, nach welcher ihr Erwerb lediglich auf den Handel beschraenkt war, hatte die natuerliche und zugleich schaedliche Folge, daß der Geist des Erwerb-Fleißes bei ihnen fast ganz unterdrueckt wurde, und die nachtheiligen Meinungen, welche in dieser Hinsicht so oft und so laut gegen die Bekenner der juedischen Religion erhoben wurden, konnten mit Ruecksicht auf jene unguenstige Verhaeltnisse zum Theil wohl gemildert, aber nicht voellig entkraeftet werden.

Jetzt, wo ein so gerechter, als menschenfreundlicher Landesfuerst die Fesseln geloest hat, welche der Ausbildung unsrer Kraefte und Faehigkeiten unnatuerliche Schranken setzten; jetzt (...) ist es Zeit, uns dieser Wohlthat wuerdig zu bezeigen, und das herrschende Vorurtheil, als haetten wir eine ausschließende Neigung zum Handel, mit Gemeinsinn und Beharrlichkeit muthig zu besiegen. Dankbarkeit gegen den Staat, der uns jene Wohlthat ertheilt hat, und Pflicht gegen uns und unsere Nachkommen fordern uns gleich dringend auf, unser Streben unablaessig dahin zu richten, die hoehere Bestimmung, welche uns durch die neue Verfassung gegeben worden ist, treu und redlich zu erfuellen. Von der Wichtigkeit dieser Wahrheit innig ueberzeugt, haben Endesunterzeichnete sich verbunden, eine Anstalt zu errichten, deren Zweck dahin gehen soll, unvermoegende junge Leute zu Handwerkern und zum Ackerbau anzufuehren, sie bei geschickten Meistern, wo es erforderlich ist, vermittelst Praemien, in die Lehre zu geben, und ueberhaupt den Geist der Industrie durch Unterstuetzung und Aufmunterung aller Art unter den juedischen Religions-Genossen im Preußischen Staate so viel als moeglich zu beleben, zu befoerdern und zu erhalten. (...)

Die Mendelssohns in Berlin. Eine Familie und ihre Stadt (Ausstellungskatalog Staatsbibliothek Preußischer Kulturbesitz, Bd. 20), Berlin 1983, S. 140f.

Aufruf zu den Waffen

1813

Meno Burg

Meno Burg (1790–1853) trat der Artillerie bei und wurde – begünstigt vom Prinzen August von Preußen – Offizier. Fast ununterbrochen war er als Lehrer an der Artillerie-Ingenieurschule in Berlin tätig und gab mehrere artillerietechnische Werke heraus. Burg – stadtbekannt als „Judenmajor" – war ein gläubiger Jude, der seit 1840 auch Mitglied des Vorstandes der Berliner Jüdischen Gemeinde war.

Bis zu meinem zehnten Jahre besuchte ich eine jüdische Elementarschule, in welcher ich gleichzeitig den Unterricht im Hebräischen, in der Religion, im Bibellesen und selbst im Talmud erhielt. Dann kam ich auf die Handelsschule. Da ich aber wenig Lust zur Handlung hatte, vielmehr eine entschiedene Neigung zum Zeichnen und zum Baufach zeigte, so gab mich meine Mutter zuerst in das Gymnasium zum grauen Kloster, wo ich bis zum Jahre 1804, also bis zu meinem fünfzehnten Jahre verblieb, und alsdann zu meinem Vetter, dem Bauinspektor *Sachs* in die Lehre. Nachdem ich daselbst den ersten Unterricht und gleichzeitig die nötigsten Vorbereitungen zum Studium der Baukunst überhaupt und zum Besuch der Berliner Bauakademie erhalten hatte, benutzte ich mit großer Teilnahme und mit angestrengtem Fleiß den Unterricht dieser Lehranstalt, und meine gute Mutter scheute kein Opfer, keine ihr auch noch so schwer fallende Ausgabe, mir noch nebenbei Privatunterricht in der Mathematik von tüchtigen Lehrern geben zu lassen. Im Anfang des Jahres 1807 machte ich das erste Examen als Kondukteur oder Feldmesser und wurde infolge dieses Examens am 30. Juli desselben Jahres bei der damaligen Königlichen Kurmärkischen Kriegs- und Domänen-Kammer als *Kondukteur und Feldmesser* vereidet. So trat ich also mit diesem Tage (dem 30. Juli 1807) und zwar in meinem achtzehnten Jahre in den Staatsdienst, ohne daß mir in der ganzen Zeit, wo ich als Baueleve die Akademie besuchte, bis zu meiner Vereidigung und bei der Vereidigung selbst irgend ein durch meine Religion herbeigeführtes Hindernis in den Weg getreten wäre. (...)

Da erschien am 9. Februar 1813 der denkwürdige Aufruf des Königs zu den Waffen. – Es ist weltbekannt, mit welchem außerordentlichen Enthusiasmus dieser Aufruf von der preußischen Jugend aufgenommen wurde, wie er die ganze Nation, ohne Unterschied des Glaubens und des Standes mit sich fortriß, zu einer in der Geschichte beispiellosen Hingebung und Tatkraft erhob und mit welcher seltenen Begeisterung die entflammten Jünglinge den angewiesenen Sammelplätzen zueilten, um mit dem Heere vereint, Preußens

Freiheit und Wiedergeburt zu erkämpfen. Ich blieb natürlich nicht zurück. Am 14. Februar 1813 meldete ich mich mit mehreren meiner Kollegen bei der vom Magistrat niedergesetzten Kommission zum *freiwilligen* Militärdienst und erhielt folgende Bescheinigung:

„Daß der Kondukteur *Meno Burg* aus Berlin sich heute zum freiwilligen Militärdienst gemeldet hat, wird hiermit attestiert. Berlin, den 14. Februar 1813. Oberbürgermeister, Bürgermeister und Rat. gez. *Büsching, Klein.*"

Meno Burg, Geschichte meines Dienstlebens, hrsg. und mit einem Geleitwort versehen von Ludwig Geiger, Berlin [3]1916, S. 10ff.

Der Glaube, kein Hindernis

30. März 1830

Meno Burg an den Prinzen August

Antwort auf ein Schreiben des Prinzen, worin ihm dieser nahelegte, „durch förmlichen Übertritt zur christlichen Religion jeden Anstoss zur ferneren Beförderung (zum Hauptmann) aus dem Wege zu räumen".

Auf meiner bisherigen Laufbahn ist mir kein Hindernis aufgestoßen, wodurch ich mich hätte bewogen fühlen können, mich von meinem Glauben, der mir durch Geburt und Erziehung eigen geworden, der mir in manchen trüben Stunden Trost und Beruhigung verschaffte, förmlich loszusagen; und wer bürgt mir die Beibehaltung meiner inneren Ruhe, was bewahrt mich vor der quälendsten und bitteren Reue bei den Schlägen des Schicksals, wenn ich ohne meine Überzeugung, nur vom äußeren Schein geblendet, alle Rücksichten beiseite setzend, übertrete und in den Augen der Welt als Heuchler dastehe?

Wäre ich als Christ geboren, so würde ich das Christentum so wie das Judentum als ein mir vom Himmel verliehenes Geschenk aufgenommen und bei meinem religiösen Gefühl auch fest und heilig bewahrt haben. Jetzt aber fehlt es mir an Kraft, mein Gewissen zu beschwichtigen, und ich setze, trete ich freiwilllig über, meine Ruhe aufs Spiel.

Meno Burg, Geschichte meines Dienstlebens, hrsg. und mit einem Geleitwort versehen von Ludwig Geiger, Berlin [3]1916, S. 108f.

Zweifel am „moralischen Zustand“ der Juden

1815

Gegen die Bestrebungen, auch den jüdischen Teilnehmern an den Befreiungskriegen den Zugang zu Staatsämtern zu öffnen, wandten sich in Voten an den König Finanzminister Hans Graf von Bülow und Justizminister Friedrich Leopold von Kircheisen.

Durch das Edikt betreffend die bürgerlichen Verhältnisse der Juden in dem preußischen Staate vom 11. März 1812 sind die gesetzlichen Bestimmungen vorbehalten:
inwiefern die Bekenner des mosaischen Glaubens zu andern öffentlichen Bedienungen als zu akademischen Lehr- Schul- und Gemeindeämtern und zu Staatsämtern zugelassen werden können.

Es ist wohl jetzt nicht der rechte Zeitpunkt, diese Bestimmungen gegenwärtig zu erlassen, und noch weniger ist es unsere Absicht, sie in Vorschlag zu bringen, da der moralische Zustand der Juden, ihre Religionsbegriffe und Gebräuche, ihr Unterricht erst verbessert werden und die Folgen davon sichtbar sein müssen, ehe ihnen zu den bereits allgemein erworbenen bürgerlichen Rechten auch noch die Befugnis eingeräumt wird, Staatsämter zu bekleiden.

Jetzt treten indessen solche Juden, welche in den Feldzügen der Jahre 1813 bis 1815 als Freiwillige gedient haben, mit Anstellungsgesuchen auf, sie trachten besonders nach Aemtern in dem *Abgaben-Verwaltungs-Fache*, und rechtfertigen ihre Ansprüche durch die den Freiwilligen geschehenen Verheißungen. Diese können aber nach unserer Ueberzeugung nur für diejenigen Individuen rechtliche Wirksamkeit haben, welche an sich zur Erlangung eine Amtes fähig sind, mithin auf die jüdischen Glaubensgenossen unter den Freiwilligen keine Anwendung finden, welche an sich vom Staatsdienste gänzlich ausgeschlossen sind. Denn daß die einen jeden Juden vom Staatsdienst ausschließenden Vorschriften des Edikts vom 11. März 1812 durch die in Betreff der freiwilligen Jäger geschehenen öffentlichen Bekanntmachungen allgemein aufgehoben worden wären, läßt sich nach gesetzlichen Auslegungsregeln nicht behaupten und ebensowenig als von Ew. Kgl. Majestät beabsichtigt voraussetzen. Wir tragen daher kein Bedenken, Ew. Kgl. Maj. zu allerhöchster Festsetzung in Vorschlag zu bringen, daß der erwähnten gesetzlichen Bestimmung gemäß die jüdischen Glaubensgenossen unter den Freiwilligen ebenfalls vom Staatsdienste ausgeschlossen bleiben, und nur diejenigen von ihnen ausnahmsweise in ein ihren Kenntnissen angemessenes öffentliches Amt befördert werden können, welche zum Anerkenntnis besonderer Verdienste das eiserne Kreuz erhalten haben.

Denn von den mit diesen Ehrenzeichen belohnten Freiwilligen jüdischer Religion läßt sich annehmen, daß sie in Absicht ihrer Sittlichkeit höher stehen als gewöhnlich und darum weniger Nachteil von einer Anstellung derselben befürchten. Auch scheint die Konsequenz zu erheischen, daß der welcher einer so bedeutungsvollen Auszeichnung wie die Verleihung des eisernen Kreuzes ist, würdig erachtet wurde, vom Staatsdienst nicht ausgeschlossen bleibe, wenn er die dazu erforderlichen Kenntnisse und Fähigkeiten besitzt.

Berlin, d. 16. Dezember 1815. v. Bülow.

An
des Königs Majestät.

Ich bin beim Vortrage des Naturalisationsediktes gegenwärtig gewesen und habe die bestimmteste Abneigung Sr. Majestät des Königs die Juden in den Staatsdienst aufzunehmen, wahrgenommen. Die sehr triftigen Ursachen dazu, werden durch die Erhaltung des eisernen Kreutzes im mindesten nicht überwogen. Anderer Gründe garnicht zu erwähnen ist die Vermutung *weniger Moralität* durch temporelle Tapferkeit nicht entkräftet.

Sollte der Bericht dennoch erstattet werden, so widerspreche ich doch fürs Justiz-Departement ausdrücklich, da es hierzu besonders auch in Westphalen, schon jetzt an Kompetenten garnicht fehlet, und ich diese Aquisition garnicht machen kann und will, über die ich mich in anterioribus völlig ausgesprochen und die Zustimmung Seiner Königl. Majestät auch schon des hochseeligen Königs Majestät durch besondere Cabinettsordres für mich habe, als die Itzigsche Familie, auf dem Grund ihres Naturalisations-Patents einen ganz ähnlichen Versuch machte.

Berlin, d. 23. Dezember 1815 v. Kircheisen.

Ismar Freund, Die Emanzipation der Juden in Preußen, Berlin 1912, S. 465f.

Dem Gewissen folgen

1820

Abraham Mendelssohn

Einsegnungsbrief Abraham Mendelssohns an die Tochter Fanny, der Schwester von Felix Mendelssohn-Bartholdy (der den Namen seines Onkels dem seinigen hinzugefügt hatte), mit der Aufforderung, in Religionsfragen immer dem Gewissen zu folgen.

(...) Ob Gott ist? Was Gott sei? Ob ein Teil unseres Selbst ewig sei, und, nachdem der andere Teil vergangen, fortlebe? und wo? und wie? – Alles das weiß ich nicht und habe Dich deswegen nie etwas darüber gelehrt. Allein ich weiß, daß es in mir und in Dir und in allen Menschen einen ewigen Hang zu allem Guten, Wahren und Rechten und ein Gewissen gibt, welches uns mahnt und leitet, wenn wir uns davon entfernen. Ich weiß es, glaube daran, lebe in diesem Glauben und er ist meine Religion. Die konnte ich Dich nicht lehren und es kann sie niemand erlernen, es hat sie ein jeder, der sie nicht absichtlich und wissentlich verleugnet; und daß Du das nicht würdest, dafür bürgt mir das Beispiel Deiner Mutter. (...) Wenn Du sie betrachtest, wenn Du das unermeßliche Gute, das sie Dir, solange Du lebst, mit steter Aufopferung und Hingebung erwiesen, erwägst (...), so fühlst Du Gott und bist fromm. Dies ist alles, was ich Dir über Religion sagen kann, alles, was ich davon weiß. (...) Die Form, unter der es Dir Dein Religionslehrer gesagt, ist geschichtlich und wie alle Menschensatzungen veränderlich. Vor einigen tausend Jahren war die jüdische Form die herrschende, dann die heidnische, jetzt ist es die christliche. Wir, Deine Mutter und ich, sind von unseren Eltern im Judentum geboren und erzogen worden und haben, ohne diese Form verändern zu müssen, dem Gott in uns und unserem Gewissen zu folgen gewußt. Wir haben Euch, Dich und Deine Geschwister, im Christentum erzogen, weil es die Glaubensform der meisten gesitteten Menschen ist und nichts enthält, was Euch vom Guten ableitet, vielmehr manches, was Euch zur Liebe, zum Gehorsam, zur Duldung und zur Resignation hinweist, sei es auch nur das Beispiel des Urhebers, von so wenigen erkannt und noch wenigeren befolgt. – Du hast durch Ablegung Deines Glaubensbekenntnisses erfüllt, was die Gesellschaft von Dir fordert, und heißest eine Christin. Jetzt aber sei, was Deine Menschenpflicht von Dir fordert, sei wahr, treu, gut, Deiner Mutter, und ich darf wohl auch fordern, Deinem Vater bis in den Tod gehorsam und ergeben, unausgesetzt aufmerksam auf die Stimme Deines Gewissens, das sich betäuben aber nicht berücken läßt, und so wirst Du Dir das höchste Glück erwerben, das Dir auf Erden zuteil werden kann, Einigkeit und Zufriedenheit mit Dir selbst. (...)

Die Familie Mendelssohn 1729–1847. Nach Briefen und Tagebüchern, hrsg. v. Sebastian Hensel, Leipzig 1924, S. 112f.

„Unsre Handlungen sind die Kinder unsres Geistes"

1826

Rahel Varnhagen

Rahel Varnhagen (1772–1833), Tochter des jüdischen Kaufmannes Marcus Levin, stand in dem Ruf, eine der „geistreichsten Frauen ihrer Zeit" zu sein. In ihrem Salon trafen sich u. a. der protestantische Theologe Schleiermacher und der junge Romantiker Friedrich Schlegel. Sie heiratete 1814 den Diplomaten und Schriftsteller Karl August Varnhagen von Ense. In ihrem zweiten Salon, der ein wesentlich politisches Gepräge hatte, verkehrten Eduard Gans, Ludwig Börne und besonders Heinrich Heine, der Rahel Varnhagen als „Wegbereiterin des Jungen Deutschland" verehrte. Ihr Übertritt zum Christentum hat großes Aufsehen erregt und zu mancherlei Spekulationen Anlaß gegeben. Die nachstehenden Reflexionen veröffentlichte Rahel Varnhagen unter dem Titel „Aus den Papieren einer Zeitgenossin" 1826 in der Zeitschrift „Eos".

Wenn man auf der Straße nach den Vorübergehenden ihren Gesprächen horcht, so wird man sehr selten etwas anderes hören, als Klagen oder Prahlereien. Alle Menschen streben überhaupt nach einem würdigern, angemessenern Daseyn: in Wahrheit; dann *klagen* sie, oder unterdessen in Lüge; dann *prahlen* sie. Vieles Prahlen entsteht auch aus Mangel an Gerechtigkeit. Widerführe uns Gerechtigkeit in Anerkennung aller Art, Niemand prahlte; so aber füllt man jede Lücke mit Prahlerei aus und schiebt einen wahren Anspruch von einem Ort, wo er nicht gelten sollte, auf einen Andern. – Freitag 5. Mai 1825.

Unsre Handlungen sind die Kinder unsres Geistes. Einmal empfangen und gezeugt, wissen wir nicht mehr, was aus ihnen wird; und wie sie auch werden, müssen wir sie uns gefallen lassen: sie haben ein so selbständiges Leben, daß sie uns auch umbringen können. Unselig machen sie oft unser ganzes Leben. – Freitag, 4. Febr. 1825. (...)

Wahres Unglück ist nicht das, welches ein Mensch als Unglücksfall überkommt und dem wir als solche stets ausgesetzt sind. Unglück ist das Unangenehme, in allen Lebensmomenten Drückende, Hemmende, welches nothwendig aus einer gegebnen Lage sich entwickeln muß: aus Geburtsstellung, aus der Charaktermitgift, – Konstellation unsrer Eigenschaften in jedem Sinne, – Körperschönheit, Gesundheit oder deren Mängel ec.; dagegen kann der Mensch nicht selbst an, sondern ein Höherer; wir können nur diese Fälle erkennen lernen (als Facta, die uns als diesen besondren Menschen begegnen müssen) und die Ergebung darin, als ein Unvermeidliches und doch Trostenthaltendes; als eben so nothwendig auf Neues, Hohes und Unbekanntes sich Beziehendes und Begründetes. Und weil wir die Gründe zu diesen Factis nicht erkennen können, sie also blind annehmen müssen, d. h.: geistlos, so

Rahel Varnhagen von Ense, um 1820

muß da dann immer das Gemüth eintreten; d.h.: sich aus Bedürfniß: – welches eigentlich wir selbst sind, – einen Grund, eine Voraussetzung in einem andern Gebiete schaffen – fast erschaffen, – und das mit Recht. Wo wir herstammen und wo wir hinströmen, das sind so gut Glieder von uns, als die, welche wir im zeitigen Gebrauch haben!

Rahel Varnhagen, Gesammelte Werke, hrsg. von Konrad Feilchenfeldt, Uwe Schweikert und Rahel E. Steiner, Bd. X, München 1983, S. 222f.

Im Kampf gegen die Deutschtümelei

1819

Saul Ascher

In zahlreichen Veröffentlichungen wandte sich Saul Ascher gegen antijüdische und deutschtümelnde Schriften. Seine Schrift „Germanomanie“ (1815) war die Antwort auf einen Aufsatz des Historikers Friedrich Rühs, in dem dieser geschrieben hatte: „Gelingt es nicht, die Juden zur Taufe zu bewegen, dann bleibt nur eins; sie gewaltsam auszurotten“. In der „Wartburgs-Feier“ (1818) untersuchte Ascher die Gründe für die Intoleranz und nationale Überheblichkeit der Studenten.

Deutschlands Volk ist auf eine Stufe der Kultur fortgeschritten, um die Sprache der gesetzgebenden Vernunft zu fassen. (...) Es ist eine meiner Lieblingsansichten, auf die ich schon in mehreren meiner Schriften zurückgekommen, daß in dieser schwankenden Nationalität der Deutschen nur eigentlich die Absicht der Natur sich verrät, die Deutschen als Hebel und Mittel zur Auflösung aller Nationalität zu verwenden. (...) Nur einzig in der Verfolgung der Idee, Deutschland sei von dem Schicksal berufen, für die welthistorische Ausbildung der Völker gleichsam den Reigen zu beginnen, und einen Vorläufer für die Aufstellung einer, unter der Ägide des Kosmopolitismus sich entwikkelnden rechtlichen Staatsverfassung und Verbindung unter den Völkern abzugeben, kann Deutschland dem denkenden Politiker ein erfolgreiches Resultat in seiner zeitigen Gestaltung aufstellen.

Saul Ascher, Der deutsche Geistesaristokratismus. Ein Beitrag zur Charakteristik des zeitigen politischen Geistes in Deutschland, Leipzig 1819, S. 53f.

Die Notwendigkeit der Jüdischen Wissenschaft

1819

Leopold Zunz

Seit 1815 lebte Leopold Zunz (1794–1886) in Berlin, wo er einer der Begründer und führenden Vertreter der „Wissenschaft des Judentums" wurde. Von 1823 bis 1831 gehörte er zur Redaktion der „Haude & Spenerschen Zeitung", von 1840 bis 1850 war er Direktor des Jüdischen Lehrerseminars in Berlin. 1848 nahm Zunz aktiv an der März-Revolution teil, 1862 und 1870 war er Wahlmann in Berliner Wahlkreisen.

(...) Aber gerade weil wir zu unserer Zeit die Juden – um nur bei den deutschen stehenzubleiben – mit größerem Ernst zu der deutschen Bildung greifen und so – vielleicht oft ohne es zu wollen oder zu ahnen – die neuhebräische Literatur zu Grabe tragen sehen, tritt die Wissenschaft auf und verlangt Rechenschaft von der *geschlossenen.* Jetzt, wo keine neue Erscheinung von Wichtigkeit so leicht unsere Übersicht stören möchte, wo uns ein größerer Subsidien-Apparat zu Gebote steht als den Gelehrten des sechzehnten und siebzehnten Jahrhunderts, wo größere Kultur eine lichtvollere Behandlung erwarten läßt, und die hebräischen Bücher noch nicht so schwer zu haben sind als sie es vielleicht Anno 1919 sein werden; jetzt, glauben wir, wird die Bearbeitung unserer Wissenschaft im großen Stile eine Pflicht, und eine um so gewichtsvollere, da die komplizierte Frage über das Schicksal der Juden in einigen Paragraphen daraus beantwortet werden zu können scheint. Denn es sind staatsrechtliche und religiöse Einwirkungen von außen her allein unzureichend, einen befriedigenden Einklang hervorzubringen, wenn nicht auch die Natur des Instruments gekannt und die Art, es zu behandeln, *erlernt* ist. Die heutigen Juden theoretisch oder auch juristisch, theologisch, ökonomisch kennen, heißt sie einseitig kennen; in den Geist können nur gegebene Ideen einführen und die Kenntnis der Sitten und des Willens. Jede rücksichtslose sogenannte Verbesserung rächt der schiefe Ausgang; übereilte Neuerungen geben dem *Veralteten* einen höheren Wert. Um also das alte Brauchbare, das veraltete Schädliche, das neue Wünschenswerte zu kennen und zu sondern, müssen wir besonnen zu dem Studium des Volkes und seiner Geschichte schreiten, der politischen wie der moralischen. Und das eben erzeugt den größten Nachteil, daß die Sache der Juden behandelt wird wie ihre Literatur. Über beide ist man mit befangener Hitze hergefallen und hat sie entweder zu niedrig oder zu hoch taxiert.

Leopold Zunz, Etwas über die rabbinische Literatur (Gesammelte Schriften, Bd. 1), hrsg. vom Curatorium der Zunzstiftung, Berlin 1875

„Verein für Cultur und Wissenschaft der Juden“

1823

Heinrich Heine

Beunruhigt durch die Hep-hep-Krawalle gründeten am 7. November 1819 sechs junge Männer, unter ihnen Eduard Gans, Moses Moser, Isaac Levin Auerbach und Leopold Zunz, einen „Verein zur Verbesserung des Zustandes der Juden im Deutschen Bundesstaate“, aus dem der „Verein für Cultur und Wissenschaft der Juden“ hervorging. Heinrich Heine, der im Februar 1921 nach Berlin gekommen war, an der Universität studierte, aber auch in den Salons der Rahel Levin und der Elise von Hohenhausen verkehrte, arbeitete einige Monate in dem Verein mit, distanzierte sich jedoch schon am 1. April 1923 in einem Brief an den Vereinsfreund Immanuel Wohlwill vom Reformjudentum wie vom Christentum. Wohlwill (1799–1847) war von 1823 bis 1838 Lehrer an der Israelitischen Freischule in Hamburg und von 1838 bis 1847 Leiter der von Israel Jacobson in Seesen gegründeten ersten konfessionslosen Schule in Deutschland. Eine Kabinettsordre schloß 1823 die Juden von Anstellungen an Universitäten und Schulen aus. Sowohl Eduard Gans also auch Heinrich Heine ließen sich taufen.

(...) Ich mag ihn (Zunz) gut leiden, und es schmerzt mich bitterlich, wenn ich sehe, wie dieser herrliche Mensch so sehr verkannt wird wegen seines schroffen, abstoßenden Äußeren. Ich erwarte viel von seinen nächstens erscheinenden Predigten, freilich keine Erbauung und sanftmütige Seelenpflaster; aber etwas viel Besseres, eine Aufregung der Kraft. Eben an letzterer fehlt es in Israel. Einige Hühneraugenoperateurs (Friedländer & Co.) haben den Körper des Judentums von seinem fatalen *Haut*geschwür durch Aderlaß zu heilen gesucht, und durch ihre Ungeschicklichkeit und spinnwebige Vernunftsbandagen muß Israel verbluten. Möge bald die Verblendung aufhören, daß das Herrlichste in der Ohnmacht, in der Entäußerung aller Kraft, in der einseitigen Negation, im idealischen Auerbachtume[1] bestehe. Wir haben nicht mehr die Kraft, einen Bart zu tragen, zu fasten, zu hassen und aus Haß zu dulden: das ist das Motiv unserer Reformation. Die einen, die durch Komödianten ihre Bildung und Aufklärung empfangen, wollen dem Judentum neue Dekorationen und Kulissen geben, und der Souffleur soll ein weißes Bäffchen statt eines Bartes tragen; sie wollen das Weltmeer in ein niedliches Bassin von Papiermaché gießen und wollen dem Herkules auf der Casseler Wilhelmshöhe das braune Jäckchen des kleinen Marcus[2] anziehen. Andere wollen ein evangelisches Christentümchen unter jüdischer Firma und machen sich ein Talles[3] aus der Wolle des Lamm-Gottes, machen sich ein Wams aus den Federn der Heiligen Geisttaube und Unterhosen aus christlicher Liebe, und sie fallieren, und die Nachkommenschaft schreibt sich: „Gott, Christus & Co.“ Zu allem Glücke wird sich dieses Haus nicht lange halten, seine Tratten auf die Philosophie kommen mit Protest zurück, und es macht Bankrott in Europa, wenn sich auch seine von Missionaren in Afrika und Asien gestifteten Kommissionshäuser einige Jahrhunderte länger halten. Dieser endliche Sturz des Chr... wird mir täglich einleuchtender. Lange genug hat sich diese faule Idee gehalten. Ich nenne das Chr... eine Idee, aber welche! Es gibt schmutzige Ideenfamilien, die in den Ritzen dieser alten Welt, der verlassenen Bettstelle des göttlichen Geistes, sich eingenistet, wie sich Wanzenfamilien einnisten in der Bettstelle eines polnischen Juden. Zertritt man eine dieser Ideen-Wanzen, so läßt sie einen Gestank zurück, der jahrtausendelang riechbar ist. Eine solche ist das Chr..., das schon vor achtzehnhundert Jahren zertreten worden, und das uns armen Juden seit der Zeit noch immer die Luft verpestet.

Verzeih mir diese Bitterkeit; Dich hat der Schlag des aufgehobenen Edikts nicht getroffen. Auch ist alles nicht so ernst gemeint, sogar das Frühere nicht; auch ich habe nicht die Kraft, einen Bart zu tragen und mir „Judenmauschel" nachrufen zu lassen und zu fasten etc. Ich hab nicht mal die Kraft, ordentlich Mazzes zu essen. Ich wohne nämlich jetzt bei einem Juden (Mosern und Gans gegenüber) und bekomme jetzt Mazzes statt Brot und zerknacke mir die Zähne. Aber ich tröste mich und denke: wir sind ja im Goles![4] Auch das Sticheln auf Friedländer ist nicht so schlimm gemeint, ich habe noch unlängst den schönsten Pudding bei ihm gegessen (...).

Heinrich Heine, Confessio Judaica. Eine Auswahl aus seinen Dichtungen, Schriften und Briefen, hrsg. v. Hugo Bieber, Berlin 1925, S. 13f.

1 Isaac Levin Auerbach setzte sich als Prediger und Religionslehrer für die Reform des Judentums ein
2 Ludwig Marcus studierte in Berlin Medizin und Astronomie, war Mitglied des „Vereins für Cultur und Wissenschaft"
3 Jiddisch, eigentlich hebräisch, Tallit, Gebetsmantel
4 Jiddisch, eigentlich hebräisch, Galuth, Exil, Diaspora

Im Morgengrauen der dämmernden Freiheit

David Kaufmann

Methodisch sollte mit der neuen „Wissenschaft des Judentums“ die einseitige, dogmatisch gebundene und dialektisch betriebene Lehrweise des Mittelalters durch systematische, kritische und wissenschaftliche Forschung ersetzt werden. Die Bedeutung der „Wissenschaft des Judentums“ lag darin, daß sie das jüdische Wissen in den Rang einer Wissenschaft erhob und in die Gesamtheit der Wissenschaften einreihte. Die „Wissenschaft des Judentums“ hat die öffentliche Meinung über Juden und Judentum aufgeklärt und vielfach die Emanzipation befördert; sie hat das Selbstbewußtsein der Juden gehoben, ihre Erziehung verbessert, zum klareren Verständnis der Religion und des jüdischen Lebens beigetragen. Der Gelehrte David Kaufmann (1852–1899) schrieb im Rückblick:

(...) Diese jüdische Wissenschaft ist ein Kind unseres Jahrhunderts. Im ersten Morgengrauen der dämmernden Freiheit, als die Augen der lange Gefesselten an das Licht deutscher Forschung sich zu gewöhnen begannen, erwachte ein ungeahntes Leben voll Regsamkeit und Schaffensdrang in der Judenheit vorzüglich Deutschlands und Österreichs, ein Heer rüstiger Knappen und Steiger bohrte sich ein in den Schacht der Vergangenheit, eine Reihe goldführender Gänge war bald entdeckt, und seitdem ist die Arbeit des Schürfens nicht zur Ruhe gekommen, obwohl bereits eine Fülle ausgemünzten Goldes aus jenen Tiefen hervorgeholt und in Umlauf gesetzt war. Kaum eine andere Wissenschaft in diesem Jahrhundert hat ein so schnelles Wachstum aufzuweisen wie die jüdische; gleichsam über Nacht, wie es in jeglichem Frühling aus dem Boden zu treiben pflegt, erstand eine Literatur, die heute bereits ein Menschenleben reichlich in Anspruch nehmen kann. Sie sind allgemach ins kühle Grab gesunken, die ersten Hammerschwinger; das erste Geschlecht jener wackeren Bergleute lebt nicht mehr; aber das Werk ist gesichert, die Alten haben eine Nachfolge gefunden, ein munteres Heer tätiger Kräfte setzt die begonnene Arbeit fort, immer neues Edelmetall kommt zutage; aber – der Markt will sich nicht erschließen, die Ware steht niedrig im Preise.

David Kaufmann, Gesammelte Schriften, hrsg. von M. Braun, Bd. 1, Frankfurt 1908

Ausläufer einer vergangenen Zeit

Fanny Lewald

Fanny Lewald (1811–1889), eine vielgelesene Schriftstellerin, die republikanisch gesinnt war und in ihren Romanen für die Befreiung der Frau von den Fesseln der Konvention kämpfte, beschrieb in ihren Lebenserinnerungen das Berlin Ende der dreißiger Jahre.

(...) So viel und auf so verschiedene Weise man daher auch von der Berliner Gesellschaft noch in den Provinzen zu sprechen liebte, so wenig war von ihr zu Ende der dreißiger Jahre noch vorhanden. Was davon noch existierte, waren Ausläufer einer vergangenen Zeit (...). Die verschiedenen Stände waren ziemlich scharf getrennt, feste Gesellschaftsabende oder Häuser, welche den Besuchern an jedem Abende offen gestanden hätten, gab es in den bürgerlichen Kreisen wenige. Die Aristokratie hielt sich um den Hof geschart, die Ministersoireen standen der Gesellschaft im allgemeinen nicht offen. Die höheren Beamten lebten das Jahr hindurch meist in genauester Beschränkung, um ein- oder zweimal im Winter eine jener ängstlich aufgesteiften, mit frostigem Überfluß versehenen Gesellschaften zu geben, bei denen in sonst ungeheizten Sälen die Feuchtigkeit aus den Wänden schwitzte und fremde Lohndiener sich in den Zimmern nicht zurecht fanden, und die reichen Kaufleute, Christen sowohl als Juden, gaben Bälle, Mittagbrote und Soireen, welche von hochgestellten Beamten, von Gelehrten, und von höheren und niederen Militärpersonen sehr gern, aber doch mit einer gewissen halbironischen Herablassung besucht wurden. (...)

Fanny Lewald, Meine Lebensgeschichte, 6 Bde., Berlin 1861 f.

Fanny Lewald, um 1850

An unsere deutschen Glaubensbrüder

1845

In den ersten Tagen des Monats April 1845 wurde das jüdische Publikum durch die Berliner Zeitungen von einem von 30 Mitgliedern der jüdischen Gemeinde zu Berlin unterzeichneten Aufruf überrascht, der zur Gründung der Jüdischen Reformgemeinde führte.

Seitdem der politische Druck im deutschen Vaterlande von unsern Schultern genommen, und in uns der aufstrebende Geist sich seiner Fesseln entledigt, seitdem wir in Bildung und Sitte ganz in das Leben der Gegenwart eingetreten, hat die religiöse Befriedigung mehr und mehr aufgehört, welche der Trost und das Glück unserer Vorältern gewesen ist. Unsere Religion hielt unveränderlich fest an den Formen und Vorschriften, in denen sie uns seit Jahrhunderten vererbt worden; unsere Überzeugungen und unsere Empfindungen aber, unsere innere Religion, der Glaube unseres Herzens, ist nicht mehr in Einklang mit dieser Gestaltung. Und wir stehen da in Zerrissenheit mit uns selbst, in Widerspruch des innern Lebens, des Glaubens, mit dem äußeren Leben, dem gegebenen Gesetz.

Wohl kämpfen unsere Gelehrten und Lehrer auf dem Gebiete der Theologie für und gegen eine Ausgleichung dieses Widerspruches; aber wie lange schon: und des Kampfes Ende ist nicht abzusehn. Inzwischen hat sich die überwiegende Mehrheit der Gebildeten thatsächlich losgesagt von dem größten Theil unserer religiösen Vorschriften, und selbst in denen, die sie noch befolgen, ist es meist ein Thun ohne Glaube und ohne Begeisterung geworden. Die Verwirrung ist groß. Nirgend Einheit, nirgend ein Halt, nirgend eine Grenze. Das alte rabbinische Judenthum mit seiner festen Basis hat keine Basis mehr in uns. Vergeblich sind die Bemühungen derer, die es künstlich in sich oder sich in ihm zu erhalten suchen. Die erstarrte Lehre und unser Leben sind für immer aus einander gewichen. Der Zweifel, der zu negiren angefangen, droht alle Grenzen zu überschreiten. Er erzeugt den Indifferentismus und den Unglauben, und giebt uns der Rathlosigkeit preis, in welcher wir mit Schmerz zusehen, nur unsere Nachkommenschaft mit den veralteten Formen auch der ewige, heilige Kern des wahren Judenthums verloren zu gehen droht.

Dies sind Thatsachen, die für sich selber sprechen, die nur die nicht sehen, welche nicht sehen wollen, Thatsachen, die unser Herz mit glühendem Eifer erfüllen, die unsere ganze Energie herausfordern und uns ermuthigen, den Aufruf an Euch, deutsche Glaubensbrüder, zu erlassen, die Ihr fühlt wie wir, fühlt, daß es an uns ist, nicht zuzusehen dem Verfall und dem künstlichen vergeblichen Uebertünchen des Bruches, sondern nach gemeinsamer Verständigung gemeinsame Schritte zu thun, um zu retten aus der Zerfallenheit, was in unserer geistigen Gesammtentwicklung, was in unserm deutschen Leben fortbestehen kann, und um offen zu entsagen dem, was in uns erstorben ist.

In diesem Sinne sind wir zusammengetreten, im Gefühl unserer Berechtigung, die Nothwendigkeit einer Umgestaltung offen und bestimmt auszusprechen, einer Berechtigung, die wir in Anspruch nehmen und nehmen dürfen, da unsere heiligsten Interessen dringend gefährdet sind, aber auch in dem Bewußtsein, daß wir nicht die Berufenen sind, diese Umgestaltung auszuführen. Darum wollen wir uns zunächst der Zustimmung unserer deutschen Glaubensgenossen versichern und mit diesen gemeinsam eine Synode berufen, um diejenige Gestaltung des Judenthums festzustellen, die dem Leben unserer Zeit und der Empfindung unseres Herzens entspricht.

Wir wollen: Glaube; wir wollen positive Religion; wir wollen: Judenthum. Wir halten fest an dem Geist der heiligen Schrift, die wir als ein Zeugniß göttlicher Offenbarung anerkennen, von welcher der Geist unserer Väter erleuchtet wurde. Wir halten fest an Allem, was zu einer wahrhaften, im Geiste unserer Religion wurzelnden Gottesverehrung gehört. Wir halten fest an der Ueberzeugung, daß die Gotteslehre des Judenthums die ewig wahre sei, und an der Verheißung, daß diese Gotteserkenntniß dereinst zum Eigenthum der gesammten Menschheit werden wird.

Aber wir wollen die heilige Schrift auffassen nach ihrem göttlichen Geiste; wir können nicht mehr unsere göttliche Freiheit der Zwingherrschaft des todten Buchstaben opfern. Wir können nicht mehr beten mit wahrhaftem Munde um ein irdisches Messiasreich, das uns aus dem Vaterlande, dem wir mit allen Banden der Liebe anhangen, wie aus einer Fremde heimführen soll in unserer Urväter Heimathland. Wir können nicht mehr Gebote beobachten, die keinen geistigen Halt in uns haben, und nicht einen Codex als unveränderliches Gesetzbuch anerkennen, der das Wesen und die Aufgabe des Judenthums bestehen läßt im unnachsichtlichen Festhalten an Formen und Vorschriften, die einer längst vergangenen und für immer verschwundenen Zeit ihren Ursprung verdanken.

Durchdrungen von dem heiligen Inhalt unserer Religion, können wir sie in der angeerbten Form nicht erhalten, geschweige denn vererben auf unsere Nachkommen, und so zwischen die Gräber unserer Vorväter und die Wiegen unserer Kinder hingestellt, durchzittert uns der Posaunen-Aufruf der Zeit, als die Letzten eines großen Erbes in der veralteten Form, auch die Ersten zu sein, welche mit unerschütterlichem Muth, mit inniger Verbrüderung durch Wort und That den Grundstein des neuen Baues legen für uns und die Geschlechter, die nach uns kommen.

Nicht aber wollen wir uns hiermit losreißen von der Genossenschaft, der wir angehören; in Liebe und Duldung reichen wir vielmehr die Bruderhand Allen, und auch den Andersdenkenden unserer Glaubensgenossen. Wir wollen keinen Riß in unserer Einigkeit. Euch aber, Ihr Gleichgesinnten, fordern wir voll Zuversicht auf zur innigsten Vereinigung auf Wahrhaftigkeit nach Innen, auf Schonung nach außen, auf Ausdauer im Kampfe mit Andern und auf Treue gegen uns selbst.

Und so ergeht denn unser Aufruf an Euch, deutsche Glaubensbrüder, nah und fern, daß Ihr mit Namen Euch zu uns gesellet, und mit Wort und That uns Beistand und Hülfe zusichert, damit wir in großer Anzahl gemeinsam eine Synode berufen, die das Judenthum in derjenigen Form erneuere und festsetze, in welcher es in uns und unseren Kindern fortzuleben fähig und würdig ist.

Berlin, den 2. April 1845.

Ludwig Lesser. Carl Heymann. Dr. S. Stern. M. Simion. Dr. Fr. J. Behrend. Adolph Meyer. J. R. Friedländer. Dr. Posner. A. Rebenstein. Dr. Breßler. B. Wolffenstein. B. Arons. Dr. Bergson. J. Löwenherz. Dr. Waldeck sen. S. W. Wolters. W. Wolffenstein. Dr. Schnitzer. W. Nathan. Joseph Behrend. Dr. Kornfeld. Dr. H. B. Berend. G. Lissauer. Dr. Mankiewitz. M. S. Baswitz. Dr. Löwenstein. S. Heinersdorff. Louis Liepmann. M. Belentin. Moritz Meyer.

Samuel Holdheim, Geschichte der Entstehung und Entwicklung der jüdischen Reformgemeinde in Berlin, Berlin 1857, S. 49 ff.

Rabbiner Holdheims Antrittspredigt

1847

Samuel Holdheim (1806–1860) wurde 1847 als Rabbiner nach Berlin berufen. Er trat für eine Trennung der jüdisch-religiösen und jüdisch-nationalen Vorschriften ein und erkannte des Judentum nur noch als religiöse Gemeinschaft an. Insbesondere galt sein Kampf dem seiner Ansicht nach veralteten jüdischen Heirats- und Ehescheidungsgesetz, das er ebenso wie die Beschneidung abgeschafft wissen wollte. Ein Artikel in der Reform-Zeitung vom 5. September 1847 kommentiert seine Antrittspredigt.

Am 5. Sept. trat Herr Dr. Holdheim hierselbst sein Amt als Rabbiner und Prediger der Genossenschaft für Reform im Judenthum an. Es fand deshalb ein feierlicher Gottesdienst statt, zu welchem die Kanzel festlich geschmückt war und der die Genossen, sowie zahlreiche Nichtgenossen in das Gotteshaus einlud. Als ein auf die Einführung bezüglicher feierlicher Choral den Gottesdienst eröffnete, betrat Herr Dr. Holdheim das bereits überfüllte Gotteshaus, geleitet von den Bevollmächtigten, die auf besonderen Sitzen zu beiden Seiten der Kanzel, während des Gottesdienstes, Platz nahmen. Nach der Vorlesung aus der Thora bestieg Herr Dr. Holdheim die Kanzel und begann einen zwischen Predigt und Antrittsrede sich haltenden geist- und gesinnungsreichen Vortrag, dessen wir hier nur in aller Kürze erwähnen wollen, in der Hoffnung, es werde Herr Dr. Holdheim dem vielfach ausgesprochenen Wunsch Folge leisten, und ihn zum Andenken an die wahrhaft feierliche und erhebende Stunde, dem Druck übergeben. Der Vortrag begann mit der Charakteristik der künftigen Stellung des Redners zur Genossenschaft, bezeichnete das Amt als *reines Lehramt*, begrenzte den Lehrstoff auf die drei Hauptmomente: *Allgemeine Religion, Judenthum* und *Reform des Judenthums*, definirte diese dahin, daß es die Aufgabe des Rabbiners in der Folge sein werde, die allgemeine Religion, die Gott durch die edelsten Regungen des menschlichen Geistes offenbart hat und noch immerfort offenbart, zu lehren und anzuregen; ferner die Gestaltung, die diese allgemeine Religion im wahren Judenthum gewonnen, nachzuweisen, und endlich die Nothwendigkeit darzuthun, daß die geschichtliche Gestaltung des Judenthums, weil sie seit einem Jahrtausend etwa abgeschnitten und unentwickelt dagelegen hat, durch die Reform, die die Einheit unserer Gesammtbildung mit der Gestaltung unserer Religion bezweckt, wieder in das Leben der Gegenwart eintreten zu lassen, wie diese Umgestaltung selbst anzubahnen. Nach dieser Darlegung, die reich an vortrefflichen geistvollen Bildern und Gedanken war, sprach der Redner die Ueberzeugung aus, daß er wohl zu geben, aber auch aus dem Gesammtbewußtsein der Gemeinde, die Anregung und die Aufmunterung zu empfangen bereit, und der Ueberzeugung sei, es werde so das Verhältniß ein wahres gesegnetes, indem es ein gegenseitiges sein wird. Ein Gebet und der Segenspruch schloß diese Rede. Nach dem Gottesdienst umdrängte alles dankend und glückwünschend den Redner und die Freude, nunmehr ihn oft von der heiligen Stätte zu hören, äußerte sich aufs lebhafteste in der ganzen Gemeinde.

Reform-Zeitung, Organ für den Fortschritt im Judenthum, Nr. 9, September 1847, S. 72

Debatte über das Judengesetz

1847

Leopold Zunz an Philipp Ehrenberg

Im Sommer 1847 wurde dem Vereinigten Preußischen Landtag der Entwurf eines neuen Judengesetzes vorgelegt. Der in Zunz' Brief an Ehrenberg vom 16. Juni deutlich werdende Optimismus sollte sich als voreilig erweisen, da der Vereinigte Landtag nur eine beratende Funktion hatte. Seine zweite Kurie bestand aus einer gewählten Ständeversammlung von Rittergutsbesitzern sowie Vertretern der Städte und Landgemeinden. Die Mitglieder der ersten „Herren-"Kurie waren vom König ernannt worden.

Ihr Schweigen beunruhigt mich; Ich bitte also um Brief mit Nachrichten über das Befinden des teuren Papa. Nächst diesem, das ich schon vor einigen Tagen Ihnen sagen wollen, veranlaßt mich heute zu schreiben die so eben eingehende Nachricht, daß in der Zweiten Curie, die seit drei Tagen mit großer Energie und Liebe das Judengesetz debattiert, heute mit 220 gegen 215 beschlossen wurde, *die Juden sind zu allen Staatsämtern zuzulassen*, mit alleiniger Ausnahme derer, welche mit einer Leitung der Kultus- und Unterrichts-Angelegenheiten verbunden sind. Im übrigen ist bis jetzt alles angenommen, was das Gutachten erschlägt[1], oft mit 9/10 Mehrheit. Mit mehr als 2/3 wurde angenommen, daß der Staat dafür zu sorgen habe, daß Anstalten zur Bildung jüd. Religionslehrer vorhanden seien. Als gegen die Zulassung jüdischer Seminaristen in christl(ichen) Lehranstalten die zärtliche Fürsorge (der Katze) fürs jüdische Gesetz geltend gemacht wurde, fragte v. Sauken[2], warum man denn diese Fürsorge nicht kenne, wenn jüd. Soldaten in Kasernen gesteckt würden? Vorgestern sprachen einige zwanzig, die bedeutendsten Redner, für uns, nur 2 gegen uns, Vinke[3] hat dem Minister Thiele geantwortet. Die Staatszeitung dürfte übermorgen bereits den Anfang dieser interessanten Diskussion liefern, auf die ich mich sehr freue. In der Herren-Curie wird die Proposition seit gestern verhandelt. Ein gewaltiges Stück Mittelalter hat der Landtag zerschmettert; die Folgen für Deutschland sind unabsehbar. (...) Ich umarme Sie.

Nachmitt. 1/2 7 Uhr Zunz

Leopold Zunz, Jude – Deutscher – Europäer. Ein jüdisches Gelehrtenschicksal des 19. Jahrhunderts in Briefen an Freunde, hrsg. v. Nahum N. Glatzer, Tübingen 1964, S. 249f.

1 Soll wohl ‚vorschlägt' heißen
2 Abgeordneter v. Sauken auf Julienfelde
3 Freiherr Georg v. Vincke (1811–1875), Abgeordneter (1847–1863), Führer der gemäßigt Liberalen
4 Ludwig Gustav v. Thiele (1791–1852), seit 1841 Geheimer Staats- und Kabinettsminister; er war Gegner der Judenemanzipation, da „die Juden Zion als ihr Vaterland betrachten"

Das Gesetz vom 23. Juli 1847

Sigismund Stern

Das Gesetz von 23. Juli 1847 erkannte im ersten Paragraphen den Juden „neben gleichen Pflichten, auch gleiche bürgerliche Rechte mit den christlichen Untertanen“ zu, verzeichnete jedoch ausdrücklich gewisse Ausnahmeregelungen, die sich „nicht auf die Pflichten, sondern auf die Rechte“ bezogen. Die jüdischen Gemeinden wurden Körperschaften des öffentlichen Rechts und der Aufsicht des Staates unterstellt. Insgesamt wurde das Gesetz von der jüdischen Öffentlichkeit jedoch als ein Fortschritt empfunden. In der „Reformzeitung“ schrieb Sigismund Stern, Rabbiner der Reformgemeinde, einen Kommentar.

(...) Das Gesetz vom 23. July c. bezeichnet einen Fortschritt der Gesetzgebung, wenn man es mit dem Edikt vom 11. März 1812, wenn man es mit den faktischen Zuständen vergleicht, welche durch die Veränderung der Reichsgrenzen von 1815 und durch die Aufhebung wesentlicher Bestimmungen des Edikts von 1823 herbeigeführt wurden, und es bezeichnet einen sehr entschiedenen Fortschritt, wenn man sich die Intentionen der Regierung vergegenwärtigt, die im Jahre 1844 bekannt wurden und im Gesetzentwurf von 1847 ihren Ausdruck fanden. Was diesem Gesetz aber auch über das Gebiet der Partialinteressen hinaus (...) eine hohe und erfreuliche Bedeutung giebt, ist die offene Anerkennung und Würdigung der öffentlichen Meinung, von Seiten unserer Regierung, die sich in demselben ausspricht. Denn es ist nicht zu verkennen, daß die Idee einer *politischen* Sonderung der jüdischen Korporationen mit einer gewissen Vorliebe von der Regierung verfolgt wurde, daß sie schwer die Ueberzeugung aufzugeben vermochte, es würde eine solche Sonderung nicht nur für das Wohl des Gesammtstaates erforderlich, sondern auch besonders dem Wohl der Juden selbst durch Wiederherstellung oder Erkräftigung einer selbständigen Nationalität förderlich sein. Und diese Intention der Regierung (...) ist in dem Gesetz vollständig und ohne allen Rückhalt aufgegeben, nachdem sich auf der einen Seite die verfassungsmäßigen Organe der öffentlichen Meinung, auf der anderen Seite die Betheiligkeiten selbst mit Entschiedenheit dagegen ausgesprochen hatten. *Die preußischen Juden sind als jüdische Preußen anerkannt.* Und wer das Gesetz mit Aufmerksamkeit und Unbefangenheit prüft, der wird in dieser Beseitigung einer von der Regierung mit solcher Entschiedenheit verfolgten Idee nicht ein halb erzwungenes Nachgeben gegen das Gewicht des landständischen Beiraths, sondern das freie Eingehen in eine neue durch das Gewicht der öffentlichen Meinung gewonnene Ueberzeugung erkennen, mit welchem jede Hinneigung zu der Verwirklichung der frühern Intentionen beseitigt ist. (...)

Reform-Zeitung, Organ für den Fortschritt im Judenthum, Nr. 9, September 1847, S. 68

Die ersten Siegestage des Volkes

März 1848

Aaron Bernstein

Aaron Bernstein (1812–1884), jüdischer Reformer und Schriftsteller, gründete die „Urwähler-Zeitung", die spätere „Volks-Zeitung", in der er sich als Leitartikler für die Verwirklichung demokratischer Prinzipien einsetzte.

Die Märztage des Jahres 1848 bilden nicht blos die Geburtsstunden der Demokratie in Preußen, sondern mit ihnen beginnen auch, ganze Gedankenreihen und politische Aussichten und Ziele in's Leben zu treten, die bis auf den heutigen Tag noch fortdauernd in dem Stadium der Entwicklung und Verwirklichung begriffen sind.

Diesen Thatsachen von historischer Bedeutung gegenüber erscheinen die Einzel-Scenen jener Tage nur als flüchtige Momente eines im Siege trunkenen Volkes und haben nur insofern einen geschichtlichen Werth, als gerade in solchen Zeiten die Charaktere und Verhältnisse unverschleiert auftreten. (...) Um so zweifelloser aber stellt sich das Gesammtgepräge der Volksbewegung jener ersten Tage als ein durchaus redliches Streben heraus, dem eignen Staatswesen und dem nationalen Leben des deutschen Vaterlandes eine der Volks- und der Nationalbildung entsprechende Neugestaltung zu geben, wie sie längst den besten Geistern der Nation als Ideal vorschwebte. Daß diese Neugestaltung unter der demokratischen Form angestrebt wurde, das ging durchaus nicht aus einer Feindseligkeit gegen das Königthum hervor. Was die demokratische Gestaltung zur unabweisbaren Nothwendigkeit machte, war einzig und allein der Umstand, daß es bis dahin weder der liberalen Partei, noch den ständischen Institutionen gelingen wollte, den Absolutismus in ein konstitutionelles System friedlich überzuführen. War es aber einmal gekommen, daß das *Volk* selber eintreten mußte, um in revolutionärem Sturm den Absolutismus zu stürzen, so konnte es zu keinem andern Ergebniß führen, als daß der neue Zustand auch auf breiter volksthümlicher Grundlage aufgerichtet werden mußte. Mit der Entfernung des Militärs aus Berlin war am 19. März der Absolutismus gestürzt. Der Eigenwille des Königs, der bis dahin jede Theilung der Gewalt abgewiesen und das ganze Staatsleben in seine alleinige Autorität konzentrierte, hatte zur Folge, daß nunmehr, mit dem Bruch des Absolutismus, jede Art von Regierung urplötzlich verschwunden war. Mit dem Militär flohen die bisherigen aktiven Minister aus der Hauptstadt. Der Graf Arnim wurde zwar als Minister-Präsident berufen; aber er fühlte sofort, daß seine feudal-bureaukratische Gesinnung den Volkswillen nicht zu lenken im Stande war. (...)

Inmitten des unaufhaltsamen Jubels um die errungene Freiheit erhob sich die lebhafteste Begeisterung für die Opfer dieses Sieges in allen Theilen der Stadt. Je höher die Zukunft des Volks- und Staatslebens im hellsten Lichte glänzender Hoffnungen aufleuchtete, desto natürlicher erschien es, daß man Denen zunächst die Ehrenschuld abtragen müsse, die mit ihrem Leben den Sieg erkauft hatten. Auch den Hinterbliebenen gegenüber, deren Ernährer „im heiligen Kampfe gefallen", fühlte man sich zu hohem Dank verpflichtet. Daher vereinigten sich denn sofort in den folgenden Tagen alle Sympathien in dem Plane, ein imposantes friedliches Leichen begängniß der Gefallenen und, zur Unterstützung der Verwundeten und der brodlos gewordenen Familien, Geldsammlungen auf allen öffentlichen Plätzen zu veranstalten. Wen die Begeisterung nicht trieb, hierin seinem Pflichtgefühl zu genügen, der wurde von der politischen Nothwendigkeit dazu bewogen, dem Volke in einem Akt der Pietät einen erhebenden Moment darzubieten, um es von drohenden anarchischen Akten fern zu halten.

Daher rührte jene allgemeine Betheiligung bei diesen ersten Scenen des sich frei bewegenden Volkslebens, von der sich selbst die Konservativsten der Konservativen nicht ausschliessen mochten. Die Zeitungen und Flugblätter, die mit Jauchzen die Zensurfreiheit begrüßten, wetteiferten am 20. März in Aufrufen, um dem Pflichtgefühl des Volkes zu genügen. Auch diejenigen, welche in der Revolution eine verbrecherische That erblickten, wurden jetzt hingerissen, dem bevorstehenden Akt der Versöhnung einen möglichst imposanten Charakter zu verleihen. Die Behörden, selbst die Gerichtshöfe, behandelten den anberaumten Tag des feierlichen Begräbnisses, den 22. März, als einen Festtag. Die Bureaus wurden geschlossen, die Termine verlegt, und um die Festlichkeit des großen Tages vollauf in Geltung zu bringen, fanden sich sogar die Geistlichen veranlaßt, einen öffentlichen Gottesdienst in allen Kirchen in den Frühstunden vor Beginn der Leichen-Bestattung zu veranstalten.

Aaron Bernstein, Aus dem Jahre 1848. Historische Erinnerungen (Fortsetzung der Märztage), Berlin 1873, S. 1 ff.

Auf den Barrikaden

März 1848

Moritz Steinschneider an Auguste Auerbach

Der später als Bibliograph und Orientalist berühmt gewordene Moritz Steinschneider (1816–1907) schrieb seiner Braut am 20. März 1848 nach Prag von den Vorgängen in Berlin.

Meine teure Auguste!
Ich glaube nicht, dass es an diesem Tage in Susa anders ausgesehen habe als hier – wenn das Buch Esther mehr als ein persisch-jüdischer Roman ist. Berlin hat 6 Tage bedurft, um an den Tag zu bringen, was bereits unter der Hülle längst vorbereitet lag. Verlange keine Schilderung von Einzelheiten – bis aufs Mündliche, ich kann hier nur die Hauptzüge hinwerfen.

Sonnabend um 2 hiess es: Constitution, Ministerwechsel u. s. w.; die Bürgerdeputation zog vor das Schloss, dem König ein Lebehoch zu bringen – ich selbst mit Deinem Briefe und wiener gleichen Nachrichten von Zunz (die Prager Petition hatte ich schon Donnerstag in der schlesischen Zeit. gelesen) zu Schöneberg zu Tische eilend, trank eben „Freiheit, Verbrüderung". Da heisst es um 3 1/2 Uhr: die Läden sind geschlossen, das Militär schiesst auf die Bürger u. s. w.!

Ich renne den kleinen Weg nach Hause, und um 4 Uhr – hatte Berlin mehrere 100 Barrikaden! Auch mich hättest Du Steine tragen und Blöcke wälzen sehen können. Indess hiess es, es sei das zufällige Losgehen 2er Gewehre auf dem Schlossplatze Grund des Missverständnisses. Augenzeugen behaupten, dass man auf die Bürger eingehauen habe. –

Die Sache ist noch nicht erklärt. Genug, die Erbitterung hatte den höchsten Grad erreicht, und als um 4 1/2 Uhr das Militär anfing, sich in die verbarricadirten Strassen zu begeben, fand es an vielen Punkten eine unerwartet *helden*mässige Verteidigung der Bürger, namentlich Schützen, und Studenten. Man glaubt allgemein, dass der Prinz von Preussen auf Vorschreiten des Militärs mit Kartätschen und Granaten gedrungen. Die Verteidiger mussten sich grossenteils selbst die Waffen erobern. Um 12 Uhr hörte das Schiessen in meiner Nähe ein wenig auf, und gegen 1 Uhr schlief ich ein.

Gestern früh war in meiner Umgebung das Militär Meister des Platzes, hingegen bald darauf der commandirende General Möllendorf in Händen der Schützen, die ihn zu erschiessen drohten. Gegen 11 Uhr rückte das Militär zurück. Heute ist kein Mann hier zu sehen, Schloss und alle Wachen sind von Bürgern besetzt, einem Manne, der einige Studenten durch Verrat ans Militär ums Leben brachte, wurden alle Möbel, Geld etc. auf öffentlicher Strasse verbrannt, einem anderen der Laden gestürmt, – von Diebstahl und

Raub nirgends die Rede! Heute vormittag konnte nur die Überschrift „Nationaleigentum“ und das Zureden der Gebildeten das Hotel des Prinzen von Preussen vom Demolieren retten; eine Tricolorfahne (Deutsch) weht herab. Gestern Abend Illumination und fortwährendes Freudenschiessen, singende Banden.

Schwerin und Auerswald, bekannt durch Opposition in der Kammer, sind bereits Minister; *alle alten* werden durch liberalere ersetzt. Aber diese Umwandlung Berlins kostet manchen Märtyrer Leben und Gesundheit. *Hunderte*, Militär und Civil, sind gefallen oder verwundet. Man bereitet ein allgemeines Leichenbegängnis und Denkmal vor, und von „Jud“ oder „Christ“ ist gottlob nicht mehr die Rede. In 4 Wochen müssen Preussens Juden emanzipirt sein, denn das Volk emanzipirt sie bereits.

Wer hat jetzt Gedanken an *sich*? Der Berliner Pöbel hat in diesen Tagen einen gewaltigen Culturfortschritt gemacht, die Folgen der letzten Vorgänge in aller Welt sind unübersehbar! Wohlan mein Kind, lass uns wieder zum Leben erwachen, nun kann unsrer Zusammenkunft wohl kaum noch etwas hinderlich sein. Hoffentlich werden wir jetzt *eher* Hütten bauen. Schon am 2. April kommen die Stände hier zusammen, ich aber möchte Dich am 8. in Prossnitz sehen.

Ob ich mich jetzt noch sträube, eine Stelle – natürlich keine blosse Rabbinerstelle oder dgl. – in Oesterreich anzunehmen, hängt von Umständen ab; denn diesmal sind die Wiener so schön vorangegangen, dass „die preussische Landwehr kaum nachkommen kann“! Ich schrieb es Freitag nach Prossnitz. Ich wünschte, Du schriebst ihnen sogleich den Hauptinhalt dieses Briefes, ehe beunruhigende Nachrichten hinkommen.

Schreibe mir *rasch* Deinen Entschluss, die Zeit geht jetzt rasch – darum auch Adieu.

Julius H. Schoeps, Die Märzrevolution 1848 im Spiegel des Briefwechsels zwischen Moritz Steinschneider und Auguste Auerbach, in: Jahrbuch des Instituts für Deutsche Geschichte, Universität Tel Aviv, Bd. XIV 1985, S. 342 ff.

Den Hinterbliebenen der Märzhelden

1848

Leopold Zunz

Auf Seiten der Märzgefallenen hat es 231 Tote gegeben. Von diesen waren 21 jüdischer Herkunft. Leopold Zunz hielt eine Rede, in der er den Hinterbliebenen ein Wort des Trostes zusprach.

Um edle Todte trauert Berlin, trauert Deutschland, um ihre Lieben trauern die Hinterbliebenen. Die in unseren Strassen einhergingen unbeachtet, die in Studierzimmern dachten und in Werkstätten arbeiteten, die am Schreibtisch rechneten und in Läden feilboten, wurden plötzlich Krieger und wir entdeckten sie erst in dem Augenblick, wo sie als Sterne verschwanden. Als sie verherrlicht wurden, da verloren wir sie, und seitdem sie unsere Befreier geworden, können wir ihnen nicht danken. Doppelt trauern die verlassenen Angehörigen: wie viel sie an den Todthen verloren, hat ihr schöner Tod ihnen offenbart, dem Beile gleich, das die dunkele Muschel spaltend die Perle enthüllt.

Aber wie, haben wir, habet Ihr sie denn verloren? Jene, die wir für minder berechtigt gehalten, weil wir ihnen die Stelle im Leben anwiesen nach der Etikette der Titel und nach dem Schimmer des Goldes, denen wir gleichgültig begegneten, weil die Sonne der Macht sie nicht beschienen, oder denen wir hochmüthig Ungnade und herablassend Gnade erzeigt, je nach den eingebildeten Rangstufen der Stände, der Geburt und des Bekenntnisses, – wie haben sie über unsere Häupter sich emporgehoben, von einer ewigen Sonne widerstrahlend, hoch über Alle hinaus, die im Flitter geborgter Sonnen einhergehen! Gross und theuer sind sie uns durch ihren Tod geworden, als sie scheidend einen unermesslichen Reichthum auf uns ausschütteten, auf uns Alle, die wir arm, sehr arm waren. Unser Haupt, einem brennenden Himmel gleich, lieferte keinen fruchtbaren Regen grossherziger Gedanken, und das Herz in unserer Brust, zu Eisen geworden, ward öde an menschlicher Empfindung. Eitelkeit und Wahn waren unsere Götzen. Schein und Lüge vergifteten unser Leben, Genuss und Habsucht diktirten unsre Handlungen; eine Hölle sittlichen Elends, in alle Einrichtungen des Lebens einfressend, machte ringsum den Luftkreis glühend, bis endlich schwarze Wolken heranzogen, das Gewitter heranstürmte im Volksdonner und die reinigenden Blitze in die Barrikaden und in die Lüge einschlugen. In diesem Wetter sah ich die feurigen Wagen und die feurigen Pferde, welche die für Recht und für Freiheit gefallenen Gottesmänner in den Himmel entführten; ich vernehme die Gottesstimme, welche die Namen eurer Lieben, ihr Weinende! adelt: Die freie Presse ist der Adelsbrief und unsere Herzen das Denkmal. Ein jeder von uns, ein jeder Deutsche ist ein Hinterbliebener, ein Trauernder, und ihr seid keine Verlassene mehr.

Gross aber wird die Ehre sein, die euren, die unseren Todten erzeigt wird. Denn das Reich der Freiheit wird erstehen: das auf Nationalwillen gegründete Gesetz, die in freiwilligem Gehorsam bestehende Ordnung, die Anerkennung des Menschen unbehelligt vom Unterschiede der Sekten und der Stände, die Herrschaft der Liebe als Zeugniss der Erkenntniss Gottes. Das wird die Menschheit aufzubauen haben, und die Gefallenen, die dieses Vermächtniss uns hinterlassen, werden als die Gründer dieses schönen neuen Lebens in unvergänglichem Ruhme strahlen. Ihre Grabstätte wird das fruchtbare Feld, aus welchem ein unverletzliches Recht, ein Gesetz der Freiheit emporwächst; unsere Thränen werden ein Strom von Liebe, der allen Glaubenshass forttreibend auf seinen Fluthen das Vaterland in stolzer Sicherheit trägt. So lasset uns denn ein Gesetz machen gleich für Alle, und ein Herz bewahren, warm für alles Edle. Entfernen wir jede Einrichtung, die einzelne Schichten der Gesellschaft hintenansetzt, die einzelne Klassen drückt und verwundet, bleiben wir einig, werden wir wahrhaft: so wird das Vaterland bald Festkleider anlegen, den Helden, die es feiert zu Ehren: so müsset auch ihr, Hinterbliebene, getröstet sein, die ihr in uns, ein euern Brüdern, die Eurigen wiedergefunden. O so richtet euch empor, und nehmet uns heute schon auf, die wir euch nahen mit Liebesworten, mit Kuss und Thräne! Wir wollen euch Väter, Brüder und Söhne sein und für euch sterben, wie eure Lieben für uns gestorben. Trocknet eure Thränen an den Flammen der Liebe, die wir euch bringen, und versenket eure Trauer unter dem Dankesjubel der befreieten Völker und betet an die göttliche Majestät, welche die Verkünder des Heils unter Schauern zu sich entboten hat.

Leopold Zunz, Gesammelte Schriften, hrsg. vom Curatorium der Zunzstiftung, Bd. 1, Berlin 1875, S. 301f.

Grundrechte des deutschen Volkes

27. März 1849

Am 27. März 1849 nahm die Nationalversammlung in der Frankfurter Paulskirche die Reichsverfassung an, die die Juden vor dem Gesetz gleichstellte. Durch das Scheitern der Revolution wurde der Verfassung der Boden entzogen.

Art. V

§ 144. Jeder Deutsche hat volle Glaubens- und Gewissensfreiheit. Niemand ist verpflichtet, seine religiöse Ueberzeugung zu offenbaren.

§ 145. Jeder Deutsche ist unbeschränkt in der gemeinsamen häuslichen und öffentlichen Uebung seiner Religion. Verbrechen und Vergehen, welche bei Ausübung dieser Freiheit begangen werden, sind nach dem Gesetze zu bestrafen.

§ 146. Durch das religiöse Bekenntnis wird der Genuß der bürgerlichen und staatsbürgerlichen Rechte weder bedingt noch beschränkt. Den staatsbürgerlichen Pflichten darf dasselbe keinen Abbruch thun.

§ 147. Jede Religionsgesellschaft ordnet und verwaltet ihre Angelegenheiten selbständig, bleibt aber den allgemeinen Staatsgesetzen unterworfen. Keine Religionsgesellschaft genießt vor andern Vorrechte durch den Staat; es besteht fernerhin keine Staatskirche. Neue Religionsgesellschaften dürfen sich bilden; einer Anerkennung ihres Bekenntnisses durch den Staat bedarf es nicht.

§ 148. Niemand soll zu einer kirchlichen Handlung oder Feierlichkeit gezwungen werden.

§ 149. Die Formel des Eides soll künftig lauten: „So wahr mir Gott helfe."

§ 150. Die bürgerliche Gültigkeit der Ehe ist nur von der Vollziehung des Civilactes abhängig; die kirchliche Trauung kann nur nach der Vollziehung des Civilactes Statt finden. Die Religionsverschiedenheit ist kein bürgerliches Ehehinderniß.

§ 151. Die Standesbücher werden von den bürgerlichen Behörden geführt.

Ernst Rudolf Huber/Wolfgang Huber, Staat und Kirche im 19. und 20. Jahrhundert. Dokumente zur Geschichte des deutschen Staatskirchenrechts, Bd. II, Berlin 1976, S. 33f.

Staatsbürgerliche Gleichstellung der Juden durch die Preußische Verfassungsurkunde

31. Januar 1850

Die revidierte Verfassung, die mit der Verkündung am 2. Februar 1850 in Kraft trat, behielt bis zur Revolution vom 9. November 1918 ihre Geltung.

Alle Preußen sind vor dem Gesetz gleich. Standesvorrechte finden nicht statt. Die öffentlichen Ämter sind unter Einhaltung der von den Gesetzen festgestellten Bedingungen für alle dazu Befähigten gleich zugänglich (Artikel 4). – Der Genuß der bürgerlichen und staatsbürgerlichen Rechte ist unabhängig von dem religiösen Bekenntnisse (Artikel 12).

Ernst Rudolf Huber/Wolfgang Huber, Staat und Kirche im 19. und 20. Jahrhundert. Dokumente zur Geschichte des deutschen Staatskirchenrechts, Bd. II, Berlin 1976, S. 37

Die gegenwärtige Lage

14. April 1849

Johann Jacoby

Der Königsberger Jude Johann Jacoby (1805–1877) Arzt und Politiker, ein entschiedener Verfechter demokratischer Prinzipien, war ein führendes Mitglied der Linken in der preußischen Nationalversammlung in Berlin 1848. Er wurde nach der oktroyierten Verfassung vom Dezember 1848 als Kandidat für die zweite Kammer des preußischen Abgeordnetenhauses aufgestellt und sprach vor den Wahlmännern und Wählern des vierten Berliner Wahlbezirks am 14. April 1849.

Meine Herren! Sie haben zum zweiten Male mir den ehrenvollen Auftrag erteilt, Ihre Rechte in der preußischen Volkskammer zu vertreten; ich habe das Amt mit Freude und Dank angenommen und hoffe durch die Tat ihr Vertrauen zu rechtfertigen.

Meine politischen Ansichten sind Ihnen allen bekannt; ich werde daher nur einige Worte über die gegenwärtige Lage der Dinge und über die Stellung der jetzigen Abgeordneten sprechen.

Die Märzrevolution, mit deren Eintritt das praktisch-politische Leben unseres Volkes begann, hat zwei Hauptgrundsätze aufgestellt; die Rechtsgleichheit aller und die freie Selbstbestimmung der Bürger. Rechtsgleichkeit aller, also keine Bevorzugung der Geburt, des Standes oder Vermögens. – Selbstbestimmung, also keinerlei Herrschaft eines Einzelwillens über den Gesamtwillen. Diese beiden Forderungen, der Inbegriff der Demokratie, sind das Fundament, auf dem der künftige Rechtsstaat erbaut werden muß (...).

Noch aber sind wir weit vom Ziele entfernt. Die Begeisterung der Märztage ließ uns voreilig werden, über alle diese Hemmnisse hinwegsehen; wir bildeten uns ein, die Kluft zwischen Absolutismus und Volksherrschaft leichten Fußes überspringen zu können. Gestehen wir's nur: wir haben uns arg getäuscht! Ein künstlich in der Luft schwebender Bau, der Scheinkonstitutionalismus, überbrückt die tiefe Kluft; – unerwartet, aber nicht ohne eignes Verschulden sehen wir uns mitten auf diese Brücke gestellt: – wir müssen schnell hinüber, soll's nicht unter unseren Füßen brechen, uns alle in den Abgrund stürzen! –

Schon im September vorigen Jahres (...) machte ich auf eine kleine, aber rastlos tätige Partei aufmerksam, die insgeheim darauf hinarbeitet, das Volk um die Früchte seiner Revolution (...) zu betrügen. „Diese Partei" – so ungefähr lauteten meine Worte – „hat mit der ihr eigenen Gewandtheit, mit diplomatischer Schlauheit alle die feinen, unsichtbaren Fäden wieder angeknüpft, die durch die Niederlage des Schweizer Sonderbundes[1] und durch den darauf folgenden Sturz des Louis Phillippschen Regimentes[2] gewaltsam zerrissen wurden. Auf die Macht des Heeres sich stützend, ist sie vor allem bemüht, das Militär durch Erhaltung seiner exklusiven, bevorzugten Stellung vor dem Geist der Neuzeit zu bewahren, um es gelegentlich als Werkzeug für ihre Pläne mißbrauchen zu können."

Das Wort, das ich damals sprach, – nur zu bald ist es Wahrheit geworden. Jene Partei hat kurz darauf – dank der „rettenden Tat" des Ministeriums Brandenburg-Manteuffel – den vollständigen Sieg davongetragen. –

Und nicht in Preußen bloß – in ganz Deutschland ist der unselige Geist des Absolutismus mit Junkertum und Polizeiwirtschaft aufs neue erstanden. Es muß den Freund der Freiheit mit Unmut und Unwillen erfüllen, wenn er sieht, welch klägliches Ende die deutsche Bewegung genommen, wie wieder das alte Unwesen staatlicher Bevormundung sich überall breit macht, wie selbst auf der Rednerbühne der Abgeordnetenkammer man sich entblödet, die Märzrevolution und alles, was dem Volke wert und teuer ist, mit niedrigen Schmähungen zu besudeln! –

Johann Jacoby, Gesammelte Schriften und Reden, Bd. 2, Hamburg 1872

1 Sonderbund, das Bündnis der katholisch-konservativen Kantone gegen die liberalen, auf eine stärkere Zentralisierung drängenden Kantone; 1843 gegründet, 1847 mit Waffengewalt aufgelöst

2 Louis Philippe, nach der Julirevolution 1830 „König der Franzosen", stützte sich auf das kapitalistische Großbürgertum, das ihn fallenließ, als das Kleinbürgertum und die Arbeiter von Paris sich im Februar 1848 gegen ihn erhoben

Keine Aussicht, an einer preußischen Universität anzukommen

6. Juli 1854

Lewin Goldschmidt an seinen Vater

Auch nach der Emanzipation blieb den Juden der Zugang zu akademischen Ämtern zumeist verschlossen. Lewin Goldschmidt (1829–1897), ein bekannter Experte für Handelsrecht, hatte zu Beginn Schwierigkeiten sich zu habilitieren und mußte erst Ordinarius in Heidelberg werden, bevor er 1876 an die Berliner Universität berufen wurde.

(...) Geheimrat Schultze erklärte mir sogleich, daß gar keine Aussicht für mich sei, an einer preußischen Universität anzukommen, – daß ich auf eine Anstellung durchaus nicht rechnen könne, daß sich der Minister, so wie er ihn kenne, jeder Zulassung widersetzen würde, selbst wenn, wie in Berlin, Bonn und Breslau, die Universitätsstatuten die Zulassung nicht hinderten. Er erwähnte seines verstorbenen Freundes [Eduard] Gans, der nach vielfachen Bemühungen sich endlich habe taufen lassen, und plauderte längere Zeit in gemütliche Weise über allerlei Dinge: ich sollte doch in Preußen bleiben etc.; (...) daß in Halle bisher Juden zu Doktoren der Rechte promoviert worden, hatte nach seiner Angabe seinen Grund darin, daß der Minister nichts davon wußte. Ich dankte ihm für seine Offenheit, bedauerte, daß die einzige Bedingung, unter welcher ich in Preussen zugelassen werden könne (die Taufe), von mir aus vielerlei Gründen, deren Anführung er mir wohl erlassen werde, nicht erfüllt werden könne und nahm in herzlicher Weise Abschied.

Lewin Goldschmidt, Ein Lebensbild in Briefen, Berlin 1898, S. 125ff.

Die Attacke gegen die Gleichberechtigung

1856

Ludwig Philippson

Am 20. Januar 1856 stellte der Abgeordnete Hermann Wagener, unterstützt von 27 weiteren Abgeordneten, im Haus der Abgeordneten den Antrag, aus der Verfassungsurkunde vom 31. Januar 1850 die Worte „der Genuß der bürgerlichen und staatsbürgerlichen Rechte ist unabhängig von dem religiösen Bekenntnisse“ zu streichen. Bereits am nächsten Tag schrieb Ludwig Philippson (1811–1889), Rabbiner und Herausgeber der „Allgemeinen Zeitung des Judentums“, an die Vorstände der jüdischen Gemeinden in Preußen:

Löblicher Vorstand! Wie Sie aus den öffentlichen Blättern ersehen haben, hat der ehem. Redacteur der „Kreuzzeitung“, Abg. Wagener, den Antrag bei dem „Hause der Abgeordneten“ gestellt, die Worte „der Genuß der bürgerlichen und staatsbürgerlichen Rechte ist unabhängig von dem religiösen Bekenntnisse“ aus dem Art. 12 der Verfassungsurkunde zu streichen. Die Bedeutung dieser Worte für die Bekenner des Judenthums ist Ihnen bekannt. Welches auch das Schicksal dieses Antrages bei den gesetzgeberischen Instanzen sein wird – es wäre kaum gerechtfertigt, wenn wir dazu schwiegen. Ein solches Stillschweigen würde für die Antragsteller ein Motiv mehr sein, vor der Welt ein freiwilliges Aufgeben unsres Rechts. Löbl. Vorstand wird es daher sicher angemessen finden, eine desfallsige Gegenpetition an das Haus der Abgeordneten zu richten, und zwar eine jede Gemeide für sich. Nicht einer weitläufigen Auseinandersetzung bedarf es zu diesem Zweck, sondern nur des einfachen, eindringlichen Wortes, und zwar so schnell wie möglich.

Ebenso wandte sich die Synagogengemeinde Berlin in der folgenden Petition an das Haus der Abgeordneten gegen die beabsichtigte Entziehung der bürgerlichen Rechte.

Hohes Haus der Abgeordneten!
Nach Berichten in öffentlichen Blättern ist einem Hohen Hause der Abgeordneten der Antrag übergeben worden: in dem Art. 12 der Verfassungs-Urkunde von 31. Januar 1850 die Worte: „der Genuß der bürgerlichen und staatsbürgerlichen Rechte ist unabhängig von dem religiösen Bekenntnisse“ zu streichen.

Die gehorsamst Unterzeichneten sind der vollesten Ueberzeugung, daß aus allbekannten und anerkannten Gründen des Rechts, der Moral und der Religion von Einem Hohen Hause dieser Antrag nicht werde genehmigt werden und daß Hochdasselbe nicht die Hand dazu bieten werde, das Rechtsgefühl der Preußen jüdischen Bekenntnisses durch Entziehung verbürgter und zugesicherter Rechte auf das Tiefste und Schmerzlichste zu verletzen.

Hierauf gestützt dürfen wir getrost und zuversichtlich gehorsamst beantragen, Ein Hohes Haus wolle mit weiser Gerechtigkeit jenen Antrag ablehnen. Mit der tiefsten Ehrerbietung beharren wir ec. ec. ec.

Ludwig Philippson (Hrsg.), Der Kampf der preußischen Juden für die Sache der Gewissensfreiheit, Magdeburg und Leipzig 1856, S. 2 und S. 5

Rede in einem Berliner Wahlbezirk

29. November 1861

Leopold Zunz

Leopold Zunz, der für die Juden „nicht Rechte, sondern Recht, nicht Freiheiten, sondern Freiheit“ forderte, wurde im September 1861 als Wahlkandidat aufgestellt. Großes Aufsehen erregte eine Rede, die er am 29. November 1861 vor dem dritten Berliner Wahlbezirk hielt.

Geehrte Versammlung! Dankbar für Ihre freundliche Güte, mich auf Ihre Candidatenliste zu bringen, – eine Güte umso uneigennütziger, da Sie die bisherigen Abgeordneten Ihres Bezirks schwerlich verlassen, und ich der letzte sein würde, einen Stuhl, den so vorzügliche Männer inne haben, einnehmen zu wollen, – mache ich Gebrauch von Ihrer Erlaubnis, meine politische Ueberzeugung Ihnen vorlegen zu dürfen. Ich erscheine darum vor Ihnen mit einem Programm, doch erschrecken Sie nicht! Allerdings haben Sie wiederholt mehrere Programme erörtern gehört; das meinige ist sehr kurz und leicht auswendig zu behalten, es besteht aus drei Worten, an welchen ich Abgeordnete und Verfassung messen will. Die Worte lauten: *Vorwärts! frei, wahr.*

Was ist ein Abgeordneter? ein Bittsteller? nein! ein Minister-Stützer? nein! ein Rathgeber? nein! Nun was denn? Er ist der Bevollmächtigte des Volks, beauftragt das für dasselbe zu thun, wozu es selber ausser Stande ist; auf solche Bevollmächtigte haben die alten Römer und die neuen Deutschen lange warten müssen. Der Abgeordnete soll Wünsche und Beschwerden aussprechen, Uebel abstellen, er soll Schmerzen lindern und Rechte wahren. Gäbe es nichts zu verbessern, brauchten wir nicht zu wählen, und hätte der Gewählte nichts zu sagen, brauchten wir auch nicht zu wählen. Die Wahl eines Abgeordneten ist selber das Ergebniss von Fortschritten: es ist die Einsicht in das was Noth thut, es ist das anerkannte Recht des Volkes, die Vorarbeit für dessen Wohl. Könnte derjenige, dessen Dasein aus dem Fortschritt entsprungen, diese seine Wurzel verläugnen? aus ihr hat er die Nahrung, ihr muss er dienen. Darum lautet die erste Anforderung an unsere Abgeordneten: Vorwärts! Alles was wir sind und haben, ist durch fortschreitende Arbeit errungen, im Leben des Volkes nicht weniger als in dem des Einzelnen. Fortschreiten ist wachsen, und wachsen ist ein Naturgesetz; aber es wächst nichts rückwärts; wer für den Rückgang, für die Umkehr arbeitet, den weisen wir ab. In der Selbsttäuschung, dass es früher besser gewesen – trotz dem Prediger Salomonis: „sprich nicht, dass die alte Zeit besser als die heutige war“ – oder auch unzufrieden mit dem Fortschreiten der Menschheit, dass den Sonder-Interessen im Wege ist, gehen die Rückwärts-Leute an ein Werk des Umsturzes: anfangs blöde, begnügen sie sich, bis auf das Jahr 1847 zurückzugehen, auf die Epoche, die vormärzlich heisst. Durch Erfolge kühner und vor dem noch nicht gezügelten Fortschreiten bange, wird das Jahr 1789, aus welchem 1848 geboren, als die heillose Grenze bezeichnet, hinter welche man sich zurückziehen müsse. Da gesellen sich ihnen Fromme zu, die es nöthig finden, hinter das Zeitalter jener beiden gefährlichen Unruhestifter und Demokraten, *Luther* und *Hutten*, zurückzulaufen, das ist bis Anno 1516, bis sie endlich wohlbehalten auf das sichere Ufer der Wasserproben und Hexengerichte anlangen. Nun, wohl bekomme es ihnen, aber wir wählen sie nicht.

Es giebt auch solche, die weder rück- noch vorwärts, die gar nicht gehen, sondern stillstehen. Diese sind auf dem Wärmemesser der Nullpunkt, der heute Regen, morgen Glatteis zeigt: sie meinen, dass alles gut, und nichts besser zu werden brauche, wir könnten nun abermals 30 Jahre mit dem bisherigen Errungenschaften haushalten, bis dahin Ruhe und Schlafen; sie nennen sich *conservativ*, denn sie haben ihre behagliche Lage zu conservieren und wenn sie satt sind, darf es keinen hungern. Die Conservativen haben wir aus England bezogen, dort bezeichnet es die an den Wortlaut der Constitution haltende Aristokratie, die dem demokratischen Strome sich widersetzt; bei uns ist es ein weiter Mantel für Rückwärts- und Stillstandsmänner, denen theils die Einsicht, theils die Gesinnung abgeht. Allerdings ist nur mit Empfindung für allgemeines Menschenwohl und mit einem unbefangenen Sinne die Neigung zur Arbeit des Fortschritts vorhanden.

So stehen denn in unserm Programm *vorwärts* und *frei* in unmittelbarer Verbindung. Der vorwärts gerichtete Abgeordnete darf nicht gebunden sein an das Ansehen dessen, was da ist, weil es ist. Frei muss sein Blick die Gegenstände prüfen, ungetrübt von dem Vorurtheil und der Anbetung des Hergebrachten. Er darf keine Abneigung oder vorgefasste Meinung mitbringen gegen Klassen und Beschäftigungen, gegen Confessionen und Volksstämme.

Leopold Zunz, Gesammelte Schriften, hrsg. vom Curatorium der Zunzstiftung, Bd. 1, Berlin 1875, S. 316f.

Einweihung der Synagoge Oranienburger Straße

5. September 1866

Die liberale Synagoge in der Oranienburger Straße 30 gehörte wegen ihrer Pracht, ihres raffinierten Beleuchtungssystems und der komplizierten Gewölbekonstruktion zu den berühmsten jüdischen Kultbauten in Deutschland. Der Entwurf stammte von dem Architekten Eduard Knoblauch, Durchführung und Ausstattung von August Stüler. Die „Berlinischen Nachrichten" brachten einen Bericht von der Einweihungsfeier am 5. September 1866:

– Gestern (am 5.) Mittag fand die feierliche Einweihung der neuen Synagoge statt. Schon eine Stunde vor dem, auf 11 1/2 Uhr festgesetzten Beginn der Feier war das bekränzte und schön geschmückte Gotteshaus geöffnet und allmälig von einer zahlreichen, dasselbe erfüllenden Versammlung besetzt. Am Eingange hatten sich fünf der Vorsteher, verschiedene Repräsentanten der Gemeinde und die Mitglieder der Baucommission zum Empfange der eingeladenen Gäste aufgestellt. Von den Letzteren nennen wir: den Fürsten Boguslaus v. Radziwill, den General-Feldmarschall Gr. v. Wrangel, den Gouverneur der Residenz, Gen. d. Cav., Gr. v. Waldersee, den Gen. d. Inf., Dr. v. Peuker, den Ministerpräsidenten Gr. v. Bismarck, den Finanzminister Frhrn. v. d. Heydt, den Minister der geistlichen u. s. w. Angelegenheiten, Dr. v. Mühler, den Minister des Innern Gr. v. Eulenburg, den Stadtcommandanten Gen.-Lieut. v. Alvensleben, den wirklichen Geheimen Ober-Regierungs-Rath Dr. Johannes Schulze, die Unterstaatssecretäre Dr. Lehnert, Sulzer und Delbrück, den Regierungs-Präsidenten v. Kamptz, den Polizei-Präsidenten v. Bernuth, den Ober-Regierungs-Rath Lüdemann, den Schloßhauptmann Kammerherrn v. Dachroeden, den Oberbürgermeister Seydel und die deputirten Stadträthe, den zeitigen Vorsitzenden der Stadtverordneten-Versammlung Halske nebst den deputirten Stadtverordneten, den Präsidenten des Hauses der Abgeordneten v. Forckenbeck und viele Mitglieder des letztern, den Köllner Probst.

– Gegen 12 Uhr leitete das von Schwantzer gespielte Orgel-Präludium den Festgottesdienst ein, und mit Orgel- und Orchesterbegleitung intonirte der Synagogenchor unter Leitung des königl. Musikdirektors Lewandowski (der auch die Musik zu den Gesangstücken geschrieben hatte) den hebräischen Segensgruß an die Eintretenden (Psalm 118, Vers 26: „Gesegnet, der da kommt im Namen des Herrn, wir segnen euch aus dem Hause Gottes") Während desselben fand der Einzug der geschmückten Thorah-Rollen statt, welche, unter dem Vortritte zweier kerzentragenden Synagogen-Beamten, bis an die heilige Lade gebracht wurden. Die Rollen hatten in erster Reihe der Rabbiner und der Vorbeter, dann Vorsteher und Repräsentanten im Arme;

zu den Seiten der die Rollen Tragenden schritten Vorsteher und Repräsentanten. Bei dem Einzuge wurde hebräisch gesungen „Wie schön sind deine Zelte, Jacob, deine Wohnungen, Israel“ u.s.w. Daran reihte sich eine, von dem Rabbiner und Prediger Dr. Aub in hebräischer und deutscher Sprache recitirte Benediction und der hebräische Gesang des „Höre Israel“ u.s.w. Während desselben brachten die Träger der Thorahrollen diese in Procession wieder zu der heiligen Lade. Diese wurde geöffnet, und der Chor sang, unter Orgel- und Orchester-Begleitung hebräisch die Verse 7–10. des 24. Psalms (Erhebet Ihr Thore, eure Häupter u.s.w.) Bei Schließung der Lade sprach der Prediger das dazu gehörige liturgische Gebet (deutsch), und der Chor schloß hebräisch mit dem letzten Verse (Klagelieder Jerem. C.5.V.21). Nunmehr sang der Chor ein deutsches Lied, welchem die Weihepredigt des Dr. Aub folgte. Anknüpfend an den eben vernommenen Segensgruß aus der heil. Schrift (Ps. 118, V.26.) gedachte er zunächst der alten Synagoge, von der er jedoch irriger Weise meldete, daß sie 1713 eröffnet worden, während dies ein Jahr später und zwar auch um die Zeit des jüdischen Neujahrsfestes 1714 geschah, er gedachte der Männer, die sich um das neue Gotteshaus gemüht haben und nun zum ewigen Frieden eingegangen sind; so des Rabbiners und Predigers Dr. Sachs, der 1859 bei der Grundsteinlegung die Weiheworte gesprochen, der Baukünstler Knoblauch und Stüler, endlich des weiland Vorsitzenden der Repräsentanten Dr. Veit. Er verkündete, daß neben der hebräischen auch die deutsche Sprache, Sprache des Gottesdienstes sein werde und ging dann zu dem Texte seiner Predigt (Haggai, Cap.2, V.9. „Die Herrlichkeit dieses zweiten Hauses wird größer sein als die des ersten, spricht der Herr der Heerschaaren, und an diesem Orte werde ich Frieden geben, spricht der Herr der Heerschaaren.“) Abermals schloß sich ein deutsches Lied an, zwischen welchem der Prediger ein „Weihegebet“ las. Demnächst wurde das Nachmittags-(Mincha-)Gebet, nach dem Ritus dieser neuen Synagoge gehalten und mit dem 150. Psalm die Feier gegen 2 Uhr geschlossen.

Berlinische Nachrichten, Nr. 206 vom 6.9. 1866

Die Synagoge Oranienburger Straße, 1883

Wir begannen den Tag mit einer Besichtigung der jüdischen Synagoge

Juli 1867

Lewis Carroll

Der englische Schriftsteller Lewis Carroll, eigentlich Charles Lutwidge Dodgson (1832–1898), Autor von „Alices Abenteuer in Wunderland" (1865), führte während eines Aufenthaltes in Berlin am 19. und 20. Juli 1867 Tagebuch.

19. Juli (Freitag)
Am Abend machten wir noch einen Bummel und sahen uns die jüdische Synagoge an, die es sich unbedingt lohnt zu besichtigen. Dies erzählte uns ein Herr aus New York, den wir mit seiner Frau an unserem Tisch im Speisesaal kennengelernt hatten. (...)

20. Juli (Sonnabend)
Wir begannen den Tag mit einer Besichtigung der jüdischen Synagoge, in der bereits Gottesdienst abgehalten wurde und blieben bis zum Schluß. Der ganze Anblick war höchst erstaunenswert für mich und äußerst interessant. Der Bau selbst ist einfach prachtvoll. Der Innenraum war fast vollständig mit Goldmalereien bedeckt, und die Gewölbe waren größtenteils halbkreisförmig. Der Ostteil wurde von einer halbrunden Kuppel überdacht und umfaßte eine kleinere Kuppel auf Säulen ruhend, unter der sich ein hinter einem Vorhang verborgener Schrank befand, in dem die Gesetzesrollen untergebracht waren. Davor befand sich ein Lesepult, ebenfalls nach Osten ausgerichtet und vor diesem war etwas höher eine Kanzel nach Westen zu. Der übrige Raum war mit Sitzplätzen ausgestattet.

Wir folgten dem Beispiel der Gemeinde und behielten unsere Kopfbedekkung auf. Viele Männer, an ihren Sitzplätzen angelangt, holten weiße Seidenschals aus bestickten Beuteln hervor und breiteten diese über ihre Schultern aus. Die Wirkung war einzigartig. Der obere Rand des Schals war mit Goldstickerei versehen. Hin und wieder gingen diese Männer hinauf (zum Pult) und lasen Abschnitte aus der Bibel vor. Alles Gelesene war auf Deutsch, jedoch wurde sehr viel in Hebräisch gesungen, unter Begleitung schöner Musik. Einige dieser Gesänge sind aus sehr früher Zeit überliefert, gehen vielleicht sogar zurück bis auf die Tage Davids. Der Oberrabbiner sang sehr viel allein und unbegleitet. Die Gemeinde stand abwechselnd auf oder setzte sich. Ein Knien der Gemeinde habe ich nicht bemerken können. (...)

Lewis Carroll, The Works of Lewis Carrroll, 13. Chap.: Journal of a Tour in Russia 1867, London 1965, S. 972f.

Die Sache ist gefährlicher, als sie aussieht

12. März 1869

Berthold Auerbach an Jacob Auerbach

Richard Wagners Pamphlet „Das Judentum in der Musik" beschuldigte die Juden, künstlerisch unproduktiv zu sein. Der Schriftsteller Berthold Auerbach (1812–1882) schrieb seinem Vetter Jacob Auerbach, der Religionslehrer in Frankfurt war.

Berlin, 12. März 1869

(...) Ich weiß nicht, was ich tun soll. Es läßt mir keine Ruhe. Ich möchte gerne Richard Wagner eine öffentliche Antwort geben, und ich glaube, ich könnte ihm einen Treff versetzen, den er nicht so leicht verschmerzt. (...)

Du hast doch die Broschüre „Das Judentum in der Musik" gelesen? Was sagst du? Noch wunderbarer als die zähe Erhaltung und der Stoffwechsel des Judenhasses. Und Eines muß man Wagner lassen, er weiß Wahres unter Falsches, unter bewußt Falsches oder Gefälschtes zu mischen, und darum ist die Sache gefährlicher und giftiger, als sie aussieht und läßt sich nicht damit abtun, daß man sagt: das geht vorüber, man wird bald sehen, daß Wagner nur aus Gift und Neid so geschrieben. Nein, es steckt da noch etwas, was man voll und ganz erkennen und herausholen muß. Ich persönlich hätte einen besonderen Grund zur Erwiderung. Auf S. 55 spricht Wagner von mir. Du weißt, daß wir in Dresden viel zusammen lebten und auch später in Briefen verkehrten; er spricht nun zwar sehr gütig und freundlich achselklopfend von mir, aber eben da könnte ich ihm dienen. Denn er lügt in dem was er sagt, vielleicht unabsichtlich. Ich hätte aber Ed. Devrient zum Zeugen. Und dann möchte ich ihm zuletzt sagen: Es gibt viele Juden, die bei Nichtanerkennung ihrer widrigen Persönlichkeit, ihres Halbtalents, ihrer Anmaßung etc. immer sagen: Ach, ich werde zurückgestoßen und verkannt, weil ich ein Jude bin. Jetzt sagt Wagner: meine Musik wird von einer geheimen Bande jüdischer Schriftsteller durch geheime Oberjuden öffentlich diskreditiert; die einen schimpfen auf mich, die anderen sind gar so frech über mich zu schweigen, und das alles geschieht mir Armen eben weil ich ein Nichtjude, vielmehr ein Christ bin. Ach, wie könnte man dem heimgeigen. Warum ist kein Börne da? (...)

Eine eigentümliche Nemesis[1] liegt darin, daß Felix Mendelssohn als Inkarnation der Judenmusik von Wagner ausgestaltet wird. Ich weiß nicht, ob ich dir je erzählt habe, daß ich im Winter 1845 auf 1846 sehr viel mit Mendelssohn in Leipzig verkehrte; wir lebten im selben Kreis und ich kam von da an in ein Anfremdendes zu Mendelssohn, weil ich einstmals geradezu bei ihm eine entschiedene Abwendung von allem, was die Juden betrifft, fand. Diese

Periode ist freilich seine Verstimmungszeit. (...) Und nun muß Mendelssohn die Judenmusik repräsentieren, und er war in der Tat ein gläubiger Christ. (...) Was Wagner über Mendelssohns Musik sagt, habe ich teilweise selbst immer empfunden; er ist gebildet und wohlerzogen, es fehlt der Naturmut, der Naturlaut; nur in der Walpurgisnacht und dem Sommernachtstraum ist für meinen Geschmack ein Eigentümliches und Frisches. Daß Meyerbeer Dinge machte, an denen er gar nicht pathetisch beteiligt war, ist auch wahr; aber es gibt ja auch Koloristen in der Kunst und so auch wohl in der Musik, die aus reiner Lust an der Farbe malen und komponieren. (...)

Berthold Auerbachs Briefe an seinen Freund Jacob Auerbach. Ein Biographisches Denkmal, hrsg. von Jacob Auerbach mit Vorbemerkungen von Friedrich Spielhagen und dem Herausgeber, Bd. 1, Frankfurt am Main 1884, S. 392f.

1 ausgleichende Gerechtigkeit

Adass-Jisroel

1869

Im Juni 1869 gründete eine Reihe angesehener Berliner Juden die „Gesetzestreue jüdische Religionsgemeinschaft Adass-Jisroel", die sich die Schaffung und Erhaltung aller vom Religionsgesetz gebotenen Institutionen zur Aufgabe machte und im Statut den Schulchan Aruch (hebr. „gedeckter Tisch", ein von Josef Karo verfaßtes, zuerst 1564/65 erschienenes Kompendium der jüdischen Ritualgesetze und Rechtsvorschriften) als unveränderliche Grundlage festlegte. Zum Rabbiner wurde Israel (Esriel) Hildesheimer berufen. Einzelheiten waren in der Constituierungs-Urkunde festgelegt.

Die Repräsentantenwahlen der hiesigen jüdischen Gemeinde ergaben in den letzten Jahren wiederholt ein für die Interessen der Gesetzestreuen so ungünstiges Resultat, dass in Folge davon nunmehr die Leitung der Gemeinde in die Hände von Männern übergegangen ist, welche den alten conservativen Standpunkt des Judenthums verlassen haben und neologen Tendenzen huldigen. Die berechtigten Ansprüche zahlreicher Gemeindeangehöriger, dass an Stelle der dahingeschiedenen gesetzestreuen Mitglieder des Rabbinats-Collegiums Oettinger, Dr. Sachs und Rosenstein s.A. entsprechend gesinnungstüchtige und genügend gelehrte Rabbiner berufen würden, bleiben unbefriedigt, und die an den Vorstand und die Repräsentanten ergangenen Petitionen wurden kaum beachtet. Unter diesen Verhältnissen halten wir Unterzeichnete es für unsere Pflicht, und sprechen es hiermit als unseren

Entschluss aus, uns zu einer gesetzestreuen jüdischen Religionsgesellschaft zu constituiren, welche uns alle die von dem Religions-Gesetze gebotenen Institutionen, Einrichtungen und Anstalten einer jüdischen Gemeinde gewähren soll und als ihr ewig unveränderliches Gründungs-Statut und ihre feste unverrückbare Basis das überlieferte Gesetzbuch des Judenthums, den Schulchan Aruch, mit seinen gesetzlichen Commentaren anerkennt und festhält. Wir hegen mit dem Vertrauen zu unserer gerechten Sache die Hoffnung, dass eine hohe Regierung unseren aus der unverbrüchlichen Treue gegen unser heiligen Religionsgesetze stammenden Entschluss billigen und uns vor jedem Gewissenszwang schützen wird.

Wir berufen als unseren Rabbiner Herrn Dr. Israel Hildesheimer aus Eisenstadt, dem wir die endgültige Abfassung resp. Bestätigung unserer Statuten sowie die Wahl eines von uns anzustellenden unter seiner Leitung stehenden Dajanats überlassen.

Es sind Herrn Dr. I. Hildesheimer bereits die nothwendigsten Mittel zur Errichtung der confessionellen Lehranstalten durch Zeichnungen jährlicher Beiträge vorläufig auf drei Jahre garantirt und es haben Hunderte der ehrenwerthesten Mitglieder der hiesigen jüdischen Gemeinde denselben durch ihre Namenunterschrift als ihren Rabbiner anerkannt und sich bereit erklärt, ihm mit Opferfreudigkeit zur Gründung und Erhaltung der religiösen Institutionen Mittel zu Gebote zu stellen.

So sprechen wir denn die frohe Hoffnung aus, dass wir durch die Constituirung der gesetzestreuen jüdischen Religionsgesellschaft den wahren Frieden und die Eintracht zwischen den hiesigen Bekennern jüdischen Glaubens für alle Zukunft begründet und eine Garantie geschaffen haben, dass m. G. H. nun und nimmermehr den Gesetzestreuen die Wahrung und Ausübung unserer religiösen Pflichten durch Gewissenszwang von Seiten unserer eigenen Glaubensbrüder erschwert werde.

Constituierungs-Urkunde zitiert nach: Mario Offenberg (Hrsg.), Adass-Jisroel. Die jüdische Gemeinde in Berlin (1869–1942). Vernichtet und vergessen, Berlin 1986, S. 40

1871–1918

1871	Gründung des Deutschen Reiches, Proklamation des preußischen Königs zum Deutschen Kaiser, Berlin Hauptstadt des Reiches, Übernahme der Emanzipationsgesetze des Norddeutschen Bundes in die Reichsverfassung
1872	Eröffnung der Hochschule für die Wissenschaft des Judentums
1873	Eröffnung des Rabbinerseminars für das orthodoxe Judentum
1879	Heinrich von Treitschkes „Unsere Aussichten" löst den Berliner Antisemitismusstreit aus
1880	Antisemiten-Petition von 255000 Bürgern unterzeichnet
1880	Eröffnung des Friedhofs der Jüdischen Gemeinde zu Berlin in Weißensee
1880	Eröffnung des Friedhofs der Adass Jisroel Gemeinde in Weißensee
1892	Gründung des nationaljüdischen Vereins „Jung Israel"
1893	Gründung des „Centralvereins deutscher Staatsbürger jüdischen Glaubens"
1901	Gründung des Hilfsvereins der Deutschen Juden
1904	Gründung des Jüdischen Frauenbundes
1904	Zentralbüro der 1897 gegründeten Zionistischen Vereinigung für Deutschland in Berlin errichtet
1911–20	Berlin Sitz der Zionistischen Weltorganisation
1914–18	Erster Weltkrieg
1916	Judenzählung im deutschen Heer
1918	Revolution, Abdankung des Kaisers

Zwischen formaler Gleichberechtigung, Zionismus und Antisemitismus

Mit dem Jahre 1871 fing eine neue Ära für alle Deutschen an. Unter der Führung Preußens und dem Ausschluß der habsburgischen Länder wurde Deutschland aus einem Kleinstaatengemisch zu einem Kaiserreich vereint. 1871 gilt auch als das Jahr, in dem die rechtliche Gleichstellung der Juden in Deutschland gesichert wurde. Der Nationalstolz der Deutschen, auch der deutschen Juden, kannte keine Grenzen. Hierbei fiel Berlin eine zentrale Rolle zu. Die Stadt entwickelte sich von der preußischen Residenz- zur deutschen Reichshauptstadt. Dabei gewann sie an Anziehungskraft, und die Bevölkerungszahl nahm ständig zu. Die Juden, von allen Restriktionen befreit, hielt es nicht mehr auf dem Lande. Um sich wirtschaftlich zu verbessern, wanderten sie entweder aus (meist in die Vereinigten Staaten) oder sie zogen in die Städte. 1871 lebten 36326 Juden in Berlin und seinen Vororten; 1910 waren es 142289. Lebten 1871 9,6% der jüdischen Reichsbevölkerung in diesem Gebiet, so waren es 1910 26,9%. Schon zahlenmäßig, aber auch in religiöser, geistiger, wirtschaftlicher und kultureller Hinsicht wurde die Stadt endgültig zum Zentrum des deutschen Judentums.

Wie der sprichwörtliche Berliner aus Breslau kam, so kam die Mehrzahl der Berliner Juden aus den deutschen Ostprovinzen. Ferner flohen Tausende vor den Judenpogromen in Polen und Rußland hierher. Das Deutsche Reich wurde für diese mittellosen Flüchtlinge meist zur Durchgangsstation auf dem Weg nach England, Frankreich oder dem „goldenen" Amerika. Ein kleiner Teil blieb in Berlin. Diese Juden, von den deutschen Juden als „Ostjuden" bezeichnet, galten nicht nur unter den christlichen Deutschen als Exoten. Sie wurden auch von vielen ihrer deutschen Glaubensgenossen für kulturell minderwertig angesehen. Äußerlich wie innerlich, in der Sprache wie in der Kleidung, im religiösen wie im säkularen Bereich ähnelten sie den Vorfahren der Berliner Juden im 18. Jahrhundert. Die meisten deutschen Juden hatten sich um eine Anpassung an ihre christliche Umwelt bemüht, um so als vollwertige Deutsche akzeptiert zu werden. Dieser Prozeß wurde nach ihrer Ansicht durch die neuerliche Begegnung mit ihrer Vergangenheit bedroht. Daraus erwuchsen Spannungsmomente zwischen beiden Gruppen.

Im allgemeinen ging es den Juden wirtschaftlich nicht schlecht. Mehrheitlich waren sie in jenen Berufen zu finden, die sie aus früheren Zeiten per Gesetz auszuüben gezwungen waren. Aus Hausierern und Händlern wurden Besitzer von vielen kleinen und großen Einzelhandelsgeschäften. Die Konfektionsindustrie, von der Herstellung bis zum Verkauf, spielte dabei eine herausragende Rolle. Die großen Warenhäuser wurden überwiegend von Juden gegründet. Sie hießen Hermann Tietz (Hertie), Wertheim, Israel oder Jandorf (KaDeWe). Unternehmer der Schwerindustrie in Berlin waren Emil Rathenau (Allgemeine Elektrizitäts-Gesellschaft) und Ludwig Loewe (Maschinen- und Waffenfabrik Ludwig Loewe AG). Die ehemals jüdischen Geldwechsler wurden zu modernen Bankiers, die im Kaiserreich eine führende Rolle spielten (vor allem Bleichröder, Fürstenberg und Mendelssohn). Im Verlagswesen standen die jüdischen Verleger Mosse, Ullstein und Samuel Fischer an der Spitze. Das „Berliner Tageblatt", vom Mosse-Verlag herausgegeben, galt als Lieblingsblatt der Juden, da es in seiner linksliberalen Tendenz der politischen Richtung vieler Juden entsprach. Die Leistungen der Juden als Rechtsanwälte, Ärzte und im Kulturbereich waren nicht zu übersehen. Während die Mehrheit der erwerbstätigen nichtjüdischen Bevökerung aus Industriearbeitern bestand, waren die Juden, die nur etwa 4% der Berliner Bevölkerung ausmachten, eher im Handel tätig. Viele von ihnen waren selbständig und gehörten der oberen Mittelschicht an. Es ist eine Ironie der Geschichte, daß die Berufszwänge, die den Juden in vergangenen Zeiten auferlegt worden waren, sie befähigt hatten, unter den Bedingungen des Industriekapitalismus sozial aufzusteigen.

Die Jüdische Gemeinde zu Berlin, die Einheitsgemeinde, vertrat alle Richtungen des jüdischen Kultus – die der kleinen Reformgemeinde, die liberale und die orthodoxe. Die großen Richtungskämpfe wurden in der Zeit vor dem Kaiserreich ausgefochten, aber die gesetzlich verordnete Einheitsgemeinde war Teilen der Orthodoxie nicht genehm. Erst 1876 schuf das sogenannte Austrittsgesetz die Möglichkeit, aus der Einheitsgemeinde auszutreten. Dies führte zum Austritt jenes Teils der Orthodoxen, der 1869 unter der Führung von Esriel Hildesheimer die Adass Jisroel (Gemeinde Israels) gegründet hatte. Diese Gemeinde, die sich nun finanziell und in ihren Institutionen von der Hauptgemeinde völlig trennte, erhielt aber erst 1885 die Anerkennung als selbständige Körperschaft des öffentlichen Rechts. Die Mehrheit der orthodoxen Juden blieb jedoch der großen Gemeinde treu. Das Verhältnis der Adass Jisroel, die durch die traditionell lebenden Ostjuden neue Mitglieder gewann, zur großen jüdischen Gemeinde zu Berlin blieb gespannt. Ein Beispiel hierfür ist der Entschluß der Hauptgemeinde, denjenigen, die aus ihren Reihen ausgetreten waren, die Nutzung des Friedhofs in Weißensee zu untersagen. Daher mußte die Adass Jisroel 1880 einen eigenen Friedhof eröffnen.

Auch in bezug auf die Ausbildung der Rabbiner gab es konkurrierende Institutionen. Abraham Geiger und die Hochschule für die Wissenschaft des Judentums, die 1872 eröffnet wurde, standen Esriel Hildesheimer und dem Rabbinerseminar für das orthodoxe Judentum, das seine Tore 1873 öffnete, gegenüber. Rabbinatskandidaten beider Häuser besuchten gleichzeitig die Universität, so daß viele deutsche Rabbiner auch den Doktortitel besaßen. Die Neuorthodoxie, wie sie von Hildesheimer vertreten wurde, war Gegner einer religiösen Abgeschiedenheit, wie sie ein reines Talmudstudium erforderte.

Die Reformbewegung im Judentum war eine Folge der Assimilation der Juden. Der religiöse Zusammenhalt, durch die äußeren Zwänge und die Isolierung bedingt, lockerte sich in dem Maße, in dem Emanzipation und Assimilation voranschritten. Die meisten Juden besuchten die Synagogen selten, die religiösen Feste mit Ausnahme der Hohen Feiertage wurden kaum gefeiert, und die Zahl der Taufen stieg an. Das Wissen um das Judentum nahm ab, während immer mehr jüdische Familien ihre Wohnungen mit Weihnachtsbäumen schmückten. Das Deutsche wurde betont, das Jüdische verdrängt.

Trotz alledem blieb man unter sich. Es gab eine gesellschaftliche Trennung zwischen Juden und Christen, nicht zuletzt wegen des Antisemitismus. Dabei spielte der religiöse Antisemitismus zu dieser Zeit nur noch eine untergeordnete Rolle. Der politische und der rassische Antisemitismus nahm dementsprechend zu. Wegen seiner politischen Bedeutung wurde Berlin zum Zentrum des politischen Antisemitismus. Der Staat war konservativ, die Juden dagegen national- oder linksliberal, später zunehmend sozialdemokratisch. Mit dem Antisemitismus wollte man gleichzeitig den Liberalismus treffen. Der Berliner Antisemitismusstreit (1879–1880), von dem berühmten Historiker Heinrich von Treitschke ausgelöst, und die Antisemitenpetition waren erste Höhepunkte dieser Bewegung. Die Antisemiten wollten die Emanzipation partiell rückgängig machen. Besonders massiv wurden die Juden durch zahllose Publikationen, meist in Broschürenform, angegriffen. An Verteidigern der Juden fehlte es nicht; es gab jedoch keine Organisation, die die jüdischen Interessen vertrat. Daher entstanden jüdische Studentenverbindungen, die aus der Isolierung durch studentischen Antisemitismus hervorgingen, und der Verein zur Abwehr des Antisemitismus, der von linksliberalen Nichtjuden ins Leben gerufen wurde. Durch den Wahlkampf der Antisemitenparteien im Jahre 1893 alarmiert, in dem diese 263000 Stimmen und 16 Sitze im Reichstag gewannen, wurde der „Centralverein deutscher Staatsbürger jüdischen Glaubens" gegründet. Aus kleinen Anfängen wuchs der C.V. zur größten jüdischen Organisation Deutschlands. 1918 hatte er rund 38000 individuelle und mehr als 100 korporative Mitglieder, die wohl die Hälfte aller deutschen Juden repräsentierten. Der C.V. kämpfte sowohl auf aufklärerischem wie auf rechtlichem Wege, und viele seiner Funktionäre waren Rechtsanwälte. Betont national gab der C.V. gleichzeitig zu verstehen, daß es Ehrensache war, das Judentum zu verteidigen. Die Alternative zum Centralverein, eine Alternative, die von der überragenden Mehrheit der Juden abgelehnt wurde, waren die Zionisten. Zuerst 1892 als „Jung Israel" in Berlin organisiert, ergänzt durch zionistische Studentenverbindungen, ging schließlich daraus die „Berliner Zionistische Vereinigung" hervor. Obwohl sie allmählich wuchs, bot sie zahlenmäßig keine Konkurrenz zum C.V. Die Zionisten erklärten die Assimilation als gescheitert und forderten eine jüdische Heimstätte in Palästina. Ihre Gedanken standen den Ideen des liberalen Judentums, des C.V. und allem, was die deutschen Juden in den vorherigen Jahren angestrebt hatten, in vielem diametral gegenüber, blieben jedoch der deutschen Kultur und dem deutschen Staat fest verbunden. Im Nachhinein scheint sicher, daß sie die Zeichen der Zeit, von den meisten deutschen Juden nicht erkannt, zu deuten wußten, was in Anbetracht der national-konservativen Grundstimmung eine beachtliche Leistung darstellt.

Das Kaiserreich verdankt sowohl seine Entstehung als auch sein Ende dem Krieg. Etwa 100000 Juden, davon 19835 aus Groß-Berlin, kämpften im Ersten Weltkrieg für Deutschland, in dem sie ihr Vaterland sahen; fast 12000 Juden fielen an der Front. Dennoch ordnete das preußische Kriegsministerium 1916 eine „Judenzählung" der Soldaten an, weil die Antisemiten die Legende von der jüdischen Drückebergerei verbreiteten. Mit dieser „Judenzählung", deren Ergebnisse nie veröffentlicht wurden, kündigte sich eine Entwicklung an, die – verstärkt durch die Niederlage im Krieg – in den folgenden Jahren erst ihre volle Entfaltung finden sollte. Doch selbst die größten Realisten vermochten das Ausmaß des erneut aufflammenden Antisemitismus nicht abzuschätzen, so wie es Berthold Auerbach 1880 formulierte: „Ich sehe in die trübste Zukunft hinein."

Raymond Wolff

Reformjudentum

8. Oktober 1872

Abraham Geiger

Abraham Geiger (Frankfurt am Main 1810–1874 Berlin) war der bedeutendste Verfechter der Reformbewegung im Judentum sowie ein wichtiger Forscher auf dem Gebiet der Wissenschaft des Judentums. Nachdem er als Rabbiner in Wiesbaden, Breslau und Frankfurt am Main amtiert hatte, wurde er 1870 nach Berlin berufen. Er war Dozent an der Hochschule für die Wissenschaft des Judentums seit deren Gründung im Mai 1872. Folgender Auszug ist einem Brief Geigers an Louis Rafael Bischofsheim entnommen. Bischofsheim (1800–1873), ein französischer Bankier, war als Philanthrop bekannt.

Die Wurzel unseres Glaubens ist gesund und lebenskräftig; mit den Vernunftwahrheiten übereinstimmend, hat er die Dauerhaftigkeit seines Bestandes in den wechselvollsten äusseren Verhältnissen und bei der großen Mannigfaltigkeit innerer Umgestaltungen bewiesen. (...)

Wahre, dauerhafte Reform kann nur auf zwei Wegen zu ihrem Ziele gelangen; sie einzuschlagen und zu ebenen ist die Aufgabe, die Pflicht ihrer Freunde. Der eine ist, geläuterte Ueberzeugungen zu verbreiten und zu vertiefen, der andere ist, denselben den gemeinsamen thatsächlichen Ausdruck zu geben; also der eine ist die F ö r d e r u n g d e r W i s s e n s c h a f t, der andere die f o r t g e s e t z t e A n b a h n u n g u n d V o l l z i e h u n g d e r p r a k t i s c h e n R e f o r m. Beide Wege sind in Deutschland ernstlich eingeschlagen und es sind grossartige Erfolge weit über die Grenzen Deutschlands hinaus erzielt worden. (...) Aber was noch weit wichtiger ist, das ist überhaupt die wissenschaftliche Ausrüstung junger Männer, dass sie die Träger und Verkünder der mit der ganzen Zeit in Harmonie stehenden Ideen seien. (...) Es scheint mir (...), dass gegenwärtig der fruchtbarste Boden für solche Zwecke Deutschland ist. Das ist keine nationale Eitelkeit, das ist Thatsache geschichtlicher Culturbewegung. Einst war der Mutterboden geistiger Anregung für die Juden Spanien, dann Nord- und Südfrankreich, dann Italien, dann Polen, dann Holland, seit einem Jahrhundert und drüber ist Deutschland der geistige Mittelpunkt, von dem aus die Strömung nach allen Erdtheilen geht. Aber dieser Quell muss auch genährt werden. Es ist nun hier eine „Hochschule für die Wissenschaft des Judenthums" gegründet worden; sie ist noch eine schwache Pflanze, sie bewegt sich noch materiell wie geistig unsicher. Hier müssten Männer wie Sie eintreten, durch grössere Summen deren Bestand sichern, auf deren Richtung bestimmend einwirken, Stipendien stiften, um die Studirenden, die meistens den nicht wohlhabenden Klassen angehören, von den drückendsten Sorgen zu befreien. Das ist ein Werk für die Dauer und wahre geistige Verjüngung. (...)

Die Pflege der Wissenschaft ist selbst eine Leben spendende That. Allein es bedarf auch allerdings der entschiedenen Ausprägung der Ueberzeugung in allen Lebensformen, der praktischen Reform. (...) Es muss die fortschreitende Läuterung des Gottesdienstes vollzogen werden, es dürfen nicht mehr Klagen über die Entfernung von Palästina, Bitten um Rückkehr, um Sammlung in Jerusalem, um Aufbau des dortigen Tempels, um Herstellung des Opferwesens gesprochen werden, keine Hervorhebung des Priesterthums, kein Angedenken an das versuchte Menschenopfer Abraham's geduldet werden. Die Gemeinde-Institute müssen von den Schlingpflanzen gereinigt werden; Speisevorrichtungen dürfen nicht deren Mittelpunkt bilden. Die Reformen werden mit Widerstand zu kämpfen haben, werden sich nur allmählich und stückweise vollziehen, allein den Kampf darf man nicht scheuen, wo es das wahre Wohl der Gesammtheit gilt, und die Umgestaltung in einer Religion, die Jahrtausende lang durch geschichtliche Ereignisse und beispiellose Bedrückung in die seltsamsten Missformen sich verhärtet hat, kann nicht mit einem Male hergestellt werden. (...) Wann das Ziel erreicht wird, lässt sich nicht bestimmen, kann auch nicht massgebend sein; eine jede Annäherung zum Ziele ist verdienstlich und fruchtbringend. Aber ernstlich begonnen muss werden. (...)

Ludwig Geiger (Hrsg.), Abraham Geiger's Nachgelassene Schriften, Band 5, Breslau 1885, S. 347 ff.

Esriel Hildesheimer

Henriette Hirsch

Henriette Hirsch (Berlin 1884–1970 Tel Aviv) wurde in der Gipsstraße 12a geboren und wuchs dort auf. Auf diesem Grundstück befanden sich die erste Synagoge der orthodoxen Separatgemeinde „Adass Jisroel", das orthodoxe Rabbinerseminar und die Wohnräume der bekanntesten orthodoxen Familie Berlins – der Familie Hildesheimer. Der Vater der Henriette Hirsch, Hirsch Hildesheimer (Eisenstadt/Burgenland 1855–1910 Berlin), war Dozent am Rabbinerseminar, Herausgeber der „Jüdischen Presse", Mitbegründer verschiedener jüdischer Organisationen und früher Befürworter der Siedlung von Juden in Palästina. Der Großvater der Autorin, Esriel (auch Israel) Hildesheimer (Halberstadt 1820–1899 Berlin), war der wichtigste Repräsentant des orthodoxen Judentums in Berlin. Viele Jahre Rabbiner in Eisenstadt, wurde er 1869 als Rabbiner der neugegründeten Separatgemeinde „Adass Jisroel" nach Berlin berufen. Er war Gründer und Leiter des orthodoxen Rabbinerseminars, das am 21. Oktober 1873 seine Tore öffnete. Dies sollte der Gegenpart zur Hochschule für die Wissenschaft des Judentums sein. Über ihren Großvater berichtet Henriette Hirsch in ihren Jugenderinnerungen.

Irgend jemand soll einmal gesagt haben, das Haus Gipsstraße 12a steht gar nicht in Berlin, das Haus steht irgendwo in der weiten Welt, außerhalb von allen schlechten Einflüssen und schlechten Menschen. So erschien es auch mir!

Wenn es auch durchaus kein Prunkhaus war, so ist es doch wohl selbstverständlich, daß ein solches Haus mit so vielen Menschen, so vielen Räumen, und so vielerlei Ansprüchen jedes einzelnen, eine Fülle von Arbeit erfordert hat, und es lag in der immer gleichmäßigen ruhigen Art unserer Mutter, eine Atmosphäre von Ruhe in dieses betriebsame Milieu gebracht zu haben. Da war zunächst die Sorge um meinen Großvater. Soweit meine Erinnerung an ihn zurückreicht, sehe ich ihn als älteren, etwas gebückt gehenden, ehrwürdigen, ruhigen und stets freundlichen Mann vor mir. (...)

Bei dieser Gelegenheit möchte ich zur Charakteristik meines Großvaters noch ein paar Kleinigkeiten erwähnen, die so typisch für seine Lebenshaltung einfachster Art waren. So weit es seine privaten Studien erlaubten, war er öfter auf Reisen, um – natürlich für wohltätige Zwecke – Geld bei auswärtigen reichen Juden zu sammeln. Natürlich fuhr er nur – wenn die Fahrt auch weit und unbequem war – dritter Klasse. Seinerzeit gab es in der Eisenbahn in Deutschland drei Klassen. Die Wagen erster Klasse waren nur für die Allerobersten reserviert. In der zweiten Klasse, die mit gepolsterten, bequemen Bänken versehen war, fuhren die meisten besser situierten Bürger. Mein Großvater fuhr nur dritter Klasse, saß dort lesend oder ein bißchen ruhend auf der harten, ungepolsterten Bank, meist an einem Tag hin- und zurückfahrend, um für wohltätige Zwecke tätig zu sein. In Berlin selbst fuhr er nur im Omnibus; es gab auch Pferdebahnen, aber die waren teurer, und auch im Omnibus kletterte er auf einer unbequemen Wendeltreppe oben hinauf aufs Dach, weil dort die Fahrt nur fünf Pfennig, im Gegensatz zu zehn Pfennig unten im Wagen kostete. Sehr bezeichnend war auch die Art seiner Korrespondenz. Er hatte eine sehr deutliche, aber mit sehr kleinen Buchstaben geschriebene Handschrift. Um Papier zu sparen, schrieb er, wenn es irgend möglich war, die Antwort auf einen Brief, den er bekommen hatte, zwischen die einzelnen Zeilen des empfangenen Briefes. Das waren Zeichen seiner unendlichen Sparsamkeit und Bescheidenheit. Seine große Güte und Menschlichkeit dokumentierten sich in jeder seiner Handlungen. Er war als Wohltäter weit über die Grenzen Deutschlands hinaus bekannt. Einmal kam ein Brief mit der Adresse „An den Oberrabbiner von Deutschland". Der wurde bei ihm abgegeben, obwohl an solch eine Stellung gar nicht zu denken war. Seine Gemeinde war ziemlich klein, jedenfalls viel kleiner als die allgemeine jüdische Gemeinde in Berlin. Aber seine Autorität war so anerkannt.

Wir Kinder haben die wärmste Erinnerung an seine herzliche, immer heiter gleichmäßige Persönlichkeit. Wenn einer von uns krank war und im Bett liegen mußte, dann kam er täglich die Wendeltreppe zu uns herauf und setzte sich zu uns ans Bett, und wenn es nur für wenige Minuten war, denn er war eigentlich immer beschäftigt und von so und so vielen Menschen in Anspruch genommen. „Aber“, – so sagte er, wenn er sich zu uns setzte, „man darf einem Kranken nicht die Ruhe nehmen“, und so setzte er sich einige Minuten zu uns, um uns mit einem heiteren Wort zu erfreuen. Daß eine so abgeklärte, heitere, in sich abgeschlossene Persönlichkeit nicht ohne Einfluß auf unsere Entwicklung war, da wir unsere ganzen Jugendjahre so unter seinen Augen vollkommen mit ihm zusammen verlebt haben, ist wohl verständlich, zumal sich seine Güte und Menschlichkeit voll und ganz auf die Person unseres Vaters übertragen hat. Mein Vater hatte eine unbegrenzte Hochachtung vor seinem Vater, die er uns immer wieder und wieder eingeflößt hat. Mittags bei Tisch durften wir uns nicht hinsetzen, bevor unser Großvater saß, und mein Vater hat sich jedesmal von seinem Sitz erhoben, wenn der Großvater ins Zimmer kam. (...) Beide Eltern bemühten sich, unserem alternden Großvater seinen schweren Lebensabend zu erleichtern. Beide haben sich bemüht, dem Hause Gipsstraße 12a das Gepräge zu erhalten, das unser Großvater, dank seiner großen Persönlichkeit, ihm gegeben hatte. Die letzten Jahre seines Lebens haben seine geistigen Kräfte sehr geschwächt, auch seine Körperkräfte verließen ihn. Er starb im Winter 1899. Die Trauer um ihn war in der gesamten Judenheit sehr groß. Ein großer Mann – ein großer Thoragelehrter war dahingegangen! An seinem Totenbett wurde Tag und Nacht gelernt. Seine vielen Schüler rechneten es sich zur Ehre an, an seinem Totenbett zu wachen und zu beten. In einer der letzten Stunden vor der Beerdigung ging unser Vater mit uns sechs Geschwistern an seine Totenbahre. Er schloß uns eng an sich und sagte zu uns ein paar Worte über unseren Großvater. Zum Schluß sagte er: „Meine geliebten Kinder, vergeßt niemals in Eurem Leben, was Ihr für einen Großvater hattet.“ Mir sind dieser Satz und diese Situation unvergeßlich geblieben.

Ich denke voller Dankbarkeit und Achtung an diese klugen Worte, als unser Vater zu uns Kindern in dieser eindrucksvollen Stunde gesprochen hat. Wie klug war es von ihm, wie weitsichtig, gerade diese Worte zu gebrauchen. Er hat uns nicht etwa ermahnt, so fromm zu sein, wie unser Großvater war – noch hat er uns ein Versprechen abgenommen, die Gebote so zu halten, wie er sie gehalten hat. Nichts dergleichen! Das wäre ein Zwang gewesen, den er uns nicht auferlegen wollte. Er sagte schlicht und einfach nur die Worte: „Vergeßt nicht, was Ihr für einen Großvater hattet!“ Ich glaube, wir alle haben ihm dies Versprechen gehalten. Die Ethik seiner Lebensauffassung ist auf uns übergegangen; wir haben in ethischer, in moralischer Beziehung sein Leben fortgesetzt – wir haben ihn nie vergessen! Die Persönlichkeit ist in uns geblieben, und heute noch, nach so vielen Jahrzehnten, gedenke ich voller Liebe und Dankbarkeit all der guten Stunden, die wir seiner liebevollen Güte verdankten. (...)

Henriette Hirsch, Erinnerungen an meine Jugend, in: Monika Richarz (Hrsg.), Jüdisches Leben in Deutschland, Selbstzeugnisse zur Sozialgeschichte im Kaiserreich, Stuttgart 1979, S. 78 ff., 85

Unsere Aussichten

15. November 1879

Heinrich von Treitschke

Heinrich von Treitschke (Dresden 1834–1896 Berlin) war einer der führenden Historiker des 19. Jahrhunderts. Zwischen 1871 und 1884 war er Reichstagsabgeordneter. Gerade seine Tätigkeit als Professor an der Berliner Universität verlieh seinen Angriffen gegen die Juden Gewicht und forderte zahlreiche Gegenschriften heraus. Der folgende Aufsatz erschien im November 1879 in den von Treitschke herausgegebenen „Preußischen Jahrbüchern“ und ist hier in seinen wichtigsten Teilen abgedruckt. Er war der Auslöser des „Berliner Antisemitismusstreits“.

Wenn Engländer und Franzosen mit einiger Geringschätzung von dem Vorurtheil der Deutschen gegen die Juden reden, so müssen wir antworten: Ihr kennt uns nicht; Ihr lebt in glücklicheren Verhältnissen, welche das Aufkommen solcher „Vorurtheile“ unmöglich machen. Die Zahl der Juden in Westeuropa ist so gering, daß sie einen fühlbaren Einfluß auf die nationale Gesittung nicht ausüben können; über unsere Ostgrenze aber dringt Jahr für Jahr aus der unerschöpflichen polnischen Wiege eine Schaar strebsamer hosenverkaufender Jünglinge herein, deren Kinder und Kindeskinder dereinst Deutschlands Börsen und Zeitungen beherrschen sollen. (...)

Was wir von unseren israelitischen Mitbürgern zu fordern haben, ist einfach: sie sollen Deutsche werden, sich schlicht und recht als Deutsche fühlen – unbeschadet ihres Glaubens und ihrer alten heiligen Erinnerungen, die uns Allen ehrwürdig sind; denn wir wollen nicht, daß auf die Jahrtausende germanischer Gesittung ein Zeitalter deutsch-jüdischer Mischcultur folge. Es wäre sündlich zu vergessen, daß sehr viele Juden, getaufte und ungetaufte, Felix Mendelssohn, Veit, Riesser u. A. – um der Lebenden zu geschweigen – deutsche Männer waren im besten Sinne, Männer, in denen wir die edlen und guten Züge deutschen Geistes verehren. Es bleibt aber ebenso unleugbar, daß zahlreiche und mächtige Kreise unseres Judenthums den guten Willen schlechtweg Deutsche zu werden durchaus nicht hegen. Peinlich genug, über diese Dinge zu reden; selbst das versöhnliche Wort wird hier leicht mißverstanden. Ich glaube jedoch, mancher meiner jüdischen Freunde wird mir mit tiefem Bedauern Recht geben, wenn ich behaupte, daß in neuester Zeit ein gefährlicher Geist der Ueberhebung in jüdischen Kreisen erwacht ist, daß die Einwirkung des Judenthums auf unser nationales Leben, die in früheren Tagen manches Gute schuf, sich neuerdings vielfach schädlich zeigt. (...)

Keine deutsche Handelsstadt, die nicht viele ehrenhafte, achtungswerthe jüdische Firmen zählte; aber unbestreitbar hat das Semitenthum an dem Lug und Trug, an der frechen Gier des Gründer-Unwesens einen großen Antheil, eine schwere Mitschuld an jenem schnöden Materialismus unserer Tage, der jede Arbeit nur noch als Geschäft betrachtet und die alte gemüthliche Arbeitsfreudigkeit unseres Volkes zu ersticken droht; in tausenden deutscher Dörfer sitzt der Jude, der seine Nachbarn wuchernd auskauft. Unter den führenden Männern der Kunst und Wissenschaft ist die Zahl der Juden nicht sehr groß; um so stärker die betriebsame Schaar der semitischen Talente dritten Ranges. Und wie fest hängt dieser Literatenschwarm unter sich zusammen; wie sicher arbeitet die auf den erprobten Geschäftsgrundsatz der Gegenseitigkeit begründete Unsterblichkeits-Versicherungsanstalt, also daß jeder jüdische Poetaster jenen Eintagsruhm, welchen die Zeitungen spenden, blank und baar, ohne Verzugszinsen ausgezahlt erhält.

Am Gefährlichsten aber wirkt das unbillige Uebergewicht des Judenthums in der Tagespresse – eine verhängnisvolle Folge unserer engherzigen alten Gesetze, die den Israeliten den Zutritt zu den meisten gelehrten Berufen versagten. Zehn Jahre lang wurde die öffentliche Meinung in vielen deutschen Städten zumeist durch jüdische Federn „gemacht"; es war ein Unglück für die liberale Partei und einer der Gründe ihres Verfalls, daß grade ihre Presse dem Judenthum einen viel zu großen Spielraum gewährte. Der nothwendige Rückschlag gegen diesen unnatürlichen Zustand ist die gegenwärtige Ohnmacht der Presse; der kleine Mann läßt sich nicht mehr ausreden, daß die Juden die Zeitungen schreiben, darum will er ihnen nichts mehr glauben. Unser Zeitungswesen verdankt jüdischen Talenten sehr viel; grade auf diesem Gebiete fand die schlagfertige Gewandtheit und Schärfe des jüdischen Geistes von jeher ein dankbares Feld. Aber auch hier war die Wirkung zweischneidig. Börne führte zuerst in unsere Journalistik den eigenthümlich schamlosen Ton ein, der über das Vaterland so von außen her, ohne jede Ehrfurcht abspricht, als gehöre man selber gar nicht mit dazu, als schnitte der Hohn gegen Deutschland nicht jedem einzelnen Deutschen in's tiefste Herz. Dazu jene unglückliche vielgeschäftige Vordringlichkeit, die überall mit dabei sein muß und sich nicht scheut sogar über die innern Angelegenheiten der christlichen Kirchen meisternd abzuurtheilen. Was jüdische Journalisten in Schmähungen und Witzeleien gegen das Christenthum leisten ist schlechthin empörend, und solche Lästerungen werden unserem Volke in seiner Sprache als allerneueste Errungenschaften „deutscher" Aufklärung feilgeboten! Kaum war die Emancipation errungen, so bestand man dreist auf seinem „Schein"; man forderte die buchstäbliche Parität in Allem und Jedem und wollte nicht mehr sehen, daß wir Deutschen denn doch ein christliches Volk sind und die Juden nur eine Minderheit unter uns: wir haben erlebt, daß die Beseitigung christlicher Bilder, ja die Einführung der Sabbathfeier in gemischten Schulen verlangt wurde.

Ueberblickt man alle diese Verhältnisse – und wie Vieles ließe sich noch sagen! – so erscheint die laute Agitation des Augenblicks doch nur als eine brutale und gehässige, aber natürliche Reaction des germanischen Volksgefühls gegen ein fremdes Element, das in unserem Leben einen allzu breiten Raum eingenommen hat. Sie hat zum Mindesten das unfreiwillige Verdienst, den Bann einer stillen Unwahrheit von uns genommen zu haben; es ist schon ein Gewinn, daß ein Uebel, das Jeder fühlte und Niemand berühren wollte, jetzt offen besprochen wird. Täuschen wir uns nicht: die Bewegung ist sehr tief und stark; einige Scherze über die Weisheitssprüche christlich-socialer Stump-Redner genügen nicht sie zu bezwingen. Bis in die Kreise der höchsten Bildung hinauf, unter Männern, die jeden Gedanken kirchlicher Unduldsamkeit oder nationalen Hochmuths mit Abscheu von sich weisen würden, ertönt es heute wie aus einem Munde: „die Juden sind unser Unglück!" (...)

Heinrich von Treitschke, Ein Wort über unser Judenthum. Separatabdruck aus dem 44. und 45. Bande der Preußischen Jahrbücher, Berlin 1880, S. 1 ff.

Sendschreiben an Herrn Professor Dr. Heinrich von Treitschke

Winter 1879/80

Harry Breßlau

Harry Breßlau (Dannenberg 1848–1926 Heidelberg), bedeutender Mediävist und Kollege Treitschkes, war ursprünglich Lehrer, zunächst am „Philanthropin" in Frankfurt am Main, danach an der Andreas-Schule zu Berlin. Er konnte von 1877 bis 1890 lediglich als außerordentlicher Professor an der Berliner Universität lehren, da er sich nicht taufen ließ. Er war Mitherausgeber der „Monumenta Germania Historica" und verfaßte ein Standardwerk zur wissenschaftlichen Urkundenlehre. 1890 wurde er Ordinarius an der Universität Straßburg. Seine öffentliche Erwiderung auf Treitschkes antisemitischen Artikel „Unsere Aussichten" überraschte und erregte Treitschke ganz besonders, der Breßlau als einen „ganz deutsch gesinnten Mann" mit seinen Bemerkungen über das Judentum nicht habe treffen wollen. Treitschke prangerte Breßlaus Reaktion sogleich als Beweis für die „übertriebene Empfindlichkeit der deutschen Juden" an.

Ich denke alle wichtigeren Punkte, die in ihren Erörterungen über die Judenfrage begegnen, im Vorstehenden unbefangen und vorurtheilsfrei geprüft zu haben, soweit das bei der starken Erregung möglich ist, die sich angesichts der gegenwärtigen Agitation jedes deutschen Juden bemächtigen mußte: jedenfalls werden Sie mir nicht den Vorwurf machen können, daß ich mich zum unbedingten Apologeten unseres Judenthums habe machen wollen. Um so entschiedener und nachdrücklicher aber muß ich gegen den geradezu ungeheuerlichen Schlußsatz protestiren, in welchem Sie die Kritik desselben zusammenfassen und der gleichsam die scharfe Spitze Ihrer Ausführungen bildet. „Bis in die Kreise unserer höchsten Bildung hinauf", sagen Sie, „unter Männern, die jeden Gedanken kirchlicher Unduldsamkeit oder nationalen Hochmuths mit Abscheu von sich weisen würden, ertönt es heute wie aus einem Munde: die Juden sind unser Unglück!" Man muß diesen Satz in seinen einzelnen Bestandtheilen prüfen, um seine Tragweite völlig zu ermessen. Nicht auf die althergebrachten, von den Vätern ererbten und auf die Kinder verpflanzten Vorurtheile gegen die Juden, die in weiten Kreisen unseres Volkes herrschen, beziehen Sie Sich, sondern auf die wohlerwogene Ueberzeugung von Männern, die an der Spitze der geistigen Bewegung der deutschen Nation stehen. Nicht vereinzelt, meinen Sie, herrsche in diesen Kreisen eine Antipathie gegen die Juden, sondern dieselbe verschaffe sich einen einmüthigen und einstimmigen Ausdruck. Nicht gegen einen einzelnen oder mehrere Fehler und Schwächen des deutschen Judenthums richte sich dieselbe, sondern gegen die Gesammtheit, die man kurzweg als unser Unglück, als das Unglück des deutschen Volks bezeichne. Dem ist zur Ehre des deutschen Volkes mit nichten so. Ich habe in den letzten Wochen Gelegenheit gehabt, mit manchem meiner christlichen Freunde, die nicht weniger Anspruch darauf haben, zu den Kreisen unserer höchsten Bildung zu zählen, als Sie selbst, über diese Angelegenheit Rücksprache zu nehmen – nicht einen habe ich gefunden, der Ihren Satz zu vertreten und auf sich zu beziehen geneigt gewesen wäre!

An sich freilich sollte mich derselbe nicht Wunder nehmen. In Momenten, wie der gegenwärtige, da in dem Volke ein gewisses Unbehagen, eine allgemeine Unzufriedenheit mit seiner Lage Platz gegriffen hat, ist es von jeher beliebt gewesen, einen Sündenbock aufzusuchen, dem man die eigene und die fremde Schuld aufzubürden geneigt ist. In Deutschland haben dazu von Alters her die Juden dienen müssen. Wie man im 13. Jahrhundert den Verrath Deutschlands an die Mongolen, im 14. das Wüthen der Pest ihnen zur Last legte, so sind sie auch heute der bequeme Prügelknabe, der für Jedermann herhalten muß. Ihnen schreiben die Conservativen die Hauptschuld an unserer liberalen Gesetzgebung, die Ultramontanen an dem Culturkampfe zu; sie werden verantwortlich gemacht für die angebliche Corruption unserer Presse und unseres Buchhandels, für die wirthschaftliche Krisis, für den allgemeinen Nothstand und für den Verfall der Musik. Geht es doch so weit, daß sogar schon Herr Prof. Zöllner jüdischen Intriguen eine Mitschuld an dem geringen Fortschritt der spiritistischen Bewegung zuschreibt, und daß Herr Prof. Jäger es auf ein jüdisches Complot zurückführt, daß seine Seelen-Theorie nicht die ihr nach seiner Meinung gebührende Anerkennung gefunden hat. Es ist nur eine letzte Consequenz davon, wenn Sie Alles kurz und bündig in dem vernichtenden Ausdruck zusammenfassen: die Juden sind unser Unglück! Aber daß Sie, gerade Sie Sich dazu haben entschließen können, das war mir ein tiefer Schmerz und eine bittere Enttäuschung.

Ihnen, sehr geehrter Herr College, weist der hohe Rang, den Sie in Wissenschaft und Politik einnehmen, eine verantwortungsvolle Stellung zu. Mag dieser oder jener unbekannte Mensch ohne Namen und ohne Bedeutung sich mit der Wiederholung der schon hundert Mal wiederholten Anklagen und Beschuldigungen begnügen: wenn Sie Sich entschlossen, Sich an der Discussion über die Judenfrage zu betheiligen, so mußten Sie sagen, was denn geschehen solle, dieselbe zu lösen. Solche positiven Vorschläge vermisse ich, wie im ganzen Verlauf Ihrer Darlegungen, so auch am Schluß derselben. Eine Aufhebung oder Beschränkung der Emancipation weisen Sie selbst als unmöglich und unwürdig zurück: und schließlich begnügen Sie Sich mit moralischen Ermahnungen und legen statt jedes anderen Vorschlages die Lösung in die Hände der Juden selbst, denen Sie noch einmal zurufen, Deutsche zu sein. Daß meine Stammesgenossen nach dieser Richtung hin an sich selbst arbeiten, werden Sie gewiß nicht in Abrede stellen; noch vor einem Jahrhundert war kaum ein oder der andere in Deutschland lebende Jude ein Deutscher, und heute geben Sie zu, daß es ihrer Viele zu ihrem und des Deutschen Volkes Glücke geworden seien. Eine Schrift wie die Ihrige freilich, die von gewandten Agtitatoren geschickt ausgebeutet wird, kann nur dazu beitragen, die Schranken, welche zwischen Deutschen und Juden noch bestehen, zu erhöhen und zu befestigen, statt sie entfernen zu helfen.

Und doch könnten Sie und Ihre Gesinnungsgenossen erheblich dazu beitragen, die erwünschte Lösung der Frage, die sich natürlich nicht mit einem Male und sprungweise, sondern nur langsam und allmählich herausbilden kann, zu beschleunigen. Julian Schmidt hat einmal mit Recht hervorgehoben, wie man sich in Deutschland eine Gemeinvorstellung von den Juden gerade nach den niedrigsten Elementen bilde, denen man am häufigsten begegne. Die Juden, die man in der Literatur und auf der Bühne vorführt, sind entweder jene edlen und guten Gestalten, jene Ideale, die aber dann als Ausnahmen erscheinen, oder es sind Trödler, Hausirer und Wucherer, die durch ihre Sprache die Lachlust und durch ihr gemeines Gebahren die billige Entrüstung der Menge erregen. Jeder einzelne Jude muß sich somit, wie Schmidt bemerkt, seine bürgerliche und gesellschaftliche Stellung erst von Neuem erkämpfen, und wenn er sie errungen hat, dann gilt auch er höchstens als eine Ausnahme, dem man, wie mir das noch vor kurzem von einem hochgebildeten, mir sehr wohlgesinnten Manne begegnet ist, ein zweifelhaftes Compliment macht, indem man ihm sagt, daß er doch eigentlich gar kein Jude sei. Mit der großen Masse der jüdischen städtischen Durchschnittsbevölkerung, die ohne den vordringlichen Luxus der Geldaristokratie und ohne den verkommenen Schmutz des Wucher- und Trödlerthums in stiller bürgerlicher Arbeitsamkeit lebt, ist man in christlichen Kreisen doch nur sehr wenig bekannt. Zu einfach und schlicht, vielfach auch durch manche herbe Erfahrung zu sehr eingeschüchtert, um jene Vorurtheile zu besiegen, die sie von ihren christlichen Mitbürgern trennen, ist diese Mehrzahl meiner deutschen Stammesgenossen, abgesehen von den Beziehungen des geschäftlichen und öffentlichen Lebens, wesentlich auf sich selbst beschränkt und auf den Verkehr im eigenen Kreise angewiesen. Wenn es gelingen könnte, den Begriff Jude aus den Merkmalen zusammenzusetzen, welche diese Mittelklasse aufweist, ohne sich durch jene Ausnahmen nach oben und nach unten beeinflussen zu lassen, so wäre, glaube ich, die sog. Judenfrage ihrer Lösung erheblich näher gebracht. Dazu aber könnten Sie, sehr geehrter Herr College, dem die Gabe des Wortes in so hervorragendem Maße verliehen ist, sehr wesentlich beitragen: Sie würden Sich damit ein größeres Verdienst erwerben können, als indem Sie, wie immer absichtslos, einer lediglich agitatorischen Judenhetze die Autorität Ihres Namens leihen.

Mit collegialischer Hochachtung

H. Breßlau

Walter Boehlich (Hrsg.), Der Berliner Antisemitismusstreit, Frankfurt am Main 1965, S. 72ff.

Die Antisemiten-Petition

1880

Dr. Bernhard Förster, Lehrer am Friedrichs-Gymnasium in Berlin und später Schwager von Friedrich Nietzsche, war – zusammen mit dem Leipziger Professor Friedrich Zöllner – Initiator der Antisemiten-Petition. Die Forderungen der Petition, die im Vergleich mit der vorhergegangenen Einleitung harmlos klingen, sollten wohl nur den Anfang vom Abbau der Gleichberechtigung der Juden darstellen. Obwohl die Regierung beteuerte, den bestehenden Rechtszustand nicht ändern zu wollen, wurden einige der Forderungen auch ohne Gesetzesänderungen erfüllt. Ein Beispiel dafür ist die Ausweisung vieler Tausender ausländischer Juden aus Berlin und den östlichen Provinzen in den nachfolgenden Jahren. Die von 1880 bis 1881 in ganz Deutschland zirkulierende Petition wurde von 255000 Bürgern unterschrieben.

Durchlauchtigster Fürst,
Hochgebietender Herr Reichskanzler und Minister-Präsident!
In allen Gauen Deutschlands hat sich die Ueberzeugung durchgerungen, daß das Ueberwuchern des jüdischen Elementes die ernstesten Gefahren für un-

ser Volksthum in sich birgt. Allerwärts, wo Christ und Jude in soziale Beziehungen treten, sehen wir den Juden als Herrn, die eingestammte christliche Bevölkerung aber in dienstbarer Stellung. An der schweren Arbeit der großen Masse unseres Volkes nimmt der Jude nur einen verschwindend kleinen Antheil; auf dem Acker und in der Werkstatt, in Bergwerken und auf Baugerüsten, in Sümpfen und Kanälen – allerwärts regt sich nur die schwielige Hand des Christen. Die Früchte seiner Arbeit aber erntet vor allem der Jude. Weitaus der größte Theil des Kapitals, welches die nationale Arbeit erzeugt, konzentrirt sich in jüdischer Hand; gleichzeitig mit dem beweglichen Kapital aber mehrt sich der jüdische Immobiliarbesitz. Nicht nur die stolzesten Paläste unserer Großstädte gehören jüdischen Herren, deren Väter oder Großväter schachernd und hausirend die Grenzen unseres Vaterlandes überschritten haben, sondern auch der ländliche Grundbesitz, diese hochbedeutsame konservative Basis unseres staatlichen Gefüges, gelangt mehr und mehr in die Hände der Juden.

Angesichts dieser Verhältnisse und des massenhaften Eindringens semitischer Elemente in alle Stellungen, welche Macht und Einfluß gewähren, erscheint vom ethischen wie vom nationalen Standpunkte die Frage wahrlich nicht unberechtigt: welche Zukunft steht unserem Vaterlande bevor, wenn es dem semitischen Element noch auf ein Menschenalter hinaus möglich bleibt, auf unserem heimischen Boden gleiche Eroberungen zu machen, wie in den beiden letzten Jahrzehnten? Wenn der Begriff „Vaterland“ seiner idealen Bedeutung nicht entkleidet, wenn der Gedanke, daß es unsere Väter waren, die diesen Boden der Wildniß entrissen, die ihn in tausend Schlachten mit ihrem Blute gedüngt haben, unserem Volke nicht verloren gehen, wenn der innige Zusammenhang von deutschem Brauch und deutscher Sitte mit christlicher Weltanschauung und christlicher Ueberlieferung erhalten werden soll, dann darf ein fremder Stamm, dem unsere humane Gesetzgebung das Gast- und Heimathsrecht gewährt hat, der uns aber seinem Fühlen und Denken nach ferner steht, als irgend ein Volk der gesammten arischen Welt, auf deutschem Boden nie und nimmer zum herrschenden aufsteigen.

Die Gefahr für unser Volksthum muß sich naturgemäß in demselben Maße steigern, in welchem es den Juden gelingt, nicht nur das nationale und religiöse Bewußtsein unseres Volkes durch die Presse zu verkümmern, sondern auch in Staatsämter zu gelangen, deren Trägern es obliegt, über die idealen Güter unseres Volkes zu wachen. Wir denken dabei vor Allem an die Berufsstellungen der Lehrer und der Richter; beide waren den Juden bis in die jüngste Zeit hinein unzugänglich und müssen ihnen wiederum verschlossen werden, wenn nicht die Autoritätsbegriffe des Volkes verwirrt und sein Rechts- und Vaterlandsgefühl erschüttert werden sollen. Schon beginnt das germanische Ideal persönlicher Ehre, Mannestreue, echter Frömmigkeit sich zu verrücken, um einem kosmopolitischen Pseudo-Ideal Platz zu machen.

Soll unser Volk nicht der wirthschaftlichen Knechtschaft unter dem Drucke jüdischer Geldmächte, soll es nicht dem nationalen Verfall unter dem Einfluß einer vorzugsweise von dem Judenthum vertretenen materialistischen Weltanschauung überantwortet werden, dann sind Maßregeln, welche dem Ueberwuchern des Judenthums Halt gebieten, unabweisbar geboten. Nichts liegt uns ferner, als irgend welche Bedrückung des jüdischen Volkes wieder herbeiführen zu wollen; das was wir erstreben, ist lediglich die Emanzipation des deutschen Volkes von einer Art Fremdherrschaft, welche es auf die Dauer nicht zu ertragen vermag. Es ist Gefahr im Verzuge; darum gestatten wir uns, Ew. Durchlaucht mit der ehrfurchtsvollen Bitte zu nahen:

Hochdieselben mögen Ihren mächtigen Einfluß in Preußen und Deutschland dahin geltend machen:

1) daß die Einwanderung ausländischer Juden, wenn nicht gänzlich verhindert, so doch wenigstens eingeschränkt werde;
2) daß die Juden von allen obrigkeitlichen (autoritativen) Stellungen ausgeschlossen werden und daß ihre Verwendung im Justizdienste – namentlich als Einzelrichter – eine angemessene Beschränkung erfahre;
3) daß der christliche Charakter der Volksschule, auch wenn dieselbe von jüdischen Schülern besucht wird, streng gewahrt bleibe und in derselben nur christliche Lehrer zugelassen werden, daß in allen übrigen Schulen aber jüdische Lehrer nur in besonders motivirten Ausnahmefällen zur Anstellung gelangen;
4) daß die Wiederaufnahme der amtlichen Statistik über die jüdische Bevölkerung angeordnet werde.

Mit dem Ausdruck größter Ehrerbietung und unerschütterlichen Vertrauens verharren wir als (...)

Max Liebermann von Sonnenberg (Hrsg.), Beiträge zur Geschichte der antisemitischen Bewegung vom Jahre 1880–1885 bestehend in Reden, Broschüren, Gedichten, Berlin 1885

„Ich sehe in die trübste Zukunft hinein."

11. November 1880

Berthold Auerbach

Die „Judenfrage" wurde, besonders nach dem Erscheinen von Treitschkes „Unsere Aussichten", zu einem der am heftigsten diskutierten Themen des Zeitalters. Zahllose Broschüren, Zeitungsartikel, Versammlungen sowie Korrespondenzen privater Natur beschäftigten sich damit. Hier eine Reaktion des seinerzeit sehr populären Schriftstellers und Verfechters der jüdischen Emanzipation, Berthold Auerbach (Nordstetten bei Horb 1812–1882 Cannes), auf die Antisemiten-Petition.

Ich habe die ganze Nacht kaum eine Stunde geschlafen. Das gestrige Abendblatt der National-Zeitung enthält den Text der Petition an Bismarck gegen die Juden. Das also müssen wir noch erleben! Ich sah es kommen, ich habe mehrfach gewarnt und gemahnt. Ich wollte, als ich im Januar hierher zurückkehrte, eine große Versammlung veranstalten, zu welcher durch Karten und durch persönliche Aufforderung die angesehensten Männer aus der Wissenschaft, aus der Bürgerschaft und soweit es ging aus dem Beamtenthum, eingeladen werden sollten, um die neu aufgeworfene sogenannte Judenfrage auf einmal energisch abzuthun, bevor das Uebel weiter fraß und bevor diese Aufwiegelungen in die niederen Kreise, in die Bierstuben hinabträufelten, von wo sie schwer mehr herauszuholen sind.

Ich wurde theils ausgelacht, theils als Schwärmer und Phantast angesehen. Die Einen sagten mir, das geht bald wieder vorüber; die Anderen entgegneten, von unseren Rechten können sie uns nichts nehmen; die Dritten behaupteten mit Lustigkeit, diese ganze Sache müsse mit Witz und Spott behandelt werden, jede andere Waffe sei zu gut und unwirksam zugleich. Ich habe endlich davon abgelassen, denn ich habe ja noch Anderes zu thun; aber mitten in meine Arbeiten hinein, namentlich in die für die Volksbücher, spukte es wie ein Gespenst: da suchst du nun ethische Gedanken in die Massen hineinzubringen, da hegst du nun mit aller Emsigkeit einzelne Pflanzen, und ein Gewittersturm und Windbruch reißt ganze Wälder zusammen! Und wenn nun Bismarck auch darauf antwortet, daß er mit den Postulaten und ihren Begründungen nicht einverstanden sei – da kann selbst der Gewaltige nicht helfen; die tiefe Verhetzung, die Aufreizung zur Empörung, den scheelen Blick, der auf jeden Juden fällt, das alles kann er nicht aus den Gemüthern herausreißen, und ich kenne die Welt genugsam, ich weiß, wie im Casino zu Rastatt und in der Weinstube in Bingen und im Bierkeller in München das alles mit Jubel aufgenommen wird. Was ist da zu thun? Müssen wir in unserem Alter unthätig und stillduldend zusehen, wie das Unheil immer größer wird und was die Kinder in den Schulen leiden von Lehrern und Mitschülern? Ich sehe in die trübste Zukunft hinein.

Es ist Hoffnung, daß eine Reihe angesehener Christgeborener, die noch wissen was Menschenthum ist, gegen diese Petition und die ganze Infamie auftreten werden. Aber das ist zu spät. Es ist ja in der Welt so, die Anklage behalten die Menschen in der Erinnerung, die Vertheidigung, die Widerlegung, die Abklärung lesen sie kaum oder vergessen sie bald wieder, und da die Anklage immer schärfer und piquanter ist als die Vertheidigung, haftet sie auch mehr in der Erinnerung.

Berthold Auerbach, Briefe an seinen Freund Jacob Auerbach, Ein biographisches Denkmal, 2. Band, Frankfurt am Main 1884, S. 438f.

An die deutschen Staatsbürger jüdischen Glaubens

Mai 1893

Raphael Löwenfeld, Eugen Fuchs, Hermann Stern

Raphael Löwenfeld (Posen 1854–1910 Berlin), Gründer und langjähriger Leiter des Schiller-Theaters, schrieb Anfang 1893 die Broschüre „Schutzjuden oder Staatsbürger? – Von einem jüdischen Staatsbürger". Die Auseinandersetzung darüber gab den Anstoß zur Gründung des „Centralvereins deutscher Staatsbürger jüdischen Glaubens" (C.V.). Eugen Fuchs (Koschentin/Oberschlesien 1856–1923 Berlin) war Mitbegründer des Centralvereins. Als Jurist verfaßte er viele Schriften zu deutsch-jüdischen politischen Fragen und war von 1917 bis 1919 Erster Vorsitzender des C.V. Hermann Stern, Rechtsanwalt in Berlin, gehörte ebenfalls zu den ersten Mitgliedern. Zusammen schrieben sie folgenden Aufruf, der als erste öffentliche Äußerung des Centralvereins gilt.

Seit nahezu zwei Jahrzehnten wird unser Vaterland von einer Bewegung beunruhigt, deren letztes Ziel unsere gesellschaftliche Aechtung und die Einschränkung unserer verfassungsmäßigen Rechte ist.

Wir haben gehofft, der Rechtssinn, der den größeren Theil unserer Mitbürger erfüllt, und die Gemeinsamkeit der Kulturarbeit würden eine genügende Schutzwehr sein gegen die Umtriebe einer Minderheit, die für jedes Uebel der Zeit ihre jüdischen Mitbürger verantwortlich macht und sie zu vaterlandslosen Fremdlingen erniedrigen will.

Das Wesen einer Nation beruht auf der Gleichheit des Denkens und Fühlens, ihr äußeres, aber entscheidendes Merkmal ist die gemeinsame Muttersprache. Menschen verschiedenster Abstammung und verschiedenster religiöser Bekenntnisse werden durch gemeinsame Geschicke zu einer einheitlichen Nation. Auch die Einheit des deutschen Volkes hat sich über der Verschiedenheit der Abstammung und des Glaubens aufgebaut.

Wir Juden haben, seitdem uns der Antheil an dem Gesammtleben des deutschen Volkes vergönnt ist, mit Herzensfreudigkeit und Begeisterung unsere ganze Kraft an unser Vaterland hingegeben. Wir haben an allen Kriegsthaten und geistigen Kämpfen theilgenommen, die das zersplitterte Reich geeinigt und ihm unter der Oberhoheit eines Kaisers neuen Glanz verliehen haben.

Stets ist die staatsbürgerliche Befreiung der Juden Hand in Hand gegangen mit den bedeutungsvollen Fortschritten unseres Vaterlandes. Wie bei der Aufrichtung Preußens aus tiefster Schmach der Grundstein zur Emanzipation der Juden durch die Stein-Hardenberg'sche Gesetzgebung gelegt wurde, so haben auch die Begründer des deutschen Reiches in dem Augenblicke des höchsten Aufschwungs des deutschen Volksgeistes das Werk unserer Befreiung gekrönt durch die Aufhebung der letzten Reste konfessioneller Rechtsungleichheit.

Was bei uns bis dahin von der Gesammtheit getrennt hatte, war hinweggeräumt. Alles Leid der Vergangenheit war vergessen, in unserem Herzen lebte nur das Gefühl der Freudigkeit, die das Recht des Mitschaffens gewährt.

Und nun erhebt sich jene Bewegung, die die eben geschaffene Eintracht zu zerstören sucht, die vermöge einer geschickten Organisation und einer rücksichtslosen Agitation ihre Irrlehren in immer weitere Kreise trägt und jetzt nicht mehr zurückscheut vor der Antastung unserer verfassungsmäßigen Rechte.

Wenn wir demgegenüber die Nothwendigkeit organisirten Zusammenschlusses empfinden, so liegt uns nichts ferner als der Geist der Absonderung.

Wir folgen nur der Pflicht, unsere Stellung im Vaterlande durch eigene Kraft zu wahren, und sind überzeugt, daß einer solchen Haltung die Achtung unserer Mitbürger nicht fehlen wird. Unser Verhältniss zu unserem Vaterlande ist kein anderes als das der Protestanten und Katholiken. In allen Glaubensgemeinschaften giebt es die mannigfaltigsten religiösen Richtungen, giebt es Vertreter er verschiedensten politischen Parteibestrebungen. Alle aber sind einig in ihrem nationalen Denken und stehen zusammen wie ein Mann, gilt es die Wohlfahrt des Reiches.

Wir wollen nicht in falschem Solidaritätsgefühl den Schleier ziehen über die Fehler des Einzelnen, wir wollen aber auch nicht dulden, daß die Fehler Einzelner einer jüdischen Gesammtheit aufgebürdet werden.

Um diesen Gedanken den lautesten und mächtigsten Ausdruck zu geben, haben wir uns zu dem zusammengeschlossen. Der Verein will alle Kräfte zur Selbstvertheidigung aufrufen, in dem Einzelnen das Bewußtsein unserer unbedingten Gleichberechtigung stärken und ihm das Gefühl unserer Zusammengehörigkeit mit dem deutschen Volke durch die Anfeindungen unserer Gegner nicht verkümmern lassen.

Durch Wort und Schrift, durch öffentliche Versammlungen und Vorträge will der Verein den Einzelnen mit den Waffen ausrüsten, die ihn befähigen, den aufgedrungenen Kampf im Geiste der Wahrheit zu bestehen, damit an der Besserung nach Innen und Außen Alle mitarbeiten, die aus der Noth der Zeit die Pflicht der Selbstvertheidigung erkannt haben. Wir treten nicht in Gegensatz zu bestehenden Organisationen, die ähnlichen Zielen nachstreben: wir wollen neben und mit ihnen wirken – auf dem Wege der Selbsthilfe, im Lichte der Oeffentlichkeit. So hat nun Jeder die Möglichkeit und damit auch die Pflicht, zu dem großen Werke der Selbstvertheidigung beizutragen. Mitbürger und Glaubensgenossen! Wir fordern Euch zum Beitritt auf. Säumet nicht, zu kommen.

An die deutschen Staatsbürger jüdischen Glaubens. Ein Aufruf. Gedruckt als Beilage zu „Im deutschen Reich“, Zeitschrift des Centralvereins deutscher Staatsbürger jüdischen Glaubens, 9. Jahrgang, Berlin 1903, S. 2ff.

Juden und Christen

Richard Lichtheim

Richard Lichtheim (Berlin 1885–1963 Jerusalem), studierter Volkswirt, war ein lebenslanger Verfechter des Zionismus. Er war sowohl schriftstellerisch wie diplomatisch und organisatorisch in diesem Sinne tätig. Hier beschreibt er die gesellschaftlichen Verhältnisse zwischen Juden und Christen im Berlin des Kaiserreichs. Die gesellschaftliche Trennung sollte es später der nationalsozialistischen Propagandamaschinerie erleichtern, ein Phantasiebild der Juden herzustellen, dem durch Unkenntnis von allzuvielen Mitbürgern Glauben geschenkt wurde.

Ich kann nicht sagen, daß ich in der Schule unter dem Antisemitismus persönlich litt. (...) Aber die jüdischen wie die christlichen Schüler waren sich des Unterschiedes ständig bewußt, der sie trennte, auch wenn sie ihn fast nie in aggressiver Weise betonten. Wie konnte es auch anders sein, da die bürgerlichen Familien, aus denen die Gymnasialschüler stammten, diese Unterscheidung in ihrem Privatverkehr so deutlich spüren ließen! Ich empfand dies um so lebhafter, als ich mit einigen christlichen Schulkameraden befreundet war und privat mit ihnen verkehrte. Einer meiner Mitschüler und Freunde war John Hambrook, der Sohn eines im Ausland verstorbenen Engländers und einer Deutschen aus adliger Familie. Er wohnte in Berlin bei seinem Onkel, einem General von Jacobi. Hambrook (der leider im Ersten Weltkrieg vor Verdun fiel) war ein ungewöhnlich vielseitig veranlagter und künstlerisch begabter Mensch. Wir verstanden uns besonders gut, und zwischen uns entwickelte sich eine jener Jugendfreundschaften, die nach häufigem, möglichst täglichem Beisammensein verlangen. Aber wenn wir uns besuchten, waren wir uns stillschweigend der Tatsache bewußt, gewissermaßen feindliches Gebiet zu betreten, da kein Jude jemals die Wohnung seines Onkels und kein Christ die meines Vaters aufsuchte. Das erzeugte eine gewisse Verlegenheit, wenn wir in unseren Häusern den erwachsenen Mitgliedern der Familie begegneten. Ähnlich war es bei meinem Verkehr mit einem anderen Klassenkameraden namens Hermann von der Hude, dessen Vater, der Erbauer des Lessingtheaters in Berlin, ein bekannter Architekt war. Wurde ich als Schüler nach einem Besuch bei meinem Kameraden einmal aufgefordert, am Abendessen der Familie von der Hude in ihrer Villa in der Fasanenstraße teilzunehmen, dann spürte ich, wie die sehr großen, sehr blonden, sehr blauäugigen Schwestern meines Freundes mich neugierig und kritisch musterten, weil ich als Jude aus einer ihnen fremden Welt kam. Sie sahen ja täglich Juden auf der Straße, aber im eigenen Haus? Das war doch etwas ganz anderes. Diese gesellschaftliche Trennung von Juden und Christen war einer meiner ersten und stärksten Jugendeindrücke. Sogar in den Häusern der reichsten und angesehensten Juden erschien fast niemals ein Christ, sofern es sich nicht um eine Berufs- oder Geschäftsangelegenheit handelte. (...) Im (...) jüdischen Berlin W. (...) blieb der gesellschaftliche Verkehr der Juden ganz auf ihre eigenen Kreise beschränkt. Gewiß gab es gelegentlich Ausnahmen von dieser Regel. Einzelne christliche Herren verkehrten in jüdischen Häusern, und als es mehr und mehr Mode wurde, sich sportlich zu betätigen, trafen sich die Angehörigen des jüdischen und des christlichen „smart set“ von Berlin W. auf dem Golf- und Tennisplatz. Im häuslichen Verkehr dagegen blieb – von seltenen Ausnahmefällen abgesehen – die Scheidung bestehen.

Ähnlich wie in der Schule und in der Gesellschaft war es auch draußen im täglichen Leben. Ob man die Situation der deutschen Juden als günstig oder ungünstig ansah, war eigentlich eine Frage des Temperaments oder sehr subjektiver Maßstäbe. Den Juden in Berlin ging es materiell gut, daran war nicht zu zweifeln. Auch brauchten sie auf der Straße, im Theater, im Restaurant keinerlei antisemitische Beleidigungen zu fürchten. Die in den westlichen Vierteln Berlins wohnenden Christen gehörten meistens den gebildeten

Schichten an und waren an das Zusammenleben mit den Juden gewöhnt. Die Geschäftsinhaber, die Bäcker, Schlächter und Handwerker dieser Gegenden, und die an den Straßenecken stationierten Droschkenkutscher – später die Taxichauffeure – betrachteten die Juden als ihre besten Kunden und waren durchwegs höflich zu ihnen. Aber auch in anderen Stadtteilen kam es kaum vor, daß Juden belästigt wurden. Die Polizei wünschte damals keine antisemitischen Ausschreitungen, und der den Deutschen eingeborene Sinn für Ordnung ließ den Gedanken daran gar nicht erst aufkommen. In den Büros der Behörden wurden die Juden nicht anders behandelt als die übrige Bevölkerung. Zudem war das Gefühl für soziale Schichtungen noch sehr ausgeprägt, und der gut gekleidete Bürger, ob Jude oder Christ, war ein „Herr", der Anspruch auf höfliche Behandlung hatte. Später, als ich die Judenfrage in allen ihren Nuancierungen besser verstand, wurde mir klar, worauf das Gefühl der persönlichen Sicherheit beruhte, in dem die Juden Deutschlands zur Zeit des Kaiserreichs lebten und leben durften. Gewiß, Deutschland war damals ein „Rechtsstaat". Aber besser noch als das Gesetz schützte die Juden die strenge Gliederung des „Klassenstaates". Das war eine sehr viel verläßlichere Garantie für Leben und Eigentum, als die Demokratie sie ihnen später gewähren konnte. In der gottgewollten Rangordnung des preußischen Militärstaates hatte auch der Jude seinen Platz, den ihm niemand streitig machen durfte. Er konnte zwar nicht Offizier oder höherer Beamter werden, aber als Arzt, Rechtsanwalt, Kaufmann oder Bankdirektor stand er unter dem Schutz eines Regimes, das keine Unordnung duldete. „Ruhe ist die erste Bürgerpflicht", war die Parole.

Richard Lichtheim, Rückkehr, Lebenserinnerungen aus der Frühzeit des deutschen Zionismus, Stuttgart 1970, S. 43 ff.

Theodor Herzl in Berlin

Januar 1898

Elias Auerbach

Elias Auerbach (Ritschenwalde/Posen 1882–1971 Haifa) war einer der wenigen deutschen Zionisten, die sich schon 1909, also vor dem Ersten Weltkrieg, in Palästina niederließen. Auerbach praktizierte als Arzt in Haifa.

Durch Heinrich Loewe[1] erfuhren wir, daß Theodor Herzl[2] wegen wichtiger Besprechungen politischer Art im Januar 1898 in Berlin sein würde und zugesagt hätte, in einer öffentlichen Versammlung, die die Berliner Zionistische Vereinigung vorbereiten wollte, zu sprechen. Mein Entschluß stand fest: an dieser Versammlung mußte ich teilnehmen, koste es, was es wolle, auch wenn es meine Verweisung von der Schule zur Folge haben sollte.

Die Versammlung fand im Königstädtischen Kasino, dicht beim Stadtbahnhof Jannowitz-Brücke, statt und sollte um acht Uhr abends beginnen. Zur Vorsicht war ich schon eine Stunde früher an Ort und Stelle. Aber es war doch nicht früh genug. Vor dem Eingang auf der Straße stand bereits ein dichter Menschenhaufen, der sich nur sehr langsam in das offenbar schon volle Haus vorschob. Ich war damals immer noch recht klein, aber hier gereichte es mir zum Vorteil. Jede kleinste Lücke nutzend, schob ich mich weiter vor, während hinter mir immer mehr Menschen nachdrängten. Endlich war ich im Haus und wurde langsam die Treppe heraufgedrückt. Es ging jetzt schon auf halb acht, und ich hatte Angst, daß ich zum Anfang der Versammlung zu spät kommen würde. Schließlich gelangte ich in das erste Stockwerk, in den Korridor vor der Saaltür – aber die Saaltür war geschlossen. Die Menschenmauer stand bewegungslos. Meine Verzweiflung wuchs, am Eingang zum Paradies zurückgehalten!

Plötzlich wurde die Tür von innen geöffnet, und heraus trat – Heinrich Loewe, der wohl irgend etwas anordnen wollte. Er sah mich, zeigte mit dem Finger auf mich und sagte laut und gebieterisch: „Lassen Sie mal erst den Jungen hinein! Den brauche ich!" Man schob sich auseinander, ich betrat den Saal. Aber damit hatte ich noch nichts erreicht. Der Saal erwies sich als lächerlich klein (ein größerer war wohl zu teuer gewesen), er faßte höchstens 200 Sitzplätze, die natürlich längst besetzt waren. Auch im Gang zwischen den Sitzreihen und an den Wänden entlang standen die Menschen Kopf an Kopf. Es gelang mir schließlich, mich bis an die Fensterwand vorzuschieben. Hier erkletterte ich ein schmales Fensterbrett und klammerte mich an den Riegel. So hing ich über drei Stunden, aber die Hauptsache war, ich konnte alles wunderbar sehen und hören.

Auf der Tribüne stand seitlich vom Vorstandstisch ein kleines Rednerpult. Der Eckplatz am Tisch war leer, daneben saß Heinrich Loewe. Es saßen noch einige Herren an dem Tisch, die ich jedoch nicht beachtete. Meine Augen suchten Herzl. Er war aber noch nicht im Saale. Dann hob Loewe die Hand und gebot Ruhe. Das brausende Geräusch im Saale verstummte momentan. Im Hintergrund der Tribüne öffnete sich eine kleine Tür, und herein trat die hohe Gestalt Theodor Herzls.

Einen Augenblick lang war es gänzlich still im Saal. Dann aber erhob sich wie auf einen Befehl die ganze Versammlung, es erhoben sich die Männer am Vorstandstisch, und ein nicht enden wollender, brausender Beifall begrüßte Herzl. Er dankte sichtlich beeindruckt mit leichtem Kopfnicken und setzte sich auf den leeren Platz.

Ich hatte das Gefühl – und habe es noch heute – eines wirklich ganz großen Erlebnisses. Weder in diesem Augenblick noch irgendwann später habe ich in Herzl einen Menschen wie alle anderen Menschen sehen können. Für mich lag über ihm ein mystischer Glanz. Ich möchte nicht mißverstanden werden, denn ich sah in ihm nicht etwa ein höheres Wesen, aber er erschien mir stets als der ideale Typus des Menschen und als der Genius schlechthin. Herzl war der schönste Mann, dem ich in meinem Leben begegnet bin. Davon geben die erhaltenen Fotografien von Herzl keinen hinreichenden Eindruck. Doch besitze ich ein Bild, das sein Jugendfreund Koppay 1899 gemalt hat und das die durchgeistigte Schönheit des visionären Dichters und Propheten fast vollkommen wiedergibt. Immer, wenn ich mit ihm sprach, wurde mir gleichsam kalt und heiß. So auch als ich ihn dieses erste Mal sah. Ich war vollkommen verzaubert.

Heinrich Loewe als Vorsitzender begrüßte die Versammlung und den Gast und hatte das einleitende Referat zu halten – es war die undankbarste Aufgabe, die ihm je zuteil wurde. Kaum hörte die Menge, was er sprach, niemand blickte in seine Richtung, alles starrte nur auf den königlichen Mann, der neben ihm saß. Nie vorher und nie nachher hat sich Loewe so kurz gefaßt, er sprach kaum 15 Minuten, dann endlich erhob sich Theodor Herzl zu seiner Rede.

Was er sagte? Hier verläßt mich mein sonst so treues Gedächtnis; ich weiß kein Wort mehr von dem, was Herzl da vortrug, ich weiß nur, daß ich gleich allen anderen geradezu wie verzaubert keinen Blick von ihm ließ. Er war nicht, was man gewöhnlich einen „Redner" nennt. Was bei ihm so ungeheuer wirkte, beruhte auf der festen und Eindruck machenden Bestimmtheit jedes Wortes, das er aussprach. Er war der Mann, der den Gedanken des Judenstaats in die Welt der Geschichte geworfen hatte, und sein Anblick erzeugte das Bewußtsein, hier steht der geborene Führer der Menschen.

Die Diskussion nach Herzls Ansprache verlief sehr stürmisch. Es trat eine Anzahl von Gegnern auf, denen dieser Mann ihr ängstlich aufgebautes Gebäude, in dem Judentum nur den Raum einer Konfession einnahm, zertrümmerte, indem er auf einem aus der ganzen Welt beschickten Kongreß in voller Öffentlichkeit den Judenstaat verlangte. Als dann in vorgerückter Stunde sich ein Apotheker (sein Name ist vergessen) zu Äußerungen hinreißen ließ, die einer Denunziation über die Staatsgefährlichkeit der zionistischen Bewegung gleichkamen, setzte zum Protest ein ungeheurer Lärm ein, der in Tätlichkeiten auszuarten drohte. In diesem Moment aber erhob sich der die Versammlung überwachende Polizeiwachtmeister und setzte seinen Helm auf. Damit war die Versammlung geschlossen. Das Auftreten Herzls blieb jedoch noch lange Tagesgespräch der Berliner Juden. (...)

Elias Auerbach, Pionier der Verwirklichung. Ein Arzt aus Deutschland erzählt vom Beginn der zionistischen Bewegung und seiner Niederlassung in Palästina kurz nach der Jahrhundertwende, Stuttgart 1969, S. 90ff.

1 Heinrich Loewe (1869–1951) war von 1899 bis 1933 Bibliothekar an der Universitätsbibliothek Berlin. Er gehörte als einer der ersten deutschen Zionisten überhaupt 1892 zu den Gründern des nationaljüdischen Vereins „Jung Israel", der Berliner Zionistischen Vereinigung 1897 und der jüdischen Volkspartei 1919 und war sowohl organisatorisch als auch schriftstellerisch für die zionistische Bewegung tätig. In Palästina war er bis 1948 Direktor der Stadtbibliothek Tel Aviv
2 Theodor Herzl (1860–1904) war der Begründer und Erste Präsident der Zionistischen Weltorganisation

Otto Brahm in seiner Loge

1901

Lesser Ury

Der Impressionist Lesser Ury (Birnbaum/Posen 1861–1931 Berlin) gilt neben Max Liebermann als einer der bedeutendsten jüdischen Maler des beginnenden zwanzigsten Jahrhunderts in Berlin, wo er seit 1887 lebte. Die Eindrücke der Großstadt hielt er in seinen berühmten Berliner Straßenbildern fest, aber auch für seine Bilder mit biblischen Motiven und seine Porträts ist er bekannt. Der Literaturhistoriker und Theaterkritiker Otto Brahm (ursprünglich Abrahamsohn, Hamburg 1856–1912 Berlin) war Direktor des Deutschen Theaters (1894–1904) und des Lessing Theaters (1904–1912). Das Porträt, das ihn in seiner Loge im Deutschen Theater zeigt, war jahrelang im Besitz von Max Reinhardt, dessen Theaterkarriere unter Otto Brahm am Deutschen Theater begann.

Lesser Ury, Otto Brahm in seiner Loge, 1901

Gründung des Jüdischen Frauenbundes

15. Juni 1904

Die jüdischen Frauen haben immer eine wichtige, wenn nicht entscheidende Rolle in der Wohlfahrtspflege der jüdischen Gemeinden gespielt, waren aber in vielen lokalen Vereinen tätig, die untereinander wenig Kontakt hatten. Anläßlich des vom 12. bis 18. Juni 1904 in Berlin stattfindenden internationalen Frauenkongresses wurden diese Vereine durch die Gründung des Jüdischen Frauenbundes in einem Dachverband zusammengeschlossen. Bertha Pappenheim (Wien 1859–1936 Neu-Isenburg) war Gründerin und von 1904 bis 1924 Vorsitzende des Jüdischen Frauenbundes, der seinen Hauptsitz in Berlin hatte. Schon 1909 waren 120 jüdische Frauenvereine – 1930 sogar 450 Einzelvereine – Mitglieder im Jüdischen Frauenbund.

Die große Woche des hier tagenden Internationalen Frauenkongresses, zu dem aus allen Weltteilen die Vertreterinnen der Frauenvereine herbeigeströmt sind, hat auch eine für das Gesamtjudentum bedeutungsvolle und hocherfreuliche Neuerung geschaffen. [Auf] einer vorbereitenden, zahlreich besuchten Sitzung, die (...) im Prinz Albrecht Hotel stattfand, ist die Konstituierung eines „Jüdischen Frauenbundes" beschlossen worden. Zu dem einleitenden Referat gab Frl. Bertha Pappenheim eine kurze Entwicklungsgeschichte dieser Idee, die in Frankfurt a. M. vor zwei Jahren entstanden, in Hamburg bei dem Israelitischen humanitären Frauenverein auf fruchtbaren Boden gefallen und bereits lebhafte Förderung erfahren habe. Gerade daß es so viele Dinge gäbe, die, obwohl sie in das ausschließliche Gebiet der Frauentätigkeit fallen, heute noch von Männern behandelt würden, sei für die Frauen die Veranlassung gewesen, sich zu gemeinsamen Schaffen zusammenzuschließen. Besonderen Nachdruck legte die Rednerin darauf zu betonen, daß der Bund keinerlei religiöse oder politische Tendenzen verfolge, daß vielmehr in ihm Raum für alle Parteifärbungen vorhanden sein solle. Die Aufgabe des Bundes werde darin bestehen nicht zu trennen, sondern zu verbinden und in gemeinsamer Bekämpfung der das Judentum bedrohenden Schäden Ersprießliches zu leisten. §2 des provisorischen Statuts umschreibe die Tätigkeit des Bundes. Sie soll bestehen:

> in gegenseitiger Anregung für die Interessen der Allgemeinheit. Als Arbeitsgebiete gelten zunächst die Wege und Ziele sozialer Hilfstätigkeit, der Volkserziehung, der Förderung des Erwerbslebens jüdischer Frauen und Mädchen, Hebung der Sittlichkeit, Bekämpfung des Mädchenhandels (...)
> im Erwecken des Interesses an allgemeinen jüdischen Bestrebungen der Gegenwart und durch Stärkung des jüdischen Gemeinschaftsbewußtseins.

Ein Hauptziel der Tätigkeit des Bundes werde in der Abwehr des Antisemitismus nach außen liegen müssen, so u. a. in der Bekämpfung der leider noch immer in weiten Kreisen der Bevölkerung herrschenden furchtbaren Ritualmordbeschuldigung. Die innere Mission müsse auf die Selbsterziehung, auf die Erziehung der Kinder gerichtet sein. Liebe und Treue zum angestammten Glauben müsse gepflegt, das religiöse Gefühl im Hause wieder erstarken und belebt werden und hierdurch der für den Bestand des Judentums verhängnisvollen Neigung zur Taufe in wirksamer Weise gesteuert werden. Auch die jüdischen Frauen selbst müssen erst zur sozialen Hilfsarbeit erzogen, die bisher bei den Juden geübte traditionelle Wohlfahrtspflege, die ja gewiß viel Gutes gestiftet, in rationelle soziale Hilfsarbeit umgestaltet werden. Wohltaten dürfen nicht allein mit dem Herzen, sondern müssen auch mit dem Verstand gegeben werden. Eines der Endziele müsse sein, die umfangreiche Gruppe der professionellen Bettler allmählich bis zum völligen Verschwinden herabzumindern. Dieses Ziel sei nicht zu erreichen durch planlose Gaben an die Schwachen und Elenden, sondern nur durch planvolle, ausreichende Unterstützung derselben, durch Schaffung derjenigen Hilfe, welche die Möglichkeit einer eigenen Existenz verbürge. Der Bund wolle unter den angeschlossenen Vereinen soziales Verständnis wecken und pflegen: nicht plötzlich solle alles bisher Bestehende für falsch erklärt, die vorhandenen segensreichen Institutionen beseitigt werden, sondern durch sein Beispiel und seine Tätigkeit wolle vielmehr der Bund zu erkennen geben, daß es besser als bisher gemacht, die bisherigen Fehler vermieden werden können. Die gesamte Tätigkeit könne nur eine langsame sein, wie bei jeder Zentralleitung, die nur durch gemeinsamen Austausch von Gedanken und Anregungen zu einem endgültigen Resultat gelange: die Hilfstätigkeit erleide dadurch keinen Schaden, da es sich ja nicht um vom Bunde ausgehende Unterstützungen von Einzelpersonen, sondern um Umgestaltung von Prinzipien im Rahmen sozialer Hilfstätigkeit handle. (...) Sie gab der Ueberzeugung Ausdruck, daß kein Verein sich den großen Aufgaben, die sich der Bund gestellt, entziehen und freudig, unbeschadet seiner engeren Tätigkeit, sich in den Dienst der Allgemeinheit stellen werde. (...)

Der jüdische Frauenbund, in: Allgemeine Zeitung des Judentums, 68. Jahrgang, Nummer 26, Berlin 24. Juni 1904, S. 304

E. M. Lilien, Väter und Söhne, 1904

Russischer Tod – Väter und Söhne

1904

Ephraim Moses Lilien

Ephraim Moses Lilien (Drohobycz/Galizien 1874–1925 Badenweiler) lebte zwischen 1899 und 1920 in Berlin. Er war Zionist und seine Graphiken, Buchillustrationen sowie zahlreiche Ex Libris, im Jugendstil gezeichnet, behandeln zumeist jüdische Themen. Eine seiner gelungensten Zeichnungen stellt einen Aspekt des russisch-japanischen Krieges dar. Während jüdische Ärzte, vom Sensenmann geführt, in den Krieg ziehen, müssen nach russischem Gesetz ihre Angehörigen, der für den Lebensunterhalt notwendigen Männer beraubt, ohne Eigentum die Städte verlassen. Diese Zeichnung, zuerst in der im Mosse-Verlag erschienenen Zeitschrift „Ulk" herausgebracht, trägt die folgende Unterschrift:

„Wohin des Weges, ihr Kinder?"
„Gen Osten – das heilige Russland schickt uns. Und ihr, Väter?"
„Gen Westen – das heilige Russland verjagt uns."

Edg. Alf. Regener, E. M. Lilien, Ein Beitrag zur Geschichte der zeichnenden Künste, Goslar, Berlin, Leipzig 1905, S. 104

Mein Volk

1905

Else Lasker-Schüler

Die Schriftstellerin Else Lasker-Schüler (Wuppertal-Elberfeld 1869–1945 Jerusalem) lebte von etwa 1898 bis 1933 in Berlin. Ab 1933 lebte sie in Zürich und emigrierte 1939 nach Jerusalem, wo sie sechs Jahre später in Armut starb. Expressionistische Sprache und Liebe zum Judentum kennzeichnen ihr Werk. Das Gedicht „Mein Volk" erschien zuerst im Jahre 1905 in ihrem zweiten Gedichtband „Der siebente Tag". Folgende handschriftliche Fassung entstammt einer späteren Zeit.

Mein Volk

Der Fels wird morsch,
Dem ich entspringe
Und meine Gotteslieder singe ...
Jäh stürz ich vom Weg
Und riesele ganz in mir
Fernab, allein über Klagegestein
Dem Meer zu.

Hab mich so abgeströmt
Von meines Blutes
Mostvergorenheit.
Und immer, immer noch der Widerhall
In mir,
Wenn schauerlich gen Ost
Das morsche Felsgebein,
Mein Volk,
Zu Gott schreit.

Else Lasker-Schüler, Mein Volk. Faksimiledruck Nr. 23, Schiller-Nationalmuseum, Marbach am Neckar 1980

Leiser

1905

Das Kaiserreich sah die Gründung vieler jüdischer Unternehmen, die weit über die Grenzen Berlins bekannt wurden. Eines davon war das Schuhhaus Leiser. Mitte der achtziger Jahre zog die Familie Herrmann Leiser, von Tarnow/Galizien über Köln kommend, nach Berlin. Dort betrieb sie eine Eierhandlung im Osten der Stadt. Ein Neffe, Julius Klausner, ebenfalls aus Tarnow, eröffnete als Siebzehnjähriger mit einem Kredit und unter Nutzung des guten Namens des Onkels das erste Schuhgeschäft Leiser in der Oranienstraße 34. Wie auf dem Bild zu erkennen ist, hatte die Firma 1905 schon vier Filialen in Berlin. Die Familie Klausner hielt an den jüdischen Traditionen fest. 1937 nach Holland, 1939 nach Argentinien emigriert, starb Julius Klausner 1950 in Buenos Aires.

Ein Pferdewagen der Firma Leiser, 1905

Die Familie Tietz und die jüdische Wohltätigkeit

Georg Tietz

Georg Tietz (Gera 1889–1953 München) war von 1916 bis 1934 Teilhaber des Warenhauskonzerns Hermann Tietz (heute Hertie). Sein Vater, Oskar Tietz (Birnbaum/Posen 1858–1923 Klosters/Schweiz), hatte das Geschäft zusammen mit seinem Onkel (im untenstehenden Text als „Großvater" bezeichnet), Hermann Tietz (Birnbaum/Posen 1837–1907 Berlin), 1882 in Gera gegründet. Die erste Berliner Filiale wurde 1900 eröffnet.

Ein Ereignis aus dem Jahre 1903 steht mir noch deutlich vor Augen. Es war, als wir Kinder nach dem schrecklichen Pogrom in Kischinew (das waren die ersten mir zur Kenntnis gekommenen Judenverfolgungen in Rußland) auf dem Boden schlafen mußten, weil jedes Bett, ja, jeder Stuhl mit einem geflohenen Glaubensbruder oder einer -schwester besetzt war. Es war keine unbedeutende Angelegenheit; Vater lief zu den Behörden und erlangte für eine ganze Reihe dieser Unglücklichen ordnungsgemäße Aufenthaltserlaubnisse und Papiere. Großvater lief und verfrachtete die, für die keine Aufenthaltserlaubnis zu bekommen war, nach Amerika, indem er ihnen die Passagen bezahlte und die Erlaubnis für sie beschaffte, im Durchgangslager in Hamburg bis zur Abfahrt zu verbleiben. Kaum waren die Notgäste, wenn ihnen der Aufenthalt genehmigt war, anderweitig untergebracht oder andernfalls nach Hamburg transportiert, so füllten schon wieder andere deren Platz. Es war auch kein ganz ungefährliches Unterfangen, die Flüchtlinge zu beherbergen, denn die preußische Polizei fahndete nach ihnen, um sie wieder über die Grenze zurückzuspedieren. (...)

Das gleiche Ereignis erlebte ich nochmals nach einem kleineren Pogrom im Jahre 1905. Beide Male dauerte der Durchzug etwas über einen Monat. Vater und Großvater kümmerten sich wieder darum, den Flüchtlingen Stellungen zu beschaffen und sie zu beraten, und sie kamen noch lange, nachdem sie anderweitig Wohnung gefunden hatten, an unseren Mittags- oder Abendtisch. Die Hilfsaktionen, die mit der Flüchtlingshilfe notwendig verbunden waren, und der Wunsch der deutschen Regierung, die Vormachtstellung der Alliance Universelle Israélite[1], einer Gründung der Pariser Rothschilds, des Baron Hirsch und anderer bedeutender französischer Juden zu brechen, brachte die Gründung des „Hilfsvereins der deutschen Juden"[2] zustande. Vater war darüber nicht glücklich, weil er mit Recht eine Zersplitterung der jüdischen philanthropischen Interessenvertretung in der Welt befürchtete. Da aber für die Aufenthaltsgenehmigungen, Einbürgerungen und das allgemeine Entgegenkommen der Regierung Konzessionen gemacht werden mußten, machte er mit und wurde einer der Vorstandsmitglieder des neuen Hilfsvereins. Da er bei allem, was er tat, mit offenem Kopf und offener Hand handelte, gelangte er sehr bald in führende Stellen in allen jüdischen Angelegenheiten.

Großvater reiste in diesem Jahr nach Palästina, um sich selbst ein Urteil darüber zu bilden, ob die Ideen von Theodor Herzl und des jung entstandenen Zionismus oder die der protestierenden Rabbiner[3] zutreffend seien. Vater und Großvater waren sich dessen bewußt, daß die Frage der Ostjuden, und zwar nicht nur der in Rußland, gelöst werden mußte, nicht nur in philanthropischem Sinne, sondern auch in kultureller, wirtschaftlicher und vielleicht auch jüdisch-nationaler Richtung, sollte nicht das Gift, das in Russisch-Polen gestreut war, auf ganz Europa übergreifen. Ich begriff schon damals, daß ich in religiös-ethischem Sinne Jude bin und daß das Judentum so „katholos", das heißt „weltweit", ist wie der römische Katholizismus oder eine der evangelischen Kirchen, daß ich in politischer und kultureller Beziehung aber Deutscher war, wobei es kein protestantisches, katholisches oder jüdisches Deutschtum geben konnte. Mit anderen Worten, man habe dem Kaiser zu geben, was des Kaisers ist, und Gott, was Gottes ist. So meinte ich es wenigstens damals und betete, niemals vor die Frage, ob ich Deutscher oder Jude sein wolle, gestellt zu werden.

Großvater kam recht enttäuscht von Palästina zurück. Er glaubte nicht, daß dieses verkommene Land als öffentlich-rechtliche Heimat der Juden aufgebaut werden könnte. Ferner war er abgestoßen von der Menge sogenannter „Frommer", die sich berechtigt fühlten, für ihre Frömmigkeit von Wohlfahrtsmitteln zu leben. Auf der anderen Seite hatte er aber auch erkannt, daß die sogenannte Assimilation nicht in eine unwürdige Anbiederung ausarten dürfe, die erst recht den Widerspruch der christlichen Umwelt hervorrufen müsse. Er sah nur die eine Lösung, möglichst vielen unserer Glaubensgenossen zur Auswanderung nach Amerika zu verhelfen, wo es zwar auch eine religiöse und soziale Trennung zwischen den Bekenntnissen gab, aber keine Animosität, weder in politischer noch in wirtschaftlicher Hinsicht.

Georg Tietz, Hermann Tietz, Geschichte einer Familie und ihrer Warenhäuser, Stuttgart 1965, S. 65ff.

1 Diese Organisation, die eigentlich Alliance Israélite Universelle heißt, wurde 1860 in Paris als internationale jüdische Hilfsorganisation gegründet. Trotz der Gründung des „Hilfsvereins" existierte ein deutsches Büro der „Alliance" weiter

2 Der „Hilfsverein der deutschen Juden", gegründet 1901 in Berlin u.a. von James Simon und Paul Nathan, war eine der größten jüdischen Wohlfahrtsorganisationen in Deutschland und half besonders denjenigen Juden, die aus Osteuropa flohen und eine neue Bleibe und Existenzgrundlage suchten

3 Die „Protestrabbiner" – die Bezeichnung stammt von Herzl – waren diejenigen Rabbiner, die 1897 kurz vor Eröffnung des ersten Zionistenkongresses eine Erklärung abgaben, die sich gegen den Zionismus sowohl aus religiösen als auch aus nationalen Gründen wandte

Das Leben im jüdischen Waisenhaus

Walter Altmann

Walter Altmann (Berlin 1893–1979 Berlin) war eines von fünf Kindern, deren Vater die Familie früh verließ und deren Mutter daher arbeiten gehen mußte. Oft alleine in der Wohnung und sich selbst überlassen, galten die Kinder als unerzogen. Die Mutter beschloß, zwei ihrer Söhne zur Erziehung ins Waisenhaus zu geben. Walter Altmann war später als Erfinder tätig (z. B. erfand er die Rolltreppe).

Ich und mein jüngerer Bruder Fritz befanden sich nun im Zweiten Waisenhaus der Jüdischen Gemeinde von Groß-Berlin in Pankow, Berliner Straße. Die Anlage bestand aus zwei umgitterten Landhäusern, die später durch einen großen Neubau ersetzt wurden. Heute befindet sich dort eine ausländische Botschaft.

Nachdem sich das Portal hinter uns geschlossen hatte, begann für uns eine bittere Zeit. Alles schien hier anders zu sein als in dem vertrauten Daheim. Der Fußboden war blitzblank gescheuert, gewischt und gebohnert. Nicht einmal ein winziges Staubkörnchen lag auf den Möbeln. Fleckenlos starrte uns alles an. Ringsum schlichen Buben an uns vorbei mit bleichen Gesichtern, auf denen kein Lächeln spielte. Unzählige kleine Waisen. Sie sahen aus, als seien sie gerade aus der Badewanne gekommen, geschrubbt und gebürstet, mit ihren korrekt zugeknöpften Jacken, den fein säuberlich geputzten Nasen und den kahlgeschorenen Köpfen. Stumm mußten wir über uns ergehen lassen, in die gleichen Jacken aus Kattun gesteckt zu werden, und ebenso stumm löffelten wir später unsere Suppe in dem trostlos kahlen Speisesaal. Danach durften wir in einem der Schlafräume ein Bett belegen. In langen Reihen formierten sich die Lagerstätten und schienen nicht die geringste Falte in den gewürfelten Bezügen zu dulden. „Das Bettenbauen werdet ihr bald gelernt haben", dröhnte die Stimme des Direktors, und wir lernten es im Schweiße unseres Angesichts, um ihn nicht zu erzürnen. (...)

Die Zeit im Waisenhaus wurde für mich unerträglich. Mit dem Eingesperrtsein konnte und wollte ich mich nicht abfinden. (...) Oft folgten meine Augen von dem winzigen Giebelfenster des Schlafsaales den fröhlich singenden Kindern aus Niederschönhausen, die manchmal mit Lampions an unserem Haus vorüberzogen und in die Elektrische einstiegen. Ich beobachtete sie, bis ihr Singen in der Ferne verhallte. Oder ich betrachtete die alte Straßenbahn Nr. 49, die, gequält von ihrer Unrast, am Waisenhaus vorüberfuhr. Die Anhänger wurden abgekuppelt, andere angekuppelt. Das war die Welt, die ich aus dem kleinen Fenster sah. (...)

Der Tagesablauf im Waisenhaus war genauestens eingeteilt vom Wecken bis zum Schlafengehen. Sonnabends wurde uns von einem Serganten der nahegelegenen Infanteriekaserne preußische Disziplin eingedrillt. Ein Unteroffizier der Militärkapelle übte mit talentierten Waisenkindern außerdem noch Trommelrühren und Pfeifeblasen. Bei besonderen Anlässen mußten wir mit Trommeln und Pfeifen durch Pankow marschieren, wo uns jedermann an unseren Uniformen als Waisenkinder erkannte und angaffte. Oft folgten uns spottende Worte. Besonders der Spott anderer Kinder draußen von der Straße ging uns Kleinen sehr zu Herzen. Wir konnte nicht sorglos wie die anderen Kinder auf den Spielplätzen tummeln. In unseren gräßlichen Waisenhausuniformen sahen wir, für jedermann weithin sichtbar, wie Sträflinge aus. (...)

Auch bei der religiösen Erziehung wurden wir Kinder rigoros zu strikter Disziplin angehalten. Trotzdem wirkte sich diese „Erziehung" nicht aus, weil sie eben hinter Mauern und unter Zwang erfolgte. Wir hatten einen Betsaal, den wir alle Freitagabende und Sonnabend vormittag sowie zu den Feiertagen benutzten. Dabei spielte unser Direktor Grunwald den „Rabbiner", während die beiden Lehrer abwechselnd den Vorbeter und Kantor darstellten. Sich selbst gegenüber waren die Lehrer wohl nicht so fromm, denn ich habe zum Beispiel einmal gehört, daß der Direktor während der hohen Feiertage Schweinefleisch gegessen haben soll.

Der Speiseplan des Waisenhauses verhieß wenig Gaumenfreuden. Mittwoch gab es Reis oder Backobst mit Klößen, Freitags Lungenwurst, zum Abendbrot Mehlsuppe. Wer drei Teller Mehlsuppe hinuntergewürgt hatte, erhielt ein Stück trockenes Brot als Zugabe. Oft lagen am nächsten Morgen die fleißigen Suppenesser ängstlich im Bett. Vor lauter Flüssigkeit hatten sie nachts die Laken durchnäßt. Die durften sie dann ausspülen, um sie zum Gelächter aller auf der Wäscheleine im Winde trocknen zu lassen. Zum Frühstück lag Weißkäse auf dem trockenen Brot. Er war sauer. Ich schüttele mich noch heute, wenn ich daran denke. Sonnabends früh bekamen wir eine Pflaumenmusstulle.

Manchmal luden sich Gönner, die unser Waisenhaus besichtigten, einige Kinder, die ihnen besonders gut gefielen, zum Mittagsbrot bei sich ein. (...) Einer der Gönner war der Verleger Lachmann-Mosse[1] vom Berliner Tageblatt. Als seine Tochter heiratete, wurden wir Waisenkinder zum Hochzeitssingen in seine Villa in der Bendlerstraße[2] in das seinerzeitige Diplomatenviertel eingeladen. (...) Wir Waisenkinder sangen mit vor Erstaunen aufgerissenen Augen vor den Hochzeitsgästen, einem ausgesuchten Publikum aus Politik, Wissenschaft und Kunst. Fassungslos starrten wir auf die vornehmen Herren in ihrem Frack, auf die Damen in den elegantesten Festgewändern. Nach dem Singen wurden wir mit Torte, Schokolade und anderen Lekkerbissen bewirtet. Stumm vor Staunen standen wir da. Solche Pracht hatten wir noch nie gesehen. Kostbare Möbel, Gemälde, Teppiche. Alles, was ich sah, erschien mir märchenhaft schön. Im verschwenderisch großen Wintergarten wuchsen seltene Pflanzen, aus den Kolonien eingeführte Vögel bevölkerten dieses kleine Paradies. Ich schwor mir damals, später, wenn ich erwachsen sein würde, soviel zu arbeiten, daß auch ich einmal über solchen Reichtum verfügen dürfte. Dies Verlangen verließ mich nie mehr. (...) Ich wußte auch schon, wie ich dieses Ziel erreichen konnte: ich wollte ein Erfinder werden. Ich wollte irgend etwas Großes entdecken.

Walter Altmann, Ohne das Lachen zu verlernen. Ein Berliner Überlebenstagebuch, Berlin 1977, S.27ff.

1 Hans Lachmann-Mosse (1885–1944), Schwiegersohn von Rudolf Mosse, arbeitete ab 1910 im Mosse-Verlag und wurde 1920 dessen Besitzer. Als Kunstmäzen bekannt, emigrierte er über Paris in die Vereinigten Staaten, wo er zuletzt in Oakland, Kalifornien, lebte. Da Hans Lachmann-Mosse nur acht Jahre älter war als Walter Altmann, handelt es sich hier möglicherweise um die Hochzeit Hans Lachmann-Mosses mit einer der Töchter von Rudolf Mosse
2 Bendlerstraße, heute Stauffenbergstraße

Westjuden und Ostjuden – Jüdische Vorurteile

Hermann Zondek

Hermann Zondek (Wronke/Posen 1887–1979 Jerusalem) kam um die Jahrhundertwende zum Studium nach Berlin. 1921 wurde er a. o. Professor für innere Medizin an der Berliner Universität. Zwischen 1926 und 1933 Direktor des Urban-Krankenhauses, emigrierte er 1933 nach England und 1934 nach Palästina, wo er bis 1959 die Innere Abteilung eines Jerusalemer Krankenhauses leitete. In seinen Memoiren beschreibt er seine Eindrücke während seiner ersten Zeit in Berlin.

Ich fühlte mich unter den Juden des Berliner Westens nicht sehr wohl und machte unter ihnen wahrscheinlich auch eine recht kümmerliche Figur. Ich kannte mich in den feinen Sitten nicht aus, meine Kleidung war höchst dürftig, mein äußeres Benehmen von eingeschüchtert provinzieller Ungelenkigkeit. Dazu war ich noch sehr „jüdisch". Ich besuchte die Synagoge, aß nur koscher, legte morgens die Tefillin (Gebetsriemen) an, kurz ich war in ihren Augen bestimmt ein „Ostjude". Dabei war keineswegs feststehend, wer eigentlich als Ostjude galt. Die geographische Bestimmung dieses Begriffes richtete sich auch für die stolzen germanisierten Juden des deutschen Westens nach dem jeweiligen Standort. Für die Juden aus Frankfurt am Main lag die kritische Grenze an der Elbe, die Juden aus Berlin-W verschoben sie bis zur Oder. Der Wartheфluß war indiskutabel. Während die Juden aus Polen, dem sogenannten Kongreßpolen, als mehr oder weniger Fremdrassige gewertet wurden, nahmen wir aus der deutschen Provinz Posen den Rang von Mischlingen ein. Dabei spürten die Berliner Juden, daß aus dem Osten eine Welle von Intelligenz heranwogte, was ihnen gar nicht so recht sympathisch war. Sie meinten, daß es sich dabei nur um eine verschlagene, oberflächliche, gewitzigte Intelligenz handelte. Dieser Irrtum wurde jedoch allmählich offenbar. Ein Großteil der Leistungen des deutschen Judentums, nicht nur im jüdischen Bezirk selber, sondern auch innerhalb der allgemeinen Wirtschaft, der Kunst, der Wissenschaft, der Literatur, der Journalistik usw. geht auf die östliche, speziell die Posener Infiltration zurück. Von dem Berliner Kliniker Georg Klemperer[1], dem Direktor der IV. Medizinischen Universitätsklinik – er hatte sich wie auch sein Bruder Felix[2], der Lungenspezialist, taufen lassen, obwohl ihr Vater[3] Prediger der Berliner jüdischen Reformgemeinde war –, wurde erzählt, er habe einmal einen seiner Schüler, als sich dieser von ihm verabschiedete, gefragt, was er nun zu tun gedenke. „Ich gehe nach Posen", war die Antwort. Darauf Klemperer: „Nach Posen geht man nicht, von Posen kommt man."

Hermann Zondek, Auf festem Fuße. Erinnerungen eines jüdischen Klinikers, Stuttgart 1973, S. 33ff.

1 Georg Klemperer (1865–1946) war zwischen 1906 und 1933 am Krankenhaus Moabit tätig. Ab 1905 war er Professor an der Berliner Universität
2 Felix Klemperer (1866–1932) war seit 1921 Direktor des Städtischen Krankenhauses Reinickendorf und ebenfalls seit 1921 Professor an der Berliner Universität
3 Wilhelm Klemperer (1839–1912) war zwischen 1891 und 1910 Prediger an der jüdischen Reformgemeinde in Berlin

Von Osten nach Westen – auch innerhalb Berlins

Sammy Gronemann

Sammy Gronemann (Strasburg/Westpreußen 1875–1952 Tel Aviv), ab 1906 Rechtsanwalt in Berlin, war Schriftsteller und führender Zionist. Er emigrierte 1936 nach Palästina.

Zwischen dem proletarischen Osten Berlins (Berlin O) und dem aristokratischen Westen (Berlin W) liegt das Bellevueviertel (Berlin NW, im jüdischen Volksmund „Nebbichwesten" genannt). Berlin O war die Domäne der Ostjuden, die seltsamerweise alle militärisch benannten Straßen besiedelten, wie Artilleriestraße, Grenadierstraße, Dragonerstraße[1], während im Westen in Charlottenburg, Wilmersdorf oder dem besonders vornehmen Grunewaldviertel die Arrivierten wohnten. Ostjude und Westjude waren in Berlin nicht so sehr geographische wie zeitliche Begriffe. Gar oft kam es vor, daß aus dem Osten eingewanderte Juden zunächst in den obengenannten Straßen ihr Quartier nahmen, dann allmählich zu Wohlstand gelangten, in das vornehmere Bellevueviertel zogen, der Heimat des besseren Mittelstandes, und dann, auf der sozialen Leiter aufsteigend, ihren Wohnsitz nach Charlottenburg verlegten und Westjuden wurden, die dann oft mit ungeheurer Verachtung auf die eingewanderten Elemente jenes östlichen Viertels herabsahen. In einer Repräsentantensitzung späterer Zeit hat Alfred Klee[2] sich einmal folgendes Vergnügen gemacht, als, wie so häufig, von liberaler Seite gegen die von Osten kommenden, angeblich Antisemitismus hervorrufenden Elemente polemisiert wurde. Er fragte: „Ich möchte doch einmal feststellen, wer von den Herren der Linken eigentlich auf dem Anhalter Bahnhof (dem Bahnhof, auf dem die Züge aus dem Westen einliefen) und wer auf dem Schlesischen Bahnhof (dem Ostbahnhof Berlins) angekommen ist." Er ging mit ausgestrecktem Zeigefinger die Reihe durch, und siehe da – ohne Ausnahme waren diese Herren sämtlich entweder selbst aus Posen, Breslau oder Polen eingewandert, oder es waren wenigstens ihre Vorfahren unzweifelhaft östlicher Herkunft.

Sammy Gronemann, Erinnerungen, in: Monika Richarz (Hrsg.), Jüdisches Leben in Deutschland, Selbstzeugnisse zur Sozialgeschichte im Kaiserreich, Stuttgart 1979, S. 406 f.

1 Diese Straßen heißen heute Tucholskystraße, Almstadtstraße und Max-Beer-Straße
2 Alfred Klee (1875–1943), ein führender zionistischer Politiker und Rechtsanwalt, war ab 1920 Mitglied der Repräsentantenversammlung und von 1934 bis 1938 des Vorstandes der Jüdischen Gemeinde zu Berlin. Ab 1933 tätig in der Reichsvertretung der deutschen Juden, flüchtete er 1938 nach Holland, wo er 1943 im Konzentrationslager Westerbork umkam

Alexander Granach, um 1940

„Fürs Deutsche Theater klingt es zu jüdisch“

Alexander Granach

Noch mit dem Namen Jessaja Gronach kam Alexander Granach (Werbowitz/Galizien 1890–1945 New York) als Sechzehnjähriger nach Berlin, arbeitete als Bäckergehilfe und Sargtischler im Scheunenviertel und begann, zuerst auf jiddisch, mit dem Theaterspielen. Mit 22 Jahren wurde er von Max Reinhardt ans Deutsche Theater engagiert. Nach der Teilnahme am Ersten Weltkrieg spielte er in Berlin in den zwanziger Jahren klassische und moderne Rollen bei Victor Barnowsky, Leopold Jessner, Max Reinhardt und Erwin Piscator. 1933 flüchtete er vor den Nationalsozialisten nach Wien, spielte dann in Polen, in der Sowjetunion und in der Schweiz. 1938 emigrierte er in die USA, wo er nach großen Erfolgen in Hollywood und am Broadway sowie in jiddischsprachigen Theaterproduktionen vor seiner geplanten Rückkehr nach Deutschland starb. Seine Glanzrollen waren der ‚Shylock‘ im „Kaufmann von Venedig“, ‚Macbeth‘, ‚Mephisto‘ und ‚Professor Mamlock‘.

Dann kam das große Vorsprechen bei Reinhardt. Ich war nicht vorgemerkt, aber Gersdorff[1] sagte, ich sollte nur dabeisein. Ich stand im Foyer der Kammerspiele und beobachtete Reinhardt und seinen Stab, unter denen sich auch der Bruder Edmund befand, der geschäftliche Verwalter, der eigentliche Leiter des Theaters. Als die Schüler einer nach dem anderen Revue passierten, sah ich plötzlich Gersdorff gebeugt in Reinhardts Ohr flüstern, und beide guckten zu mir hinüber. Dann rief mich Gersdorff, stellte mich vor, und nach einigen Worten forderte man mich auf vorzusprechen. Ich sprach Franz Moor und den ersten Schauspieler aus „Hamlet“. Man verlangte mehr und lächelte mir ermutigend zu. Nur Held[2] saß da, hatte sein vermiestes Gesicht aufgesetzt und musterte mich mit gehässiger Verachtung. Ich legte jetzt mit dem Shylock-Monolog los. Ich sah und dachte nur an Held, und als ich zur Stelle kam

„Wenn ihr uns stecht, bluten wir nicht?
Wenn ihr uns kitzelt, lachen wir nicht?
Wenn ihr uns vergiftet, sterben wir nicht?“

schaute ich dabei zu Held hinüber, der Ausbruch galt ihm, war an ihn gerichtet, und alles kam persönlich, voller Schmerz und Verzweiflung, und Tränen rannen mir über das Gesicht. Ich war wirklich unglücklich und schrie meinen Schmerz in die Welt und vergaß alle, und als es vorbei war, schämte ich mich ein bißchen. Und da kam auch schon Reinhardt auf mich zu, sprach mit seiner merkwürdig gewogenen Stimme liebe, anerkennende Worte, (...) drückte mir die Hand und lachte herzlich, dann zu Edmund gewandt: „Wir machen mit ihm einen fünfjährigen Vertrag“. (...) Ich wurde zum Sekretär des Theaters, Ottomar Keindl, bestellt und erhielt einige kleine Rollen in Stücken, die schon auf dem Spielplan waren. (...)

Die Proben kamen; ich saß da versteckt und beobachtete, wie Reinhardt mit den Schauspielern arbeitete: wie jede kleinste Geste, jede kleinste Tonschwingung, besprochen, festgelegt wurde, wie die Proben plötzlich heiß wurden und schöner waren als die Vorstellungen! Wie Reinhardt zuhörte – wie sein ausdrucksvolles Gesicht die Expressionen wiedergab – wie er Stellen anfeuerte, andere wieder dämpfte. Wie die großen Schauspieler wie kleine Kinder seinen Worten lauschten, seinen Gesichtsausdruck studierten, an seinen Lippen hingen, Hilfe in seinen Augen suchten – jede Figur wird geknetet, geformt, eingeschmolzen ins Ganze. Reinhardt ist der große Töpfer, und alle sind Ton in seinen Händen. Und so kam diese große Premiere, und Plakate waren da am selben Tag, und mein Name stand gedruckt mit all den anderen. Nicht wie heute, wo Stars riesige Lettern in Leuchtschrift kriegen, und die guten Schauspieler bleiben beinahe unerwähnt. Nein, da waren die Rollen der Reihe nach aufgezählt, wie im Buch, nur war der Name des Spielers hinzugefügt. Meine kleinste Rolle war genauso angeführt wie die der Hauptdarsteller, in demselben kleinen bescheidenen Druck. Da stand es: Ein Kellner: Jessaja Granach. – Ach ja, ich war sehr glücklich. Fast konnte ich's nicht begreifen. Dann, nach einigen Tagen, war mein Name geändert: Hermann Granach. Das gefiel mir nicht. Ich ging zum Sekretär des Theaters und protestierte – ich wollte nicht Hermann heißen. „Ja", sagte der Sekretär, „aber Jessaja geht auch nicht. Fürs Deutsche Theater klingt es zu jüdisch." „Das schon", murmelte ich, „aber Hermann mag ich nicht. Ich will nicht Hermann heißen. Es liegt mir nicht." „Aber mein lieber Junge", beschwichtigte mich der diplomatische Sekretär, „Sie nehmen alles zu ernst, zu wichtig. Glauben Sie mir, ein Name bedeutet gar nichts, Name ist Schall und Rauch." „Nicht mir", meinte ich. „Na, wie wollen Sie denn heißen?" „Stefan", sagte ich. Er dachte nach und meinte: „Nein, das geht auch nicht. Stefan ist zu ungarisch wieder. Was halten Sie von Alexander? Alexander Granach, da haben Sie vier A's in Ihrem Namen, Moissi[3] hat nur zwei! Abgemacht?" „Abgemacht", schlug ich ein. Und am nächsten Tag las ich schon an den Säulen meinen neuen Namen, mit den vier A's. Vielfach viermal war mir gut ums Herz. Nach und nach habe ich mich an meinen neuen Namen auch gewöhnt – er gehörte ja zu meinem neuen Leben, zu meinem neuen Beruf, zum Theater.

Alexander Granach, Da geht ein Mensch. Lebensroman eines Schauspielers, München/Berlin 1973, S. 241 ff.

1 Baron v. Gersdorff, Dramaturg des Deutschen Theaters
2 Leiter der Schauspielschule des Deutschen Theaters, die Granach damals besuchte
3 Alexander Moissi (1880–1935) österreichischer Schauspieler, ab 1906 in Berlin unter Reinhardt. Einer der bekanntesten Schauspieler seiner Zeit

„Die letzte Warnung"

30. Juli 1914

Arthur Bernstein

Dr. Arthur Bernstein, langjähriger politischer Mitarbeiter und Leitartikler der „Berliner Morgenpost", versuchte noch kurz vor dem Ausbruch des Ersten Weltkriegs vor der drohenden Katastrophe zu warnen. Sein folgender hellsichtiger Leitartikel wurde jedoch nicht mehr veröffentlicht.

In wenigen Tagen wird die Spannung sich zur Katastrophe gesteigert haben. Es besteht kein Zweifel mehr, die Nikolajewitsche diesseits und jenseits wollen den Krieg. Die Kriegslieferantenpresse winkt freilich ab. Ihr ist das kurante Geschäft lieber und sicherer als eine mehrjährige Hochkonjunktur, die zuverlässig mit einem Boykott der Kanone enden muß. Aber die „ideologisch" verblödete alldeutsche Presse schweigt. Die Militärs wittern Gloire, und da die verantwortlichen Politiker in Deutschland nie mitzureden haben, wenn die Militärs sich unterhalten, werden Bethmann und Jagow sich bescheiden.

Wenn die Kriegshetzer so viel Verstand hätten, wie die bösen Willen haben, dann würden sie wahrscheinlich weniger Getöse machen. Ihre Rechnung ist falsch, und das wollen wir in aller Kürze doch wenigstens festgestellt haben, ehe denn die Schlacht beginnt, soll heißen, ehe der „Belagerungszustand" jede ausgesprochene Wahrheit mit Festung bedroht. In wenigen Tagen wird niemand mehr die Wahrheit sagen, noch weniger schreiben dürfen.

Darum also im letzten Augenblick: Die Kriegshetzer verrechnen sich. Erstens: Es gibt keinen Dreibund. Italien macht nicht mit, jedenfalls nicht mit uns; wenn überhaupt, so stellt es sich auf die Seite der Entente. Zweitens: England bleibt nicht neutral, sondern steht Frankreich bei; entweder gleich oder erst in dem Augenblick, da Frankreich ernstlich gefährdet erscheint. England duldet auch nicht, daß deutsche Heeresteile durch Belgien marschieren, was ein seit 1907 allgemein bekannter strategischer Plan ist. Kämpft aber England gegen uns, so tritt die ganze englische Welt, insbesondere Amerika, gegen uns auf. Wahrscheinlich aber die ganze Welt überhaupt. Denn England wird überall geachtet, wenn nicht geliebt, was wir von uns leider nicht sagen können. Drittens: Japan greift Rußland nicht an, wahrscheinlich aber uns in freundlicher Erinnerung an unser feindseliges Dazwischentreten beim Frieden von Schimonoseki. Viertens: Die skandinavischen Staaten (unsere „germanischen" Brüder) werden uns verkaufen, was sie entbehren können, aber sonst sind sie uns nicht zugeneigt. Fünftens: Österreich-Ungarn ist militärisch kaum den Serben und Rumänen gewachsen. Wirtschaftlich kann es sich gerade drei bis fünf Jahre selbst durchhungern. Uns kann es nichts geben. Sechstens: Eine Revolution in Rußland kommt höchstens erst dann, wenn die Russen unterlegen sind. Solange sie gegen Deutschland mit Erfolg kämpfen, ist an eine Revolution nicht zu denken.

Dieses in aller Eile und in letzter Stunde. Ob wir am Ende dieses furchtbarsten Krieges, den je die Welt gesehen haben wird, Sieger sein werden, steht dahin. Aber selbst wenn wir den Krieg gewinnen, so werden wir nichts gewinnen. Der einzige Sieger in diesem Krieg wird England sein. Deutschland führt den Krieg um Nichts, wie es in den Krieg hineingegangen ist für Nichts. Eine Million Leichen, zwei Millionen Krüppel und fünfzig Milliarden Schulden werden die Bilanz dieses „frischen, fröhlichen" Krieges sein. Weiter nichts.

Peter de Mendelssohn, Zeitungsstadt Berlin, Frankfurt am Main/Berlin/Wien [2]1982, S. 253f.

Aufgaben des jüdischen Feldgeistlichen

September/Oktober 1914

Leo Baeck

Leo Baeck (Lissa/Posen 1873–1956 London), der bedeutendste Rabbiner des deutschen Judentums im zwanzigsten Jahrhundert, war nach dem Studium in Breslau und Berlin von 1897 bis 1907 Rabbiner in Oppeln, danach bis 1912 Rabbiner in Düsseldorf und ab 1912 in Berlin. Während des ganzen Ersten Weltkriegs war er einer von rund 30 jüdischen Feldgeistlichen. Nach Berlin zurückgekehrt, lehrte er an der Hochschule für die Wissenschaft des Judentums bis zu deren Schließung unter den Nationalsozialisten 1942. Führend in vielen jüdischen Organisationen, amtierte er von 1933 bis 1943 als Präsident der Reichsvertretung bzw. Reichsvereinigung der Juden in Deutschland. Als Überlebender von Theresienstadt ging er 1945 nach England.

Noyon, 15. Oktober 1914

Über meine Tätigkeit in der Zeit vom 28. September bis zum 13. Oktober berichte ich ergebenst:

Am 28. September siedelte ich von Allemant nach Chauny über, um dort die Feier des Versöhnungstages abzuhalten. Durch die Kommandantur wurde hierfür ein abgegrenzter Teil der Kirche „Notre Dame" bestimmt, da alle sonstigen größeren Räume der Stadt durch Lazarette und Einquartierungen belegt und alle freien Plätze von den Lastwagen besetzt sind. Ich setzte einen zweimaligen Predigtgottesdienst an, Dienstag, den 29. September 5½ Uhr abends und Mittwoch 9 Uhr vormittags. Auf die Bitte der versammelten Mannschaften hielt ich dann noch um 4½ Uhr einen Nëilagottesdienst[1] mit Predigt ab.

Alle drei Gottesdienste waren in gleicher Weise von den in Chauny Stehenden, etwa 35 bis 40 Mann, Mannschaften verschiedener Dienstgrade und Ärzten besucht. Der zur Verfügung gestellte mittlere Teil der Kirche, abseits vom Altar und den anderen sakramentalen Stellen, mit Kerzen beleuchtet, bot einen stimmungsvollen Raum. Die Gebete und die Predigten – an die Mussafpredigt[2] schloß ich die Seelenfeier[3] an – sprach ich von der niedrigen Kanzel aus; vor ihr waren Stühle für die Versammelten aufgestellt. Zu meiner Freude waren in der kleinen Schar auch mehrere Angehörige unserer Gemeinde. Ich hatte die Empfindung, daß der Tag allen nahetrat; mich, und wohl auch alle anderen hat es besonders ergriffen, wie in jedem der Gottesdienste die Sätze des „Owinu Malkenu"[4] laut nachgesprochen wurden, wie am Schluß der Seelenfeier das Kaddisch[5] von einigen wiederholt wurde und wie am Schluß des Nëilagebetes die Sätze des Glaubensbekenntnisses[6] den Ausklang bildeten. Erwähnen möchte ich auch, daß vor dem Schlußgottesdienst der Curé[7] der Kirche, der des Deutschen etwas kundig ist, an mich die Bitte richtete, dem Gottesdienst beiwohnen zu dürfen, und sich als Andenken dann ein Feldgebetbuch ausbat. (...)

Ich habe noch nicht feststellen können, in welcher Weise meine Kollegen, die als Feldprediger einberufen worden sind, ihre Tätigkeit einrichten. Nur mit einem ist es mir bisher gelungen, in Verbindung zu treten: dieser hat, auf Anraten des betr. Oberkommandos, seinen dauernden Standplatz in dem Hauptetappenort genommen. Nach den Erfahrungen, die ich bisher gewonnen habe, beschränkt dies das Gebiet der Tätigkeit völlig. Es ist, trotz aller Beschwerlichkeiten, durchaus erforderlich, alle Teile der Armee aufzusuchen. Nur dadurch ist es möglich, daß wenn auch vielleicht nicht alle, so doch viele den persönlichen Eindruck und die persönliche Gewißheit davon gewinnen, daß ein Rabbiner unter ihnen ist. Es ist sehr wesentlich, daß die jüdischen Soldaten dies erfahren, aber ebenso auch, daß die Andersgläubigen es wissen. Für die Anerkennung des Judentums ist dies unstreitig von Bedeutung, und es braucht nicht erst darauf hingewiesen zu werden, daß jede Anerkennung der Juden doch zuerst und zuletzt von der Anerkennung des Judentums abhängt. Es ist auch für die Stellung des jüdischen Soldaten wichtig, daß seine Religion sichtbar neben den anderen steht.

Es ist selbstverständlich, daß nicht alles geschehen kann, was der Wunsch und der Gedanke des Notwendigen tun möchten. Die jüdischen Mannschaften sind weithin verstreut, manches Regiment zählt nur zwei jüdische Soldaten; die verhältnismäßig größte Zahl, 17, scheint in der Armee, der ich zugeteilt bin, das ... Regiment zu haben, das ich demnächst aufsuchen will. Für das Gebiet, das der jüdische Feldgeistliche zu verwalten hat, stehen z.B., nachdem ihre Zahl vor einigen Wochen erheblich vermehrt worden ist, 40–50 evangelische Geistliche und eine nicht viel geringere Anzahl katholischer im Dienst. Durch eine geeignetere Organisation hätte manches besser gestaltet werden können. Aber es ist ja zu hoffen, daß kein späterer Krieg mehr es gebieten wird, die Erfahrungen dieses Krieges nutzbar zu machen. Allein auch unter den obwaltenden Verhältnissen kann hier so manche Aufgabe ihren Platz finden.

Ich behalte es mir vor, in meinem nächsten Bericht über den sehr günstigen Eindruck, den ich von den jüdischen Soldaten gewonnen habe, Mitteilungen zu machen.

Darf ich auch von mir persönlich mitteilen, daß mein Befinden, auch an ungünstigen Tagen, stets gut war.

Eugen Tannenbaum (Hrsg.), Kriegsbriefe deutscher und österreichischer Juden, Berlin 1915, S. 82ff., 86ff.

1 Schlußgebet des Gottesdienstes am Jom Kippur, dem Versöhnungstag
2 Gemeint ist das Vormittagsgebet, das Zusatzgebet, das an Sabbat und Feiertagen an das Morgengebet anschließt
3 Die Seelenfeier (Maskir) ist ein Totengedenken
4 Owinu Malkenu (Unser Vater, unser König) ist Teil der Litanei an Jom Kippur
5 Das Kaddisch ist in seiner bekanntesten Verwendung ein Gebet für das Seelenheil Verstorbener. Es wird nach der Bestattung des Toten erstmalig gesprochen. Danach wird es von den Trauernden an jedem Sabbat während des Trauerjahres und auch an der „Jahrzeit" für den Todestag gesprochen
6 Das Glaubensbekenntnis (das „Schema") wird u.a. am Schluß des Nëilagebetes gesprochen. Aus dem Deuteronomium, 6. Kapitel, 4. Vers, lautet es: Höre, Israel, der Ewige ist unser Gott, der Ewige ist einzig
7 Ein katholischer Pfarrer

Die Judenzählung

1. November 1916

Arnold Zweig

Arnold Zweig (Glogau 1887–1968 Ost-Berlin) erlebte die „Judenzählung" als Soldat im Ersten Weltkrieg. Seine Erfahrungen in diesem Krieg hinterließen einen tiefen Eindruck und fanden ihren Niederschlag in seinen späteren Werken. Er lebte zwischen 1923 und 1933 in Berlin, emigrierte auf Umwegen nach Palästina und kehrte 1948 nach Ost-Berlin zurück. Der Text wurde erstmals in der „Schaubühne" vom 1. Februar 1917 veröffentlicht.

Um Mitternacht rührte mich eine leise Hand an: „Steh auf." Ich trat vor die Tür der schweigenden Schlafbaracke und sah: Azrael, Cherub, der über Tote gebietet, stürzte vom Nachtfirmament herab, rachegeflügelter Zorn, stieß ins Horn Schofar und schrie: „Auf zur Zählung, ihr toten Juden im deutschen Heer!"

Es verging keine Zeit, da wimmelte das Feld von leisen Gestalten bis an die gebogenen Hügel, hinter denen brüllte die Feste Verdun, neu angefacht, und ihre kleinern Essen brüllten laut; Flammen schlugen furchtbar auf, zuckend zerbrach am Horizont des Geschützes die wehklagende Nacht. Der Wind flog vom Orion her, der schwach über den Höhen hing in trüben Schleiern. Raunen bebte übers Gelände, düsterer Schein umwitterte Tausende. Ein Tisch stand, aufgeschlagen ein großes Buch, ein Schreiber saß in Montur dahinter, spitznäsig mit gelbem Schopf. Er rief:

„Antreten dem Range nach! Die Totenstammrolle ist anzuerkennen!" Da sagte eine milde Stimme: „Oh warum laßt ihr uns nicht schlafen, da wir schon lagen in der Erde Arm ruhevoll!" Und der Schreiber: „Die Statistik fragt, wieviel von euch Juden sich vom fernern Krieg gedrückt ins Grab." Stöhnen stieg auf vom Gelände, als klagte der Boden, und die Stimme rief schmerzlich: „Großes Vaterland, ich gedachte für dich zu sterben und zu ruhn!" Aber ein Wirbel bewegte die Toten, sie standen am Tische einer nach dem andern, Hauptleute und Stabsärzte zuvor und Leutnants und Ärzte, Feldwebel und Wachtmeister, Unteroffiziere, Gefreite, Gemeine. Und eine dürre Feder gab der Schreiber in jede Hand, sie floß wie ein geritzter Finger, seinen hebräischen Namen schrieb ein jeder in kleinen roten Lettern, die leuchteten wie quadratische Siegel. Da standen die Leichname geduldig und warteten, und wer geschrieben, der legte schweigend die Abzeichen auf den Tisch, die er trug, und trat zurück, einer in der Menge. Da lagen die dicken Achselstücke der Stabsärzte und die silbernen der Offiziere, Portepees wie silberne Eier, die Tressen der Unteroffiziere, die kleinen Äskulapstäbe, die großen Knöpfe der Gefreiten; die Eisernen Kreuze der Ersten Klasse und wie viele der Zweiten, andre Kreuze und Medaillen, schwarzweiße Bänder in allerlei Farben. Der Haufen schwoll aber auf dem Tische.

Die stillen Männer traten heran, schrieben und wurden Menge. Wie eine leichte Aura umgab sie der Umriß des alten Leibes phosphoreszierend wie faules Holz; aber den dunklern Kern gab der Körper, den man ins Grab gelegt zu seiner Zeit. Die Bäuche waren zerfressen vom Flecktyphus und ausgehöhlt von Ruhr. Ihre Köpfe wiesen Löcher auf vom Geschoß, halbe Schädel hatten Granaten entführt, Arme mangelten, Beine, Rippen zerbrochen drangen aus zerfetzten Uniformen; sie waren mit Verbänden umwickelt, mit Lumpen bekleidet, ohne Stiefel; erloschene Augen blickten düster, von gesenkten Stirnen fiel weißer Schein, die Toten schwiegen in Scham und Trauer. Da standen Jünglinge bei Knaben und junge Männer neben reifen. Und sie gaben an, wie alt sie seien und wo geboren: überall im deutschen Land, und was für Berufe: Lehrer und Rechtsanwälte, Rabbiner und Ärzte, Reisende, viele Studenten aller Fakultäten, Schüler, Maler, junge Dichter, Kaufleute, Handwerker und Kaufleute wiederum und immer wieder Kaufleute. Und wo gefallen, wo lagen sie im Grabe? Bei Lille, sagten sie, und Pozières, die ganze Somme entlang, Thiaumont hieß es und Azannes, Fleury und Vaux, Champagne, Argonnen, Vogesen, ganz Flandern, die lagen am längsten im feuchten Grund; Bzura klangs, Ostpreußen, Karpathen, die Slota Lipa, der San ward genannt, Kowno und Dünaburg, wolhynischer Sumpf, ungarischer Wald, serbischer Berg, galizisches Tal: und Azrael nickte, der Engel, bei jedem, er hatte sie ausgesät wie Samenkörner, weit geworfen, hierhin, dorthin. Alles stand verzeichnet im Buche, die Feder bewegte sich, kleine rote Buchstaben erschienen auf dem bleichen Blatte. Manchen aber leuchtete ein helles Kreuz über der Stirn, die waren getauft; der Schreiber fragte jeden: Jude? Und er nickte, er sagte: „Sie wissen doch“; er sagte: „Mosaischer Konfession“; „Israelit“, sagte er, „Deutscher jüdischen Glaubens“ – „Jude, ja“ sprach mancher und streckte sich, und die Kreuze verblichen jedem. Und wie die frischesten am Tische standen, fast noch blutend, aus Rumänien hergeweht, der Dobrudscha, der Somme...

Der Mond verlor den Schein. Wind wehte heftiger ins Dunkel, Azrael hob die Hand, das Feld lag leer, überbuscht von zerstiebendem Scheine. Nacht brach herein, ganz schwarz, am Rande zerloht von der Esse Verdun brüllend hinter den Höhen.

Aber es war den toten Juden kein Halt mehr auf dem Grund ihrer Gräber. Sie sanken, langsam glitten und seelenlos tiefer die Körper abwärts, tiefer hinab. Ein Strom, schwarz und lautlos, floß in den Adern der Erde, er nahm sie auf und wälzte sie ostwärts; runde Walze wurde jeder, schrumpfte, ward groß wie ein Ziegel und ganz weich. Und er warf sie aus im frühen Morgen, mündend unter Palmen ans Licht einer jubelnden Sonne, die stieg aus dem Meer. Ein großer Mann aber mit schwarzem, breitem Bart, dem rügenden

Blick und der Schürze des Werkmannes, die Kelle rechts neben sich liegend und links das nackte Schwert, ergriff einen jeden und preßte ihn, er ward in der Sonne hart zum Stein und gefügt in ein niederes Mauerwerk, und Walze neben Walze warf der Strom ihm zu Füßen. Stein neben Stein setzte der Mauernde, er sah nicht auf. Ein Greis trat zu ihm und grüßte ihn, ein junges Lächeln lag wie Morgenrot auf altem Fels über verwitterter Stirn und dem greisen Barte. „Gegrüßt sei, der am Turme mauert", sagte er, und: „Gedankt dem, der die Tochter Zions erblickt hat", antwortete der Baumeister und setzte einen Stein. „Die Tochter Zions ist auf dem Wege", sprach Akiba, und der Schaffer errötete vor Glück. Ich aber konnte nicht mehr an mich halten: „Oh Akiba", rief ich, „wann kommt der Messias!" Sein Blick prüfte meine Seele. „Vor den Toren Roms sitzt ein buckliger Bettler, der Messias, und wartet", sprach er; mich erschreckt' es wie Drohung. „Worauf wartet er, Meister?" rief ich voll Angst. „Auf dich", sprach der Greis und wandte sich. Und ich erwachte vor jähem, grellem, herzerneuerndem Schreck.

Georg Wenzel (Hrsg.), Arnold Zweig 1887–1968, Werk und Leben in Dokumenten und Bildern. Mit unveröffentlichten Manuskripten und Briefen aus dem Nachlaß, Berlin und Weimar 1978, S. 555ff.

Das Gebet für Kaiser und Vaterland

9. November 1918

Marcus Melchior

Marcus Melchior (Fredericia/Dänemark 1897–1969 Hamburg) stammte aus einer der bedeutendsten jüdischen Familien Dänemarks. Zwischen 1915 und 1921 studierte er an dem orthodoxen Rabbinerseminar in Berlin. Danach war er Rabbiner in Tarnowitz/Oberschlesien, ab 1923 Leiter der jüdischen Knabenschule in Kopenhagen und von 1925 bis 1934 Rabbiner in Beuthen/Oberschlesien. Nach Dänemark zurückgekehrt, leitete er die Talmud-Torah-Schule der Jüdischen Gemeinde Kopenhagen, bis er 1943 nach Schweden flüchtete. Im Mai 1945 wieder in Kopenhagen, wurde er 1947 Oberrabbiner und damit geistiges Oberhaupt der Juden Dänemarks.

In Berlin wartete man mit unbeschreiblicher Spannung auf die offizielle Erklärung der Thronentsagung. Aber Donnerstag, der 7., und Freitag, der 8. November, vergingen, ohne daß eine Entscheidung gefallen war. Dagegen nahm man mit Sicherheit an, daß Sonnabend, der 9. November, des Kaisers und Königs letzter Regierungstag sein würde.

Bekanntlich ist Sonnabend der jüdische Feiertag. An jenem Tage waren die Synagogen Berlins bis zum letzten Platz gefüllt. Viele hatten sich natürlich eingefunden, um ihren Drang nach einem Gottesdienst zu befriedigen. Manche hatte aber die Neugier getrieben, das Verhalten des Rabbiners zu beobachten, wenn in der Liturgie die Stelle kam, an der für gewöhnlich von der Kanzel das Gebet für Kaiser und Vaterland gesprochen wurde. Noch war keine Botschaft vom Hauptquartier eingetroffen, ob die Abdankung vollzogen war oder nicht. Später ließ sich feststellen, daß sämtliche Rabbiner in allen Synagogen wie auf Verabredung dieses Gebet bei der Liturgie ausließen. Die einzige Ausnahme bildete gerade Dr. Esra Munks[1] Synagoge, wo ich diesen Sonnabendvormittag zubrachte. Bei der Wiedererzählung dieser Begebenheit kommt es mir vor, als ob ich noch direkt die Spannung fühle, die viele Synagogenbesucher zittern ließ, je mehr man sich der tragisch aktuellen Stelle näherte. Was würde der so hochbewunderte Rabbiner tun? Würde er auf seinem Platz stehen bleiben oder zu seiner Kanzel hinaufgehen? Und was würde er in letzterem Falle sagen?

Dr. Munk ging auf die Kanzel. In diesen Minuten versuchte man, seinen Atem vollständig anzuhalten. Nichts von allem, was nun gesagt würde, durfte verloren gehen. Zweifellos war sich der Rabbiner der ergreifenden Situation vollständig bewußt. Wie alle anderen deutschen Juden war er Patriot bis in die Fingerspitzen, und wie sich die Verhältnisse gestaltet hatten, war die Liebe zum Vaterland identisch mit der Liebe zum Erbkönig und Kaiser. Um völlig verstehen zu können, welche Stellung die deutsche Kaiserfamilie im allgemeinen Bewußtsein einnahm, braucht man nur auf einen Zeitungsartikel zu verweisen, der folgenden Satz enthielt: „Die allerhöchsten Herrschaften begaben sich in die Kirche, um dem Höchsten zu danken." Nun stand der Rabbiner sozusagen mit dem Schicksal des Monarchen, des Allerhöchsten, in seiner Hand. Er erbebte genauso wie wir alle.

Endlich ergriff Dr. Munk das Wort. Er berichtete das Geschehnis aus dem 1. Buch Samuel, 15. Kapitel: den Zusammenstoß zwischen dem Propheten Samuel und Saul, Israels König. Saul war ungehorsam gegenüber Gottes Befehl gewesen, den ihm Samuel überbracht hatte. In seinem Zorn erklärte Samuel, daß Gott nun Saul als Israels König verworfen habe und das Reich einem anderen übergeben würde – David –, „ denn dieser ist besser als er". Da bittet der zerknirschte Saul den Propheten um eine Gunst: „Erweise mir, wenigstens den Ältesten meines Volkes, ja meinem ganzen Volke gegenüber die Ehre. Bleibe bei mir, so daß das Volk noch nichts von meiner Erniedrigung erfährt." Diese Bitte erfüllt Samuel, und er zeigt sich dem Volke mit dem König an seiner Seite. „In diesem Sinn", so schloß Dr. Munk, „wollen wir nun das Gebet für den Kaiser und seine Familie lesen."

Uns allen lief es kalt über den Rücken. Auf geniale Weise hatte Munk zu einem Problem Stellung genommen, das zu jener Stunde schwerer war, als es heute, ein halbes Jahrhundert später, erscheint. Der Gottesdienst war für uns alle ein Erlebnis geworden, das sich mit allem anderen Großen und Feierlichen vergleichen läßt, das wir sonst haben erleben können, selbst für diejenigen, deren Leben an erschütternden Erlebnissen reich gewesen ist.

Marcus Melchior, Gelebt und erlebt. Die geglückte Symbiose zwischen Dänen und Juden, Berlin und Frankfurt am Main, 1968, S.43f.

1 Rabbiner Dr. Esra Munk (1867–1941), Neffe von Esriel Hildesheimer, wurde dessen Nachfolger als Rabbiner der orthodoxen Synagogengemeinde „Adass Jisroel". Ab 1904 amtierte er in der Synagoge Artilleriestraße (heute Tucholskystraße) 31

1918–1932

1918	Novemberrevolution. Hugo Haase (USPD) mit Friedrich Ebert Vorsitzender der provisorischen Regierung Paul Hirsch (SPD) preußischer Ministerpräsident
1919	Gründung des Reichsbundes jüdischer Frontsoldaten Gründung des Verbandes der Ostjuden Gründung des Philo-Verlages durch den Centralverein deutscher Staatsbürger jüdischen Glaubens
1920	Max Liebermann Präsident der Preußischen Akademie der Künste
1921	Nobelpreis für Albert Einstein, Direktor des Kaiser-Wilhelm-Instituts für Physik
1922	Ermordung Außenminister Walther Rathenaus durch Rechtsradikale Gründung des Preußischen Landesverbandes jüdischer Gemeinden mit 650 Mitgliedsgemeinden
1923	Inflation. Überfall auf Ostjuden im Scheunenviertel Einweihung der Wilmersdorfer Synagoge Markgraf-Albrecht-Straße 11–12 mit 1450 Plätzen
1925	Volkszählung: In Berlin leben 173000 Juden, das sind 4,3% der Einwohner Berlins
1926	Erster Wahlsieg einer von Zionisten angeführten Koalition bei den Berliner jüdischen Gemeindewahlen
1930	Einweihung der Wilmersdorfer Synagoge Prinzregentenstraße 69–70 mit 2300 Plätzen; Wahlsieg der Liberalen bei den Berliner jüdischen Gemeindewahlen
1931	Antisemitische Überfälle auf dem Kurfürstendamm Gründung des Schocken Verlages durch den Warenhausbesitzer Salman Schocken
1932	Weißbuch des Centralvereins deutscher Staatsbürger jüdischen Glaubens über den sich steigernden nationalsozialistischen Terror

Erfolg und Gefährdung in der Weimarer Republik

Zu keiner Zeit und an keinem Ort war die Bedeutung der Juden in Deutschland größer als im Berlin der Weimarer Republik. Und nirgendwo sind jüdische Deutsche vor 1933 offener angegriffen worden als damals in Berlin. Erfolg und Gefährdung waren die Koordinaten der jüdischen Existenz.

Die Berliner Juden spielten im kulturellen Leben der Stadt eine so entscheidende Rolle, daß ohne sie Berlin kaum als Weltstadt gegolten hätte. Denn unvorstellbar war Berlin ohne die vielen jüdischen Begabungen im Theaterleben, in den Kabaretts, in der Musikwelt, in der eben entstehenden Filmbranche, in den Pressehäusern und Verlagen, in der Literatur und den literarischen Cafés sowie nicht zuletzt in der Medizin, der Psychologie und der Physik. Diese Fülle zu fassen, ist kaum möglich und kann nicht der Zweck der Dokumentation sein. Waren Einsteins Physik oder Liebermanns Gemälde jüdisch? Das nicht – doch ihre Urheber waren Menschen, die sich in ihrem persönlichen Leben auseinandersetzen mußten mit dem ererbten Judentum und gleichzeitig mit dem sie umgebenden aktuellen Antisemitismus. Es geht im folgenden also nicht primär um die bekannten kulturellen Leistungen dieser Gruppe, sondern um die Formen und Bedingungen jüdischen Lebens im Berlin der Weimarer Republik.

Krieg und Revolution brachten für die jüdische Bevölkerung mehr Veränderungen mit sich als für die Gesamtbevölkerung der Reichshauptstadt. Die beiden sichtbarsten Tatsachen waren das ungeheure Anwachsen des Antisemitismus im Gefolge der militärischen Niederlage und die verstärkte Zuwanderung von Juden aus Osteuropa und aus den abzutretenden Gebieten Posens und Westpreußens. Die jüdische Bevölkerung Großberlins betrug vor dem Ersten Weltkrieg (1910) mit 144000 Personen knapp vier Prozent der Einwohnerschaft und stieg auf 173000 Juden im Jahr 1925, was 4,3 Prozent der Berliner Bevölkerung entsprach. Damit war Berlin die Stadt, in der dreißig Prozent aller deutschen Juden lebten. Ein Viertel aller Berliner Juden waren ausländischer Herkunft und ohne deutsche Staatsbürgerschaft. Sie stammten überwiegend aus Polen, Rußland und Galizien, aber auch aus anderen Teilen der früheren Habsburgermonarchie. Viele von ihnen waren im Kriege in den besetzten Gebieten als Arbeitskräfte angeworben worden und bildeten jetzt in Berlin ein ostjüdisches Proletariat von Arbeitern und Kleinhändlern. Doch kamen auch jüdische Studenten, Schriftsteller und Künstler aus dem östlichen Europa und aus Wien zunehmend in die Reichshauptstadt, die das geistige Zentrum des europäischen Judentums war. Sogar hebräische und jiddische Bücher erschienen in Berlin in großer

Zahl, während gleichzeitig die liberale, die literarische und die sozialdemokratische Presse Berlins viele Mitarbeiter hatte, für die ihre jüdische Herkunft jede Bedeutung verloren zu haben schien. Die Bandbreite des Berliner Judentums war enorm – nur in den Augen der Antisemiten bildeten alle Juden eine Einheit.

Es gab in Berlin durchaus so etwas wie von Juden bevorzugte Wohngegenden. Der nördliche Teil des Bezirks Mitte bildete im 19. Jahrhundert das jüdische Zentrum, wovon noch heute in der Oranienburger Straße das jüdische Gemeindehaus und die Ruine der großen Synagoge zeugen. Veranlaßt durch den sozialen Aufstieg vieler Juden begann im Kaiserreich ihre starke Abwanderung in den neuen Westen, vor allem nach Charlottenburg und Tiergarten, später auch nach Schöneberg und Wilmersdorf. In diesen bürgerlichen Bezirken entstanden jüdische Wohnviertel wie z. B. das Hansaviertel und die Gegend um den Bayerischen Platz. Große Gemeindesynagogen wurden im Westen errichtet, zuletzt 1930 die Synagoge in der Wilmersdorfer Prinzregentenstraße mit 2000 Plätzen. Die neu einwandernden osteuropäischen Juden ließen sich, wenn sie arm waren, oft im sogenannten Scheunenviertel nieder, einem Slum westlich des Alexanderplatzes. Kleinbürgerliche Ostjuden bevorzugten Prenzlauer Berg. Die jüdische Oberschicht dagegen lebte in Grunewald, wo z. B. Walther Rathenau und der Verleger S. Fischer ihre Villen hatten.

Über die Hälfte der Berliner jüdischen Erwerbstätigen war in Handelsberufen tätig als Geschäftsinhaber, Verkäufer, Lehrlinge, Buchhalter, Handelsvertreter, Makler, Kommissionäre, Großhändler usw. Das Zentrum der jüdischen Erwerbstätigkeit bildete die Berliner Konfektion. Mehr als drei Viertel aller Damenoberbekleidungsfirmen hatten jüdische Inhaber, und etwa 10000 Berliner Juden arbeiteten als Schneider, Näherinnen und Kürschner für die Konfektion. Die wenigen Industriearbeiter, vor allem in der Zigarettenindustrie tätig, waren überwiegend Ostjuden. In den freien Berufen spielten Juden als Ärzte, Anwälte und Journalisten eine bedeutende Rolle. Anfang 1933 gab es in Berlin 1879 jüdische Kassenärzte, was der Hälfte aller zur Kasse zugelassenen Ärzte und Zahnärzte entsprach. Journalisten jüdischer Herkunft arbeiteten besonders in den großen jüdischen Zeitungsverlagen Mosse und Ullstein, wo die liberale Presse Berlins erschien. Im ganzen gesehen, gehörten die Juden Berlins überwiegend dem Bürgertum und Kleinbürgertum an, doch durch Inflation und Wirtschaftskrise verloren viele der Selbständigen ihre Ersparnisse oder gingen in Konkurs, während manche der Angestellten von antisemitischen Arbeitgebern entlassen wurden. Im jüdischen Arbeitsnachweis meldeten sich in Berlin 1931 fast 15000 Arbeitssuchende, und ein Viertel aller Juden unterstützte die jüdische Gemeinde, die z. B. Darlehenskassen und Suppenküchen einrichtete.

Die jüdische Gemeinde nahm sowohl religiöse als auch soziale Aufgaben wahr, wozu sie insgesamt 1500 Beamte beschäftigte. Sie unterhielt Synagogen, Schulen, Bibliotheken und Friedhöfe, betrieb Altersheime, Kinderheime und ein Krankenhaus und veröffentlichte eine Gemeindezeitung. Es gab in Berlin mehr Synagogen als in jeder anderen Stadt Europas: 12 große Gemeindesynagogen mit durchschnittlich 2000 Plätzen, 70 Vereinssynagogen und zahlreiche private Betstuben. Die Mehrheit der Synagogen folgte dem liberalen Ritus, ein Teil dem orthodoxen, und eine war im Besitz der Reformgemeinde. Etwa die Hälfte aller Berliner Juden besuchte zumindest an den hohen Feiertagen noch die Gottesdienste. Geleitet wurde die Gemeinde von einem Vorstand, den die gewählten Repräsentanten bestimmten, die eine Art jüdisches Parlament bildeten. Heftige Wahlkämpfe zwischen den Zionisten und den Anhängern des Centralvereins deutscher Staatsbürger jüdischen Glaubens (C.V.) kennzeichneten die Gemeindewahlen der Weimarer Zeit.

Berlin war auch der Hauptsitz aller großen jüdischen Organisationen. Es gab vor 1933 noch keine Gesamtvertretung der deutschen Juden, jedoch repräsentierte der C.V. die Einstellung der Mehrheit, die sich als Deutsche jüdischer Konfession verstand. Der C.V., gegründet 1893, versuchte durch seine Rechtsabteilung und seine Pressearbeit die antisemitischen Angriffe aktiv abzuwehren. Das Interesse der Zionistischen Vereinigung, die das Prinzip einer jüdischen Nation vertrat, war dagegen vor allem auf den Aufbau in Palästina gerichtet, doch bestimmten die Zionisten nach den Gemeindewahlen von 1926 auch für vier Jahre die Gemeindepolitik. Der Reichsbund jüdischer Frontsoldaten, eine patriotische Veteranenorganisation, bekämpfte die antisemitische Verunglimpfung der jüdischen Soldaten und dokumentierte die Namen von 11 000 im Ersten Weltkrieg gefallenen Juden. Der Jüdische Frauenbund hatte im Reich 50 000 Mitglieder, trat für das sich in den jüdischen Gemeinden nur sehr langsam durchsetzende Frauenstimmrecht ein und schuf wichtige Bildungs- und Fürsorgeeinrichtungen für Frauen.

Im politischen Leben Berlins spielten Juden vor allem in der Sozialdemokratie eine Rolle, im begrenzteren Umfang auch bei der Deutschen Demokratischen Partei (DDP) und bei den Kommunisten. Zu den Gründern der DDP gehörten prominente Juden wie der Zeitungsverleger Rudolf Mosse und der Chefredakteur des Berliner Tageblatts, Theodor Wolff. Da die DDP als linksliberale Partei die meisten jüdischen Wählerstimmen erhielt, griffen die Antisemiten sie als „Judenpartei" an. Trotz des antisemitischen Klimas war es in der Weimarer Republik, deren Verfassung der Berliner jüdische Staatsrechtler Hugo Preuss (DDP) entworfen hatte, erstmals möglich, daß Juden zu höchsten Staatsämtern aufsteigen konnten. So wurden die Berliner Hugo Preuss, Walther Rathenau (DDP) und Rudolf Hilferding (SPD) Reichsminister und Paul Hirsch (SPD) preußischer Ministerpräsident. Von

Bedeutung über Berlin hinaus waren auch SPD-Politiker wie Ernst Heilmann, der Führer der preußischen Landtagsfraktion, und die Reichstagsmitglieder Dr. Julius Moses als Gesundheitspolitiker und der Neuköllner Stadtschulrat Kurt Loewenstein als Bildungsexperte. Außerhalb der Parteien gab es eine kritische jüdische Linke, die sich vor allem um die Zeitschrift „Die Weltbühne" sammelte, deren Autoren etwa zur Hälfte jüdischer Herkunft waren, sich aber wie viele Sozialdemokraten meist nicht mehr als Juden verstanden.

Die Rechtsparteien griffen jüdische Politiker und Intellektuelle ständig als Vertreter der verhaßten „Judenrepublik" an. Diese politische Hetze führte 1922 zur Ermordung Walther Rathenaus und manifestierte sich auch in den unablässigen Verleumdungen der Nationalsozialisten gegen den Vizepräsidenten der Berliner Polizei, Bernhard Weiss. Im Inflationsjahr 1923 kam es zu Ausschreitungen von Arbeitslosen gegen Ostjuden im Berliner Scheunenviertel, und im Herbst 1932 wurden Juden in den Cafés auf dem Kurfürstendamm überfallen. Der Aufstieg der Nationalsozialisten bedeutete eine unmittelbare Gefährdung der Emanzipation. Diese Gefahr wurde von vielen jüdischen Bürgern unterschätzt, denn gerade in Berlin, wo Juden wichtige Funktionen im politischen und kulturellen Leben hatten, bestanden auch engere Bindungen zwischen Juden und Nichtjuden als im übrigen Reich.

Monika Richarz

Wohnbereiche der Berliner Juden

Der Zug der Berliner Juden vom alten Stadtzentrum in die bürgerlichen westlichen Vororte setzte sich auch in der Weimarer Republik fort. Am schnellsten stieg die Zahl der jüdischen Einwohner in Wilmersdorf und erreichte 1925 dort 13%. Die folgende Tabelle zeigt die Verteilung der Berliner Juden auf die Stadtbezirke für 1910 und 1925.

Bezirk	Zahl der jüd. Einw.		in % aller Einw.		in % aller Berliner Juden	
	1910	1925	1910	1925	1910	1925
1. Mitte	33,262	30,977	9,7	10,5	23,1	17,9
2. Tiergarten	16,493	15,943	5,5	5,6	11,5	9,2
3. Wedding	2,775	3,695	0,8	1,0	1,9	2,1
4. Prenzlauer Berg	19,081	20,419	6,3	6,3	13,2	11,8
5. Friedrichshain	8,423	8,061	2,3	2,4	5,8	4,7
6. Kreuzberg	10,012	8,167	2,4	2,2	7,0	4,7
7. Charlottenburg	22,657	30,553	7,3	8,9	15,7	17,9
8. Spandau	316	514	0,3	0,5	0,2	0,3
9. Wilmersdorf	10,160	22,704	8,2	13,0	7,1	13,1
10. Zehlendorf	373	1,504	1,5	3,4	0,3	0,9
11. Schöneberg	12,511	17,785	6,0	7,7	8,7	10,3
12. Steglitz	1,185	2,475	1,0	1,5	0,8	1,4
13. Tempelhof	247	921	0,6	1,4	0,2	0,5
14. Neukölln	2,104	2,832	0,8	1,0	1,5	1,6
15. Treptow	438	661	0,6	0,7	0,3	0,4
16. Köpenick	263	494	0,5	0,8	0,2	0,3
17. Lichtenberg	1,384	1,918	0,8	1,0	1,0	1,1
18. Weissensee	669	920	1,3	1,6	0,5	0,5
19. Pankow	1,335	1,566	1,7	1,6	0,9	0,9
20. Reinickendorf	355	554	0,5	0,5	0,2	0,3
Großberlin	144,043	172,672	3,8	4,3	100	100

Heinrich Silbergleit, Zur Statistik der jüdischen Bevölkerung Berlins, Zeitschrift für Demographie und Statistik der Juden, 1927, Heft 9–12, S. 134

Jüdisches Bürgertum im Hansaviertel

Werner Rosenstock

Werner Rosenstock wurde 1908 als Sohn eines Garngroßhändlers in Berlin geboren. Er promovierte 1934 in Jura und wurde Mitarbeiter des Centralvereins deutscher Staatsbürger jüdischen Glaubens. 1939 nach London emigriert, leitete er dort 1941–76 das Council of Jews from Germany.

Das Hansaviertel war kein Ghetto. Es läßt sich nicht etwa mit dem Londoner East End vor dem Krieg vergleichen, in dem das jüdische Element mit seinen religiösen und sprachlichen Besonderheiten eine von der Mehrheitsbevölkerung der Stadt abweichende Kultur repräsentierte. Es war aber ein Wohnbezirk, der durch seine zahlreichen, dem assimilierten Mittelstand angehörenden jüdischen Bewohner sein Gepräge erhielt. Als ich das Hansaviertel im Jahre 1950 zum ersten Male nach dem Kriege wiedersah, waren zwar die meisten Häuser ausgebombt, doch ihre Fassaden waren noch erkennbar, und die Straßenzüge waren unverändert. Aber dies sollte nur noch für wenige Jahre gelten. Seit der Interbau-Ausstellung des Jahres 1957 ist eine neue Ansiedlung entstanden, die topographisch nichts mehr mit dem früheren Hansaviertel zu tun hat. Die Welt der Jugend ist damit endgültig untergegangen, und nichts erinnert mehr an die Vergangenheit. (...)

Es gibt keine Statistik über die Anzahl der Juden im Hansaviertel und ihren prozentualen Anteil an der Gesamtbevölkerung. Ihre verhältnismäßig hohe Zahl läßt sich aber indirekt daraus schließen, daß es wohl kaum ein Haus gab, in dem nicht mehrere jüdische Familien lebten. Beruflich und wirtschaftlich gehörten die Juden dem mittleren Mittelstand an. Das Großbürgertum war nur in einzelnen Straßen, zum Beispiel in der Brückenallee mit ihrer Aussicht auf den Bellevuepark, vertreten. Umgekehrt gab es auch Angehörige des niedrigen Mittelstandes, die in den Gartenhäusern wohnten. Im ganzen handelte es sich aber um eine homogene Schicht. Die meisten Familienväter waren selbständige Kaufleute (...). Entsprechend der Gesamtstruktur der einstigen deutschen Judenheit gab es natürlich auch eine Reihe von Akademikern. Die meisten Familien waren Berliner erster oder zweiter Generation. Viele stammten ursprünglich aus den ostdeutschen Provinzen, vor allem aus Posen und Westpreußen, und waren im Zuge der Berliner Binnenwanderung vom Osten und Nordosten der Stadt nach dem Nordwesten gelangt. Eine Weiterwanderung nach dem „vornehmeren“ Westen erfolgte nur in begrenztem Umfange, wahrscheinlich wegen der unersetzbaren Vorteile, die der Tiergarten bot.

Nach dem Ersten Weltkriege stießen „Provinzler“ aus den abgetretenen ostdeutschen Gebieten hinzu. Die Zahl der sogenannten „Ostjuden“ war verhältnismäßig gering; zumindest traten sie nicht als besondere Gruppe mit spezifischen Eigenheiten in Erscheinung.

Soweit die Bewohner politisch und jüdisch interessiert waren, gehörten sie überwiegend der Demokratischen Partei und dem Centralverein an. Die Vorstände der Bezirksgruppen beider Organisationen waren oft in hohem Maße personengleich. Es kann nicht die Aufgabe dieses Aufsatzes sein, eine Liste der prominenten Juden, die im Hansaviertel wohnten, wiederzugeben. Als Beispiele seien nur erwähnt der Maler Hermann Struck (bis zu seiner bereits im Jahre 1922 erfolgten Auswanderung nach Palästina), Dr. Paul Nathan, dessen Villa am Hansaplatz später von dem Orientalisten Professor Eugen Mittwoch bewohnt wurde, Dr. Alfred Klee und Eugen Caspary, der beim Aufbau des Wohlfahrtsamtes der Berliner jüdischen Gemeinde eine führende Rolle spielte.

Die Synagoge der Hauptgemeinde befand sich in der Levetzowstraße. Außerdem gab es noch einen privaten konservativen Synagogenverein unter der geistigen Führung von Rabbiner Dr. Heinrich Cohn in der Lessingstraße, sowie später eine Synagoge der orthodoxen Trennungsgemeinde, Adass Jisroel, in Siegmundshof. Die weitaus überwiegende Zahl der Bewohner war liberal und gehörte der Hauptgemeinde an. (...) Ein großer Teil der Juden hatte nur noch verhältnismäßig geringe religiös-jüdische Bindungen und besuchte die Synagoge meist nur an den höchsten Feiertagen oder aus besonderen Anlässen. Nichtsdestoweniger fand sich stets eine nicht unerhebliche Anzahl von Betern zu den Freitagabend-Gottesdiensten ein. Anders war es am Sabbat-Morgen, zum Teil auch deswegen, weil es zu damaliger Zeit noch keine Fünftagewoche gab.

Ein besonderes Wort dankbaren Gedenkens muß dem in der Levetzowstraße amtierenden Rabbiner Dr. Julius Lewkowitz gewidmet werden. Seine Stärke lag auf dem Gebiet der Religionsphilosophie, auf dem er mit einer Reihe von bahnbrechenden Schriften hervorgetreten ist. Seine Kenntnisse wirkten sich besonders im Religionsunterricht der älteren Schüler aus. Er hat bis zum Schluß bei seiner Gemeinde verharrt und wurde im Jahre 1943 mit seiner Frau deportiert. Alternierend wirkte auch in der Levetzowstraße Rabbiner Dr. J. Bergmann, dessen Hauptsitz die Synagoge Fasanenstraße war. Er ging kurz nach 1933 in Pension und wanderte nach Palästina aus, wo er in hohem Alter gestorben ist.

Die hauptsächlich besuchten höheren Schulen waren für Jungen das Friedrichs-Werdersche Gymnasium (Bochumer Straße), das Luisen-Gymnasium (Wilsnacker Straße), die Kirschner-Oberrealschule nebst Realgymnasium (Zwinglistraße) und die 13. (Menzel-) Realschule (Schleswiger Ufer); für Mädchen das Dorotheen-Lyzeum und das Kleist-Lyzeum. Außerdem schloß das Schulwerk der Adass Jisroel in Siegmundshof ein Realgymnasium für Jungen und ein Lyzeum ein. Beide Anstalten hatten das Recht, die Reifeprüfung abzuhalten; sie wurden daher nach 1933 auch von Kindern nicht-orthodoxer Eltern besucht.

Die meisten jüdischen Jungen besuchten das Friedrichs-Werdersche Gymnasium, während die 13. Realschule, die mit der Obersekundareife abschloß, verhältnismäßig wenige jüdische Schüler hatte. Eine besondere Stellung nahm die Kirschner-Schule ein, von der hier auch deshalb ausführlicher die Rede sein soll, weil über sie aus eigener Erfahrung gesprochen werden kann. Sie befand sich nicht im Hansaviertel, sondern in Moabit. Trotz der größeren Entfernung entschieden sich viele jüdische Eltern für diese Schule, weil sie den Unterrichtslehrgang mit seiner Verlagerung auf moderne Sprachen und Naturwissenschaften dem humanistischen System vorzogen; daß sich dies auch vorteilhaft auf eine spätere Auswanderung auswirken sollte, konnte man damals allerdings noch nicht voraussehen. Der Anteil der jüdischen Schüler, insbesondere im Realgymnasialzweig, belief sich bis zur Obersekundareife auf etwa ein Drittel oder ein Viertel, in den drei höheren Klassen war er geringer. Das Verhältnis zwischen jüdischen und nichtjüdischen Schülern war im allgemeinen nicht eng. Dies hatte seinen Grund darin, daß der Unterschied zwischen den beiden Gruppen nicht nur in der Verschiedenheit der konfessionellen Zugehörigkeit und Herkunft bestand, sondern auch in der wirtschaftlichen Situation. Die meisten jüdischen Schüler wohnten im Hansaviertel und gehörten dem Mittelstand an, während die meisten nichtjüdischen Schüler im kleinbürgerlichen Moabit wohnten, wobei es natürlich Überschneidungen nach beiden Richtungen gab. Es war daher zu verstehen, daß viele Nichtjuden die besseren Lebensumstände ihrer jüdischen Mitschüler beneideten, bei denen die größere Wohnung mit Hausangestellten und die jährlichen Sommerreisen oft Selbstverständlichkeiten waren, während die Lebensbasis der eigenen Familien (oft waren die Väter mittlere Beamte) schmal war. Dieser Unterschied, verbunden mit einem meist ohnehin vorhandenen Antisemitismus, wirkte sich auf die Atmosphäre aus, und viele nichtjüdische Schüler traten später der NSDAP bei. Die meisten Lehrer waren politisch rechts eingestellt. Als zum Beispiel bei einer Abiturientenfeier ein jüdischer Schüler in seiner Rede auf den Jahrestag der Märzrevolution von 1848 hinwies, verließen mehrere Lehrer unter Protest die Aula, und die Rede wurde abgebrochen. Interessant ist aber, daß einige dieser Lehrer sich nach 1933 konstant wehrten, mit den Nazis zu paktieren. Umgekehrt warfen sich einige Lehrer, die als verhältnismäßig fortschrittlich galten, später den neuen Machthabern begeistert in die Arme. Die Schule hatte zwei jüdische Lehrer. Einer von ihnen war der Neuphiloge Dr. Kurt Lewent. Er war durch seine Strenge allgemein gefürchtet, aber ich habe nie ein antisemitisches Wort über ihn gehört. Offenbar wurde anerkannt, daß das, was man unter ihm lernte, „saß“. Lewent konnte sich noch zu Anfang des Krieges nach New York retten, wo er vor einigen Jahren gestorben ist. Der andere jüdische Lehrer, der aber erst später eintrat, war Dr. Erich Löwenthal, der auch als Heine-Forscher einen Namen hatte. Er wurde ein Opfer der Verfolgung.

Wenn auch die Verhältnisse auf den anderen Schulen günstiger gewesen sein mögen, so hat doch die geringe persönliche Verbindung mit der Umwelt sicher mit dazu beigetragen, daß die jüdische Jugendbewegung im Hansaviertel einen erheblichen Auftrieb erhielt. Damit soll aber nicht gesagt sein, daß das Negativum des Ausgeschlossenseins die Haupttriebfeder bildete. Vielmehr bestand ein weit tiefer verankertes Bedürfnis nach Gemeinschaftsbindung, und nichts war natürlicher, als daß man es unter Altersgenossen des gleichen Milieus zu befriedigen suchte. Die enge Nachbarschaft im Hansaviertel machte dies besonders leicht. Und so gab es denn eine Reihe von Jugendbünden der verschiedensten Richtungen. Sie waren gleichzeitig Jugendbewegungsgruppen für Menschen jüdischer Herkunft und jüdisch ausgerichtete Bewegungen für junge Menschen. Ihnen allen, ob zionistisch oder nichtzionistisch, war gemeinsam das Streben, sich voraussetzungslos neu mit dem Judesein auseinanderzusetzen. (...)

Innerhalb der nichtzionistischen Jugendbewegung spielte die Deutsch-Jüdische Jugend-Gemeinschaft (DJJG) eine besondere Rolle. Ihr Eigenleben war, stärker als das der „Kameraden“ mit ihren Gruppen in anderen Berliner Bezirken und im ganzen Reich, besonders auf das Hansaviertel eingestellt, denn außer den nordwestlichen Gruppen gab es nur noch wenige in Berlin und in anderen Städten. Die DJJG im Hansaviertel machte alle Stadien einer Jugendbewegung durch: Gegründet als Nachwuchsorganisation des C.V. und Gegengewicht zur „anti-establishment“-Jugendbewegung der „Kameraden“, entwickelte sie sich zunächst zur romantischen Jugendgemeinschaft, von dort zur straffen Erziehungsgemeinschaft, in der die Älteren die Jüngeren zu formen suchten, bis sie sich schließlich den „realen“ Fragen, insbesondere der jüdischen Existenz und des Sozialismus zuwandte. Diejenigen, die sich für den jüdischen Weg entschieden, traten unter der Führung von Ludwig Tietz für die Beteiligung der Nichtzionisten am Aufbauwerk in Palästina unter der erweiterten Jewish Agency ein. Viele von ihnen sind heute in Israel und im jüdischen Leben der Diaspora verantwortlich tätig. Andere haben den Weg in die Politik gewählt und manche von ihnen haben ihr Leben im illegalen Widerstand gegen das Nazi-System verloren.

Das Hansaviertel ist nicht mehr. Es gibt dort auch keine jüdischen Jungen und Mädel mehr, die sich am Sonntag um acht unter der Uhr am Bahnhof Bellevue treffen, um „auf Fahrt“ zu gehen. Aber für diejenigen, die einst dort gelebt haben, ist die Erinnerung an die Stätten der Jugend wach geblieben.

Gegenwart im Rückblick, Festgabe für die Jüdische Gemeinde zu Berlin, hrsg. v. H.A. Strauss u. K. Grossmann, Heidelberg 1970, S. 308 ff.

Eine Proletarische Jugend in Berlin-O

Wolfgang Roth

Wolfgang Roth, geboren 1910 in Berlin, lernte als Bühnenbildner bei Piscator und Brecht. Als Kommunist mußte er 1933 aus Deutschland flüchten, arbeitete in Zürich und emigrierte 1938 in die USA. Seitdem lebt er als Bühnenbildner und Maler in New York.

Wenn wir als Kinder nach den großen Ferien zur Schule zurückkamen, konnte ich nie meine „Sommererlebnisse" in Zeichnungen oder Bildern darstellen und hatte auch keine Lust dazu. Was erlebten denn Hinterhofkinder wie ich um den Schlesischen Bahnhof herum? Etwa in unserer Müncheberger Straße zu sehen, wie die billigen Nutten mit den hohen Schnürstiefeln Kunden in ihre dunklen Kellerwohnungen schleppten und diese sich nach zehn Minuten wieder wegschlichen? Oder etwa zuzusehen, wie verschiedene Ringvereine – einer hieß „Edelweiß" – in einer Kneipe große Sauferein und oft auch Schlägerein veranstalteten, wenn sie vom Begräbnis eines ihrer erschossenen Mitglieder zurückkamen?

Mein Vater war einer der wenigen jüdischen Kellner, die es damals in Berlin gab. Er war als Waise aufgewachsen, hieß eigentlich Haberkorn und war irgendwann mal irgendwo im östlichen Deutschland von Leuten namens Roth adoptiert worden. Er hatte wenig in der Schule gelernt, aber dank seiner Energie und harter Arbeit hatte er sich langsam aber sicher als sehr guter Kellner durchgesetzt. Er machte die ganze Chose durch: als Kellnerlehrling – Piccolo hieß das – Servierkellner und endlich Zahlkellner. Als er bei der „Mitropa" Speisewagenkellner war, hatte er sogar ein paar Sprachen gelernt. Er erzählte viel davon, und als ich noch klein war, beeindruckten mich seine Geschichten sehr. Wenn er guter Stimmung war, spielte er uns Kindern kleine Szenen vor über das, was sich so im Speisewagen oder in der Küche ereignet hatte. Er zeigte uns auch Tricks, etwa wie ein geschickter Kellner, zehn bis zwölf Teller auf einem Arm balancierend, so tun kann, als ob er stolpert und hinfliegt, sich dann aber doch noch fängt. Wir Kinder feierten ihn wie einen Akrobaten. Abends mußten wir ihm zur Beruhigung die müden Fußsohlen kitzeln, wenn er sich nach sechzehn Stunden Arbeit müde ins Bett haute und für uns Geschichten erfand darüber, wie es sein würde, wenn er im zweiten Leben wieder auf die Welt käme.

Das war der kleine Kellner Hirsch Roth, Jude, der sich für ein bißchen Trinkgeld ausbeuten ließ und sich kaputtmachte, um seine sechsköpfige Familie zu ernähren. Obwohl er es nie zugeben wollte, ein Prolet war er doch und blieb es trotz mehrerer Versuche, seine Situation zu verbessern. Wir hatten sogar mal zwei richtige Café-Restaurants, übrigens mit herrlichem selbstgemachtem Eis. Aber all dies ging pleite, weil erstens meine Eltern keine guten Geschäftsleute waren, und zweitens die ganze ökonomische Situation in Deutschland miserabel war. Es ging mit Papa finanziell und überhaupt bergab. Er fing an zu saufen. Es ging soweit, daß Mama uns für einige Zeit verließ, da sie nicht mitansehen konnte, wie ihr Mann eine Liebesaffäre mit einer Kellnerin hatte und auch durch Alkoholsucht zugrunde ging. Eines Nachts zerschlug er sogar im Delirium sein Restaurant. Wir Kinder sahen zu, gebannt und tödlich erschrocken, bis dann die Polizei kam und Papa in eine Zwangsjacke steckte.

Mama war eine geborene Österreicherin und daher eine gute Köchin. Sie konnte sogar etwas singen und großartig Walzer tanzen. Vielleicht habe ich von ihr das Tanztalent geerbt. Sie verstand mich etwas besser als Papa in meinen Wünschen und Ambitionen und trat oft für mich ein. Aber sie kam nie darüber hinweg, daß ich im letzten Moment, nachdem schon alles vorbereitet war, mich weigerte, Bar Mizwa zu werden. Das ist der Moment im Leben eines dreizehnjährigen jüdischen Jungen, in dem er ein Mann und ein vollwertiges Mitglied der jüdischen Gemeinschaft wird. Mir leuchtete nämlich nicht ein, wieso ich eine idiotische Rede an die Gäste halten sollte, die mir ein Rabbiner Wort für Wort eingepaukt hatte. Ich kann sie heute, nach einem halben Jahrhundert, noch immer auswendig.

Mama hatte keine Ahnung von dem, was mich antrieb, aber sie hatte ein gutes Herz. Sie backte mir auch Kuchen und brachte ihn mir in meine eigene Wohnung, lange nachdem ich von zu Hause fortzog. Sie weinte auch gern und oft, mit oder ohne Grund. Nur als ich plötzlich im März 1933 weg mußte, um den Nazis zu entkommen, da weinte sie nicht, sondern war sorgenvollen Gesichts ganz still. Ich sah beide, Papa und Mama, nie mehr wieder. Papa starb bald nach meiner Flucht im Mai 1933 in Berlin und ist dort beerdigt. Mama hatte noch das Glück gehabt, meinen Geschwistern nach Palästina folgen zu können, und starb dort während des Krieges 1948.

Ja, ich machte also die Aufnahmeprüfung in der Kunstgewerbeschule. Das für mich wirklich überraschende Resultat war, daß ich in die Vorbereitungsklasse aufgenommen wurde. In einem halben Jahr würde man dann weitersehen, ob überhaupt und in welcher Richtung ich mich entwickeln würde. Da verließ ich in revolutionärem Aufstand mein Elternhaus – dritter Stock, Hinterhof. Meine Brüder machten sich nur lustig über mich, und mein Vater zog wieder einmal seine Hand von mir ab. Papa hatte Ambitionen für seine Kinder, die sollten nicht wie er ein Leben lang andere Leute bedienen. Schwesterlein sollte Ärztin werden, ich zumindest Bankier und die Zwillinge Universitätsprofessoren. Nichts wurde draus. „Kunst ist brotlos“, warf er mir vor.

Mit dem bißchen, was in meinem Sparschwein drin war, konnte ich das Übernachten auf der schwimmenden Jugendherberge auf der Spree bezahlen. Ich dachte, irgendwie wird der Kahn schon schaukeln, und er schaukelte. Auf den guten Rat meines humpelnden Lehrers hin wurde ich auch Malerlehrling bei einem Hausanstreicher in Neukölln. Erstens konnte ich so einen Beruf erlernen und zweitens etwas Geld verdienen. Und so schuftete ich tagsüber beim Anstreicher und abends in der Kunstgewerbeschule, um „Künstler" zu werden.

Der Sohn meines Malermeisters, Rudi Pieroth, ein streitbarer und aufgeweckter Kommunist, wurde mein bester Freund und Ratgeber – nicht nur im Malen und Farbenmischen, sondern auch in der Politik und in der Frage, was und wie man es mit Mädchen tut. Und wir taten es auch ausgiebig auf Wochenendfahrten mit Zelt und Faltboot, oft unterbrochen von Keilereien mit Nazi-Sturmtrupps oder Motorradbanden. Gerhard Feilchenfeld, ein dritter Freund, war auch dabei. Wir waren als zwei Juden in der Überzahl in unserer Dreiergemeinschaft. Was mit Gerhard Feilchenfeld, der auch Malerei studierte, passiert ist, weiß ich nicht. Ich weiß nur, daß Rudi von den Nazis ermordet wurde.

Ich beschäftigte mich mehr und mehr mit Politik, wollte für eine bessere Welt kämpfen. Man lebte in einer seltsamen Mischung von absoluter Verzweiflung und enormer Lebensfreude. Die Zeit war eigentlich grausig, und jeder wußte das auch. Diese dauernd lauernden Katastrophen, diese wachsenden Straßenschlachten zwischen Kommunisten, Sozialisten und Nazis. Wir auf der Linken waren uns damals nicht bewußt, daß wir trotz aller unserer Anstrengungen verlieren würden. Wir waren so jung, so enthusiastisch und hatten Antworten für alles. Und wir wollten doch den Massen helfen – derselben Masse Mensch, die dann, von Hitler beeinflußt, wenig später uns in den Rücken stach.

Jüdisches Leben in Deutschland. Selbstzeugnisse zur Sozialgeschichte 1918–1945, hrsg. v. Monika Richarz, Stuttgart 1982, S. 120ff.

Ausländische Juden in Berlin

Ein Viertel aller in Berlin lebenden Juden war 1925 ausländischer Staatsangehörigkeit. Wie die folgende Tabelle zeigt, stammten diese überwiegend aus Polen, Rußland und Galizien. Sie unterschieden sich als „Ostjuden" wesentlich von den deutschen Juden. Die Behörden verweigerten ihnen auch nach jahrzehntelangem Aufenthalt fast immer die deutsche Staatsbürgerschaft.

Staatsangehörigkeit	absolut	in % aller jüdischen Ausländer
Polen	17423	39,7
Österreich	5326	12,1
Tschechoslowakei	2137	4,9
Ungarn	1904	4,3
Rumänien	1634	3,7
Rußland (UdSSR)	5185	11,8
Litauen	868	2,0
Lettland	849	1,9
Estland	43	0,1
Staatenlose	5037	11,5
andere	3432	7,8
	43838	99,8

Trude Maurer, Ostjuden in Deutschland 1918–1933, Hamburg 1986, S. 78

Im Berliner Ghetto

Mischket Liebermann

Mischket Liebermann wurde 1905 als Tochter eines Rabbiners in Galizien geboren. Sie wuchs im Berliner „Scheunenviertel“ am Alexanderplatz auf, dem Zentrum der Ostjuden. Als Schauspielerin emigrierte sie in die Sowjetunion und lebte nach ihrer Rückkehr in Berlin (Ost).

Ein Zufall hat mich in die Gegend meiner Kindheit verschlagen. Ich wohne wieder unweit vom Alexanderplatz. Wie vor sechzig Jahren. Gern lasse ich mich für ein Weilchen am Neptun-Brunnen nieder, betrachte die Neubauten, die Anlagen. Bilder von einst ziehen vorbei: Münzstraße, Grenadierstraße, Dragonerstraße, Schindelgasse, Mulackstraße... Ein Armenviertel, ein Scheunenviertel. Auch ein Hurenviertel. So eins, wo die Alten, Verbrauchten auf den Strich gingen. Ich denke an das Stück Mittelalter zurück, das es in der Nähe vom Alex gab, an das Ghetto, in dem ich meine Kindheit verbrachte.

Ja, auch in Berlin gab es ein Ghetto. Ein freiwilliges. Lange vor Hitler. Genauer – bis zur Hitlerei. Denn dann gab es die unfreiwilligen. Und die Gaskammern.

Das Ghetto lag in der Grenadierstraße und ihrer Umgebung. Zwischen dem Bülowplatz, dem heutigen Luxemburgplatz, und der Münzstraße. Ausgerechnet in dieser Gegend hatten sich die Ostjuden niedergelassen, die 1914 vor den Kriegswirren aus Galizien geflüchtet waren. (...) Hier gab es die billigsten Wohnungen und die wenigsten Antisemiten. Einer folgte dem anderen nach. Bald wohnten sie Haus an Haus, Tür an Tür. Im Zusammenrücken glaubten sie Schutz zu finden, und wer weiß, vielleicht auch ein Stückchen Heimat. Viele Berliner verließen allmählich dieses Scheunenviertel.

Und auch so manche der Ostjuden zogen eines Tages wieder fort von hier. Wenn sie das „große Los“ gewonnen, das heißt, wenn sie gute Geschäfte gemacht hatten und reich geworden waren. Dann siedelten sie sich in den Vierteln der Reichen an und versuchten, deren Lebensweise nachzuahmen. Dabei passierten die komischsten Dinge. In die Wohnung der Neureichen gehörte ein Flügel, ein Bechstein-Flügel mußte es sein. Egal, ob jemand darauf spielen konnte oder nicht. Aber den kleinen Kinderlech (Kinderchen) machte es Spaß, mit ihrem Nachttopf darauf zu sitzen, sich wie im Spiegel zu beobachten und Grimassen zu schneiden. Der Herr Papa und dic Frau Mama schmolzen dahin vor Glück ob dieses Anblicks. Efscher (vielleicht) wird ihr Sprößling mal ein berühmter Musiker werden. Kann man's wissen, wo doch alles im Himmel schon vorgeschrieben ist?

Dann gab es die „Luftmenschen“, wie sie der jüdische Klassiker Scholem Alejchem so köstlich beschrieben hat. Sie hatten keinen Beruf, sie hatten kein Geld, aber sie hatten „Ideen“. Damit machten sie Geld und manchmal auch Pleite. Denn wenn einer darauf kam, mit einer bestimmten Ware zu handeln, sagen wir, mit Unterwäsche, dann stürzte sich ein Dutzend solcher Luftmenschen auf diesen Artikel, und alle zusammen machten sie Pleite. Aber sie fanden sehr schnell wieder eine andere „Idee“.

Doch die meisten der Ostjuden blieben im Ghetto. Und blieben, was sie waren: arme Schlucker. Mit unheimlich vielen Kindern. Sie rackerten sich ab, um die zahlreichen Mäuler irgendwie satt zu kriegen.

Das Berliner Ghetto umgaben keine Mauern, und doch war es eine abgeschlossene Welt. Es hatte seine eigenen Gesetze, seine Sitten und Gebräuche. Die orthodoxen Juden wachten darüber, daß sie streng eingehalten wurden. Es gab eine eigene Versorgung. Alles mußte ja koscher (rein, nach bestimmten rituellen Vorschriften zubereitet) sein. Die enge Grenadierstraße war voller kleiner Läden: Fleischwaren, Kolonialwaren, Grünkram, zwei Bäckereien, na und die Fischhandlung. Die durfte auf keinen Fall fehlen. Denn was ist ein Sabbat ohne gefüllten Fisch? Eigene Handwerker, Schuster, Schneider, Trödler, Hausierer waren da. Und eine koschere Gaststätte mit einer vorzüglichen Küche. Doch im Mittelpunkt standen die zwei Bethäuser mit ihren beiden Rabbinern, den Vorbetern und den Schlattenschammes, den Synagogendienern.

Das Ghetto konnte sich sogar rühmen, eine eigene Diebes- und Hehlerbande zu haben. Eines Tages wurde bei uns eingebrochen. Das heißt, man brauchte gar nicht einzubrechen, die Wohnungstür stand stets offen. Bei uns war den ganzen Tag ein Kommen und Gehen. Mein Vater war nämlich einer der Rabbiner im Ghetto. Es kränkte ihn sehr, daß man es gewagt hatte, ihn, den „Vertreter Gottes auf Erden“, zu bestehlen. Er ließ sich den Bandenboß kommen. Jeder wußte, wo er wohnte. Sogar die Polizei wußte es. Aber er ging aus allem wie ein Unschuldslamm hervor.

Der Mann kam und entschuldigte sich sehr höflich bei meinem Vater. „Solche Idioten!“ fluchte er. „Ich kann mich auf niemanden mehr verlassen. Bei den eigenen Leuten einzubrechen. Ausgerechnet beim Rabbi Pinchus-Elieeser, der so schöne Töchter hat.“ Meine Schwester ging gerade vorbei, er verschlang sie mit seinen Blicken. „Morgen haben Sie alles zurück.“ Und wir hatten es zurück. Altes Zeug. Uns ging es vor allem um die Nähmaschine, ohne die wir Kleinen hätten nackt herumlaufen müssen.

Eine besondere Kaste bildeten die Schnorrer (Bettler) im Ghetto. Die gab es in Scharen. Jeder von ihnen hatte eine bestimmte Familie, bei der er Monat für Monat erschien und Geld kassierte. Pünktlich auf den Tag. So, als sei es sein Gehalt. Bekam mal einer keins, machte er Rabatz. Unser hauseigener Schnorrer jagte uns Kindern immer einen Schreck ein, wenn er kam. Er war ein großer, hagerer, einäugiger Mann, trug einen schwarzen, verwilderten Bart und Schläfenlocken. Sein Kaftan war fettig und voller Löcher, er selber frech und aufdringlich. Wenn meine Eltern ihn einen Monat vertrösten mußten, weil sie selber nicht wußten, wie sie den nächsten Tag zurechtkommen würden, wetterte er los: „Warum soll ich Ihnen das schenken? Wer schenkt mir denn was!" Er glaubte tatsächlich, ein Recht darauf zu haben. Das Betteln betrachtete er als seinen Beruf.

Mischket Liebermann, Aus dem Ghetto in die Welt, Berlin (Ost) 1977, S. 5ff.

Im Roten Block

Karola Bloch

Karola Piotrkowski, geboren 1905 in Lodz, und ihr späterer Ehemann, der Philosoph Ernst Bloch (1885–1977), lebten ab 1930 in der Künstlerkolonie am Breitenbachplatz, einem Zentrum der Berliner Linken. 1933 mußte das Ehepaar flüchten, kehrte 1948 aus den USA nach Leipzig zurück und wechselte 1961 in die Bundesrepublik über.

In Berlin wechselten wir die Wohnung und zogen nach Wilmersdorf in den sogenannten „Roten Block", auch Künstlerkolonie genannt, am Laubenheimer Platz. Um den Platz herum hatten die Bühnengenossenschaft und der Schutzverband Deutscher Schriftsteller für ihre Mitglieder drei Wohnblocks gebaut. Die Wohnungen waren billig und nicht unkomfortabel. Wir zogen in die Kreuznacherstraße 52. Mehrere Freunde waren im selben Haus unsere Nachbarn. So Peter Huchel und Gustav Regler. In der Nähe wohnten auch Kantorowicz mit seiner klugen, reizenden Frau Friedel – sie war Schauspielerin –, der Regisseur Erich Engel, der Sänger Ernst Busch, Susanne Leonhard mit ihrem Sohn Wolfgang, Hermann Budzislawski, Axel Eggebrecht, Alfred Sohn-Rethel und viele andere. Der „Rote Block" bildete eine erfreuliche Gemeinschaft, in der Parteilose, Kommunisten und Sozialdemokraten versammelt waren. Bei uns wehten nur die Fahnen Schwarz-Rot-Gold und Rot. In der kleinbürgerlichen Nachbarschaft Steglitz und Friedenau dagegen wimmelte es von schwarz-weiß-roten und Hakenkreuz-Flaggen. (...)

Bei den Parlamentswahlen vom 14. September 1930 hatte die NSDAP mächtig zugenommen, sie wurde die zweitstärkste Partei. Peter Huchel, der in keiner Partei war, wollte von mir wissen, was wir „Roten" gegen die braune Pest unternähmen. Auch ich begann, mir diese Frage eindringlicher zu stellen, und nachdem Alfred Kantorowicz 1931 der KPD beigetreten war, folgte ich ihm 1932. Es war kein einfacher Entschluß, obwohl ich schon so lange Jahre mit dem Kommunismus sympathisiert hatte. Ich wußte, daß in der KPD strengste Parteidisziplin herrschte, daß man sich den Beschlüssen der oberen Instanzen fügen und eigene Meinungen, wenn sie gegen die Parteilinie gerichtet waren, unterdrücken mußte. Mir wäre eine Rosa Luxemburgische Linie lieber gewesen, die da sagte: „Die Freiheit ist immer auch die Freiheit des anderen." Aber die gefährliche politische Situation in Deutschland erforderte einen disziplinierten Kampf gegen die Nazis, und ich war überzeugt, daß nur die KPD ihn exemplarisch führen konnte. So schob ich die Bedenken zur Seite und trat in die sogenannte Straßenzelle des „Roten Blocks", die bei Kantorowicz tagte, ein. Wir trafen uns, etwa zehn Genossen, einmal wöchentlich. Der politische Leiter war Kantorowicz, der organisatorische Leiter Gustav Regler. Ein Genosse regelte die Finanzen (wir zahlten Beiträge, je nach den Möglichkeiten des einzelnen Mitglieds). Ich übernahm die Arbeit für die Rote Hilfe, eine Organisation, die sich um Arbeitslose kümmerte und um kommunistische Gefangene. Denn der Justizapparat der Weimarer Republik war derselbe wie zu Kaisers Zeiten – genauso wie der Beamtenapparat –, die Sozialdemokraten hatten nicht viel daran geändert.

In die Sitzungen meiner Parteizelle ging ich gerne. Es war ein Kreis von Genossen und Freunden, der sich da traf. Der gemeinsame Kampf gegen den Faschismus beherrschte uns so, daß persönliche Probleme zweitrangig wurden. Und individuelle Nöte verblaßten vor der Kraft der kommunistischen Idee.

Neben den Straßenzellen, als den kleinsten Einheiten der Partei, gab es Betriebszellen. Die Genossen des „Roten Blocks", die gewerkschaftlich organisiert waren, wurden Mitglieder dieser Zellen. Wir arbeiteten mit ihnen zusammen, wenn es um Demonstrationen oder sonstige Veranstaltungen ging. (...) Ich war jetzt sehr beschäftigt: Als Studentin mußte ich termingerecht Zeichnungen abliefern, Vorlesungen und Seminare besuchen. Außerdem gab es noch die Tätigkeit für den „Roten Studentenclub". Es war uns gelungen, für den sogenannten Stehkonvent (das waren morgendliche Treffen der einzelnen Studentengruppierungen) alle antinazistischen Studentengremien zu vereinigen. Wir nannten uns die „freiheitliche Studentenschaft" und wurden der größte Kreis. Einmal, als wir unseren Stehkonvent abhielten, fiel eine Art Sprengkörper von der Galerie im 1. Stock in unsere Mitte und brannte lichterloh. Es gab Verwirrung. Der Rektor mußte die Polizei rufen. Aber niemand kam zu Schaden.

Abends kochte ich für Ernst und mich, er erzählte von seiner Arbeit an „Erbschaft dieser Zeit" oder las einen Artikel vor, den er für die „Weltbühne" oder „Das Tagebuch" geschrieben hatte.

Karola Bloch, Aus meinem Leben, Pfullingen 1981, S. 68ff.

Im Berufsleben

In Berlin gab es 1925 etwa 105000 jüdische Erwerbstätige einschließlich der Arbeitslosen und der Ausländer. Die folgende Tabelle gibt einen Einblick in die Zahlen für verschiedene von Juden bevorzugte Erwerbszweige.

Berufsgruppe	Insgesamt	Davon Frauen	Davon Ausländer
Selbständige im Handel	26780	3075	5781
Angest. im Handel	19027	5488	4032
Bekleidungsgewerbe	14337	4436	4650
Rechtsanwälte	1179	11	45
Ärzte	2049	129	126
Zahnärzte	393	34	32
Schauspieler	269	106	96
Redakteure	159	17	37

Heinrich Silbergleit, Die Bevölkerungs- und Berufsverhältnisse der Juden im Deutschen Reich, Bd. I Freistaat Preußen, Berlin 1930, S. 161 ff.

Vom Obstkeller zum Warenhaus Tietz

Klaus Scheurenberg

Klaus Scheurenberg, geboren 1925 als Sohn eines Kleinhändlers im Oderbruch, kam 1927 mit seiner Familie nach Berlin. Er verließ 1939 die jüdische Schule und war bis 1943 Zwangsarbeiter. Als Achtzehnjähriger nach Theresienstadt deportiert, überlebte er das Lager und kehrte 1945 nach Berlin zurück.

Vater ging nach der Inflation in Konkurs. Er war wohl doch kein so großer Kaufmann, um zu sehen, wie sich die Wirtschaft entwickeln würde. Während jeder auf dem Höhepunkt der Inflation die Ware zurückhielt, verlud mein Vater im Winter 1923/24 einen Waggon mit wertvollen Fellen. Er fuhr nach Berlin, um einen hohen Scheck dafür einzulösen. Als er mit dicker Brieftasche zu

Hause ankam, war deren Inhalt fast nichts mehr wert. Er quälte sich noch ein paar Jahre in Letschin, und wir zogen dann 1927 nach Berlin. Es war für ihn eine ganz besonders schwere Zeit, hatte er doch für Frau und Kinder, sieben, fünf und zwei Jahre alt, und unsere Frida zu sorgen.

Frida war ein Nachbarskind aus Letschin, die sich sehr zu uns hingezogen fühlte. Sie wollte wohl auch der Dorfatmosphäre entfliehen und kam einfach mit nach Berlin. Hier betreute sie uns Kinder, besonders aber mich, das Nesthäkchen.

Vater, der es nicht lassen konnte, eröffnete nach dem Grundsatz „Und ist der Handel noch so klein, bringt er immer noch mehr als Arbeit ein" einen Obstkeller.

In seinem Tagebuch schreibt er darüber: „Meist kauften die Leute auf Pump und kamen dann nicht mehr wieder." Die Kinder hatten immer Hunger und wollten nicht die schlechten Birnen, wenn es auch gute gab.

Wir wohnten auch im Obstkeller. Es war schlimm, aber nicht so schlimm, wie es noch kommen sollte. – Zunächst ging es langsam, sehr langsam, wieder aufwärts, doch wir mußten aus dem winzigen Loch, in dem wir zur Untermiete wohnten, heraus, als ruchbar wurde, wir seien Juden. 1928 bekam Vater eine Stellung, zuerst als Aushilfe, später fest, bei Hermann Tietz am Dönhoffplatz. Für mich als kleinen Jungen war das die ganz große Welt. Das Angebot war reichhaltig, aber den Menschen ging es im allgemeinen nicht gut, und so konnten sie nicht kaufen, was sie wollten.

Die Arbeitslosigkeit war gewaltig, lange Schlangen vor den Arbeitsämtern, alles ging stempeln. Ich erinnere mich an Notküchen. Mit Blechgeschirren standen die Leute nach Suppe an. Die Unruhe im Volk teilte sich auch so einem kleinen Jungen mit. Die Demonstrationen, die Schlägereien, bei denen Fahnen wie Heiligtümer getragen wurden! Andere versuchten, diese Heiligtümer zu erobern.

Eine Begebenheit hat sich mir ganz tief eingegraben: Ich stand inmitten einer Menge Menschen mit meinem Vater, der fragte, was denn los sei. Zwei ältere Frauen antworteten ihm, Goebbels werde erwartet, er wolle eine Rede halten. „Und das im roten Wedding", sagten sie, „dem werden wir es aber geben, dem Nazihund!"

Und dann kam er. Direkt vor uns stieg er aus dem offenen Auto, ein kleines Männlein, mit einem Trenchcoat angezogen, humpelte auf die Menge zu und gab lächelnd den Leuten die Hand. Auch den älteren Frauen vor uns drückte er die Rechte, sie lächelten zurück. Anschließend sagte die eine zur anderen: „Das ist aber ein netter Mann", und sie gingen in den Saal, um dem netten Herrn Goebbels zuzuhören.

1929 bekamen wir eine Neubauwohnung in Reinickendorf. Wir waren selig vor Freude, auch wenn die schnell hochgezogenen Bauten noch feucht und unfertig waren. Dennoch, wir kamen aus einem Keller mitten in der Stadt.

Nun hatten wir einen kleinen See, mehr Morast als See, genannt „Paddenpuhl“, vor der Tür. Weites Feld, übersät mit den Resten des Bauschutts und den Abfällen der umliegenden Fabriken, aber für uns Kinder ein Dorado. Einen besseren Spielplatz konnten wir uns nicht vorstellen. An einer Stelle stank es infernalisch. Wir fanden bald den Grund: Eine angrenzende Würstchenfabrik hatte eine schlechtgewordene Ladung Würstchenbüchsen in ein Loch geworfen und nur notdürftig zugeschüttet. Schien die Sonne, explodierten die Büchsen, herrlich für kleine Jungen!

Schnell fanden wir Freunde. Alle waren neu zugezogen, meist kinderreiche Familien. Am Armbrustweg hatten wir eine Zweizimmerwohnung. Eines war das elterliche Schlafzimmer – zugleich Wohnzimmer, im anderen schliefen wir drei Kinder. Frida schlief entweder bei uns oder in der Küche. Die Enge machte uns nichts, wir kamen ja auch aus noch größerer Bedrängnis.

Vater ging nun regelmäßig 10 Minuten zur S-Bahn-Station Schönholz, um von dort in die Stadt zu fahren. Mittags kam er ab und zu nach Hause, nur um zu essen und sich ein paar Minuten auszustrecken. Er hatte eine Monatskarte für die S-Bahn und konnte beliebig oft damit fahren. Mit der Zeit konsolidierte sich seine Stellung bei Hermann Tietz. Er rückte sogar zum Propagandisten auf mit einem halben Prozent Beteiligung an der Ware, die er verkauft hatte.

1932 brach bei Tietz ein Feuer aus. Durch die Löscharbeiten wurden viele Artikel, meist Stoffe, naß und schmutzig. Vater erfaßte die Situation, ging zum Chef und erbot sich, zu herabgesetzten Preisen die lädierte Ware zu verkaufen. Er stellte sich auf einen Tisch und pries die Ware an: „Sonderpreise...“ Die Leute kauften wie wild. Da die beschädigte Ware bald ausverkauft war, wurden Ladenhüter herangeholt. Und so wurde mein Vater bald der Spezialist beim Verkauf von Sonderangeboten. Hier war er in seinem Element. Ich werde nie vergessen, wie er da stand, ein kleiner Napoleon auf dem Tisch, laut schreiend seine Ware anpreisend. Zu seinen Füßen vier Verkäuferinnen, die nun für „ihn“ arbeiteten. Er hat es sicher sehr genossen. Und der kleine Junge war stolz auf seinen Vater!

Klaus Scheurenberg, Ich will leben, Berlin 1982, S. 17ff.

In der Berliner Konfektion

Rudi Bach

Rudi Bach, geboren 1904, kam als Sohn eines Stuttgarter Hemdenfabrikanten zur Ausbildung nach Berlin. Später trat er in die väterliche Firma ein, emigrierte 1936 nach Palästina und lebte ab 1947 als Werkzeugimporteur in New York.

Zuerst war das Leben in der glitzernden Metropole für einen jungen Mann „aus der Provinz", wie man in Berlin zu sagen pflegte, reichlich verwirrend. Denn trotz Fahrten und Reisen war mein Leben bis dahin ein relativ behütetes gewesen. Ich gewöhnte mich jedoch schnell an den Betrieb. (...) Durch die Empfehlung eines alten Familienfreundes hatte ich, schon bevor ich nach Berlin kam, eine Stelle bei Gebr. Simon, der damals größten und angesehensten Engrosfirma der Textilbranche in ganz Deutschland. Gebr. Simon hatten 480 Angestellte, versandten ihre Zirkulare an 10000 Kunden und nahmen in der Klosterstraße einen ganzen Straßenblock ein. Der Seniorchef war James Simon, früher ein Freund des Kaisers, ein feiner, sehr gepflegter alter Herr, klein, zierlich, nahezu zerbrechlich aussehend, dabei einer der großzügigsten Mäzene des Kaiser-Friedrich-Museums und ein Mitglied der erlesensten jüdischen Aristokratie. Charakteristischerweise hatte er alle Titel außer einem bescheidenen Dr. h. c. abgelehnt. Theodor Simon gehörte zur nächsten Familiengeneration. Er hatte mit 19 geheiratet, war mit 21 geschieden (um eine andere Frau zu heiraten, deren Familie wir kannten), ließ sich nach einem Jahr von der zweiten Frau scheiden, um die erste wieder zu heiraten. Mit 22 Jahren zum drittenmal verheiratet zu sein, ist auch heute noch ungewöhnlich. Er war ein Hüne und hatte einen persönlichen Diener, der zugleich sein Boxtrainer war.

Ich kam zuerst in die Kommissionsabteilung, die jeden Morgen die von Kunden und Vertretern mit der Post in Stößen eingehenden Aufträge zu bearbeiten hatte. Mit dem Formular, das für jeden Auftrag auszuschreiben war, gingen wir ans Lager, holten die bestellte Ware zusammen, luden sie auf kleine Wagen und brachten sie in den Versand. Die Formulare gingen von dort in die Fakturierungsabteilung, nachdem wir zuvor geprüft hatten, ob der Kunde entsprechenden Kredit hatte, ob der Auftrag komplett und richtig ausgeführt war, und ob eventuelle Rückstände ordnungsgemäß verbucht waren. (...) Nach etwa einem halben Jahr erhielt ich die ersehnte Versetzung in die Verkaufsabteilung. Diese unterstand einem mißlaunigen Despoten, der, seit unvordenklichen Zeiten bei der Firma, jeden kannte und Kunden wie Untergebene streng nach Gunst behandelte. Wichtige Kunden wurden älteren, erfahrenen Verkäufern zugewiesen, hernach – wie es in der Jobsiade heißt – „die anderen, secundum ordinem". Diese im Grund durchaus vernünftige Regel ließ viel Raum für persönliche Machtentfaltung. Autokraten lieben und kreieren Sklaven; Speichelleckerei wird „Tüchtigkeit" und findet ihren Lohn in Beförderung. Wir wußten beide, er wie ich, daß meine Karriere nicht von ihm abhing; unsere Abneigung war gegenseitig. So erhielt ich zumeist die Kunden von zweifelhafter Kreditwürdigkeit aus der Gegend von Pinne an der Knatter in Hinterpommern. (...) Dennoch, wenn es das Glück will, ist auch einmal gerade kein anderer Verkäufer frei. Eines Tages wurde mir ein Herr Rinkel als Kunde zugewiesen, Mitinhaber von Voigt & Co., einer kleineren Berliner Damenkonfektionsfirma. Obzwar keineswegs ein bedeutender Kunde, stand er doch zwei Grade über meinen üblichen „Freunden". Er wollte zwar nur ein paar Stück Ware zur Aushilfe kaufen, aber ich versuchte herauszufinden, ob und wie Gebr. Simon ihm sonst von Nutzen sein könnten. Er kaufte mehr als er je zuvor von der Firma gekauft hatte, und ich mußte eine spezielle Kreditgenehmigung für ihn einholen. Außerdem aber sagte er im Weggehen: „Junger Mann, wenn Sie sich einmal verändern wollen, sprechen Sie mit mir." Ich hörte das nicht ungern, denn ich hatte wenig Aussicht, bei Gebr. Simon noch viel zu lernen.

Und so wurde ich bald „rechte Hand des Chefs" bei Voigt & Co. In den Augen meines Herrn Abteilungsleiters war es eine persönliche Kränkung, daß ich es wagte, mich von einer Firma im Rang von Gebr. Simon weg engagieren zu lassen. Seine Rache bestand in einem Zeugnis, das nicht mehr als eine Arbeitsbescheinigung war – das einzige schlechte in meinem Leben. Ich habe späterhin nie eine Stelle aufgrund meiner Zeugnisse bekommen, und so hat es meiner Karriere nicht geschadet. In späteren Jahren, noch vor der Nazizeit, machten Gebr. Simon bankrott. Sic transit gloria mundi.

Im Rahmen meiner Bestrebung, eine spezifische, dabei aber möglichst umfassende Geschäftsausbildung zu erhalten, hatte ich nun sowohl im Einzelwie im Großhandel gearbeitet, und es fehlte mir noch Erfahrung in der Fabrikation. In einem Betrieb unserer eigenen Branche hätte mich damals in Deutschland keine Konkurrenzfirma arbeiten lassen. Deshalb war mir die Tätigkeit in einer verwandten Branche sehr erwünscht. Außerdem erfüllte es mich mit Stolz, meine Position nicht der Hilfe von Beziehungen, sondern mir selbst zu verdanken.

Für einen großen Teil Europas war Berlin zwar nicht das Zentrum der Mode, aber das der Damenkonfektionsindustrie. Hausvogteiplatz bedeutete Damenkonfektion wie Wallstreet die Börse. Dort und in den umgebenden Seitenstraßen, in einer Welt für sich, hatten unzählige kleine, mittlere und große Firmen ihre Betriebe, in denen zumeist nur Kleider entworfen und Modelle gefertigt wurden. Die Fabrikation selbst geschah durch Zwischenmeister. Die Arbeit wurde an einen Stamm von Heimarbeiterinnen ausgegeben, die an der eigenen Nähmaschine zu Hause im Stücklohn nähten. Am Samstagmorgen wurde die Wochenproduktion angeliefert und abgerechnet. Überbügeln und Versand geschah in der „Fabrik".

Feine Leute wurden nicht Zwischenmeister. Es war ein Geschäft von Druck und Gegendruck. Die Preise waren scharf ausgehandelt. Wo immer es möglich war, wurde demgemäß gemogelt, der Preisdruck wurde weitergegeben. Das System resultierte de facto in einer mitleidlosen Ausnutzung der Schwächsten. Herr Voigt, ein Mann wie ein Bär, hatte sich vom Zwischenmeister heraufgearbeitet und kannte alle Tricks aus eigener Erfahrung. „& Co." war Herr Rinkel, klein, wendig, nervös – früherer Geschäftsreisender. „Mischehen" waren im Geschäft selten; die grundlegende Verschiedenheit der Charaktere ließ die von Voigt & Co. nicht allzu glücklich werden. Voigt war für die Produktion, Rinkel für Ein- und besonders Verkauf zuständig; für die Buchführung gab es eine ältere, erfahrene Buchhalterin, für die Verwaltung und Korrespondenz niemand. Star des Unternehmens war Fräulein Ada, die Direktrice, eine begabte und tüchtige Modezeichnerin. Sie hatte zweimal im Jahr eine Musterkollektion zusammenzustellen, „kümmerte sich" aber um die leitenden Einkäufer auch noch in anderer, durchaus umsatzfördernder Weise. Von Zeit zu Zeit kamen einige Paar Seidenstrümpfe – damals noch recht teuer – für Fräulein Ada in Anerkennung ihrer Bemühungen. Wenn Männer sich berufsmäßig mit nichts anderem als Frauenkleidung und Mode befassen, so ergibt sich daraus sehr natürlicherweise eine ständige sexuelle Hochspannung. Ich war in dieser Atmosphäre recht naiv.

Unter den Kauf- und Warenhäusern, mit denen Voigt & Co. zumeist arbeitete, gab es Typen wie den stets wild feilschenden Eigentümer eines kleinen Kaufhauses an der Hamburger Reeperbahn, der immer einen besonders billigen Lockvogel brauchte. Wenn man beim Aushandeln noch 10 Mark an 100 Kleidern – 10 Pfennig pro Kleid – auseinander war, so sagte er: „Hier haben Sie 5 Mark; die nehme ich aus meiner Reisekasse; aber ich muß *meinen* Preis auf der Rechnung haben."

Die Einkäufer der Großfirmen wie Tietz, Karstadt u. a. waren eine andere Klasse. C&A, der holländischen Familie Brenninkmeyer gehörend, hatten damals ihre Filialen in Holland und Deutschland; inzwischen sind sie ein internationaler Konzern geworden. Zum Einkauf kamen von dort allemal mindestens zwölf Mann, lauter Brenninkmeyers, alle über 1,80 m groß, nur der Anführer, „der Doktor", hatte Normalformat. Wenn die Modelle ausgewählt und die Preise ausgehandelt waren, so wurde jeder nicht nach Namen, sondern alphabetisch nach Ort aufgerufen, um die Bestellung für seine Filiale aufzugeben: „Breda – 60, Den Bosch – 100, Eindhoven – 50..."

Jüdisches Leben in Deutschland, Selbstzeugnisse zur Sozialgeschichte 1918–1945, hrsg. v. Monika Richarz, Stuttgart 1982, S. 148 ff.

Ärztin und Sozialistin

Käte Frankenthal

Käte Frankenthal (1889–1976) gehörte zu den ersten Berliner Ärztinnen und wandte sich der Sozialmedizin zu. Sie war für die SPD Mitglied des Landtages und des Stadtrates. Als Stadtärztin in Neukölln mußte sie 1933 wegen ihrer politischen Einstellung flüchten und lebte ab 1936 in New York.

Ich begann meine Praxis in zwei möblierten Zimmern und mit den allernötigsten ärztlichen Instrumenten. Die Hoffnung, mein Geld aus Österreich zu bekommen und eine richtige Einrichtung zu kaufen, hatte ich bereits aufgegeben.

Es ist eine harte Aufgabe, Arzt zu sein, wenn die Bevölkerung am Verhungern ist. Im Juni 1918 war die Kartoffelmenge, die in Berlin ausgegeben wurde, pro Kopf und Woche sieben Pfund. Ende Juni wurde sie auf drei Pfund herabgesetzt. Am 5. Juli 1918 war die wöchentliche Ration pro Kopf ein Pfund Kartoffeln und ein Kilo Brot. In dieser Woche war die Volksernährung auf ihrem tiefsten Stand. (...)

Das Publikum bekam nicht einmal die kargen Rationen, die offiziell bewilligt wurden. Bestenfalls mußte man stundenlang darum anstehen, was nicht jeder konnte. Immer wieder war angeblich die Ware ausverkauft. Man wußte, wo sie blieb. Im Schleichhandel, zu Phantasiepreisen konnte man alles bekommen.

Die Ärzte durften ein viertel Liter Milch täglich als „Heilmittel" aufschreiben. Es gab wenig Menschen in Deutschland, denen man nicht mit gutem Gewissen hätte bescheinigen können, daß Milch für sie ein Heilmittel wäre. Aber es gingen immer wieder dringende Appelle an die Ärzte, sparsam mit der Verordnung von Krankenmilch zu sein.

Kann man sich wundern, daß Leute versuchten, zu Schleichhandelspreisen ein ärztliches Attest zu bekommen? Kann man an der Berechtigung der Klagen zweifeln, daß Leute, die hohe Preise für Konsultationen zahlten, Milchatteste bekamen, und den Armen gesagt wurde, ihr Kind sei nicht elender als alle anderen? Die Hungersnot brach alle Moral. Ich hatte ein förmliches Grauen vor jeder Sprechstunde. Man war nicht mehr Arzt, sondern Untersuchungsrichter. Es war die einzige Zeit, wo ich in Deutschland echtes Hungerödem sah. Später in der Inflationszeit und in der Wirtschaftskrise von 1929–1933 sah ich Fälle von schlechter Ernährung, Vitaminmangel, nervöser Erschöpfung, psychischen Depressionen und Hautkrankheiten infolge vernachlässigter Körperhygiene, alles, was man als „Elendskrankheiten" bezeichnen kann. Aber Hungerödeme sah ich nicht mehr. Wenn Nahrungsmittel im Lande sind, spart die Bevölkerung alles andere ein, um Nahrung zu bekommen. In den ersten Jahren meiner ärztlichen Praxis in Deutschland waren keine Nahrungsmittel im Lande, und man sah die direkten Auswirkungen des Hungers. (...)

Ich praktizierte zehn Jahre in Berlin und wurde dann zum Stadtarzt ernannt. Daneben hatte ich meinen Arbeitsplatz an der Charité beibehalten und publizierte meine Arbeiten. Das hatte nicht viel Sinn, da ich Laboratoriumsuntersuchungen machte, die nicht einmal meine klinische Erfahrung erweiterten. Ich wußte, daß ich mich nicht gleichzeitig mit Praxis, öffentlichem Leben und wissenschaftlicher Arbeit beschäftigen konnte, und es war bereits entschieden, daß das öffentliche Leben von mir Besitz ergriffen hatte. Trotzdem behielt ich meinen Arbeitsplatz bis Mitte der 20er Jahre bei und veröffentlichte etwa ein Dutzend Arbeiten. Diese Rastlosigkeit, selbst wenn kein Ziel gesetzt ist, dürfte wohl ein jüdischer Zug sein.

Eine ärztliche Praxis in Berlin war interessant genug und gab viele Einblicke in außerberufliche Fragen. Die arbeitende, erwerbslose und hilfsbedürftige Bevölkerung war in Pflichtkrankenkassen oder hatte Anspruch auf wohlfahrtsärztliche Versorgung. Es war niemand in Deutschland ohne ärztliche Versorgung. Auch Leute, die gewöhnlich nicht hilfsbedürftig waren und nur die Extrakosten bei Krankheitsfällen nicht tragen konnten, wurden durch die Wohlfahrtsärzte versorgt.

Es kamen natürlich Mißbräuche vor, besonders bei den Kassenpatienten. Die Art der Mißbräuche war ein gutes Barometer für die wirtschaftlichen Verhältnisse im Lande. Je mehr die Arbeitslosigkeit stieg, umso mehr habe ich gefunden, daß die versicherten Arbeiter viel eher Gesundheit als Krankheit simulierten. Der Arbeitsplatz war etwas Unersetzliches und wurde nicht leichtfertig gefährdet. Es war oft schwer, Kranke zu überreden, zu Hause zu bleiben.

Ein großer Teil meiner Patienten litt an psychischen und nervösen Störungen. Die Behandlung war deprimierend, weil die Ursachen nicht zu beseitigen waren. (...)

Fast alle meine weiblichen Patienten, aus welchem Grunde sie auch zuerst kamen, fragten früher oder später nach Mitteln zur Geburtenregelung. Das war so allgemein, daß ich auf Grund dieser Erfahrung in der Stadtverordnetenversammlung den Antrag einbrachte, Aufklärung und Verhütungsmittel als öffentlichen Dienst in den Eheberatungsstellen der Stadt zu etablieren. Der Antrag wurde (1930) nach stürmischer Debatte von der Linksmehrheit mit Einschluß einer Stimme vom Zentrum (Katholische Partei) angenommen. In den städtischen Stellen wurde nicht nach den Gründen gefragt, warum die Frauen die Mittel wünschten, und sie wurden auch unverheirateten Frauen gegeben.

Diese Aktion, die mit meinem Namen verknüpft war, war einer der Gründe, warum ich 1933 in Eile war, Deutschland zu verlassen. Ich halte noch heute den Effekt des damals eingeführten Dienstes für gut. Berlin hatte vorher, wie die meisten Großstädte, eine niedrige Geburtenziffer in den wohlhabenden Bezirken und eine hohe in den proletarischen. Nachdem Aufklärung und Mittel allen zugänglich waren, hatten proletarische Bezirke in Berlin die niedrigste Geburtenziffer. Der Dienst hatte die Kreise erfaßt, die seiner am nötigsten bedurften. Viele Abtreibungen wurden dadurch verhindert.

Käte Frankenthal, Der dreifache Fluch: Jüdin, Intellektuelle, Sozialistin, Lebenserinnerungen einer Ärztin in Deutschland und im Exil, Frankfurt am Main 1981, S. 79f., 112f., 115f.

Als Redakteur bei Ullstein

Max Rainer

Max Rainer (1883–1944) kam 1906 als Wiener Journalist nach Berlin, begann als Lokalreporter im Ullstein Verlag und wurde später politischer Redakteur der Vossischen Zeitung. 1933 zwangspensioniert, flüchtete er 1939 nach Palästina.

In meiner Erinnerung sind die Jahre 1927 und 1928 die ruhigsten und friedlichsten der deutschen Republik. Für mich selbst gab es auch in diesen Jahren wenige friedliche und selten ruhige Tage. Dazu war meine redaktionelle Verpflichtung zu umfangreich, der journalistische Aufgabenkreis zu groß. Mein Tagewerk begann zu irgendeiner Morgenstunde, wenn die ersten telefonischen Anrufe mich weckten, und endete zu irgendeiner Nacht- oder Morgenstunde, denn wir hatten drei Ausgaben täglich, und ich mußte auch nach einem Theater- oder Konzertbesuch oder aus einer Gesellschaft in die Redaktion. Es kam an Wochentagen kaum vor, daß ich das Mittagessen zu Hause einnehmen konnte.

In den ersten Vormittagsstunden mußte ich meine „Besuchstour" machen, die mich am häufigsten in die Reichskanzlei und in das Auswärtige Amt führte. In der Reichskanzlei wurde ich entweder von dem Staatssekretär oder von dem Kanzler empfangen oder auch von dem Chef des Büros des Reichskanzlers, der über alle Details informiert war und mir sagen konnte, was ich

Magnus Zeller, Umbruch der BZ, 1928

wünschte. Im Auswärtigen Amt suchte ich entweder den Außenminister auf, oder, wenn er durch Diplomaten in Anspruch genommen war, einen der höheren Beamten, die mir in die wichtigsten Berichte und Depeschen der Botschafter Einblick gewährten. Nachher hatte ich immer irgendeine Verabredung in einem anderen Ministerium. Ich war gewöhnlich über den Stand laufender diplomatischer Verhandlungen, über die jüngsten Vorgänge in der inneren Politik schon unterrichtet, wenn ich in meine Redaktion kam, in mein Arbeitszimmer, wo auf dem Schreibtisch der Haufen der seit Mitternacht eingelaufenen Meldungen der Korrespondenten in Durchschlägen bereitlag. Nur blieb selten Zeit zu genauerer Durchsicht. Denn es gab im Hause selbst täglich eine oder mehrere Konferenzen. Da war die „Königskonferenz", wie sie in der Redaktion halb ironisch, halb respektvoll genannt wurde, an der die Besitzer des Verlages, der zuständige Verlagsdirektor, die Chefredakteure der Tageszeitungen und ich teilnahmen. Sie diente als eine Art Verbindungsinstanz zwischen den Verlegern und den Redaktionen, war auch dazu bestimmt, die Haltung der Tageszeitungen zu wichtigen Ereignissen der inneren und äußeren Politik möglichst aufeinander abzustimmen. Dann kam die Sitzung des Vorstandes der Ullstein-Aktiengesellschaft, in der ich anfangs gelegentlich, dann regelmäßig die politische Berichterstattung hatte. Und schließlich die Redaktionskonferenz der Vossischen Zeitung, in der nicht nur die Aufmachung der nächsten Ausgabe besprochen wurde, sondern die Stellungnahme zu den Ereignissen des Tages. Der Staatspräsident von Baden, Dr. Hummel, der einmal einer unserer Redaktionskonferenzen beigewohnt hat, machte Georg Bernhard das Kompliment: Er wünschte, daß in seinem Kabinett mit der gleichen Gründlichkeit und immer mit der gleichen Sachkenntnis diskutiert würde wie bei uns. Das mag eine höfliche Redensart gewesen sein. Aber tatsächlich bestand der Redaktionsstab der Vossischen Zeitung aus Mitarbeitern, von denen jeder auf seinem Spezialgebiet eine gediegene Sachkenntnis besaß, und das Gremium als Ganzes stand auf einem hohen Niveau. Es bestand eine weitgehende Übereinstimmung in den politischen Auffassungen, aber es kam doch nicht selten vor, daß ich mit meiner Meinung über die in einer Frage einzuschlagende Taktik in der Konferenz nicht durchdrang. In solchen Fällen verzichtete ich darauf, den Artikel zu schreiben, der ressortmäßig von mir geschrieben werden sollte, und ein anderes Mitglied der Redaktion übernahm die Aufgabe. Niemals wurde jemandem zugemutet, ein Wort zu schreiben, das nicht seiner Überzeugung entsprach.

Nicht regelmäßig nahm Dr. Ullstein, der zugleich Generaldirektor des Verlages war, an den Redaktionskonferenzen teil. Wenn er im Konferenzzimmer erschien, galt er nicht mehr als jeder andere Teilnehmer. Es ist mir kein Fall bekanntgeworden, in dem Dr. Ullstein – die anderen Verleger kamen mit den Redaktionen kaum direkt in Berührung – den Versuch gemacht hätte, seine Autorität gegenüber der Redaktion geltend zu machen. Dazu war er, obgleich er selbst selten eine Zeile geschrieben hat, zu sehr passionierter Journalist, dazu achtete er die Freiheit der Meinung und der Meinungsäußerung zu hoch. Ich kam einmal zufällig in sein Zimmer, als er einen Prokuristen ziemlich ungnädig behandelte: „Sie sind nicht dazu engagiert, mir nach dem Munde zu reden. Meine Ansicht kenne ich bereits, ich will die Ihre wissen!" Er war sparsam und bescheiden. Als ich 1906 über die Höhe meines Gehaltes verhandeln sollte, fragte mich Salten, wieviel ich haben wolle. Ich meinte, 500 Mark wären angemessen. „Dann verlangen Sie 525 Mark. Das Engagement wird Dr. Ullstein keine Freude machen, wenn er nicht 25 Mark abgehandelt hat." Zur Vorsicht forderte ich 550 DM und erhielt 525 DM bewilligt. Aber von demselben Dr. Ullstein hörte ich dann, daß er sehr freigebig mittellose begabte junge Menschen unterstützte. (...)

Dr. Ullstein war nicht nur ein regsamer, erfinderischer Geist, er war fast ein genialer Verleger. Und der Verlag war für ihn nicht bloß zum Geldverdienen da, sondern ein Machtmittel, um politisch und sozial zu wirken. Die Vossische Zeitung war wegen der immensen Kosten ihres Nachrichtendienstes ein Zuschußunternehmen, das jährlich Millionen kostete. Das focht ihn wenig an. Als Dr. Ullstein erfuhr, daß Hugenberg, der Führer der Deutschnationalen, das größte deutsche Filmunternehmen, die Ufa, erwerben wolle, machte er ein großes Gegenangebot, um dieses wichtige Propagandamittel nicht in die Hände der Gegner der Republik fallen zu lassen. Auch die Ufa war ein Zuschußunternehmen.

Die Mittagszeit benützte ich gewöhnlich zu Besprechungen politischer oder unpolitischer Natur. Man war am ungestörtesten, wenn man in einem der Separées bei Hiller oder eines anderen Restaurants saß, um deren Reservierung ich im Bedarfsfalle ersuchte. Und nachher mußte ich meist in den Reichstag oder in den Preußischen Landtag. Ich habe viele Tage meines Lebens in den Wandelhallen oder auf den Tribünen dieser Häuser verbracht.

Jüdisches Leben in Deutschland, Selbstzeugnisse zur Sozialgeschichte 1918–1945, hrsg. v. Monika Richarz, Stuttgart 1982, S. 112f.

Das jüdische Arbeitsamt

Salomon Adler-Rudel

Salomon Adler-Rudel (1894–1975) gehörte zu den Pionieren der jüdischen Sozialarbeit in Deutschland. Er widmete sich als Leiter des jüdischen Arbeiterfürsorgeamtes in Berlin besonders der ostjüdischen Arbeiterschaft. Adler-Rudel emigrierte 1937 über London nach Palästina, wo er später Generalsekretär des Leo Baeck Institutes in Jerusalem war.

Die Erkenntnis, daß die Beschaffung von Arbeit für mittellose und hilfsbedürftige Menschen, die arbeitsfähig sind, die beste und wirksamste Hilfeleistung ist, ist in der jüdischen Wohlfahrtspflege nicht neu. Die Anfänge der organisierten Arbeitsbeschaffung für jüdische Arbeitslose in Deutschland liegen bereits drei Jahrzehnte zurück. Im Jahre 1895 begründeten die Berliner B'ne Brith-Logen den „Verein für Arbeitsnachweis" in Berlin, der zu Beginn des Jahres 1896 seine Tätigkeit aufnahm. Neben dem Verein für Arbeitsnachweis entstand mit Kriegsende das Jüdische Arbeitsamt, das sich ebenfalls der Arbeitsvermittlung widmete. Die wirtschaftliche Entwicklung der Nachkriegszeit, die Verarmung des jüdischen Mittelstandes und das Anwachsen der Zahl der jüdischen Arbeitnehmer drängten zu einer Vereinheitlichung der jüdischen Arbeitsvermittlung. Diese erfolgte im Jahre 1923 und führte zur Schaffung der „Arbeitsgemeinschaft der Jüdischen Arbeitsnachweise", die heute der einzige bedeutende jüdische Arbeitsnachweis Berlins ist. Hier laufen zentral sämtliche Meldungen der Arbeitssuchenden zusammen, von hier aus erfolgt die Bearbeitung der Arbeitgeber und die Unterbringung der Arbeitssuchenden in freie Stellen.

Der jüdische Arbeitsnachweis, der wie alle anderen Arbeitsnachweise seine Entstehung karitativen Momenten verdankt, hat die Entwicklung, die das Arbeitsnachweiswesen, namentlich in den letzten Jahren, nahm, ebenfalls mitgemacht. Aus einer fast nur karitativ eingestellten Einrichtung ist er im Laufe der Zeit zu einer wirtschaftlichen Institution geworden, die ihre Tätigkeit zunächst und vor allem nach wirtschaftlichen Grundsätzen durchführen muß, wenn auch im Rahmen dieser Tätigkeit karitative Momente nicht unberücksichtigt bleiben können.

Diese wachsende Inanspruchnahme des jüdischen Arbeitsnachweises – trotzdem der Besuch des öffentlichen Arbeitsnachweises zwangsmäßig vorgesehen ist – ist in einem gewissen Umfange symptomatisch für die Umschichtung, die sich in der wirtschaftlichen Lage der Juden in Deutschland vollzogen hat. Die wirtschaftlichen Folgen der Kriegs- und Nachkriegszeit, die Verarmung des jüdischen Mittelstandes, haben zu einer außerordentlichen Steigerung der Zahl der jüdischen Arbeitnehmer geführt. Die Verdrängung der Juden als Arbeitnehmer vom Arbeitsplatz, die immer schärfere Formen annimmt, trägt zur Vergrößerung der Zahl der jüdischen Arbeitslosen bei und erschwert ihre Unterbringung in Arbeit. Ein weiteres Moment für die verstärkte Inanspruchnahme des jüdischen Nachweises ist die Tatsache, daß es für jene Arbeiter und Angestellten, die aus religiösen Gründen am Sonnabend nicht arbeiten, immer schwieriger wird, Beschäftigung zu erlangen. Sie sind in ihrer Existenz von der Werbearbeit des jüdischen Nachweises fast ganz abhängig. Dasselbe gilt auch für die große Zahl älterer Angestellter, für die nur bei intensivster Bearbeitung des Einzelfalles Beschäftigung verschafft werden kann.

Diese wachsende Inanspruchnahme des jüdischen Arbeitsnachweises, die ihren Höhepunkt noch nicht erreicht hat, bewirkte naturgemäß einen immer größeren Ausbau des jüdischen Arbeitsnachweises, der nur dann in der Lage ist, allen Anforderungen, die an ihn von Arbeitnehmern und Arbeitgebern gestellt werden, zu entsprechen, wenn er sich in seiner inneren Einrichtung immer mehr der Form und Art der öffentlichen Arbeitsnachweise angleicht, ohne in die durch die Masse der Arbeitsuchenden bewirkte und so oft beklagte Mechanisierung und Bürokratisierung des Betriebes zu verfallen. Die Arbeitsgemeinschaft der Jüdischen Arbeitsnachweise, die neben der reinen Arbeitsvermittlungstätigkeit gleichzeitig Träger der gesamten *jüdischen produktiven Fürsorge* in Berlin ist, gliedert sich in vier Hauptabteilungen:

1. Stellennachweis für männliches Personal mit den Unterabteilungen für kaufmännisches Personal, Handwerker, ungelernte Arbeiter und Angehörige der freien Berufe.
2. Stellennachweis für weibliches Personal mit den Unterabteilungen für kaufmännisches Personal, gewerbliches Personal, Angehörige der freien Berufe.
3. Abteilung für Hauspersonal. Dieser Abteilung fällt immer größere Bedeutung zu, denn da am 1.1. 1930 die gewerbliche Stellenvermittlung für Hauspersonal aufhört, muß der Arbeitsnachweis schon jetzt sich darauf einrichten, um die herannahende immer größer werdende Inanspruchnahme befriedigen zu können.
4. Berufsberatungsstelle und Lehrstellenvermittlung für Knaben und Mädchen.

Die Erhaltung des Arbeitsnachweises erfolgt zum größten Teil aus den Zuwendungen der Jüdischen Gemeinde Berlin. Die die Arbeitsgemeinschaft bildenden Vereine, und zwar der „Verein für Arbeitsnachweis" und das „Jüdische Arbeitsamt" haben ihre Mitgliedsbeiträge der Arbeitsgemeinschaft voll zur Verfügung gestellt. Bei dem Ausbau des Arbeitsnachweiswesens aber decken die auf diese Weise hereinkommenden Gelder kaum einen Bruchteil der Ausgaben.

Über den Umfang der Arbeitsbeschaffung und die Inanspruchnahme des Arbeitsnachweises gibt die folgende Tabelle, die die Zahlen für 1928 enthält, ein ungefähres Bild:

Männliche Abteilung	Meldg.	Vermittl.
Kaufmänn. Berufe	1941	682
Facharbeiter	1498	641
Ungelernte Arbeiter	1603	1230
Freie Berufe	230	35
Weibliche Abteilung		
Kaufmänn. Berufe	2535	1687
Gewerbl. Arbeiter	584	405
Hauspersonal	1365	769
Freie Berufe	395	111
Insgesamt	10151	5560

Jüdische Arbeits- und Wanderfürsorge, 1. Jahr, Nr. 7, Januar 1928, S. 126–128. Tabelle aus 2. Jhrg., Nr. 11, Mai 1929, S. 227

Das „Parlament" der Jüdischen Gemeinde Berlin

Alexander Szanto

Der Journalist Alexander Szanto (1899–1972) aus Budapest war 1923–33 Stenograph der Repräsentantenversammlung der Jüdischen Gemeinde. Diese Versammlung umfaßte die gewählten Vertreter der Gemeinde und setzte sich aus verschiedenen Fraktionen zusammen – von den Liberalen bis hin zu den Zionisten.

Meine ersten Verbindungen mit der Berliner Jüdischen Gemeinde stammen aus dem Jahre 1923 – dem Jahre der großen Inflation. Die schwere Wirtschaftskrise, die damals Deutschland überflutete, bedeutete natürlich auch für die deutschen Juden eine bewegte Zeit. Hatte sich die Jüdische Gemeinde vorher lediglich mit religiösen, karitativen und kulturellen Aufgaben zu befassen, so fielen jetzt in wachsendem Maße auch wirtschaftliche und sozialpolitische Probleme in ihren Arbeitsbereich. Der Gemeindevorstand hatte alle Hände voll zu tun, um den wachsenden Anforderungen, die an ihn gestellt wurden, gerecht zu werden, und die Repräsentantenversammlung, ein in freier Wahl gewähltes Gemeindeparlament, mußte viel mehr Sitzungen als vordem abhalten, um das Arbeitspensum bewältigen zu können. Nicht nur die Zahl der Sitzungen vergrößerte sich, auch ihre Tagesordnungen wurden umfangreicher und bedeutsamer. Deshalb wurde beschlossen, an Stelle der früher üblichen Protokolle nunmehr ein wortgetreues Stenogramm der Sitzungen aufnehmen zu lassen, und ich wurde mit dieser Aufgabe betraut. (...)

Der Schauplatz der Sitzungen war der große Repräsentantensaal in dem Verwaltungsgebäude der Gemeinde, Oranienburger Straße 29. In dem riesigen Raum, von dessen Wänden die Ölgemälde verblichener Gemeinde-Koryphäen auf die Versammelten niederblickten, befand sich eine große hufeisenförmige Tafel, zu deren beiden Seiten die Repräsentanten ihre Plätze einnahmen. In der Mitte, etwas erhöht, saß der Vorsitzende der Versammlung, rechts von ihm die Orthodoxen (sie nannten sich offiziell Konservative) und daran anschließend die Zionisten, links von ihm die Liberalen. Dort, wo die offene Seite des Hufeisens war, befand sich ein langer Tisch, an dem die Mitglieder des Gemeindevorstandes ihren Platz hatten. Im Hintergrund pflegten meist einige führende Gemeindebeamte zu sitzen oder zu stehen. Ein Rednerpult gab es nicht. Jeder Repräsentant, der in der Debatte das Wort ergriff, erhob sich von seinem Platze und sprach von dort aus. Das gleiche galt für die Mitglieder des Gemeindevorstandes, wenn sie das Wort ergriffen, um Erklärungen abzugeben oder auf Interpellationen zu antworten. Der hufeisenförmige Tisch der Repräsentanten war so groß, daß in seinem Zwischenraum noch Platz für einen kleineren kreisförmigen Tisch blieb, an dem die Vertreter der jüdischen Presse, der Stenograph und der zuständige Sekretär, der die administrativen Agenden der Versammlung leitete, saßen. Der letztgenannte Posten wurde jahrelang von dem Gemeindebeamten Silberberg ausgefüllt, einem im Dienste ergrauten und allseits beliebten Manne.

Die Sitzungen waren öffentlich. Rund um den Saal, in erheblicher Höhe, befand sich eine Empore, auf der stets eine Anzahl von Zuhörern anwesend war. Die Sitzungen wurden in regelmäßigen Abständen, etwa alle zwei bis drei Wochen abgehalten, meistens am Sonntagvormittag, je nach Bedarf aber auch an Wochentagen abends. Die Sitze waren stets vollständig besetzt, denn nach dem Gemeindestatut wurde jeweils bei den Wahlen zusammen mit dem Repräsentanten auch ein Stellvertreter gewählt, der für den eigentlichen Repräsentanten im Verhinderungsfalle eintrat.

Den Höhepunkt jeder Sitzungsperiode bildeten die Beratungen über das jährliche Budget der Gemeinde. Neben den Ausgaben für Kultus und Wohlfahrt, Neubau von Synagogen, Einrichtung und Betrieb von Altersheimen, Waisenhäusern, Krankenhäusern usw. waren es in wachsendem Maße kultu relle und wirtschaftliche Aufgaben, die große Geldbeträge erforderten. Das von einzelnen Rednern der Budgetdebatte gewünschte Ziel, daß einige Institutionen sich aus den eigenen Einnahmen aufrechterhalten sollten, konnte in der Praxis fast nie erreicht werden. Nur der Friedhof brachte in manchen Jahren einen finanziellen Überschuß ein, besonders nachdem zu dem eigentlichen Beerdigungswesen noch eine eigene Gärtnerei in Weißensee eingerichtet worden war.

Außer den gemeindeeigenen Institutionen wurden laufend zahlreiche andere jüdische Vereinigungen und Organisationen subventioniert. In allen solchen Fällen mußte die Repräsentantenversammlung ihre Zustimmung zur Bewilligung der Gelder geben. Das geschah nicht ohne genaue Prüfung der Sachlage und oft erst nach reiflicher Debatte, aber doch zumeist in recht großzügiger Weise, und zwar auch dann, wenn es sich um Institutionen handelte, deren Wirkungskreis sich nicht auf die Reichshauptstadt beschränkte. Im Gegensatz zur Berliner Gemeinde konnten sich viele kleine Gemeinden in der Provinz nicht aus eigener Kraft erhalten, und auf die eine oder andere Weise mußte dann Berlin aus der Not heraushelfen. Die wirtschaftliche Existenz der Kleingemeinden, die Frage der Besoldung ihrer Rabbiner und Lehrer usw. bildete ein ständiges Problem, und die Notrufe klangen bis in die Berliner Gemeindestube hinein. Es war nicht zuletzt die Notwendigkeit eines Lastenausgleiches zwischen den armen und den kapitalkräftigen Gemeinden, die schließlich den Anstoß zur Schaffung des Preußischen Landesverbandes Jüdischer Gemeinden gab.

Die Beratung des Budgets erfolgte in der Weise, daß der Voranschlag im einzelnen in den Ausschüssen beraten wurde, die von den Repräsentanten und vom Gemeindevorstand gemeinsam beschickt wurden. Es dauerte in der Regel sehr lange, bis das fertige Budget vor das Plenum der Repräsentantenversammlung gelangte, und meist war bis dahin ein wesentlicher Teil des Etatjahres bereits verstrichen. Es war eine Jahr für Jahr wiederkehrende Beschwerde der Repräsentanten, daß sie im wesentlichen über Gelder abzustimmen hätten, die in Wirklichkeit bereits ausgegeben waren. Dieser Umstand verhinderte aber nicht, daß die Etatberatung im Plenum zur Austragung der großen weltanschaulichen Meinungsverschiedenheiten benutzt wurde. Die einzelnen Fraktionen, Liberale, Zionisten und Konservative, schickten ihre glänzendsten Redner vor, und erst nachdem diese ihr rhetorisches Feuerwerk abgebrannt hatten, kam es zur trockenen sachlichen Debatte, in deren Rahmen die mit dem Referat betrauten Repräsentanten über die einzelnen Posten des Etats und über deren Vorberatung in den Ausschüssen ihren Bericht erstatteten. Oft kam es allerdings auch hierbei zu lebhaften Aussprachen. (...)

Das Jahr 1926 brachte Neuwahlen zur Repräsentantenversammlung, und bei dieser Gelegenheit verloren die Liberalen ihre Majorität. Sie verfügten nunmehr über 20 von den 41 Sitzen. Die unter dem Namen Jüdische Volkspartei auftretenden Zionisten errangen 14 Sitze, die übrigen sieben Sitze verteilten sich auf die verschiedenen konservativen Gruppen. Die Liberalen waren immerhin die stärkste Partei geblieben, es fehlte ihnen nur ein einziges Mandat zur absoluten Mehrheit. Aber die Zionisten und die verschiedenen konservativen Grupen verbanden sich sofort zu einer Einheitsfront und benutzten die auf diese Weise geschaffene Mehrheit von einer Stimme, um ihr eigenes Regime aufzurichten. Zahlreiche Umbesetzungen auf leitenden Posten der Gemeindeverwaltung wurden vorgenommen und das Steuer scharf nach rechts herumgeworfen. Das führte zu einer Zuspitzung der Debatten in der Versammlung. Äußere Umstände kamen hinzu, um die Gemüter noch mehr zu erregen: die steigende antisemitische Gefahr, die weltpolitischen Auseinandersetzungen um die Palästina-Frage und anderes mehr. Die jüdische Öffentlichkeit nahm regeren Anteil an den innerjüdischen Auseinandersetzungen als vorher. Die jüdische Presse, vor allem die zionistische Jüdische Rundschau und die antizionistische Jüdisch-Liberale Zeitung entsandten nunmehr regelmäßig ihre Berichterstatter in die Sitzungen der Versammlung (was früher nur sporadisch der Fall gewesen war) und brachten ausführliche Berichte in ihren Spalten. Die gegenseitigen Polemiken erreichten ihren Höhepunkt.

Jüdisches Leben in Deutschland. Selbstzeugnisse zur Sozialgeschichte 1918–1945, hrsg. v. Monika Richarz, Stuttgart 1982, S. 217ff.

Neue Aufgaben der Jüdischen Gemeinde

Heinemann Stern

Heinemann Stern (1878–1957) war einer der führenden jüdischen Pädagogen und Vorsitzender des Reichsverbandes Jüdischer Lehrervereine. Er lehrte seit 1922 an der Knabenmittelschule der Jüdischen Gemeinde Berlin, deren Rektor er 1931–38 war.

Ich habe nicht die Aufgabe – und auch gar nicht die Möglichkeit – eine Geschichte der Jüdischen Gemeinde in Berlin zu schreiben, wohl aber die, ein Bild zu zeichnen von den Zuständen und der Entwicklung, wie sich diese dem Beschauer darboten. Die Unruhe und Gärung der Zeit erfaßten auch den jüdischen Sektor in seinem gesamten Ausmaß. Es wurde ein vollkommen ausgebildetes System der sozialen Fürsorge auf- und ausgebaut. Unter der energischen Leitung des Schuldezernates durch Max Kollenscher wurde das Volksschulwesen organisiert und die Mädchenschule in der Auguststraße errichtet. Moritz Rosenthal reorganisierte die Altersheime und baute das Haus in Schmargendorf, das später eines der ersten Opfer der nazistischen Habgier wurde. Neben dem Krankenhaus entstanden Polikliniken und neben den Schulen Kindergärten und Kinderheime in den verschiedenen Stadtteilen. Das Jugendamt erstreckte seine Tätigkeit nicht nur auf die Fürsorgebedürftigen, sondern suchte auch die zahlreichen Jugendvereinigungen unter seinen Einfluß zu bringen. Ferienkolonien und Ferienheime im Gebirge und an der See ergänzten die städtischen Einrichtungen. (...)

Auch das geistige Leben in der Gemeinde erfuhr eine Vertiefung und Erweiterung bis in die letzte Regung jüdischen Geistes hinein, zusammengefaßt im Lehrhaus, das man auch als jüdische Volkshochschule bezeichnen konnte. Zu diesem – sozusagen gemeindeamtlichen – Arbeitsbereich kamen nun die vielfachen, kaum übersehbaren Unternehmungen der privaten Vereine und Institute, nicht zu vergessen die der Parteien, vor allem also die zionistischen. Da ist in erster Linie zu nennen die weitverzweigte Sozialarbeit des Frauenbundes unter der hingebenden Führung von Frau Bertha Falkenberg; nicht zu vergessen ist aber auch die zwar inoffizielle, aber darum nicht weniger wirksame Tätigkeit des Verbandes der B'ne Brith-Logen, die der Öffentlichkeit nur in dem einzigartigen Altersheim in Steglitz vor Augen trat. Das Schulwesen erfuhr eine bedeutsame Erweiterung durch die Unterrichtsanstalten des zionistischen „Schulvereins" und der orthodoxen Adass Jisroel. Sogar das synagogale Leben der Liberalen erfuhr eine Bereicherung und Erweiterung durch die Privatinitiative. Hermann Falkenberg, mein unvergeßlicher Freund und Kollege, unbefriedigt durch den unpersönlichen „Großbetrieb" der Gemeindesynagogen, gründete die kleinen religiösen Vereinigungen mit eigenen Betstuben, für die er auch die Agende schuf. In diesen „K'hillas"[1] absolvierte mancher der jungen Rabbinatskandidaten seine Lehrzeit, unter ihnen auch der ausgezeichnete Manfred Swarsensky, der sich dann als Gemeinderabbiner als eines der wertvollsten Glieder der jungen Rabbinergeneration erwies.

Abseits von all diesen kulturellen Einrichtungen zur Erweiterung und Vertiefung des jüdischen Lebens liefen die Bestrebungen zur wirtschaftlichen Kräftigung – oder man kann schon sagen: Wiederaufrichtung – des durch die wiederholten Krisen schwer erschütterten gewerblichen Mittelstandes, ein Arbeitsgebiet, auf dem sich vor allem die Repräsentanten Wilhelm Marcus und Louis Wolff, Handwerksmeister und Leiter der Handwerkervereinigungen, schöpferisch betätigten. Das Ziel war, die unproduktive Wohlfahrt in produktive Mittelstandsfürsorge umzuwandeln. Zu diesem Zweck schritt man zur Einrichtung von Arbeitsnachweisen und zur Gründung von Darlehenskassen, die naturgemäß nur unter finanzieller Mitwirkung der Gemeinde ins Leben gerufen werden konnten.

Betrachtet man diese staunenswerte Entwicklung, die einem Strukturwandel der Gemeinde gleichkam, unter dem politischen Gesichtspunkt, so muß man zur Frage kommen, wieso diese Neuorientierung gerade in der Zeit der Verwirklichung der uneingeschränkten Gleichberechtigung der Juden, in einer Zeit also, die ihnen alle staatlichen und kommunalen Einrichtungen zur Verfügung stellte, die auch den sozialen Bedürfnissen der Juden gerecht zu werden bereit war, möglich oder gar notwendig wurde. Die Antwort auf diese Frage enthüllt einen Komplex von Ursachen, materiellen und ideellen. Ein zwingender Grund war vor allem die Verarmung weiter Schichten des Mittelstandes, die ehedem selbst Träger der sozialen Hilfstätigkeit gewesen waren und nun deren Objekte wurden. Entscheidend aber war der verstärkte Einfluß von Zionisten sowie das Eindringen der Jugend in die aktive Politik, auch der liberalen, die neue Wege zum Judentum suchte. Der neue republikanisch-demokratische Geist, gänzlich verschieden von dem alten „bekoweden"[2] Wohltätigkeitssinn der jüdischen Notabeln-Demokratie, durchlüftete auch die jüdischen Gemeindestuben. All dies trug dazu bei, der jüdischen Gemeindeverwaltung ein neues Gesicht, dem Gemeindeleben eine neue Form zu geben.

Erstaunlich war es, wie diese umfangreiche, vielgestaltige Verwaltung eines großstädtischen Gemeinwesens von fast 175000 Mitgliedern ehrenamtlich dirigiert werden konnte. Zwar stand über dem ansehnlichen Heer der Angestellten eine kleine Zahl besoldeter Oberbeamten unter der Leitung des Syndikus (Dr. Ismar Freund) und später eines Gemeindedirektors (Dr. Walter Breslauer), aber die Dezernatsverwaltung lag doch in den Händen der ehrenamtlichen Vorstandsmitglieder, deren unermüdliche Arbeit im Dienste des Gemeinwohls dem Betrachter unbegrenzte Hochachtung abnötigen mußte. Ob man am frühen Morgen, um die Mittagszeit, am späten Nachmittag oder am späten Abend in eines der beiden Gemeindehäuser kam, immer traf man auf einen oder einige der doch auch beruflich vielbeschäftigten Anwälte, Bank-, Fabrik- oder Handelsherren.

Heinemann Stern, Warum hassen sie uns eigentlich? Düsseldorf 1970, S. 116ff.

1 Kehilla, hebräisch Gemeinde
2 ehrenhaft

Leo Baeck als Rabbiner und Lehrer

Manfred Swarsensky

Manfred Swarsensky, geboren 1906, erhielt 1929 das Rabbinerdiplom der Berliner Hochschule für die Wissenschaft des Judentums, an der Leo Baeck (1873–1956) sein Lehrer war. Er amtierte 1932–1939 als Rabbiner an der Wilmersdorfer Synagoge in der Prinzregentenstraße und emigrierte dann in die USA.

Wenn ich an das Berlin denke, das ich kannte, an die Stadt, in die ich 1925 als Student kam, um die Universität und die Hochschule für die Wissenschaft des Judentums zu besuchen, an die Stadt, in der ich bis 1939 Rabbiner war, dann überwältigt mich eine Flut von Erinnerungen an Orte, die zur geistigen Biographie meiner Existenz gehören, an Ereignisse, die den Verlauf meines Lebens bestimmten, und an Menschen, deren Dasein sich mit meinem untrennbar verband.

Doch unter all denen, die ich das Glück hatte, in Berlin kennenzulernen, war niemand dessen Persönlichkeit mein Leben so dauerhaft prägte wie Leo Baeck. Er war die letzte überragende Gestalt einer Epoche der deutsch-jüdischen Geschichte, die mit höchsten Erwartungen begann und mit einer Tragödie endete. (...)

Geboren 1873 in Lissa in der Provinz Posen, kam Baeck 1912 nach Berlin, nachdem er zuvor als Rabbiner in Oppeln und Düsseldorf amtiert hatte. Damals war die Jüdische Gemeinde Berlin die wohlhabendste, die am weitesten emanzipierte und kulturell bedeutendste jüdische Gemeinde Europas. Die Synagoge in der Fasanenstraße, in der Baeck predigte (später fungierte er auch in der Synagoge Lützowstraße), war das neueste und architektonisch eindrucksvollste jüdische Gotteshaus in Deutschland.

Baeck war weder ein brillierender noch ein dynamischer Kanzelredner. Einige meinten, er rede über ihre Köpfe hinweg. Doch sogar die, die dem Höhenflug seiner Gedanken nicht folgen konnten, achteten ihn um seiner Stellung, seiner Gelehrsamkeit und seiner Weisheit willen. Seine würdige Erscheinung, seine durchdringenden dunklen Augen, seine innere Vornehmheit und seine Herzensgüte verbunden mit seiner ausgeprägten Bescheidenheit erweckten Verehrung. Er wirkte wie ein Aristokrat, wie ein „Gaon" des Judentums.

Baeck verfügte über ein enzyklopädisches Wissen. Mit gleicher Souveränität sprach er über die Literatur der Griechen und Römer, die Schriften der Kirchenväter und Scholastiker wie über die Geisteswelt der Inder und Chinesen. Er war ebenso zu Hause in der Akademie von Plato und Aristoteles wie in den Lehrhallen von Spinoza, Kant und Dilthey, die seine bevorzugten Philosophen waren. Begabt mit einem außerordentlichen Gedächtnis, benötigte er nie ein Manuskript für seine Predigten und Vorlesungen – nicht einmal, als er mit 81 Jahren seinen letzten Vortrag hielt. Baeck zuzuhören bedeutete einen intellektuellen und ästhetischen Genuß. Es war, wie wenn man ein schönes Gebäude vor seinen Augen wachsen sah. (...)

An seiner alma mater, der Hochschule für die Wissenschaft des Judentums, lehrte Baeck Midrasch, vergleichende Religionswissenschaft, Homiletik und jüdische Pädagogik. Diese Hochschule im Berliner Norden war das älteste liberale Rabbinerseminar der Welt. Gegründet 1870 von Abraham Geiger, richtete sie sich nach den Traditionen des liberalen Judentums und nach den Prinzipien von Leopold Zunz, dem Begründer der Wissenschaft des Judentums.

Baeck bildete zwei Generationen von Rabbinern aus. Im Laufe der Zeit vergaß ich vieles, was ich während der sieben Jahre meines Studiums an der Hochschule gelernt hatte. Was Baeck lehrte, habe ich nie vergessen. Er vermittelte nicht nur Wissen, sondern Weisheit.

Manfred Swarsensky, Out of the Root of Rabbis, in: Gegenwart im Rückblick, Festgabe für die Jüdische Gemeinde zu Berlin, hrsg. v. H. A. Strauss u. K. Grossmann, Heidelberg 1970, S. 219f. (Übersetzung M. Richarz)

Ostjüdische Religiosität

Gittel Weiß

Gittel Weiß, geboren 1903 in Galizien, wuchs im ostjüdischen Milieu des „Scheunenviertels“ am Alexanderplatz auf. Sie wurde Kommunistin und arbeitete als Sekretärin. Mit einem Nichtjuden verheiratet, überlebte sie die NS-Zeit in Berlin.

Kurz nachdem meine Schwester zur Welt gekommen war, mußte mein Vater sich operieren lassen. Also Kosten für Operation und Krankenhausaufenthalt, Kosten für die Entbindung, Ausgaben für das Baby – es entstand eine Situation, die wir unmöglich meistern konnten.

In dieser Zeit kreuzte der „Tytschiner Row“ bei uns auf. Tytschiner, weil er aus Tytschin in Galizien stammte, und Row (= Rabbi). Mein Vater gehörte zu seinen Anhängern. Jeder dieser Rabbiner hatte seine kleine Gemeinde. Er war der Vater Mischket Liebermanns.

Der Rabbi hatte von der Not eines seiner Gemeindemitglieder erfahren. Er besuchte uns und brachte eine kleine Summe mit, zu der die Gemeindemitglieder trotz aller Armut, unter der sie selbst litten, beigesteuert hatten.

Diesen Tytschiner Row habe ich in guter Erinnerung. Das wahrscheinlich deshalb, weil er eine markante Erscheinung war. Groß, schlank, mit Kaftan, Schläfenlöckchen und einem gepflegten Bart wirkte er geradezu elegant. Was besonders an ihm auffiel, waren seine klugen, lebhaften, braunen Augen. Dazu ein schalkhaftes, liebenswürdiges Lächeln – so sehe ich ihn vor mir.

Ich hatte auch Gelegenheit, seine künstlerische Begabung zu bewundern. Am Rosch Haschonoh, dem jüdischen Neujahrsfest, wird während des Gottesdienstes „Schofar" geblasen (ein Schofar ist ein Widderhorn). Dazu werden bestimmte Worte in einem vorgeschriebenen Ton teils gesprochen, teils gesungen. Das Ganze ist eine Art Weckruf zu Reue und Buße. Zu diesem Schofarblasen fand ich mich auch ein. In früher Jugend aus Tradition, später aus Interesse an dem Milieu. Die Art, wie der Tytschiner Row vorsang und vorbetete, hat mich tief beeindruckt, wie man eben von einer hohen künstlerischen Leistung beeindruckt wird. Mischket Liebermann wußte nicht einmal, wann, wo und wie ihr Vater in der Nazizeit umgekommen ist, untergegangen mit Millionen anderen.

Die ostjüdische Bevölkerung rings um die Grenadierstraße hatte ihre „Betstuben". Diese mußten in der Nähe der Wohnungen der Gläubigen liegen, denn man durfte ja gerade am Sabbat und an den Feiertagen, wenn man ein Gotteshaus aufsuchte, nicht fahren. Es waren jeweils zwei Räume, der eine für Männer und der andere für Frauen bestimmt. Die Trennung nach Geschlechtern ist strenge Vorschrift. Die Betstuben waren schmucklos. Es ist orthodoxen Juden nicht erlaubt, Bilder in Gebetstätten anzubringen, Porträts schon gar nicht, denn es steht geschrieben: „Du sollst dir kein Bildnis machen." Die Gläubigen saßen oder standen dicht gedrängt (das besonders an den hohen Feiertagen). Und es war ein starkes und leidenschaftliches Hinwenden zu ihrem Gott, zumal durch die Frauen.

Ganz anders sah es in den Synagogen, schön eingerichteten Kultstätten, aus. Die Synagoge in der Oranienburger Straße hatte sogar eine Orgel. Orgelmusik zu hören, war eigentlich frommen Juden nicht gestattet, aber sie macht natürlich alles viel feierlicher und festlicher. Und auch das Beten hatte in den Synagogen einen ganz anderen Charakter. Hier saßen die Damen vornehm still da und blickten ruhig in ihre Andachtsbücher. (Auch in der Männerabteilung ging es ruhiger zu als in den Betstuben.) Gerade diese vornehme Stille gefiel mir bei gelegentlichen Besuchen einer Synagoge nicht. Ich vermißte das ursprüngliche, echte Gefühl. In Betstuben gab es kaum deutsche Juden. Die ganze Atmosphäre war ihnen zu fremd. Besuchten wiederum Ostjuden eine Synagoge, so hatten sie sich schon etwas angeglichen, oder aber sie wohnten in einer Gegend, in der „ihre“ Gebetstätte schwer erreichbar war. Es herrschte mitunter sogar Feindschaft zwischen Ostjuden und einem großen Teil der deutschen Juden. Diese fühlten sich aufgrund ihrer westeuropäischen Bildung und ihrer besseren sozialen Stellung jenen überlegen, die wiederum eine solche Haltung mit Geringschätzung vergalten.

Gittel Weiß, Ein Lebensbericht, Berlin (Ost) 1982, S. 25f.

Die orthodoxe Separatgemeinde Adass Jisroel

Michael Munk

Rabbiner Michael Munk würdigt hier seinen Vater Esra Munk (1867–1941). Dieser studierte am orthodoxen Rabbinerseminar in Berlin und war 1900–1938 als Nachfolger seines Onkels Esriel Hildesheimer Rabbiner der Berliner Separatgemeinde Adass Jisroel. Diese Separatgemeinde war 1869 von streng gesetzestreuen Juden gegründet worden, die die Einheitsgemeinde als zu liberal verließen.

Die Adass Jisroel entfaltete mit Beginn des 20. Jahrhunderts eine segensreiche Tätigkeit auf allen Gebieten des Berliner Gemeindelebens und diente gleichzeitig als Basis für kulturelle Schöpfungen, die ihren Einfluß weit über die Grenzen der Reichshauptstadt ausstrahlten. Im Zentrum Berlins und in Charlottenburg unterhielt die Adass Jisroel (seit 1869 und 1910) Religionsschulen, in denen Schülern der städtischen Schulen am Sonntagvormittag und mehrfach in der Woche nachmittags Religionsunterricht erteilt wurde. Noch vor Beginn des Ersten Weltkrieges ergriff der Gemeinderabbiner Dr. Esra Munk, unterstützt von Dr. Meier Hildesheimer und dem Vorsitzenden der Repräsentanz der Adass Jisroel, des am *Beth Hamedrasch* amtierenden Rabbiners und Arztes Dr. Eduard Biberfeld, die Initiative, ein eigenes Schulwerk in die Wege zu leiten, in welchem im Sinne der *„Torah im Derech Erez“*-Bewegung die Jugend eine echte jüdische Erziehung in harmonischer Synthese mit moderner weltlicher Bildung genießen konnte. Es wurde zunächst eine Grundschule errichtet, für die vom Provinzialschulkollegium im Jahre 1921 die Genehmigung als eine „private jüdische Grundschule mit gehobenen Volksschulklassen" erteilt wurde. Der Volksschule wurden ein Realgymnasium und ein Oberlyzeum angegliedert, die 1925 als mit allen Rechten versehene Lehranstalten konzessioniert wurden. Die provisorischen Räume in dem bisherigen Schulgebäude Monbijouplatz 10 reichten nicht mehr aus, und Grund- und Volksschulklassen wurden in das Schulgebäude Neue Schönhauser Straße 13 überführt. Für das höhere Schulwerk konnte schließlich das Künstlerhaus Siegmundshof 11 im Tiergartenbezirk erworben und umgebaut werden. (...)

Von sonstigen Einrichtungen der Adass Jisroel-Gemeinde sind ein eigenes Krankenheim in der Elsasserstraße, eine Unterstützungskasse und der Frauenverein hervorzuheben. Ein ausgedehntes *Kaschrut*system umfaßte die *Schechita* mit eigenen Schächtern, die Überwachung der Fleischereien, Bäkkereien, Kolonialwarenhandlungen und Speisehäuser, die Herstellung von rituellen, sowie speziell für Pessach erlaubten Lebensmitteln und *Matzot*. Das *Kaschrut*wesen wurde dem Rabbinatsassessor Dr. Hermann Klein übertragen, der als Rabbiner an der Zweigsynagoge der Adass Jisroel im Goethepark in Charlottenburg gleichzeitig amtierte. Die Einrichtungen der Adass Jisroel standen nicht nur ihren eigenen Mitgliedern, sondern uneingeschränkt der Berliner Judenheit im allgemeinen zur Verfügung. Sie wurden besonders von den aus Osteuropa eingewanderten Juden in Anspruch genommen, die als Mitglieder der allgemeinen Jüdischen Gemeinde sich für synagogale Zwecke unter Beibehaltung ihrer traditionellen Gebräuche in privaten Betvereinen zusammengeschlossen hatten.

Der Rabbiner der Adass Jisroel, Dr. Esra Munk, in weitesten Kreisen kurzweg *„der Raw"* genannt, übte durch sein tiefes talmudisches und halachisches Wissen und seine loyale Einstellung Ost wie West gegenüber, auch auf diese Kreise eine besondere Anziehungskraft aus. Dr. Munk folgte jüdischpolitisch dem Vorbild seines großen Onkels und Meisters und ging den Weg der unabhängigen Orthodoxie. Seine konsequente Stellungnahme hinderte ihn jedoch nicht, auch den jüdischen Persönlichkeiten, die sich nicht der Adass Jisroel anschlossen, freundlich gegenüberzutreten und Beziehungen zu den „konservativen" Rabbinern der Großgemeinde zu unterhalten. (...)

Dr. Munk entfaltete auf verschiedensten Gebieten eine Wirksamkeit, die nicht nur den Juden Deutschlands, sondern auch den Juden vieler anderer Länder zum Segen wurde. Er widmete sich karitativen, organisatorischen und jüdisch-politischen Aufgaben, die sich in Berlin, dem Sitz der meisten Organisationen und aller Reichsbehörden, des Reichstags und des Landtags, wie auch dem Durchgangs- und Reiseziel der vielen ausländischen Juden aus allen Ländern, konzentrierten. Munk war einer der Gründer des „Bundes Jüdischer Akademiker" (B.J.A.), dem die meisten gesetzestreuen jüdischen Akademiker Deutschlands angehörten. An seiner Entwicklung nahm er stets regen Anteil, hielt häufig Referate in der Berliner Vereinigung und auf Bundestagen. Er galt als eines seiner maßgeblichen Mitglieder in ideologischen Fragen, die gerade in diesem Kreis oft behandelt wurden. Hier zeigte er sich als der geschulte Akademiker, der die Methoden der wissenschaftlichen Forschung beherrschte und in den Dienst der jüdischen Lehre stellte, getreu der Devise des Rabbinerseminars, zu dessen erfolgreichsten Schülern er gehörte. Dr. Munk war auch Vorstandsmitglied des „Traditionell Gesetzestreuen Rabbinerverbandes Deutschlands" sowie des Rabbinischen Landesrates der *Agudas Israel* Weltorganisation.

Auf Grund seiner hohen geistigen, wissenschaftlichen und gesellschaftlichen Stellung und Leistungen wurde Dr. Esra Munk als Vertreter des gesetzestreuen Judentums zum offiziellen Sachverständigen für jüdische Angelegenheiten beim Preußischen Ministerium für Wissenschaft, Kunst und Volksbildung (neben Dr. Leo Baeck als Vertreter der Liberalen), sowie als nichtamtlicher Berater für jüdische Angelegenheiten beim Reichsministerium des Innern ernannt.

Michael Munk, Austrittsbewegung und Berliner Adass Jisroel Gemeinde 1869–1939, in: Gegenwart im Rückblick, Festgabe für die Jüdische Gemeinde zu Berlin, hrsg. v. H. A. Strauss u. K. Grossmann, Heidelberg 1970, S. 142ff.

Pessach im Jüdischen Waisenhaus

Josef Tal

Josef Tal, geboren 1910, gehört zu den bedeutendsten Komponisten Israels. Er wuchs als Sohn des Rabbiners Julius Grünthal in Berlin auf, wo sein Vater Direktor eines privaten Waisenhauses und Dozent an der Hochschule für die Wissenschaft des Judentums war. Julius Grünthal floh 1939 nach Holland, wurde aber ein Opfer der Deportation.

Es ist leicht vorstellbar, mit welcher Spannung wir Kinder die Pessachtage erwarteten. Alles wurde in eine andere Welt transponiert. Die Mazzah, obgleich knusprig, doch ziemlich fade, denn sie ist auch ungewürzt, verwandelte die Phantasie in Märchengeschmack. Das tägliche Wasser vom gleichen Wasserhahn, aber aus goldumränderten Passahgläsern getrunken, war der Wein aller Weine. Der Morgenkaffee mit eingebröckelten Mazzestückchen wirkte als inspirierender Auftakt zum Tage. Die Speisekarte ließe sich fortsetzen.

Diese festliche Woche wurde nun vom Sederabend eingeleitet. Um die langausgezogene Festtafel saßen die dreißig Kinder des Waisenhauses, die Familie meines Vaters und eingeladene Gäste. Vater liebte es besonders, seine Studenten einzuladen, von denen viele ohne Anhang in Berlin lebten. So waren wir oft eine Gesellschaft von etwa fünfzig Menschen, die den Auszug aus Ägypten noch einmal aus der Erinnerung vollzogen. Vater saß der Tafel vor in einem großen breiten Lehnstuhl, der noch mit schneeweißen Daunenkissen ausstaffiert war. Denn an diesem Abend muß man bequem und angelehnt sitzen – es wird ja auch viel Wein während der Erzählung getrunken, nicht ungezügelt, nach bestimmten Leseabschnitten geordnet. Vater trug sein weißes Totenhemd, denn obgleich das Passahfest ein freudiges Fest ist, soll der Mensch immer bereit sein, am letzten Tage vor Gott zu stehen. Auf dem Kopf trug er ein weißseidenes Käppchen, das mit einer breiten Silberborte kunstvoll bestickt war. Saß er so in seinem weiten Lehnstuhl, das Gesicht von den hohen Kerzen auf schweren Silberleuchtern beschienen, erblickten wir in ihm eine biblische Figur, die aus alten Zeiten zu uns zurückgekehrt war. Vor ihm lag die Hagadah, in großen hebräischen Buchstaben auf pergamentartigem Papier gedruckt. Manche von ihnen sahen schon recht vergilbt aus, weil man beim Aufzählen der zehn Plagen, mit denen Gott die Ägypter heimgesucht hat, jedesmal den kleinen Finger der rechten Hand ins gefüllte Weinglas tauchen muß und dann den Wein auf die Blätter des Buches abtropfen läßt. Im Laufe der Jahre verleihen diese durchsickernden Weintropfen dem Buch das Aussehen jahrhundertealter Vergangenheit. Vater sang mit kleiner, aber wohltönender Stimme die traditionellen Melodien aus meinem großelterlichen Hause. Damit begnügte er sich aber nicht. Wenn einer der Studenten, die meist aus den östlichen Ländern Europas kamen, eine andere Melodie zum gleichen Text kannte, ruhte Vater nicht eher, als bis wir alle auch die neue Melodie gelernt hatten, und so kam es, daß über einen einzigen Text eine lange Zeit vergehen konnte, bis man die Erzählung wieder aufnahm.

In der Mitte der Hagadah wird eine Pause für das große Festmahl eingeschaltet. Nun kam Mutters wichtige Rolle. Die Küche klappte wie am Schnürchen. Köchin und Dienstpersonal, das die Speisen nach Mutters Anordnungen austeilte, waren in allen Einzelheiten instruiert, denn man begann nicht eher zu essen, bis jeder seinen gefüllten Teller vor sich stehen hatte. Nichts durfte inzwischen kalt werden. (...)

Nach dem Festmahl wird der zweite Teil der Hagadah gelesen. Gegen Ende ist ein wunderschönes Danklied an die Hausfrau eingeflochten. Bis zu dieser Stelle waren natürlich viele Kinder schon halb oder ganz eingeschlafen, denn es war bereits weit nach Mitternacht. Auch mancher Erwachsene nickte mit schweren Augenlidern ein, denn Essen und Wein wirkten. Sobald aber das Danklied an die Mutter ertönte, verstummte Vater in theatralischer Pause, alle mußten wieder wach werden und wenigstens durch aufmerksames

Zuhören am Dank an Mutter teilnehmen. Für dieses Lied schwelgte Vater in wunderbaren Melismen, und Mutter, die neben ihm saß, standen bald Tränen der Rührung in den Augen. Während dieses Liedes hielt Vater Mutters Hand in seiner Hand. Dies war immer der Höhepunkt des Abends, wie spät es auch inzwischen geworden war. Nach dem Ende der Hagadah gingen alle Kinder unter Rahel Goldschmidts gütiger Betreuung schlafen, und die Familie saß noch mit Gästen für ein Plauderstündchen im Wohnzimmer, während die große Tafel abgeräumt und gesäubert wurde. Dann konnte man schon bald das erste Morgenlicht am Himmel erkennen.

Es ist nicht verwunderlich, daß ein solches, von frühester Kindheit sich wiederholende Erlebnis tiefe und starke Wurzeln in den Menschen wachsen läßt, aus denen er auch in schwersten Krisen neue Säfte der Kräftigung ziehen kann.

Josef Tal, Der Sohn des Rabbiners, Berlin 1985, S. 64ff.

Jüdische Jugendbewegung

Robert Jungk

Robert Jungk wurde 1913 als Robert Baum in Berlin geboren. Er mußte 1933 emigrieren und arbeitete als Journalist in vier Ländern. Seit 1957 lebt er überwiegend in Österreich und ist ebenso bekannt als Gegner der Atomrüstung wie als Publizist futurologischer Werke.

Wir trafen uns jeden Sonntag um acht Uhr morgens unter der großen Uhr am Berliner Bahnhof Zoo, um „auf Fahrt“ zu gehen: zehn, zwölf, manchmal fünfzehn junge Deutsche jüdischer Herkunft, die dem Jugendbund „Kameraden“ angehörten. Das war Mitte der zwanziger Jahre, in jenem kurzen Zeitraum, da die erste deutsche Republik endlich zu gedeihen schien. Die Inflation war überstanden, die rechten und linken Bürgerkriegsnachwehen des großen Massenmordens schienen überstanden. Verständigung mit dem alten „Erbfeind“, Verpönung des Krieges, Toleranz und Aufklärung bestimmten das geistige Klima der Reichshauptstadt. Antisemitismus? Das war ein Gespenst der Vergangenheit, das unsere Eltern und Großeltern gelegentlich beschworen, aber keine Realität für uns.

Ich habe mein Judentum zuerst in dieser Gruppe zukunftsfreudiger, von einem romantischen Sozialismus der Brüderlichkeit und Gerechtigkeit erfüllter Menschen erlebt, die viel diskutierten und noch mehr sangen – am liebsten die Landknechtslieder des „Zupfgeigenhansels": die gleichen, wie sie die nichtjüdische bündische Jugend sang, die gleichen, wie wir später entsetzt erkennen sollten, die von Anhängern eines politischen Außenseiters namens Adolf Hitler gebrüllt wurden. Gelegentlich stimmte der eine oder andere eine Schwermutsmelodie aus der ostjüdischen Diaspora an, oder wir stampften im Kreis die „Horra", wie sie weit über'm Meer in Palästina von den zionistischen Pionieren getanzt wurde. All das in jenen Jahren der Illusion einer vermeintlich gelungenen jüdisch-deutschen Assimilation: Es war ein Stück nachgelebter Folklore – ohne besonderes Engagement – so wie die italienischen und französischen Kanons, die wir vielstimmig im spärlichen Schatten märkischer Kiefern summten. Den geistigen Vater dieses Zweigs der jüdischen Jugendbewegung, Ludwig Tietz, habe ich, soweit ich mich erinnern kann, nur einmal gesehen. Man sprach von ihm mit hohem Respekt. Er galt als jemand, dem es gelungen war, „das Beste" bei Wirts- und Gastvolk zu erkennen und zusammenzubringen. Befruchtung und Vermischung zweier Völker, die einander oft so feindlich gegenübergestanden waren, erschien uns in seinem Sinne als glücklicher Fortschritt, ein aus der Enge nationaler Befangenheit hinausführender Schritt der Vereinigung des Getrennten in einer höheren, vollkommeneren Synthese.

Und so waren denn damals unsere geistigen Vorbilder vor allem jene Juden, die, im deutschen Sprachraum lebend, Wesentliches zur Entwicklung des Denkens, der Forschung und der Kunst beigetragen hatten. An unseren einmal wöchentlich stattfindenden Heimatabenden diskutierten wir Bernstein, Simmel, Freud und Marx, lasen uns Werfels frühe Gedichte vor und versuchten zu verstehen, weshalb einer unserer Nachbarn in der Haberlandstraße unweit vom Bayrischen Platz, der Physiker Albert Einstein, weltberühmt geworden war.

Den stärksten Einfluß auf uns hatte Martin Buber. Seine chassidischen Geschichten von den Wunderrabbis eröffneten uns ein ganz anderes Judentum als das des ungeduldig ertragenen Religionsunterrichts und der als fremd empfundenen Traditions-Gottesdienste der hohen Feiertage; ein Judentum, voller Heiterkeit und messianischer Hoffnung. Wenn ich mich recht erinnere, war es eine von Buber herausgegebene Sammlung der Äußerungen und Schriften „ekstatischer Denker", der ich die erste Kenntnis der Schriften des Meister Ekkehard verdanke: Ein Vermittler jüdischer Tradition führte mich zu einem der tiefsten deutschen Mystiker, dem er sich und dem bald auch ich mich verwandt fühlte. Damals – wie heute – wurde jüdisches Denken vorwiegend als rationales Denken begriffen, das die Heiligkeit der Vernunft repräsentiert in einer Epoche, da dunkle Träume und emotionales Handeln die mühsam errichteten Konstruktionen von Geist und Gesetz gefährden. Die andere, zugleich hoffnungsvolle wie gefahrvolle Strömung des Visionären lebt aber ebenfalls im Judentum und durch das Judentum mit einer Kraft, die selten anerkannt, oft gar verleugnet wird. Sie aber hat mich – zuerst durch Buber – zum Judentum zurückgeführt, das ich wie die Generation der Eltern und Großeltern bis dahin eher als Belastung empfunden hatte, nun jedoch als Chance schätzen lernte, als unverdiente Bevorzugung.

Mein Judentum, hrsg. v. Hans Jürgen Schultz, Stuttgart 1978, S. 278f.

Dies hier kann nicht dauern

Hans Mayer

Hans Mayer, geboren 1907 in Köln, kam 1926 als Student nach Berlin. Der Marxist emigrierte 1933 nach Frankreich und in die Schweiz. Schon 1945 zurückgekehrt, war er 1948–63 Professor für deutsche Literatur in Leipzig und lehrte nach seinem Übertritt in die Bundesrepublik 1965–73 in Hannover. Der bekannte Literaturkritiker lebt heute in Tübingen.

Ich war trüb gestimmt, als ich im Oktober 1926 als Untermieter zwei Zimmer bezog in einer großen Wohnung in der Nähe des Nürnberger Platzes. Die Verwandten hatten alles vorbereitet. Natürlich sollte man im Bayerischen Viertel wohnen: zwischen dem Wittenbergplatz und dem Innsbrucker Platz. Dort hatte sich das mittlere jüdische Bürgertum angesiedelt. Auch meine Vermieter gehörten dazu. Sie hatten aus der geräumigen Wohnung eine Pension gemacht. (...)

Im Berliner Herbst des Jahres 1926 entdeckte ich nicht den Marxismus, doch immerhin die „Weltbühne" und Kurt Tucholsky. Gelesen hatte ich die roten Heftchen schon während der Schulzeit: da ich genug hatte von den Bulletins des „Centralvereins deutscher Staatsbürger jüdischen Glaubens", von dem wohl Tucholsky, wenn ich nicht irre, gesagt hat, man solle besser von „Deutschen Staatsjuden bürgerlichen Glaubens" sprechen. Auch das „Berliner Tageblatt" war mir seit langem verleidet. Alfred Kerr hatte ich jahrelang bewundert: ich habe später Jahre gebraucht, um mich als angehender

Kritiker von Kerrs romantisierender Verwechslung der kritischen Analyse mit einer Dichtung aus zweiter Hand freizumachen. Es waren auf die Dauer nicht die selbstverliebten Unarten des berühmten Kritikers, die mich anwiderten, sondern seine offenkundigen Fehlurteile: besonders im Falle von Brecht. Nun war freilich auch Tucholsky kein guter Ratgeber, wenn es sich um Brecht handelte und die Seinen. Das konservative und pessimistische Aufklärertum des Mannes mit den „5 PS" kam beim literarischen Urteilen rasch an seine Grenzen. Aber Tucholsky, als Gesellschaftskritiker Peter Panter, in den politischen Chansons des Theobald Tiger, in der Justizkritik als Ignaz Wrobel: das war ein Mensch nach meinem Herzen.

Nicht zufällig überdies, daß es mir eine der fragwürdigsten Kunstfiguren des Peter Panter angetan hatte: der Herr Wendriner. Das war eine „idealtypische" Erscheinungsform des Berliner jüdischen Bourgeois, vermutlich aus der Konfektionsbranche, irgendwo in der Nähe des Spittelmarkts, aber man wohnte natürlich im Bayerischen Viertel. Zugezogen wohl vor einigen Jahrzehnten aus Posen, das damals noch preußische Provinzhauptstadt gewesen war, oder aus Breslau. Wendriners hatte ich auch in Köln kennengelernt, doch sie waren nicht häufig bei uns zu Gast gewesen. Hier in Berlin hatte ich sie immerfort vor Augen: ihre überhebliche Unsicherheit; das ewige Besserwissen aus Unkenntnis; das Nachschwätzen der Leitartikel von Theodor Wolff aus dem „Berliner Tageblatt"; Anbetung aller Erfolge, gleich welcher. Der jüdische Selbsthaß hatte Tucholsky zu dieser Kreation verholfen; ein bißchen hatte er den Herrn Wendriner sogar nach seinem Ebenbild entworfen. Auch das hatte der kluge Mann natürlich gewußt.

Mir hat er meine Aversionen bewußt gemacht, der Herr Wendriner. Vermutlich wirkte der latente jüdische Selbsthaß dabei mit, der mich niemals verlassen sollte, und der immer von neuem rational kontrolliert werden muß. Später war ich jedoch auf der Hut. Ich habe Karl Kraus niemals so unkritisch und jüngerhaft gelesen wie die Polemiken Kurt Tucholskys: damals in Berlin und mit zwanzig Jahren. (...)

Max Herrmann, damals bereits ein Mann von 62 Jahren, hatte das theaterwissenschaftliche Institut der Universität begründet. Er war außerordentlicher Professor geblieben, aus doppeltem Grund: als Jude, und weil man die Theaterwissenschaft nicht ernstnahm. Im Kolleg setzte er auseinander, warum Schillers „Fiesco" dramaturgisch schlecht gebaut sei. Das mochte richtig sein, allein ich hatte Fritz Kortner in der Rolle des Republikaners Verrina gesehen und begriff plötzlich, beim Vergleich meiner Eindrücke mit den Analysen von Professor Max Herrmann, daß hier einer die Wissenschaft vom Theater zu lehren suchte, ohne sich um das Theater seiner eigenen Zeit zu kümmern. Unzeitgemäß mithin auch dies. Der Professor wirkte freundlich, doch bedrückt. Da hatte einer viel Demütigendes erfahren müssen, ehe er hier stehen durfte. Auch dies war nicht das Ende. Max Herrmann wurde ins Konzentrationslager Theresienstadt transportiert und starb dort im November 1942: ein honoriger Bürger aus Berlin, ein Mann von 77 Jahren.

Das Fleisch schlägt auf in den Vorstädten
Der Streicher spricht heute nacht.
Großer Gott, wenn wir ein Ohr hätten
wüßten wir, was man mit uns macht.

Brechts Ballade von der „Judenhure" Marie Sanders habe ich stets, seit ich sie zuerst las im Exil, als Verdichtung meiner kaum bewußten, gar gewußten Emotionen in den letzten Jahren der Weimarer Rechtsordnung empfunden. Ich wußte nichts, am wenigsten über mich selbst, doch hatte ich immerfort das Gefühl: *dies hier kann nicht dauern.*

Hans Mayer, Ein Deutscher auf Widerruf, Erinnerungen, Frankfurt am Main 1982, S. 68 ff., 78 f.

Theater und Theaterkritik

Hans Sahl

Hans Sahl, geboren 1902 in Dresden, war Theater- und Filmkritiker bei der Berliner Wochenzeitung „Der Montag Morgen". Er emigrierte 1934 in die Schweiz und konnte 1941 aus Frankreich in die USA entkommen. Seitdem lebt er als Schriftsteller, Übersetzer und Korrespondent deutscher Zeitungen in New York.

Selten zuvor hat das Theater eine so bedeutende Rolle im Bewußtsein der Menschen gespielt wie zur Zeit der Weimarer Republik. Alfred Kerr sprach von einem „perikleischen Zeitalter", wir selbst waren uns dieser Tatsache bewußt. Wir hielten es für selbstverständlich, wir waren damit aufgewachsen, daß man das Theater wichtig, sehr wichtig nahm. (...) Reinhardt war ein Zauberer, der mit Illusionen arbeitete und aus jeder Aufführung ein Schauspielerfest machte, Piscator ein Ingenieur der Bühne, der das Prinzip der Bewegung, der Veränderung in seine Inszenierungen einbezog und mit Kränen, laufenden Bändern, mit Scheinwerfern und Projektionen arbeitete. Reinhardt und Piscator, das waren die zwei Richtungen im deutschen Theater der Zwanziger Jahre, die einander auszuschließen schienen. Das eine war bürgerlich, liberal, ästhetisch, unpolitisch, das andere revolutionär, antibürgerlich, politisch engagiert. Dennoch ergänzten sich beide vortrefflich. Der Arbeiter, der das Schöne liebte, ging zu Reinhardt, um sich am Abend von seinem Klassenbewußtsein zu erholen. Dem aufgeklärten Bürger, der auf seine Unvoreingenommenheit in Fragen der politischen Gesinnung stolz war, bereitete es ein seltsam perverses Vergnügen, bei Piscator seinen eigenen Untergang zu beklatschen. Wortführer dieser beiden Richtungen, die wir der Einfachheit halber die alte und die neue nennen wollen, obwohl sie uns heute gleich alt und gleich neu erscheinen, waren zwei Theaterkritiker, die einander bekämpften, Alfred Kerr und Herbert Ihering, zwei Richtungen, zwei Temperamente, zwei Konzeptionen. Alfred Kerr war geistreich, genießerisch, subjektiv, von Fall zu Fall urteilend, ein Impressionist, für den die Kritik eine Nachdichtung des Theaterabends war: er liebte die Illusion, den schönen Schein, das Augen- und Gedankenfest. Der Schauspieler sollte sich ganz im Sinne Stanislawskis und Reinhardts und der naturalistischen Schule mit der Rolle, die er spielte, identifizieren. Er sollte vergessen, daß er ein Schauspieler war. Ihering hingegen war systematisch, doktrinär, objektiv, auf einen Punkt gerichtet, den er nicht aus den Augen ließ. Dieser Punkt hieß Brecht. Seine Kritiken waren Manifeste, Traktate, Kampfansagen.

Hans Sahl, Memoiren eines Moralisten, Zürich 1983, S. 124ff.

Von allen Theaterdirektoren Berlins abgelehnt

1929

Alfred Kerr

Der berühmte Theaterkritiker Alfred Kerr (1867–1948) schrieb Kritiken für das liberale Berliner Tageblatt, die bevorzugte Zeitung des jüdischen Bürgertums. Kerr emigrierte 1933 nach Frankreich und lebte ab 1936 in London. – Der folgende Text entstammt der Kritik vom 7. September 1929 zur Uraufführung von Walter Mehrings „Der Kaufmann von Berlin“ auf der Piscator-Bühne. Wie Kerr mußte auch Walter Mehring (1896–1981) im Februar 1933 nach Frankreich fliehen.

I.

Ein Ostjude, mit Namen Kaftan, rettet aus dem Pogrom hundert Dollar – und seine Tochter.

Er geht nach Berlin, wo Inflation ist; in dem ruchlosen Wunsch, wiederaufzukommen … durch die hundert Dollar.

II.

Er kommt auf, noch höher... und gleitet wieder hinab. Am Schluß ärmer als zuvor.

(Bei Mehring zieht in diesem Augenblick ein Doppelgänger Kaftans, ein anderer Kaftan, in Berlin ein. Bei Piscator jedoch kein Doppelgänger; sondern er wird einfach verhaftet – wegen unerlaubter Transaktionen.

Die Profithyänen Berlins haben ihn zur Strecke gebracht.)

III.

Grandios-vielfältiges, wirrdunkles Bild aus der Zeit des Gelduntergangs.

Was hier aus allen Ecken sprießt und springt und äugt und droht und kreischt und gellt, lurt-lemurt und krallt und klagt und schweigt: – das Wort „Goya" für dies Gemisch aus einem gradlinigen Hexenschabbes und einem salbigen Hexensonntag (widerlich beide)... das Wort „Goya" kommt einem halt auf die Lippen.

Hier spricht eine große Begabung.

IV.

In allen Einzelheiten anfechtbar. Was ist ein armer Finanzpinscher, dieser Kaftan, mit seinen lumpigen 450000 Goldmark Differenz, letztens in der großen Eigentumskrise?

Was er ist? Herausgegriffenes Beispiel. Ein Wellchen in der Sintflut.

Ein Gegenstand zum Darzeigen.

V.

Bloß: die Gründe, weshalb er stürzt, wären sachlicher, fachlicher, herauszuholen... wie die Gründe, warum er steigt.

VI.

Mehring beging etwas schwer Bedenkliches: er macht jemanden, der ein Täter sein soll, zum fast passiven Geschöpf. Abhängig vom Rechtsanwalt Müller. Den ostjüdischen „Eroberer" stempelt er zum Werkzeug des, also, arischen Rechtanwalts.

Was hat nun eigentlich Kaftan für Taten, was für selbständige Handlungen entwickelt? Er läßt sich (bei Mehring, nicht in der wirklichen Ostjudenwelt, mit ihrer unverkürzten, unverglätteten, nüchternen Sprungmacht) ins Schlepptau nehmen.

Kaftan wird von Müller gemüllert.

Ein falscher Ostjude.

VII.
Nein. Mehring will sagen: dieser verhältnismäßig harmlose Gauner, der gemeinhin von primitiven Hirnen zur Gaunergilde gerechnet wird, ist in Berlin... ein Opfer der noch schlimmeren Gauner mit Sonne im Herzen.

Widerlich beide. Von Mehring beide gemalt. Ergebnis, wie Shaw sagen würde: unpleasant play; unerquickliches Werk.

Nein: ehrliches Werk.

(Deshalb ist es von allen Theaterdirektoren Berlins abgelehnt worden.)

Alfred Kerr, Mit Schleuder und Harfe. Theaterkritiken aus drei Jahrzehnten, hrsg. v. Hugo Fetting, München 1985, S. 465f.

Verlag und Caféhaus

Max Tau

Max Tau (1897–1976) promovierte in Berlin und war 1928–38 Cheflektor im Kunstverlag Bruno Cassirers. Er emigrierte nach Norwegen, floh 1942 weiter nach Schweden und kehrte 1945 nach Oslo zurück, wo er einen Verlag für deutsche Literatur ins Leben rief. – Bruno Cassirer (1872–1941) emigrierte nach England und gründete in Oxford einen neuen Verlag.

Ich war nicht nach Berlin gekommen, um eine Stellung zu suchen, aber ich fand, worum viele mich beneideten, das Vertrauen von Bruno Cassirer und wurde sein Ratgeber im Verlag. Die Freunde des Hauses hatten diese Stellung längst für ihre Söhne ausgerechnet, aber Cassirer war unberechenbar in seinen Entscheidungen. Während meiner ersten Tage im Verlag hörte ich einmal eine Telefonstimme, als ich gerade bei ihm im Zimmer war: „... wer ist eigentlich dieser Tau? Ich habe seinen Namen nie gehört." – „Sie werden noch von ihm hören", sagte Bruno Cassirer.

Er war ein sehr besonnener Mann. Zu allem ließ er sich Zeit. Er liebte die Kunst und die Schaffenden. Wichtig war ihm die Verbindung des dichterischen Wortes mit der Illustration. Die Zeichner wählte er nach Instinkt. Slevogt war sein Liebling, aber er gewann auch Max Liebermann für seine Pläne. Ich verstand bald, daß dieser Mann, der innerhalb eines Kunstbereiches Unabhängigkeit, eigenen Willen und intuitives Werturteil gezeigt hatte, in der Literatur die gleichen Fähigkeiten benutzte. Es gehörte zu den Geschenken meiner Anfangszeit im Verlag, daß wir in allen wesentlichen Dingen, ohne viel zu diskutieren, einig waren. Er betrieb seinen Verlag eigentlich nur aus Liebe, hatte als Literatur-Liebhaber angefangen und frönte dieser Neigung mit unentwegtem Eifer. Nie ließ er sich von einer Modeströmung einfangen. Er stand immer außerhalb, weil nach seiner Überzeugung die wirkliche Kunst an keine Bewegung gebunden sein konnte. Als er viele Jahre zuvor Christian Morgensterns „Galgenlieder" herausgegeben hatte, schrieben einige Kritiker, der reiche Bruno Cassirer könne es sich sogar erlauben, die Gedichte eines Wahnsinnigen zu drucken. Er vertraute sich selbst und zeigte einen Wagemut, den andere nicht aufbrachten. Auflagezahlen bedeuteten ihm nicht viel, es kam ihm vor allem darauf an, für jeden Künstler die richtigen Leser zu finden, und da er nicht darauf aus war, Geschäfte zu machen, ging der Verlag großartig.

Cassirer hat immer behauptet, ohne ein Caféhaus könne man überhaupt keine Literatur machen. Darum saß er auch jeden Nachmittag im Romanischen Café, von Slevogt, Orlik und anderen Malern umgeben, an einem versteckten Tisch nahe dem Eingang. Früher hatten die Künstler im alten Café des Westens ihre Zuflucht. Dort sah ich zum erstenmal Stefan Zweig und Franz Werfel. Als ich jetzt Else Lasker-Schüler dort traf und nach Franz Werfel fragte, mit dem sie befreundet war, sagte sie: „Mein lieber Tau, mit Werfel kann ich nicht mehr verkehren, er ist mir zu viel Kommerzienrat geworden." Nun saßen sie im Romanischen, und auch wer den anderen bitten mußte, ihm seine Tasse Kaffee zu bezahlen, gehörte mit zu jenem Volk, das keiner definieren kann – zu den Menschen, die durch die Kunst miteinander verbunden sind. Hier konnte man von Tisch zu Tisch gehen, an Unterhaltungen teilhaben, Fragen stellen und alles erfahren, was sich in den Bereichen der Kunst ereignete. Bruno Cassirer erklärte mir oft, jeder Mensch sei in einem Café ein ganz anderer als an seinem Arbeitsplatz. Im Café entwickele er seine verborgenen Eigenschaften und Wunschträume.

Max Tau, Das Land, das ich verlassen mußte, Hamburg 1961, S. 187f.

Berlin als Zentrum jüdischer Kultur

Nahum Goldmann

Nahum Goldmann (1895–1982), geboren in Litauen, wuchs in Deutschland auf und lebte 1923–1933 in Berlin. Er war als Präsident des Jüdischen Weltkongresses und der zionistischen Weltorganisation später einer der bedeutendsten jüdischen Politiker. – Goldmann gründete 1925 in Berlin den zionistischen Eschkol Verlag zusammen mit dem Philosophen und Publizisten Jacob Klatzkin (1882–1948). Die von beiden herausgegebene Encyclopaedia Judaica blieb bis heute mit 10 Bänden ein Fragment.

Das Berlin der Weimarer Republik war der große Anziehungspunkt für die osteuropäische jüdische Intelligenz geworden, und eine ganze Reihe bedeutender hebräischer und jiddischer Schriftsteller hatte sich dort niedergelassen. Das brachte meinen Onkel auf den Gedanken, mit mir zusammen in Berlin eine Zweigstelle seines Verlagsunternehmens zu eröffnen und vor allem auch zu versuchen, die alte Idee einer großen modernen jüdischen Enzyklopädie aufzunehmen. Von vornherein zog ich Jacob Klatzkin zu diesen Unterhaltungen hinzu. Als dann mein Onkel plötzlich während eines Kuraufenthaltes in Karlsbad starb und nur minderjährige Kinder hinterließ, war es natürlich, daß ich von der Familie gebeten wurde, das Verlagsunternehmen zu reorganisieren und zu versuchen, die großangelegten Pläne meines Onkels auszuführen. Dies alles kristallisierte sich schließlich in dem Vorsatz, in Berlin einen Verlag zu gründen, der der hebräischen Literatur gewidmet sein und vor allem die geplante Enzyklopädie fördern sollte. (...)

Welche ungeheuren Schwierigkeiten wissenschaftlicher, organisatorischer und vor allem finanzieller Natur zu überwinden sein würden, ahnten weder Klatzkin noch ich, als wir uns zu dem Unternehmen entschlossen, sonst wären wir wohl zurückgeschreckt. Klatzkin, der in allem ein Perfektionist war, und ich, der ich damals von finanziellen Dingen sehr wenig wußte und für den sehr große Summen keine Rolle spielten, entschieden, daß die Enzyklopädie nur dann einen Sinn hatte, wenn sie im großen Stil und sowohl wissenschaftlich als auch technisch bestmöglich aufgezogen werden konnte. Entschlossen, das Werk den strengsten wissenschaftlichen Kriterien zu unterwerfen, mußten wir die Zahl der Redakteure und Mitarbeiter auf einen sehr kleinen erlesenen Kreis beschränken. Außerdem waren die meisten bedeutenden jüdischen Gelehrten an ihre Positionen gebunden, und einen Redaktionsstab in Berlin zu versammeln, war nicht leicht. Von dem Umfang der wissenschaftlichen Arbeit wird man sich einen Begriff machen, wenn man weiß, daß schließlich etwa sechzig Menschen im Büro der Enzyclopaedia tätig waren. (...)

Neun Bände waren 1933 bereits erschienen, Ruf und Autorität der Encyclopaedia Judaica fest gegründet, und es sah durchaus so aus, als könne in wenigen Jahren die fünfzehnbändige deutsche Ausgabe beendet und die hebräische und englische Ausgabe mit viel schnellerem Tempo in Angriff genommen werden... Aber kurz bevor der zehnte Band in Druck ging, kam Hitler zur Macht. Unseres Bleibens in Deutschland war nun nicht mehr.

Nahum Goldmann, Mein Leben als deutscher Jude, Berlin 1983, S. 153ff.

Der jüdische Künstler

1931

Max Liebermann

Der folgende Brief des Malers Liebermann (1847–1935) ist an den Bürgermeister von Tel Aviv gerichtet. Max Liebermann, ein überzeugter Berliner, war 1920–1932 Präsident der Preußischen Akademie der Künste und seit 1927 Ehrenbürger von Berlin. Aus der Akademie ausgeschlossen, wurde er nach seinem Tode 1935 unter Verbot öffentlicher Teilnahme beerdigt.

Berlin-Wannsee, 12. 8. 31.

An Meir Dizengoff
Sehr verehrter Herr Direktor, die freundlichen Glückwünsche zu meinem 84ten Geburtstage, die Sie mir brieflich und telegraphisch zu übermitteln die Güte hatten, haben mich außerordentlich erfreut, und ich sage Ihnen und der Palästinensischen Künstlerschaft wärmsten Dank.

Zwar gibt es nur Kunst schlechthin: sie kennt weder religiöse noch politische Grenzen. Was anderes aber sind die Künstler, die sowohl durch ihr Vaterland wie ihre Religion miteinander verbunden sind. Und wenn ich mich durch mein ganzes Leben als Deutscher gefühlt habe, es war meine Zugehörigkeit zum Judentum nicht minder stark in mir lebendig. Daher ist es mir eine große Ehre, die Zustimmung der Künstlerschaft Palästinas zu meinen künstlerischen Werken durch Sie, sehr verehrter Herr Direktor, empfangen zu haben.

Zu meinem Geburtstage sandte mir Herbert Eulenberg, ein sehr renommierter deutscher Schriftsteller, sein Buch „Palästina" mit einer begeisterten

Max Liebermann, Selbstbildnis, 1926

Würdigung der zionistischen Bestrebungen: was um so bedeutungsvoller ist, als der Verfasser Katholik ist. Wenn ich auch nicht Zionist bin – denn ich bin von einer früheren Generation – so verfolge ich doch die idealen Ziele, denen er nachstrebt, mit größtem Interesse.

Mit dem Wunsche, daß er weiter gedeihen möge und mit dem wiederholten Ausdruck meines Dankes, verbleibe ich Ihr sehr ergebener

Dr. h. c. Max Liebermann.

Max Liebermann, Siebzig Briefe, hrsg. v. Franz Landsberger, Berlin 1937, S. 83f.

Ich habe kein anderes Blut als deutsches

Walther Rathenau

Walther Rathenau, 1867 in Berlin geboren, trat 1899 in den Vorstand der AEG ein, die sein Vater Emil Rathenau gegründet hatte. Im Ersten Weltkrieg leitete er die Kriegsrohstoffabteilung, war 1921 Reichsminister für Wiederaufbau und 1922 Reichsaußenminister. Er wurde durch Rechtsradikale am 24. Juni 1922 auf der Koenigsallee in Berlin-Grunewald ermordet.

Ich habe und kenne kein anderes Blut als deutsches, keine anderen Stamm, kein anderes Volk als deutsches. Vertreibt man mich von meinem deutschen Boden, so bleibe ich deutsch und es ändert sich nichts. (...) Meine Vorfahren und ich selbst haben sich von deutschem Boden und deutschem Geist genährt und unserem, dem deutschen Volk erstattet, was in unseren Kräften stand. Mein Vater und ich haben keinen Gedanken gehabt, der nicht für Deutschland und deutsch war; soweit ich meinen Stammbaum verfolgen kann, war es das gleiche. (...) Ich bin in der Kultgemeinschaft der Juden geblieben, weil ich keinem Vorwurf und keiner Beschwernis mich entziehen wollte, und habe von beidem bis auf den heutigen Tag genug erlebt. Nie hat eine Kränkung mich unwillig gemacht. Nie habe ich meinem, dem deutschen Volke, mit einem Worte oder einem Gedanken derlei vergolten. Mein Volk und jeder meiner Freunde hat das Recht und die Pflicht, mich zurechtzuweisen, wo er mich unzulänglich findet.

Walther Rathenau, Brief vom 23.1. 1916, in: Walther Rathenau, Ein preußischer Europäer, Berlin 1955, S. 145

Nicht eins mit dem deutschen Volke

Kurt Blumenfeld

Kurt Blumenfeld (1884–1963) war 1910–14 Sekretär der zionistischen Weltorganisation und 1924–33 Führer der deutschen Zionisten als Vorsitzender der Zionistischen Vereinigung für Deutschland. Er emigrierte 1933 nach Palästina. – Albert Einstein (1879–1952) war 1914–33 Direktor des Kaiser-Wilhelm-Instituts für Physik. Er erhielt 1921 den Nobelpreis und emigrierte 1933 nach Princeton (USA). Einstein unterstützte zionistische Ziele.

Ich hatte Rathenau nur gelegentlich gesehen. Wir kannten uns flüchtig. Es kam aber bis 1922 nie zu einer Unterhaltung, die mitzuteilen wert ist. Mein stärkstes persönliches Erlebnis mit ihm war ein Gespräch Anfang April 1922, wenige Wochen vor seiner Ermordung. Ich hatte Einstein gebeten, mit mir zu Rathenau zu gehen, um ihn zu beeinflussen, sein Amt als Außenminister aufzugeben. Einstein teilte meine Anschauung. Unsere Unterhaltung dauerte von acht Uhr abends bis ein Uhr nachts. Wir waren zu dreien. Fünf Stunden lang wurden Palästina und das Judenproblem und im Zusammenhang damit die Frage erörtert: Hat Rathenau das Recht, die deutsche Politik als Außenminister zu vertreten oder nicht?

Die Anwesenheit Einsteins war entscheidend. Er bezeichnete sich selbst an diesem Abend als Ferment. Er hielt die Unterhaltung in Fluß. Er wurde, wie auch Rathenau fühlte, zu einer Art Schiedsrichter, als sie sich ihrem Ende zuneigte. (...)

Rathenau war ein Meister des Gespräches, ein vollendeter Dialektiker, der das Problem kannte. Er verstand, Gründe und Gegengründe raffiniert zu ordnen, und wechselte in der Unterhaltung dauernd den Standpunkt.

Das war dem geraden Sinne Einsteins jedoch zu viel. Er fragte Rathenau, was er eigentlich damit bezwecke, wenn er dauernd das Thema ändere. „Ich bin in dieser Unterhaltung nur ein advocatus diaboli", erwiderte Rathenau, „mich interessiert es, die zionistische Sache unter verschiedenen Aspekten zu sehen."

Jetzt aber griff ich ein: „Wir glaubten, daß diese Sache Sie angeht, und wir sind zu Ihnen gekommen, um Sie auf die Schwierigkeit Ihrer eigenen Position hinzuweisen. Nach meiner Meinung haben Sie kein Recht, als Minister des Äußeren die Angelegenheiten des deutschen Volkes zu leiten."

„Warum nicht?" verteidigte sich Rathenau, „Nachdem Sie meine Argumente über die Palästinawirtschaft nicht widerlegt haben, kommen Sie wieder mit Psychologie. Ich bin der geeignete Mann für mein Amt. Ich erfülle meine Pflicht gegenüber dem deutschen Volk, indem ich ihm meine Fähigkeiten und meine Kraft zur Verfügung stelle. Im übrigen: was wollen Sie, warum soll ich nicht wiederholen, was Disraeli getan hat?"

„Im Erfolg ist manches möglich", erwiderte ich. „Disraeli brachte England den Suezkanal und machte seine Königin zur Kaiserin von Indien. In schwerer Zeit zeigt sich deutlicher, wer dazugehört und wer als fremd empfunden wird. Ich glaube übrigens, daß ein Jude unter keinen Umständen das Recht hat, die Angelegenheiten eines anderen Volkes zu repräsentieren. Sie sehen nur sich und ahnen nicht, daß jeder Jude, nicht nur in Deutschland, sondern in der ganzen Welt, für Ihr Tun verantwortlich gemacht wird. Sie lehnen es ab, sich mit dem jüdischen Volk zu identifizieren, aber es gibt eine objektive Judenfrage, der Sie durch kein Argument entgehen können. Sie erfüllen nur eine Funktion und sind in Wahrheit nicht eins mit dem deutschen Volke, das Sie zu repräsentieren versuchen."

„Damit müssen Menschen wie ich durch ihre Leistung fertig werden. Ich durchbreche die Barrieren, mit denen die Antisemiten uns isolieren wollen." Und dann fügte er plötzlich mit einer Art Augurenlächeln hinzu. „Natürlich säße ich lieber in der Downingstreet als in der Wilhelmstraße." (...)

Rathenau erschien der Tod, der auf ihn lauerte, wie eine Erfüllung seiner deutschen Sendung. Er spielte in Gesprächen mit dem Gedanken eines Opfertodes. Er wußte, daß das auf ihn gemünzte Wort „Jesus im Frack" nicht nur von seinen Gegnern benutzt wurde. Jeder Mensch darf selbst entscheiden, wofür er sterben will, und man tut Rathenaus Andenken nichts Gutes, wenn man ihn wider Willen zum Märtyrer des *jüdischen* Volkes macht.

Kurt Blumenfeld, Erlebte Judenfrage, Stuttgart 1962, S. 142ff.

Überfälle am Kurfürstendamm

1931

Die Nationalsozialisten betrieben schon in der Weimarer Republik systematisch Terror, Verleumdung und Boykott gegen Juden. Den Abwehrkampf dagegen führte der Centralverein deutscher Staatsbürger jüdischen Glaubens (C.V.) weitgehend allein. Der C.V. leistete Rechtshilfe, gab Pressedienste über den Naziterror heraus und unterstützte im Wahlkampf nicht-antisemitische Parteien. Das folgende ist ein Bericht des C.V.

Am Sonnabend, dem 12. September 1931, gegen 21 Uhr 30 erhielt der Syndikus des Landesverbandes Gross-Berlin des C.V., Dr. Reichmann, in seiner

Privatwohnung die telefonische Mitteilung, dass am Kurfürstemdamm antisemitische Unruhen entstanden seien, das Café Reimann sei gestürmt worden. Er setzte sich daraufhin sofort mit dem Polizeipräsidium in Verbindung, das die Mitteilungen bestätigte und erklärte, es seien etwa 1000 Mann nach dem Kurfürstendamm gezogen, hätten hier jüdische Passanten beschimpft und geschlagen und ein Café gestürmt. Es seien starke Polizeikräfte unter Führung des Oberstleutnants Weiss eingesetzt. Es sei nicht zutreffend, dass geschossen worden sei.

Die Konditorei Reimann teilte auf telefonischen Anruf mit, dass etwa 75 Mann plötzlich in ihre Räume an der Uhlandstrasse eingedrungen seien und Marmortische durch die Fenster geworfen hätten, nachdem vorher zwei Schüsse durch die Scheiben abgegeben worden seien. Die Gäste seien geflüchtet, ohne dass die Unruhestifter Gelegenheit gehabt hätten, irgend jemand zu verletzen.

Der Syndikus des C.V., Dr. Wiener, und Dr. Reichmann begaben sich nunmehr zum Kurfürstendamm, wo sie gegen 10 Uhr eintrafen. Sie besuchten das Café und stellten fest, dass die Scheiben völlig zerschlagen waren. Der Geschäftsführer bestätigte die telefonischen Angaben. Die Polizei hätte bei ihrem Eintreffen niemand mehr festnehmen können, da die Attentäter geflüchtet seien. Es wurden dann die Cafés Plantage und Trumpf, die angeblich auch von den Unruhstiftern zerstört worden sein sollten, aufgesucht; es wurde festgestellt, dass hier nichts geschehen war.

Bei dem zweistündigen Aufenthalt am Kurfürstendamm wurden folgende Beobachtungen gemacht: In kleineren Trupps von drei bis etwa zwanzig Mann waren über den ganzen Kurfürstendamm von der Tauentzienstrasse bis über die Uhlandstrasse, vor allem aber in der Gegend der Joachimsthalerstrasse und in den Nebenstrassen bis zum Zoo und an der Rankestrasse S. A.-Leute verteilt. Abzeichen wurden nicht getragen, dagegen wurde festgestellt, dass ein grosser Teil der Leute schwarze Schlipse und blaue Hemden trug. Bei einzelnen wurden unter dem Rock die braunen S. A.-Hemden festgestellt, an deren Kragen Silbersterne (S. A.-Abzeichen) getragen wurden. Trotz des Eintreffens der Polizei versuchte ein Teil der Demonstranten immer wieder zu provozieren, etwa durch plötzliches Brüllen und Äusserungen wie „Die Synagoge brennt, Sarah pack die Koffer!“ Der Mitarbeiter der Hauptgeschäftsstelle des C.V., Dr. Kahn, der sich ebenfalls am Kurfürstendamm befand, hatte festgestellt, dass Leute mit Sanitätstaschen unter den Demonstranten waren. Er war ferner Zeuge, wie ein Trupp von Demonstranten von einem Führer mit dem Befehl „Alles sofort zurück!“ zurückgezogen wurde.

Die Polizei fuhr dauernd in Schnellwagen und Lastautos den Kurfürstendamm entlang und griff wiederholt ein. An der Joachimsthalerstrasse wurde ein Mann von der Polizei mit dem Gummiknüppel so geschlagen, dass er am Kopf verbunden werden musste. Es befanden sich allerdings wenig Polizeipatrouillen zu Fuss am Kurfürstendamm, sodass Überfälle durchaus trotz der Anwesenheit der Polizei möglich gewesen wären. Bis zum Eintreffen des Schnellwagens wären die Täter ohne Zweifel geflüchtet, selbst wenn der Wagen innerhalb einer Minute an den Ort der Tat hätte gelangen können.

C.V.-Zeitung, Organ des Central-Vereins deutscher Staatsbürger jüdischen Glaubens e.V., 18. Sept. 1931

Appell des C.V. an die jüdischen Wähler

1932

Freunde!
Der 31. Juli ist ein Entscheidungstag! An ihm sollt Ihr sagen, ob Ihr ein freiheitliches Deutschland wollt, ob Ihr bereit seid, für die Zukunft Deutschlands und Eure Zukunft innerhalb des deutschen Vaterlandes einzustehen. Nichts ist Euch in den letzten Monaten, Wochen und Tagen erspart geblieben. Man verdächtigt Euch, in Synagogen Waffen zu verstecken und zwingt Euch, Eure Läden zu schliessen; man droht Euch Rache für Geschehnisse an, an denen Ihr unbeteiligt wart. Unseren Centralverein nennt man verleumderisch die Stelle, an der die Fäden der „roten Mordbanditen" zusammenlaufen.

Wir aber antworten laut unseren Gegnern: Hände weg von unserer Ehre, Hände weg von unserer Gleichberechtigung! Seid stark, bleibt fest! Wählt am 31. eine der Parteien, die Euch ein Unterpfand für Freiheit und Gleichberechtigung in einem Deutschland ohne Terror und Bürgerkrieg geben!

Der Vorsitzende des Centralvereins deutscher Staatsbürger jüdischen Glaubens e.V.

Justizrat Dr. Julius Brodnitz

C.V. Zeitung, 18. September 1931

Kundgebung der Berliner Juden zur Reichstagswahl

1932

Bericht der C.V.-Zeitung

Die Groß-Berliner Kundgebung des Centralvereins im Logenhaus Kleiststraße am 28. Juli war so überfüllt, daß noch im letzten Augenblick zwei Parallelversammlungen angesetzt werden mußten.

Wir übertreiben nicht, wenn wir hier feststellen, daß uns aus den Kreisen unserer Mitglieder und Freunde noch in diesen Tagen immer wieder gesagt wird, sie hätten eine so erschütternde und erhebende Kundgebung des Centralvereins noch niemals erlebt. (...) Justizrat Dr. Brodnitz stellte die Versammlung unter das Motto: Kampf gegen Judenfeinde und Judenhasser. Rabbiner Dr. Leo Baeck bezeichnete die Ausbreitung des Judenhasses als das Anzeichnen einer schweren religiösen Krise, die von den Juden nicht nur wegen der sie unmittelbar treffenden Folgen, sondern auch als deutsche und religiöse Menschen tief beklagt werde. Den deutschen Juden beschleicht heute oft ein Gefühl der Einsamkeit, und es ist ein hartes Ding, im Vaterlande, mit dessen Geschichte die eigene Geschichte seit Jahrhunderten verknüpft ist, einsam zu sein. Millionen von Menschen sind heute auf das Programm der Judenfeindschaft eingeschworen. Wie soll sich die Judenheit demgegenüber verhalten? Es wird viel zur Aufklärung getan, aber wer lügt, will nicht widerlegt werden, er will die Unwahrheit sprechen. Wir können die Judenfrage nur durch unsere persönliche Haltung, durch unsere Zukunftsgewißheit lösen. Wie wir sein werden, wird unsere Zukunft sein!

Polizeivizepräsident Dr. Bernhard Weiß wurde bei seinem Erscheinen in allen drei Sälen mit langanhaltendem Beifall empfangen, den er, wie er sagte, wohl richtig dahin deutete, daß seine Amtsenthebung ihm in den Augen der deutschen Juden nicht Abbruch getan habe. Er bezeichnete den „Fall Weiß" als symptomatisch für die Lage der Juden im heutigen Deutschland und bewies das an der Art, wie der politische Kampf durch Verleumdungen und Verdächtigungen gegen ihn und seine Gattin geführt worden ist. Den Zumutungen einzelner Freunde, in Amtsgeschäften aus Taktik mehr Zurückhaltung zu wahren, begegnete er mit dem Hinweis auf seinen Zeitungsartikel (...) und fügte hinzu: „Hüten wir uns vor den Weichlingen, die in einer Zeit wie dieser Zurückhaltung predigen, und halten wir unbeirrbar an den Errungenschaften der Emanzipation fest! Freiwillig dürfen und werden wir von unserer staatsbürgerlichen Gleichberechtigung keinen Schritt zurückweichen!" (...)

Syndikus Dr. Alfred Wiener schilderte die bekannten judenfeindlichen Ausschreitungen der letzten Wochen, zeigte die unermüdliche Kleinarbeit des

Centralvereins dagegen und schloß mit dem Bekenntnis: „Wir glauben an die guten Kräfte im deutschen Volk, wir glauben an das baldige Erwachen dieser Kräfte auch im rechten Lager. Wir bleiben, wie wir sind, und weil wir so bleiben, werden wir das Judentum und das Deutschtum in uns zu Ehren bringen."

C. V. Zeitung, 5. August 1932

Eine Versicherung gegen Pogrome

1932

Georg Landauer

Die Zionistische Vereinigung für Deutschland, gegründet 1897, hatte ihren Hauptsitz in Berlin. Sie besaß 1927 etwa 20000 Mitglieder, davon ein Viertel in Berlin. – Der folgende Brief der Vereinigung an die Zionistische Exekutive in London vom 12. 7. 1932 wurde aus Sicherheitsgründen im Original in Hebräisch verfaßt.

Liebe Freunde,

wir möchten uns in einer sehr dringenden und vertraulichen Sache an Sie wenden. In Berücksichtigung der gegenwärtigen Lage in Deutschland haben wir beschlossen, unser Eigentum in Berlin – sowohl bewegliches als unbewegliches – gegen Schaden durch Pogrome zu versichern; sowohl gegen Zerstörung des Hauses, des Mobiliars, der Maschinen, als auch gegen Feuer, hervorgerufen durch Unruhen. Wir erwägen, diese Versicherung durch Lloyds vorzunehmen. Aus Gründen, die Sie verstehen werden, haben wir uns dahingehend entschieden, daß Sie, die Zionistische Exekutive, die Versicherung zu unseren Gunsten beantragen und abschließen, so daß wir die Versicherten sind.

Wir ersuchen Sie, uns umgehend zu antworten, ob Sie gewillt sind, die Angelegenheit zu übernehmen. Bei Empfang Ihrer prinzipiellen Zustimmung werden wir Ihnen ein detailliertes Konzept des Antrags übersenden, das an Lloyds weiterzureichen ist.

Auf Ihre sofortige Antwort hoffend, verbleiben wir mit bestem Dank und Zionsgruß.

Zionistische Vereinigung für Deutschland
Dr. Georg Landauer

Dokumente zur Geschichte des deutschen Zionismus 1882–1933, hrsg. v. Jehuda Reinharz, Tübingen 1981, S. 523

1933–1945

1933

24. 1. Eröffnung des Jüdischen Museums in der Oranienburger Straße

27. 2. Reichstagsbrand. Erste große Verhaftungswelle. Aufhebung der Grundrechte. Razzien im sogenannten Scheunenviertel

21. 3. Einrichtung eines Konzentrationslagers in Oranienburg bei Berlin

27. 3. Kündigung „nichtarischer“ Ärzte an Berliner Krankenhäusern

31. 3. Hausverbot für „nichtarische“ Rechtsanwälte und Richter in den Gerichten

1. 4. Organisierter Boykott „nichtarischer“ Geschäfte, Anwaltsbüros und Arztpraxen

7. 4. „Gesetz zur Wiederherstellung des Berufsbeamtentums“
Beginn der Berufsverbote für „nichtarische“ Beamte, Angestellte und Arbeiter im öffentlichen Dienst, später ausgedehnt auf weitere Erwerbszweige

25. 4. „Gesetz gegen die Überfüllung deutscher Schulen und Hochschulen“, Zulassungsbeschränkungen für jüdische Schüler und Studenten

10. 5. Öffentliche Verbrennung von Büchern „undeutschen“ Inhalts auf dem Opernplatz

16. 6. Gründung des Kulturbundes der deutschen Juden

17. 9. Gründung der Reichsvertretung der deutschen Juden

1935

Judenfeindliche Schilder erscheinen an Geschäften und Lokalen

25. 7. Juden werden für „wehrunwürdig“ erklärt

17. 8. Vorbereitungen zur Anlegung einer „Judenkartei“

15. 9. Nürnberger Rassengesetze: „Reichsbürgergesetz“ (Grundlage für spätere Durchführungsverordnungen zur rechtlichen Ausgrenzung der Juden) „Blutschutzgesetz“ (Verbot der Eheschließung und der außerehelichen Beziehungen mit Juden)

1936

Verkartung der Taufbücher der evangelischen Gemeinden Berlins ab 1. 1. 1800 und Anlegung einer „Fremdstämmigen-Taufkartei“, gefördert von der Berliner Stadtsynode

12. 7. Errichtung des Konzentrationslagers Sachsenhausen bei Berlin

23. 6. Tätlichkeiten gegen Ausländer und Juden werden wegen der Olympischen Spiele (1–16. 8.) verboten

1937

Intensivierung der Zwangsverkäufe („Arisierung“) jüdischer Geschäfte und Firmen

16. 7. Beschränkung der Ausgabe von Reisepässen an Juden

1938

28.3.	Gesetz über die Rechtsverhältnisse der jüdischen Kultusvereinigungen (rückwirkend zum 1. Januar). Verlust des Status von Körperschaften des öffentlichen Rechts
26.4.	Registrierungspflicht für alle jüdischen Vermögenswerte
6.6.	Konferenz der internationalen Flüchtlingskommission in Evian Drastische Aufnahmebeschränkungen für jüdische Asylsuchende
14.6.	Kennzeichnung aller jüdischen Gewerbebetriebe
17.8.	Verordnung über die Einführung der zusätzlichen Vornamen „Israel" und „Sara" (ab 1.1.1939)
5.10.	Kennzeichnung jüdischer Reisepässe mit „J"
27./28.10.	„Polenaktion". Juden polnischer Staatsangehörigkeit werden zwangsweise nach Polen abgeschoben
9./10.11.	Pogrom gegen jüdische Einrichtungen und Personen. 12000 Berliner Juden werden im KZ Sachsenhausen inhaftiert
12.11.	Erlaß über Zahlung einer „Sühneleistung" in Höhe von 1 Milliarde Reichsmark Verordnung zur Ausschaltung der Juden aus dem Wirtschaftsleben Verbot des Besuchs von Theatern, Kinos, öffentlichen Veranstaltungen und Sportstätten
15.11.	Verbot des Besuchs öffentlicher Schulen für jüdische Kinder. Sie dürfen nur noch jüdische Schulen besuchen
6.12.	Verhängung des „Judenbanns": Juden dürfen das Regierungsviertel Berlins nicht mehr betreten

1939

30.1.	Hitler kündigt im Fall des Krieges die „Vernichtung der jüdischen Rasse in Europa" an
21.2.	Verpflichtung für Juden, alle Edelmetallgegenstände und Schmuck abzuliefern
30.4.	Aufhebung des Mieterschutzes für Juden
4.7.	Zwangsgründung der Reichsvereinigung der Juden in Deutschland
1.9.	Deutscher Überfall auf Polen. Kriegsbeginn
23.9.	Verpflichtung für Juden, ihre Rundfunkgeräte abzuliefern

1940

4.7.	In Berlin dürfen Juden ihre Lebensmitteleinkäufe nur noch zwischen 4 und 5 Uhr nachmittags tätigen
29.7.	Entzug der Fernsprechanschlüsse

1941

7.3.	Arbeitsverpflichtung für Juden ab dem 14. Lebensjahr
22.6.	Deutscher Überfall auf die Sowjetunion. Beginn von Massenexekutionen durch die Einsatzgruppen in den besetzten russischen Gebieten

31.7.	Göring beauftragt Heydrich mit den Vorbereitungen für eine „Gesamtlösung der Judenfrage in Europa“
1.9.	Verpflichtung zum Tragen des „Judensterns“ ab dem 6. Lebensjahr
18.10.	Erste Deportation von Berliner Juden vom S-Bahnhof Grunewald aus in das Ghetto Lodz
23.10.	Auswanderungsverbot. Einrichtung des ersten Sammellagers in der Synagoge in der Levetzowstraße
25.11.	11. Verordnung zum Reichsbürgergesetz: Einziehung jüdischen Vermögens bei Deportation

1942

10.1.	Verpflichtung zur Ablieferung von Pelz und Wollsachen
20.1.	Wannsee-Konferenz. Ministerialbeamte und NS-Funktionäre koordinieren die Maßnahmen zur sogenannten „Endlösung der Judenfrage“
15.5.	Juden müssen ihre Haustiere zur Tötung abliefern
18.5.	Brandanschlag der jüdischen Widerstandsgruppe um Herbert Baum auf die Ausstellung „Sowjetparadies“ im Lustgarten
27.–29.5.	Vergeltungsaktion: Verhaftung von Berliner Juden. 154 der Verhafteten werden zusammen mit 96 jüdischen Häftlingen im KZ Sachsenhausen erschossen, die Angehörigen der 154 Geiseln nach Theresienstadt deportiert. Weitere 250 Juden werden nach Sachsenhausen und Auschwitz deportiert
18.8.	Hinrichtung von Mitgliedern der Baum-Gruppe in Plötzensee
9.11.	20 Angestellte der Jüdischen Gemeindeverwaltung werden als Geiseln genommen, weil einzelne Juden sich der Deportation durch Selbstmord oder Untertauchen entziehen. 8 der Geiseln werden erschossen, die anderen mit Familien deportiert

1943

27./28.2.	„Fabrikaktion“: Verhaftung von ca. 15000 jüdischen Zwangsarbeitern in Berlin und anschließende Deportation. Demonstration von nicht-jüdischen Ehefrauen und Angehörigen in der Rosenstraße und Freilassung von Juden in „Mischehe“
10.6.	Auflösung der jüdischen Gemeinde und der Reichsvereinigung
16.6.	Deportation der letzten Gemeindemitarbeiter nach Theresienstadt
18.12.	Verschickung jüdischer Ehegatten aus nicht mehr bestehenden „Mischehen“ nach Theresienstadt

1944

Oktober	Erfassung der jüdischen „Mischlinge 1. Grades“ und der sogenannten „jüdisch Versippten“ (Ehemänner von Jüdinnen) zur Zwangsarbeit bei der Organisation Todt und Deportation in Arbeitslager

1945

März/April	Letzte Deportationen aus Berlin nach Sachsenhausen
2.5.	Befreiung Berlins

Verfolgung – Selbstbehauptung – Untergang

Auch in den Jahren der Verfolgung nach 1933 bis zur Auflösung der Gemeinde im Jahr 1943 blieb Berlin das Zentrum des deutschen Judentums.

Um die Reaktion der Juden auf den Machtantritt der Nationalsozialisten zu verstehen, muß man sich erneut verdeutlichen, daß die große Mehrzahl der jüdischen Bürger sich in der Stadt, in diesem Land, seiner Kultur und Politik so heimisch und deutsch fühlte, wie alle anderen nichtjüdischen Bürger. Sie waren als Minderheit keineswegs die sozial, politisch und religiös homogene Gruppe, als die sie die ihnen gegenüberstehende kompakte Mehrheit sah. Für die Anhänger der völkischen Rassenideologie galten nicht nur die eingeschriebenen Mitglieder der Kultusgemeinden als Juden, d.h. Angehörige eines „Fremdvolkes", gleichgültig ob diese sich wie Angehörige anderer Religionsgemeinschaften als deutsche Staatsbürger empfanden, sondern alle, die sie als Juden identifizierten. Über die als Konfessionsjuden (am 16.6. 1933: 160564) in Berlin registrierten Bürger hinaus gab es eine 1933 statistisch noch nicht erfaßte, nicht unerhebliche Zahl von Menschen, Konfessionslosen, Getauften und Nachkommen aus sogenannten Mischehen, nach der rassistischen Terminologie als „Halb- und Vierteljuden" bzw. als „Mischlinge" bezeichnet, die ebenso von den ersten Gewaltmaßnahmen der Nationalsozialisten betroffen waren. Sie alle reagierten auf die veränderte politische Situation zunächst entsprechend ihrer jeweiligen gesellschaftlichen und weltanschaulichen Position, nämlich sehr unterschiedlich.

Kaum einer von ihnen und auch nicht die verschiedenen jüdischen Gruppierungen hatten eine klare Vorstellung davon, worauf die von den Nationalsozialisten geplante Bevölkerungspolitik auf rassenideologischer Grundlage hinauslaufen würde.

Sie glaubten nicht, daß die rechtsstaatlichen Institutionen und staatsbürgerlichen Grundrechte auf Dauer abgeschafft werden könnten. Die überwiegende Mehrheit der in der bürgerlich-liberalen deutschen Bildungstradition verwurzelten jüdischen Bürger Berlins betrachtete das NS-Regime und die Übergriffe der ersten Wochen als eine vorübergehende Erscheinung. Erst nach und nach wurde ihnen bewußt, daß sie nur scheinbar in die deutsche Gesellschaft integriert waren, und daß die Judenemanzipation niemals wirklich auch so gemeinte Gleichheit und Gleichachtung verwirklicht hatte.

Diejenigen Juden, die die tödliche Bedrohung zuerst erkannten und am eigenen Leibe erfuhren, die Sozialisten und kritischen Intellektuellen, gehörten als politische Gegner zu den ersten Opfern des Terrors nach dem Reichstagsbrand. Wenn es ihnen noch gelang, flüchteten sie ins Exil oder tauchten unter.

Viele wurden schon damals in den Kellern der SA gefoltert und traten danach einen langen Leidensweg in den Haftanstalten und Konzentrationslagern an. Der Haß der Nazis auf die Juden war eng verknüpft mit dem auf entschiedene Demokraten und Sozialisten, die den Idealen der Menschenrechte, der Freiheit und brüderlichen Gleichberechtigung verpflichtet waren. Die Zerschlagung der Arbeiterbewegung war daher auch eine Voraussetzung für die Entrechtung und schließlich die physische Vernichtung der Juden.

Noch im März/April 1933 beteuerte die jüdische Gemeinde zu Berlin in einem Brief an Hitler ihre Zugehörigkeit zum deutschen Volk und die Bereitschaft zur Mitarbeit an der Erneuerung Deutschlands. „Der Centralverein deutscher Staatsbürger jüdischen Glaubens" sowie der „Zentralausschuß für Hilfe und Aufbau" wandten sich gegen „Panikmache" und „überstürzte Flucht" und mahnten zur Pflichterfüllung. Die ehemaligen jüdischen Frontkämpfer legten ihre Orden an, um so ihren Patriotismus öffentlich unter Beweis zu stellen. Der neuen Regierung sandten sie Loyalitätsadressen, in denen sie auf ihre Verdienste und Opfer im Ersten Weltkrieg verwiesen. Nicht nur die politisch konservativen Gruppen wie der „Verband nationaldeutscher Juden" und der „Deutsche Vortrupp, Gefolgschaft deutscher Juden" propagierten öffentlich die Trennung von den „undeutschen" Ostjuden, auch im liberalen Lager, so der Chefredakteur des Berliner Tageblatts, Theodor Wolff, machte man die Ostjuden für den Antisemitismus verantwortlich. Aus heutiger Sicht erscheinen diese Reaktionsweisen nur schwer verständlich, dennoch sollten sie nicht zu falschen Schlüssen verleiten.

Unter dem Eindruck der unaufhaltsam sich steigernden Diskriminierung und Isolierung suchten viele wieder Halt im bewußten Bekenntnis zum Judentum, dem sie bisher weitgehend entfremdet waren. Die zionistische Bewegung, die vor 1933 eine Minderheitengruppe im Spektrum der jüdischen Organisationen gewesen war, auch weil sie eine Beteiligung der Juden am politischen Leben in Deutschland ablehnte, verzeichnete einen starken Zulauf, eröffnete sie doch eine neue Identitätsfindung im nationalen Judentum und, nicht zuletzt, Chancen für die Auswanderung nach Palästina. Da diese im Interesse der nationalsozialistischen Politik war, konnten die Zionisten unter relativ günstigen Bedingungen ihr Hilfsprogramm aufbauen, wohingegen die auf ihrem Deutschtum beharrenden Nichtzionisten die Nationalsozialisten zu schärferen Repressalien veranlaßten.

Die Entrechtung und Aussonderung der Juden aus dem gesellschaftlichen Leben geschah schrittweise und systematisch auf Grund zahlreicher Ausnahmegesetze, insgesamt ca. 2000, insbesondere der Nürnberger Rassengesetze vom September 1935. Dem Boykott vom 1.4. 1933 folgten Berufsverbote für jüdische Beamte, Angestellte und Arbeiter im öffentlichen Dienst, freiberufliche Akademiker und Künstler, sowie Ausbildungsbeschränkungen für Studenten und Schüler, schließlich die Vernichtung der wirtschaftlichen Existenz und der Raub der Vermögenswerte. Jüdischer Besitz wurde auf dem Weg der sogenannten „Arisierung“ faktisch enteignet.

Unter dem Druck der materiellen und psychischen Not erkannten fast alle jüdischen Gruppen die Notwendigkeit, sich zu einer Gesamtvertretung zusammenzuschließen, die trotz jahrelanger Bemühungen bisher nicht zustandegekommen war. Die im September 1933 gebildete „Reichsvertretung der deutschen Juden“, die nach den Nürnberger Gesetzen in „Reichsvertretung der Juden in Deutschland“ umbenannt werden mußte, baute bis 1939 ein vielfältiges soziales Selbsthilfewerk auf den Gebieten der Kultur, Erziehung, Umschulung und Wirtschaftshilfe, Wohlfahrt und Auswanderung auf. Sie organisierte die Unterstützung durch jüdische Hilfsorganisationen aus dem Ausland und versuchte, trotz ständiger Gefährdung, die Belange der jüdischen Gemeinschaft gegenüber den Behörden zu vertreten. Präsident der Reichsvertretung war Rabbiner Dr. Leo Baeck, dessen Autorität und Integrationskraft unumstritten war. Durch die Schaffung dieses umfassenden Sozialwerks konnte das religiöse und kulturelle Leben der jüdischen Gemeinde in Berlin zunächst nicht nur aufrecht erhalten, sondern ausgebaut werden.

Als besonderer Ausdruck des Selbstbehauptungswillens muß die Arbeit des „Kulturbundes deutscher Juden“, ebenfalls zwangsweise 1935 in „Jüdischer Kulturbund“ umbenannt, gesehen werden. War es das Interesse des NS-Staates, die Juden in ein kulturelles Ghetto abzudrängen, so entwickelte sich die Tätigkeit des Kulturbundes unter diesen Bedingungen zu einem Instrument des geistigen und moralischen Widerstands. Er hätte nicht eindrucksvoller demonstriert werden können als durch die Aufführung von Lessings „Nathan der Weise“ am 1. Oktober 1933 zur Eröffnung des Kulturbundtheaters, und zugleich im 150. Jahr nach der Berliner Uraufführung. Kaum nachvollziehbar aus dem Rückblick erscheint, daß das Kulturbundorchester im Jahr 1934 zu Ehren des verstorbenen Reichspräsidenten Hindenburg vier Aufführungen von Beethovens Eroica veranstaltete, doch galt Hindenburg vielen Juden als Garant der alten Ordnung. Zudem hatte er sich für die ehemaligen Frontkämpfer und die vor 1914 tätigen Beamten eingesetzt. Hatten die vielfältigen antijüdischen Maßnahmen zm Ziel gehabt, durch Herbeiführung ihres „bürgerlichen Todes“ die Juden aus dem Land zu treiben, so wanderten doch bis zum Pogrom vom 9./10. November 1938 nur etwa ein Drittel von ihnen aus. Alter, Beruf, Vermögen und Auslandskontakte spielten dabei eine Rolle. Zudem wehrten die in Frage kommenden Asylländer die Flüchtlinge durch restriktive Einwanderungsbestimmungen ab.

Durch Zuzug von jüdischen Menschen aus der Provinz, wo die Lebensverhältnisse schon meist nicht mehr aushaltbar waren, hatte Berlin 1938 immerhin noch 140000 jüdische Einwohner. Die nicht zufällig am 20. Jahrestag der Novemberrevolution von 1918 von den Nationalsozialisten veranstaltete

Gewaltaktion gegen die deutschen Juden übertraf alle bisherigen Demütigungen an Brutalität und Zynismus. Die Synagogen Berlins, 115 zusammen mit den Betstuben, wurden in dieser Schreckensnacht durch Brandlegung, Demolierung und den Raub von Kultgerät geschändet. Vor den Augen der Bevölkerung wurden 12000 Berliner Juden in das Konzentrationslager Sachsenhausen abgeführt und für mehrere Wochen inhaftiert. Der jüdischen Gemeinschaft wurde eine Milliarde Reichsmark als „Sühneleistung" und die Beseitigung der Sachschäden auferlegt. Zweck des Pogroms war der gänzliche Ausschluß der Juden aus dem Wirtschaftsleben, ihre fast völlige Ausplünderung und die Erzwingung einer Massenflucht.

Vielen war die Auswanderung nun nicht mehr möglich, wegen der hohen „Reichsfluchtsteuer" und dem Verbot der Kapitalausfuhr. Mit Kriegsbeginn verminderten sich die Auswanderungsmöglichkeiten noch einmal drastisch. Die in Berlin verbliebenen Juden waren überwiegend ältere Menschen und alleinstehende Frauen, von denen die meisten in großer materieller Not lebten.

Zwei Drittel der ab Herbst 1941 aus Berlin deportierten und ermordeten 50500 Juden waren über 45 Jahre alt. Die Arbeitsfähigen mußten in den kriegswichtigen Betrieben der Stadt zu immer härteren Bedingungen Zwangsarbeit leisten, bis auch sie im Februar 1943 bei der sogenannten „Fabrikaktion" von den Arbeitsstellen weg zur Deportation abgeholt wurden.

Bei dieser Aktion wurden auch jüdische Ehepartner aus „Mischehen", die bisher durch Ausnahmeregelungen von den Deportationen ausgenommen waren, in das Sammellager in der Rosenstraße gebracht. Über eine Woche lange demonstrierten daraufhin täglich mehr als 200 nichtjüdische Ehefrauen und Verwandte vor dem Sammellager und erreichten die Freilassung ihrer Angehörigen. Diese Demonstration war ein einmaliger Vorgang in Deutschland.

Fast alle jüdischen Organisationen wurden nach dem Novemberpogrom von 1938 verboten, die Reichsvertretung durch die im Juli 1939 als Ausführungsorgan der Gestapo geschaffene „Reichsvereinigung der Juden in Deutschland" ersetzt, die allerdings personell der alten Reichsvertretung entsprach. Der Reichsvereinigung mußten nun auch Christen jüdischer Herkunft angehören, die bei der Volkszählung von 1939 erfaßt worden waren. Zusammen mit den Hilfsstellen der evangelischen und katholischen Kirche und den Quäkern, die die Konfessionslosen betreuten, unterstützte die Reichsvereinigung auch die Getauften. Als Hauptaufgaben blieben die Bereiche jüdisches Schulwesen, Wohlfahrt, Auswanderungshilfe und der Kulturbund, der seine Arbeit wieder aufnehmen mußte. In der „Hochschule für die Wissenschaft des Judentums" unterrichtete Rabbiner Leo Baeck 1942, im letzten noch erlaubten Sommersemester, als einziger Dozent noch 3 Schüler, während in den Terror- und Mordzentralen des NS-Herrschaftsapparats der

Stadt die Organisation des Völkermords auf Hochtouren lief, und seit dem 18. Dezember 1941 die Deportationszüge nach Osten rollten.

Nach der Auflösung der Gemeinde und der Deportation der letzten nicht durch „Mischehe" geschützten Mitarbeiter der Reichsvereinigung nach Theresienstadt im Juni 1943 blieben dennoch zwei jüdische Einrichtungen weiter bestehen, das jüdische Krankenhaus und der Friedhof in Weißensee. Es lebten noch über 6000 Juden in „Mischehen" und im Untergrund. Im jüdischen Krankenhaus unterhielt die Gestapo eine Dienststelle, ein Gefängnis und ein Arbeitslager. Einige wenige jüdische Angestellte in „Mischehe" verwalteten unter ihrer Aufsicht bis April 1945 die letzten Juden in der Stadt: Kranke wurden behandelt, Untergetauchte aufgespürt, verwitwete „Mischehenpartner" abgeholt und deportiert, Bestattungen vorgenommen und Statistik geführt. Etwa 5000 Juden erlebten in der Stadt die Befreiung durch die sowjetische Armee. Am 6. Mai hielt der Oberrabbiner der polnischen Armee in den Räumen der Reichsvereinigung den ersten Gottesdienst zum Gedenken an die Opfer.

Den Repräsentanten der Reichsvereinigung wurde im Nachhinein wegen ihrer Mitwirkung an den Deportationen mangelnde Widerstandsbereitschaft gegenüber den Befehlen der Gestapo vorgeworfen. Unzweifelhaft ist, in welcher Zwangslage sie sich befanden, daß nämlich sie selbst oder andere als Geiseln für die Ausführung der Anordnungen hafteten. Sie wurden wie alle, die nicht mehr entkommen konnten, ebenso Opfer der bösartigen Täuschung über das eigentliche Ziel der Deportationen.

Den deutschen Juden als kleiner, durch die Auswanderung überalteter, bürgerlichem Ordnungsdenken verhafteter Gruppe ohne politische Bundesgenossen fehlten für politisch wirksamen Widerstand jegliche Voraussetzungen. Einzelne haben Widerstand geleistet, über tausend allein in linken Gruppierungen. Nicht zuletzt das Schicksal der jüdischen Widerstandsgruppe um Herbert Baum zeigt, daß auch die vielbeschworene politische Solidarität ihre Grenzen hatte. Juden wurde nach 1937 aus Sicherheitsgründen der Zusammenschluß zu jüdischen Gruppen von der Exil-KPD-Führung empfohlen. Viel mehr noch läßt sich daran freilich ermessen, wie aussichtslos die Chancen für jüdischen Widerstand waren, andererseits wieviel Mut angesichts des Staatsterrors dazu gehörte, und sei es auch nur, Zeichen zu setzen. Unter den extremen Bedingungen, denen Juden unterworfen waren, sind auch die vielen Formen der Selbstbehauptung, wie die intensive jüdische Bildungsarbeit in den Schulen, im Kulturbund, in der Hochschule für die Wissenschaft des Judentums, in der Jugendbewegung, den landwirtschaftlichen Ausbildungszentren und das Leben in der „Illegalität" als Kampf um die Wahrung der Menschenwürde, und damit als geistiger und praktischer Widerstand zu verstehen.

Annegret Ehmann

„Letzte Post" – Museumsweihe

24. Januar 1933

James Yaacov Rosenthal

James Y. Rosenthal (Berlin 1905), Jurist und Journalist, emigrierte 1933 nach Palästina. Von 1948 bis 1969 war er Korrespondent der liberalen israelischen Tageszeitung Ha'aretz bei der Knesset, dem Parlament des Staates Israel. Er lebt heute in Jerusalem. Als Pressevertreter der jüdischen Nachrichtenagentur nahm er an der Einweihung des Jüdischen Museums teil.

Den Westabschluß des Oranienburger-Straße-Segments, des großen Komplexes der Kultur-, Verwaltungs-, Sozial- und Pflegeanstalten der einstigen Jüdischen Gemeinde zu Berlin, bildete das Haus Nr. 31, wo jahrzehntelang die hoffnungslos Leidenden betreut wurden. (...)

Vor etwas mehr als 50 Jahren entschloß sich die Gemeindeleitung, das veraltete Heim als solches aufzulassen und auf ein dem modernen Krankenhaus der Gemeinde in der Iranischen Straße benachbartes Grundstück mit adäquater Ausrüstung zu verlegen. In das alte Haus sollte nach einem Umbau die bis dahin noch der benachbarten Gemeindebibliothek verbundene Kunstsammlung der Gemeinde überführt werden. Dabei war eine Integrierung der bisher aus Raummangel magazinierten Schätze und privater Sammlungen vorgesehen. Anfang 1933 war alles bereit. Am 24. Januar fand die Weihe des nunmehr in „Jüdisches Museum" umbenannten Institutes statt. Wer dieser Einweihung, die eine wahre „Weihe" war und ausstrahlte, an jenem durch das Folgende für immer denkwürdigen Nachmittag beiwohnte, trägt diesen schönen Akt für immer im Herzen. Denn es war der letzte bedeutsame, noch einigermaßen unbeschwerte, gleichsam abendschein-besonnte jüdische Gesamtkultur-Akt in der damaligen Reichshauptstadt, die mehrere Menschenalter hindurch in gewissem Grade die Diaspora-Haupt- und Brennpunkt-Stadt der Gesamtjudenheit war. Da war noch einmal alles festlich versammelt „zu jüdischem Tun und Bekennen", was Klang und Rang im jüdischen wie im allgemeinen Geistes- und Kunstleben hatte, neben den Trägern des jüdischen Gemeindelebens, das damals ebenfalls reich war an geistig und kulturpolitisch führenden Männern und Frauen, ganz abgesehen von den vielen hochbedeutenden führenden rabbinischen und im Kulturleben angesehenen Persönlichkeiten. Da waren z. B. all die vielen Kunsthistoriker und Kunstkritiker der Tages- und Fachzeitschriften, fast sämtlich Juden, jüdische Künstler auch aus anderen Kunstgebieten, wie Musik, auch Literatur- und Musikkritiker, maßgebende nichtjüdische Kulturträger, speziell Künstler, die den jüdischen Kulturbeitrag für Berlin ehren

James Yaacov Rosenthal, um 1932

wollten – damals noch nicht Umgang mit Juden und Jüdischem scheuend. Jüdische Maler, Bildhauer, Architekten. Und – höchste Zierde, mit Max Liebermann und „die“ Größe der staatlichen Sammlungen, Max J. Friedländer von der Gemäldegalerie. (...)

Immer wieder wandten sich Blick und Sinn von den Weihereden zum schönsten Museumsschmuck: Liebermanns neuestes Selbstporträt, in dessen Nähe er saß, von ihm ein paar Tage vorher dem Museum als Symbol seiner Gemeinschafts- und Gemeinde-Verbundenheit als eine Art „Weihgabe“ geschenkt.

Zwischen Reden und Rundgängen im Museum spielte das damals bedeutendste der damals vielen bedeutenden Kammermusik-Ensembles, das (...) nur aus Juden zusammengesetzte „Alfred-Wittenberg-Quartett“. In gehobener Stimmung, in jüdischem Bewußtsein gestärkt, verließen die jüdischen Festteilnehmer das über Erwarten sogar im allgemeinen Berliner Museums-Maßstab vorbildlich erstellte Museum und seine Weihefeier. Nur Tage später war all das und waren die Menschen und so viele Worte zerstoben und wenige Jahre danach alles auch physisch vernichtet und damit abgeschlossen, was, nur drei Monate nach jener Weihe, mit der Bücherverbrennung irrlichterloh begonnen hatte.

James Y. Rosenthal, „Letzte Post“-Museumsweihe, in: Verbandszeitschrift der Jüdischen Gemeinden in der DDR, Dezemberausgabe; Berlin 1982, S. 9f.

Milchome[1]-Ballade – geschribn in Tog, wann Hitler is gewordn Kanzler

30. Januar 1933

Itzig Manger

(Czernowitz 1989–1968 Israel) Schneidergeselle und Autodidakt, schrieb Lyrik in jiddischer Sprache. Als wandernder Handwerksbursche suchte er die Zentren der jiddischen Kultur in Europa auf und kam so Anfang der dreißiger Jahre auch nach Berlin. Kurz vor Kriegsanfang emigrierte er in die USA und erst in den fünfziger Jahren nach Israel, wo er Anerkennung als Dichter fand. Als Stimme des proletarischen Ostjudentums dürfte seine Schreckensvision von der mit dem Machtantritt der Nationalsozialisten heraufziehenden Katastrophe für die im sogenannten Scheunenviertel im Zentrum Berlins lebenden Juden aus Osteuropa charakteristisch sein.

Spinnenweb un Treuer[2] hillen ein die Chattes[3] –
Weit in die Okappes[4] blutigen die Tattes[5].

Un die Mames[6] huren in die Stalln mitn Toid[7]
Far ein Hitl Zucker un a Labn Broit.

Stehn Kinder bei die Fenster un sie sehn:
Bärtige Soldaten zu die Fronten gehn.

„Viktoria, Viktoria!“ un dos Lied
Nemt die Freid[8] fun alle Derfer mit.

Roite Wolkens in die herbstige Vernachten[9] –
Varblutigte Bandagen in die Schlachten.

Stehn Kinder bei die Fenster un sie sehn:
Bärtige Soldaten zu die Fronten gehn.

„Viktoria! Viktoria!“ un dos Lied
Nemt dos Gold fun alle Felder mit.

Bärtige Soldaten, letzte Wegn, letzte Schohen[10]
Un der Avend[11] singt dos Geisterlied fun Krohen[12]

Stehn Kinder bei die Fenster un sie sehn
die roite Erd in a Schwindelrad sich drehn.

A jeder Weg a Kreuz. Oif jeden Kreuz a Peur[13].
Stodt un Dorf zerschossn. Spinnenweb un Treuer.

Roite Srejfes[14]. Blaue Gasn[15].Schrecksignaln.
Oif weiße Geisterpferd reitn Generaln.

Alte Generaln – gebeugene[16] un drehn
ibern totn Guf[17] fun riesige Armeen.

Dämmerung mit Typhusflecken. Letzte Schohen.
Un der Avend singt dos Geisterlied fun Krohen.

Zittern die Kinder un sie tulien[18] sich zusammen,
Schreit in sie die Benkschaft[19] zu der Mamen.

Nur die Mames huren in die Stalln mitn Toid.
Fir al Hitl Zucker un a Labn Broit.

Itzig Manger, Lieder und Balladen, hrsg. vom Itzig Manger Komitee, Tel Aviv o.J., S. 9f. (Transkription A. Ehmann)

[1]Krieg [2]Trauer [3]Hütten [4]Bunker [5]Väter [6]Mutter [7]Tod (hier: sie huren mit den Soldaten, die den Tod verkörpern) [8]Freude [9]herbstliche Dämmerung [10]Stunden [11]Abend [12]Krähen [13]Bauer [14]Brand [15]Gas [16]gebeugte [17]Körper [18]kauern, kuscheln [19]Sehnsucht

Der Anfang vom Ende

30. Januar – 1. April 1933

James Yaacov Rosenthal

Erinnerungen von J. Y. Rosenthal fünfzig Jahre danach. Er erlebte als Anwalt die Entfernung der Juden aus den Gerichten am Tag vor dem Boykott gegen „nichtarische" Geschäfte, Büros und Arztpraxen.

Viele in der allgemeinen Bevölkerung und unter den Juden in Berlin traf am Montag, dem 30. 1. 1933, die Ernennung Hitlers zum Reichskanzler nicht wie ein „Blitzschlag aus heiterem Himmel" und auch noch nicht als „Fanal vor dem Versinken im Hades". Die lebensverdunkelnde Wirtschafts- und Sozialkrise seit 1928/29 hatte Gemüter und Ausweghoffnungen verödet. Andererseits gingen die Nazistimmen bei den Reichswahlen vom 6. 11. 1932 und 31. 7. 1932 und ihre Mandatszahl zurück, und der Reichspräsident, v. Hindenburg, im Frühjahr 1932 wiedergewählt, galt gerade vielen Juden als „eine feste Burg" gegen umwälzende Tendenzen. (...)

Mitte März 1933 schreckte „Wetterleuchten mit Brandgeruch" vor allem uns Jungakademiker auf: Jüdische Ärzte und Krankenschwestern wurden schlagartig – und nicht selten nicht nur schlagartig aus Stätten von Heilung, Forschung und Pflege ausgestoßen, darunter Wohltäter der ärmsten Schichten, Schüler und ihrerseits wieder Lehrer großer Kliniker und Gelehrter. Das wirkte erschreckend – wo hatten Juden Deutschlands Ansehen so befördert wie in Medizin und verwandten Sparten, – aber auch so betäubend, daß man fast gelähmt und der Entschlußkraft beraubt war, zumal man doch bei Gericht, wo gerade in Berlin unleugbar das jüdische Element hervorstach, sich noch „wie daheim" fühlte. (...)

Freitag, 31. März frühmorgens, machte ich mich, die mit Handakten gefüllte Mappe unter dem Arm, die Robe bereit, von meiner Mutter wie üblich mit Erfolgswunsch verabschiedet, auf den Weg zum „zweiten Zuhause", dem Hauptgerichtsgebäude am Alexanderplatz. Den Mantel wechselte ich in der Juristen-Kleiderablage mit der Robe und erledigte Termine in Sachen meiner Klienten und in Vertretung anderwärts beschäftigter Kollegen. – Scheinbar alles wie üblich, da – Schlag 10.15 Uhr – Vibration, Unruhe und Rufe. Im Nu SA in Uniform in jeder Ecke: „Juden in den Lichthof"! Dort binnen Minuten eine surrealistische Szenerie! Mehr und immer mehr Menschen, Männer und Frauen, darunter viele Sekretärc und Stenotypistinnen, Richter und viele Anwälte, gleich mir in Robe. Ich fühlte mich einigermaßen auf „Entdekkungsreise", als ich eine Anzahl älterer Menschen und Altersgenossen gewahrte, die ich nie für Juden oder von Juden stammend gehalten hätte. Uns gesellte sich auch der Präsident des Landgerichts I bei, dem es also nichts genützt hatte, daß er sich noch in der Monarchie aus opportunistischen Karrieregründen hatte taufen und seinen Namen ändern lassen. Nun traf ihn auch das Judenschicksal.

Ganz und gar unerwartet steht ein baumlanger SA-Mann vor mir: „Herr Rechtsanwalt, bitte, ihre Garderobenmarke." Ich gab sie ihm, – soll er mit Hut und Mantel, lange getragen, glücklich werden. Nach wenigen Minuten kehrte er mit meinen Sachen zurück, schlug die Hacken zusammen und... „Erlauben Sie, Herr Rechtsanwalt", hielt mir die Robe, die ich abgelegt hatte, half mir in den Mantel, überreichte mir den Hut und trat ab, „wie von Ablöse-Wachdienst." Des Rätsels Lösung: Befohlen war „Juden raus", doch, solange kein Widerstand,... mit „Anstand". Hinzu kam wohl auch die in Preussen eingefleischte Benehmensetikette gegenüber „diplomierten Akademikern". Dann kurze Order an alle: „Wer jetzt in voller Ruhe geht und nie wiederkehrt, hat nichts zu befürchten."

Bis auf der Straße saß mir die Angst im Nacken – vielleicht ist das nur eine Finte und draußen warten Scharfschützen oder Transport in eine der schon notorisch werdenden SA-Folterhöllen. Und da schlug in mich herein eine Art von Gelübde: Komme ich jetzt gesund an Leib und Seele nach Hause, bewege ich meine Mutter zu sofortiger Vorbereitung auf Brückenabbau hier und Übersiedlung nach Jerusalem – und das zeigte sich mir als Ziel am Horizont, mehr als der Begriff „Land":

Meine Mutter hatte schon von den Vorgängen gehört und, da ich so lange für den Weg gebraucht hatte, Schlimmes befürchtet. Als ich ihr von meinem Entschluß berichtete, erwiderte sie nur, sie habe fast zur gleichen Zeit wie ich das gleiche Gelübde im Herzen gehabt.

An jenem Freitag zwang ich mich zur Bewältigung der laufenden Arbeit, und den Schabbat empfingen wir abends im Geist von Gebot, Überlieferung und – an jenem Tage stärkender – Gewohnheit. Am Morgen des Boykott-Tages ging ich, der Gewohnheit treu, zur Frühmorgenandacht „um die Ecke", in eine kleine Bet- und Lerngemeinschaft dicht neben der großen Neuen Synagoge in der Oranienburger Straße. Um 8 Uhr zurückkehrend fand ich mein kleines Anwaltsschild mit dem braunen Hass-Symbol überschmiert und davor – um Klienten abzuschrecken, die ja am Schabbat sowieso nicht kamen – einen SA-Mann „auf Posten", der den ganzen Tag dort blieb. Von mir und meinem Eintritt ins Haus nahm er scheinbar nicht einmal Kenntnis.

Nach Weinsegen, Frühstück und sabbatlichem Tischgebet sagte meine Mutter: „Mach Dich bald fertig zu unserem Schabbatspaziergang!" Ich sah sie entgeistert an: „Draußen steht SA, ebenso in allen Winkeln der Stadt und da..." „Ist heute Schabbat, und haben wir diesem Land Unrecht getan? Und wen entehren diese Menschen, etwa uns?" So reagierte meine Mutter. Nun schämte ich mich meiner Schwäche. Und wir machten uns auf den Weg über zentrale Knotenpunkte, Geschäftsstraßen, Unter den Linden und heimwärts. Vor jedem Arzt- und Anwaltsschild SA-Posten, vor allen Geschäften und Werkstätten jüdischer Eigentümer oder Teilhaber das gleiche Bild, obgleich alle Betroffenen vorsorglich geschlossen hielten. Die Passanten scheinbar indolent, niemand schadenfroh. Wir gaben acht, niemand warf uns auch nur einen „schiefen Blick" zu. Ein eigenartiges Gefühl überkam uns: viel mehr Verflechtung von Juden im Kultur- und Wirtschaftsleben der Reichshauptstadt als selbst wir „Urberliner" geahnt hatten; ... und dieses gewitterschwangeren Schlages hatte es bedurft, Juden, alle Juden zur Schabbatruhe zu bringen – und dabei, welche Ruhe, und vor welchem Sturm...

Das Vertretungsverbot wurde zugestellt und dann im Mai: „Löschung der Berufszulassung", alles auf Grund der Anfang April zur Verdrängung von Juden aus akademischen und anderen Freiberufen erlassenen Gesetze und Verordnungen. Die kleine Praxis wurde aufgelöst, die Wohnung mit Inventar abgebaut, die Auswanderung zweigleisig betrieben, – bei den vielen deutschen Wirtschafts-, Polizei- und Auswanderungsstellen und beim Britischen Generalkonsulat, denn ich wollte mit meiner Mutter ganz legal in das damalige britische Mandatsgebiet Palästina einwandern und nicht als Tourist „in der Luft" nur „einreisen". Und – auch das gehört zur Geschichtswahrheit – alles war zermürbend und auch schmerzvoll, aber nicht alles menschlich düster: Berlin war auch im Ämterbereich anders als anderwärts, wo es meist schon Nacht war. (...) Endlich war alles geschafft. Anfang September 1933 reisten wir ab, unbehelligt auf der Reise und an der Reichsgrenze, und in unvorstellbarer Stimmung und Dankbarkeit, fast als erste in Haifa vom Schiff direkt am neueröffneten Kai den ersehnten Boden betretend und den hergebrachten Segen in Mund und Herz.

James Yaacov Rosenthal, Der Anfang vom Ende, Jerusalem 1983 (Unveröffentlichtes Manuskript, in Privatbesitz)

Ein baldiges Wort im Namen der Religion

30. März/1. April 1933

Telegramm der Reichsvertretung der Jüdischen Landesverbände Deutschlands, die im Frühjahr 1933 kurze Zeit als Reichsvertretung der deutschen Juden firmierte, an den evangelischen Oberkirchenrat und an Kardinal Bertram vom Bischöflichen Ordinariat der katholischen Kirche vor dem für den 1. April 1933 öffentlich angekündigten Boykott gegen die Juden. Kardinal Bertram reagierte darauf nicht. Als Antwort des Oberkirchenrats existiert der Entwurf eines Telegramms vom Abend des 1. April. Trotz verschiedener Stimmen und Proteste aus dem Kirchenvolk blieben die Oberhirten der christlichen Kirchen stumm. Keiner stellte sich öffentlich schützend vor die Verfolgten und Gedemütigten. Der damalige Superintendent D. Dr. Otto Dibelius (nach 1945 in Berlin evangelischer Bischof) wies wenige Tage später in der Presse und in einem „Evangelischen Appell an Amerika" im Rundfunk ausländische Berichterstattungen als „Auslandshetze des internationalen Judentums" zurück und verteidigte in deutsch-nationalem, antisemitischem Jargon die Regierungspolitik.

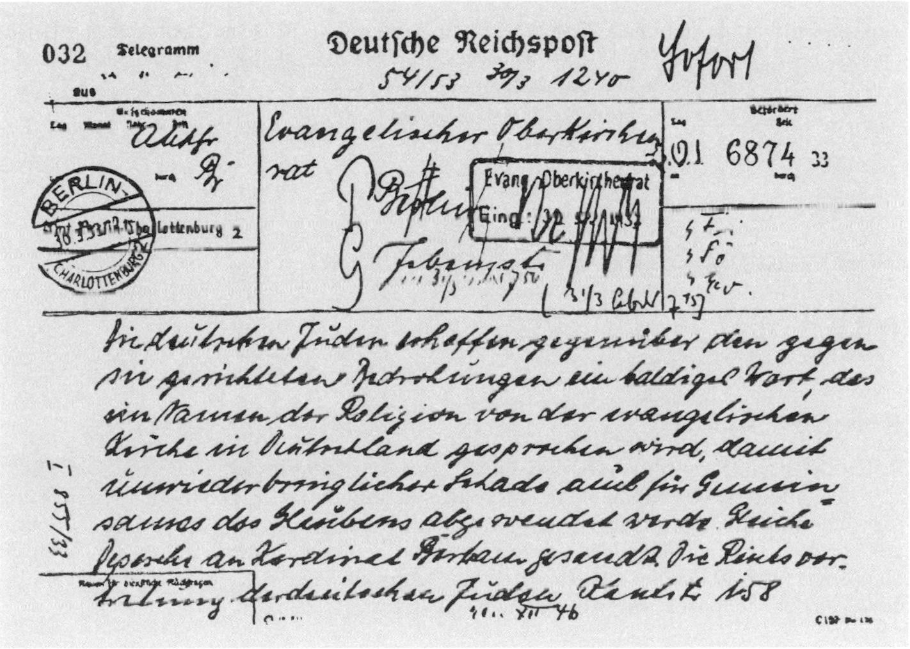

032 Telegramm

Deutsche Reichspost

Sofort

54/53 30/3 1240

Evangelischer Oberkirchenrat

Evang. Oberkirchenrat Eing.: 30. ... 1933

Berlin Charlottenburg 2

01 6874 33

Die deutschen Juden erhoffen gegenüber den gegen sie gerichteten Bedrohungen ein baldiges Wort, das im Namen der Religion von der evangelischen Kirche in Deutschland gesprochen wird, damit unwiederbringlicher Schade auch für Gemeinsames des Glaubens abgewendet werde. Gleiche Depesche an Kardinal Bertram gesandt. Die Reichsvertretung der deutschen Juden Kantstr. 158

Telegramm der Reichsvertretung der deutschen Juden in: Eberhard Röhm, Jörg Thierfelder, Evangelische Kirche zwischen Kreuz und Hakenkreuz. Bilder und Texte einer Ausstellung, Stuttgart 1981, S. 77

Bln.-Charl., den 1. April 1933. E.O.I 6874/33.

die Reichsvertretung der deutschen Juden

Berlin-Charl. 2

Kantstr. 158

Reinschr. gef.
Vergl. u.
Abgesandt:

Herr Fi. (abw.)
" Sö.
" Ev. (abw.)

Wir verfolgen die Entwicklung mit größter Aufmerksamkeit, ~~und haben die Hoffnung~~, daß die Boykottmaßnahmen mit dem heutigen Tage ihr Ende finden

Oberkonsistorialrat
E.O.K.R.

Antwortentwurf des Evangelischen Oberkirchenrates, Evangelisches Zentralarchiv Berlin (West), EAZ: EOK Gen XII/46 II in: Materialdienst Evangelischer Arbeitskreis Kirche und Israel, in: Hessen-Nassau, Sonderausgabe Mai 1984

Tragt ihn mit Stolz, den gelben Fleck!

4. April 1933

Robert Weltsch

Robert Weltsch (Prag 1891–1982 Jerusalem) war von 1919 bis 1938 in Berlin Chefredakteur der „Jüdischen Rundschau", dem Publikationsorgan der „Zionistischen Vereinigung für Deutschland". Nach dem Novemberpogrom emigrierte er nach Palästina, lebte von 1946 bis 1978 in England und leitete viele Jahre das Leo Baeck Institut in London. Weltsch distanzierte sich 1943 unter dem Eindruck der schrecklichen Eskalation des jüdischen Leidens von der Titelparole seines berühmten Aufsatzes.

Der 1. April 1933 wird ein wichtiger Tag in der Geschichte der deutschen Juden, ja in der Geschichte des ganzen jüdischen Volkes bleiben. Die Ereignisse dieses Tages haben nicht nur eine politische und eine wirtschaftliche, sondern auch eine moralische und seelische Seite. Über die politischen und wirtschaftlichen Zusammenhänge ist in den Zeitungen viel gesprochen worden, wobei freilich häufig agitatorische Bedürfnisse die sachliche Erkenntnis verdunkeln. Über die *moralische* Seite zu sprechen, ist *unsere* Sache. Denn so viel auch die Judenfrage jetzt erörtert wird, was in der Seele der deutschen Juden vorgeht, was vom *jüdischen* Standpunkt zu den Vorgängen zu sagen ist, kann niemand aussprechen als wir selbst. Die Juden können heute nicht anders als *als Juden* sprechen. Alles andere ist völlig sinnlos. Der Spuk der sogenannten „Judenpresse" ist weggeblasen. Der verhängnisvolle Irrtum vieler Juden, man könne jüdische Interessen unter anderem Deckmantel vertreten, ist beseitigt. Das deutsche Judentum hat am 1. April eine Lehre empfangen, die viel tiefer geht, als selbst seine erbitterten und heute triumphierenden Gegner annehmen.

Es ist nicht unsere Art, zu lamentieren. Auf Ereignisse von dieser Wucht mit sentimentalen Salbadereien zu reagieren, überlassen wir jenen Juden einer vergangenen Generation, die nichts gelernt und alles vergessen haben. Es bedarf heute eines neuen Tones in der Diskussion jüdischer Angelegenheiten. Wir leben in einer neuen Zeit, die nationale Revolution des deutschen Volkes ist ein weithin sichtbares Signal, daß die alte Begriffswelt zusammengestürzt ist. Das mag für viele schmerzlich sein, aber in dieser Welt sich behaupten kann nur, wer den Realitäten ins Auge sieht. Wir stehen mitten in einer gewaltigen Umwandlung des geistigen, politischen, sozialen und wirtschaftlichen Lebens. *Unsere* Sorge ist: Wie reagiert das Judentum?

Der 1. April 1933 kann ein Tag des jüdischen Erwachens und der jüdischen Wiedergeburt sein. *Wenn die Juden wollen.* Wenn die Juden reif sind und innere Größe besitzen. Wenn die Juden *nicht* so sind, wie sie von ihren Gegnern dargestellt werden. Das angegriffene Judentum muß sich *zu sich selbst bekennen.*

Auch an diesem Tage stärkster Erregung, wo im Angesicht des beispiellosen Schauspiels der universalen Verfemung der gesamten jüdischen Bevölkerung eines großen Kulturlandes die stürmischsten Empfindungen unser Herz durchzogen, haben wir vor allem Eines zu wahren: Besonnenheit. Stehen wir fassungslos vor dem Geschehen dieser Tage, so dürfen wir doch nicht verzagen und müssen uns ohne Selbsttäuschung Rechenschaft ablegen. Man müßte in diesen Tagen empfehlen: daß die Schrift, die an der Wiege des Zionismus stand, Theodor Herzls „Judenstaat", in hunderttausenden Exemplaren unter Juden und Nichtjuden verbreitet wird. (...)

Bei aller Bitterkeit, die uns beim Lesen der nationalsozialistischen Boykottaufrufe und der ungerechten Beschuldigungen erfüllen muß, für eines können wir dem Boykottausschuß dankbar sein. In den Richtlinien heißt es in §3:

„Es handelt sich ... selbstverständlich um Geschäfte, die sich in den Händen von Angehörigen der jüdischen Rasse befinden. Die Religion spielt keine Rolle. Katholisch oder protestantisch getaufte Geschäftsleute oder Dissidenten jüdischer Rasse sind im Sinne dieser Anordnung ebenfalls Juden."

Dies ist ein Denkzettel für alle Verräter am Judentum. Wer sich von der Gemeinschaft wegstiehlt, um seine persönliche Lage zu verbessern, soll den Lohn dieses Verrats nicht ernten. In dieser Stellungnahme gegen das Renegatentum ist ein Ansatz zur Klärung enthalten. Der Jude, der sein Judentum verleugnet, ist kein besserer Mitbürger als der, der sich aufrecht dazu bekennt. Renegatentum ist eine Schmach, aber solange die Umwelt Prämien darauf setzte, schien es ein Vorteil. Nun ist es auch kein Vorteil mehr. Der Jude wird als solcher kenntlich gemacht. Er bekommt den gelben Fleck.

Daß die Boykottleitung anordnete, an die boykottierten Geschäfte Schilder „mit gelbem Fleck auf schwarzem Grund" zu heften, ist ein gewaltiges Symbol. Diese Maßregel ist als Brandmarkung, als Verächtlichmachung gedacht. Wir nehmen sie auf und wollen daraus ein Ehrenzeichen machen.

Viele Juden hatten am Sonnabend ein schweres Erlebnis. Nicht aus innerem Bekenntnis, nicht aus Treue zur eigenen Gemeinschaft, nicht aus Stolz auf eine großartige Vergangenheit und Menschheitsleistung, sondern durch den Aufdruck des roten Zettels und des gelben Flecks standen sie plötzlich als Juden da. Von Haus zu Haus gingen die Trupps, beklebten Geschäfte und Schilder, bemalten die Fensterscheiben, 24 Stunden lang waren die deutschen Juden gewissermaßen an den Pranger gestellt. Neben anderen Zeichen und Inschriften sah man auf den Scheiben der Schaufenster vielfach einen großen Magen David, den Schild König Davids. Dies sollte eine Entehrung sein. Juden, nehmt ihn auf, den Davidsschild, und tragt ihn in Ehren!

Denn – und hier beginnt die Pflicht unserer Selbstbesinnung –, wenn dieser Schild heute befleckt ist, so sind es nicht unsere Feinde allein, die dies bewirkt haben. Viele Juden gab es, die sich nicht genug tun konnten in würdeloser Selbstverhöhnung. Das Judentum galt als überlebte Sache, man betrachtete es ohne Ernst, man wollte sich durch Lächeln von seiner Tragik befreien. Aber es gibt heute bereits den Typus *des neuen, freien Juden,* den die nichtjüdische Welt noch nicht kennt. (...)

Über die Judenfrage zu reden, galt noch vor dreißig Jahren in gebildeten Kreisen als anstößig. Man betrachtete damals die Zionisten als Störenfriede mit einer idée fixe. Jetzt ist die Judenfrage so aktuell, daß jedes kleine Kind, jeder Schuljunge und der einfache Mann auf der Straße kein anderes Gesprächsthema hat. Allen Juden in ganz Deutschland wurde am 1. April der Stempel „Jude" aufgedrückt. Nach den neuen Anweisungen des Boykottkomitees soll, falls der Boykott erneuert wird, nur noch eine einheitliche Bezeichnung aller Geschäfte stattfinden: bei Nichtjuden der Vermerk „Deutsches Geschäft", bei Juden einfach das Wort „Jude". Man weiß, wer Jude ist. Ein Ausweichen oder Verstecken gibt es nicht mehr. Die jüdische Antwort ist klar. Es ist der kurze Satz, den der Prophet Jona sprach: Iwri anochi. Ja, Jude. *Zum Jude-Sein Ja sagen.* Das ist der *moralische Sinn* des gegenwärtigen Geschehens. Die Zeit ist zu aufgeregt, um mit Argumenten zu diskutieren. Hoffen wir, daß eine ruhigere Zeit kommt, und daß eine Bewegung, die ihren Stolz dareinsetzt, als Schrittmacherin der nationalen Erhebung gewürdigt zu werden, nicht ihr Gefallen daran finden wird, andere zu entwürdigen, selbst wenn sie meint, sie bekämpfen zu müssen. Aber wir Juden, – unsere Ehre können wir verteidigen. Wir gedenken aller derer, die seit fünftausend Jahren Juden genannt, als Juden stigmatisiert wurden. Man erinnert uns, daß wir Juden sind. Wir sagen Ja, und tragen es mit Stolz.

Robert Weltsch, Tragt ihn mit Stolz, den gelben Fleck, in: „Jüdische Rundschau", Nr. 27 vom 4. 4. 1933

Max Reinhardt als Leiter des Deutschen Theaters entlassen

7. April 1933

Max Reinhardts Entfernung. – Die Direktion Achaz-Neft des Deutschen Theaters hat nach einer Besprechung mit dem Kommissar zur besonderen Verwendung Hinkel vom preussischen Kultusministerium die Entscheidung getroffen, daß Max Reinhardt nichts mehr mit der künstlerischen Leitung des Deutschen Theaters zu tun hat, und daß die Leitung des Deutschen Theaters künftig den Erfordernissen der deutschen Kultur Rechnung tragen wird.

Dazu bemerkt die „Vossische Zeitung": „Wenn die Direktion Achaz-Neft sich jetzt dafür verbürgt, daß das Deutsche Theater den Erfordernissen der deutschen Kultur künftig Rechnung tragen wird, so will sie mit diesen Worten gewiß keinen Gegensatz zu Max Reinhardts bisherigem Berliner Wirken andeuten. Denn daß dieser Bühnenkünstler das Ansehen der deutschen Bühnenkunst in der ganzen Welt gefördert hat, ist unbestreitbar."

Die „Vossische Zeitung" irrt. Es ist kein Zweifel, daß die in der Mitteilung gewählte Formel andeuten sollte, daß Max Reinhardt als Jude die Erfordernisse der deutschen Kultur nicht zu erfüllen vermag. Sie ist gewissermaßen das Aburteil über sein ganzes Lebenswerk.

Jüdische Rundschau, Nr. 28/29 vom 7. 4. 1933, S. 145, Sp. 1

Die Warnung

11. April 1933

Armin T. Wegner

Armin T. Wegner (Wuppertal 1886–1978 Rom), Pazifist, undogmatischer Kommunist, erfolgreicher Dichter und Reiseschriftsteller, war verheiratet mit der jüdischen Lyrikerin Lola Landau (Berlin 1893, heute Jerusalem). Bekannt wurde Wegner wegen seines leidenschaftlichen, doch vergeblichen Appells an die Weltöffentlichkeit, den Völkermord an den Armeniern zu verhindern, den er 1915 bis 1917 als Sanitätsoffizier in der Türkei miterlebte und unter Lebensgefahr dokumentierte. Als einziger deutscher Schriftsteller protestierte er in seinem „Sendschreiben an den deutschen Reichskanzler Adolf Hitler" gegen die Verfolgung der Juden, das jedoch keine Zeitung mehr zu veröffentlichen wagte. Seine Bücher wurden am 10. Mai 1933 verboten und öffentlich verbrannt. Als Antwort auf seinen Brief prügelten ihn Männer von Hitlers Leibstandarte im Columbiahaus halb tot. Er überstand verschiedene KZ und Gefängnisse und widerstand dem Druck, sich von seiner jüdischen Frau scheiden zu lassen. Dennoch ging die Ehe durch das erzwungene Exil auseinander. Wegners Bücher wurden nach 1945 nicht wieder aufgelegt, er selbst 1947 für tot erklärt. 1968 ehrte ihn die Gedenkstätte Yad Vashem in Jerusalem: Wegner pflanzte einen Baum in der „Allee der Gerechten".

Gerechtigkeit war stets eine Zierde der Völker, und wenn Deutschland groß in der Welt wurde, so haben auch die Juden daran mitgewirkt. Haben sie nicht durch alle Zeiten sich dankbar für das Obdach erwiesen? Erinnern Sie sich, daß es Albert Einstein, ein deutscher Jude war, der Erschütterer des Raumes, der wie Kopernikus über sich in das All griff und der Erde ein neues Weltbild geschenkt hat! Erinnern Sie sich, daß Albert Ballin[1], ein deutscher Jude, der Schöpfer der großen Schiffslinie nach dem Westen gewesen ist, auf dem das mächtigste Schiff der Welt nach dem Lande der Freiheit zog, Ballin, der die Scham nicht ertragen konnte, daß der von ihm verehrte Herrscher sein Land im Stich ließ, und deshalb Hand an sich legte? Erinnern Sie sich, daß es Emil Rathenau[2], ein deutscher Jude, war, der die Allgemeine Gesellschaft zur Erzeugung des geheimnisvollen Stromes von Kraft und Licht in fremden Ländern zu einem Weltwerk machte! Haber[3], ein Jude war es, der wie ein Zauberer in seiner Kolbenflasche der Luft den Stickstoff entwand, Ehrlich[4], ein Jude und ein weiser Arzt, der mit seinem Heilmittel gegen die Lustseuche diese schleichende Krankheit in unserem Volke beschwor. Selbst jenes sechzehnjährige Mädchen[5], das auf den Wettkämpfen in Amsterdam mit ihrem anmutigen Degen den Sieg Deutschlands erfocht, war eine jüdische Jungfrau, die Tochter eines Anwalts, eben eines jener Anwälte, die man im Begriff steht, schimpflich von unseren Gerichtshöfen zu vertreiben. Erinnern Sie sich – ach, ich müßte Blätter füllen, wollte ich nur ihre Namen aufzählen, deren Fleiß, deren Klugheit für immer in unserer Geschichte verzeichnet stehen.

Denn, so frage ich Sie, haben alle diese Männer und Frauen ihre Taten als Juden vollbracht oder als Deutsche? Haben ihre Schriftsteller und Dichter eine jüdische Geistesgeschichte geschrieben oder eine deutsche, ihre Schauspieler die deutsche Sprache gepflegt oder eine fremde? Sind ihre großen Verkünder einer neuen Gesellschaftslehre die Wahrsager und Warner des jüdischen Volkes gewesen oder des deutschen, als sie ihren mahnenden Ruf erhoben, den wir zu unserem Unglück nicht hörten? Wir haben das Blutopfer zwölftausend jüdischer Männer im Kriege angenommen, dürfen wir mit einem Rest von Billigkeit im Herzen ihren Eltern, Söhnen, Brüdern, Enkeln, ihren Frauen und Schwestern verwehren, was sie sich durch viele Geschlechter erworben haben, das Recht auf Heimat und Herd?

Welches Verhängnis für jene, die das Land, das sie aufnahm, mehr liebten als sich selbst! Denn ist nicht der Jude, uns verwandt an Innerlichkeit, an Grübelei, zum Träger deutscher Gesittung und Sprache geworden bis tief nach Russland hinein? In den Judengassen polnischer Dörfer tönen noch heute mittelhochdeutsche Weisen, wohin die Ahnen vertriebener Juden vor tausend Jahren zwar nicht das Gold dieser Länder, aber ihre Lieder entführten, die uns noch heute mit lauterem Schall aus ihrem Munde ergreifen, und die wir selbst achtlos vergessen haben. Wenn der Deutsche auf fremder Erde der Hilfe bedarf, wenn er Menschen sucht, die seine Sprache reden, wo findet er sie? Im Laden eines jüdischen Arzneihändlers im Kaukasus, in einer jüdischen Schneiderwerkstatt an den Brunnen der arabischen Wüste! Man hat jüdische Familien für ihr Bekenntnis zum Deutschtum in Polen beraubt und in das Gefängnis geworfen, an denen sich nun, nachdem sie nach Deutschland flüchteten, das gleiche Geschick wiederholt. Welche unglückliche Liebe! Denn Sie werden nicht glauben, daß Juden unser Land nicht zu lieben vermöchten, weil sie fremden Stammes sind. Haben sich nicht auch im deutchen Volke viele Stämme gemischt, Franken, Friesen und Wenden? War nicht Napoleon ein Korse? Kamen Sie selbst nicht zu uns aus einem Nachbarlande? (...)

Herr Reichskanzler, es geht nicht um das Schicksal unserer jüdischen Brüder allein, es geht um das Schicksal Deutschlands! Im Namen des Volkes, für das zu sprechen ich nicht weniger das Recht habe als die Pflicht, wie jeder, der aus seinem Blut hervorging, als ein Deutscher, dem die Gabe der Rede nicht geschenkt wurde, um sich durch Schweigen zum Mitschuldigen zu machen, wenn sein Herz sich vor Entrüstung zusammenzieht, wende ich mich an Sie: Gebieten Sie diesem Treiben Einhalt! Das Judentum hat die babylonische Gefangenschaft, die Knechtschaft in Ägypten, die spanischen Ketzergerichte, die Drangsal der Kreuzzüge und sechzehnhundert Judenverfolgungen in Russland überdauert. Mit jener Zähigkeit, die dieses Volk alt werden ließ, werden die Juden auch diese Gefahr überstehen – die Schmach und das Unglück aber, die Deutschland dadurch zuteil wurden, werden für lange Zeit nicht vergessen sein! Denn wen muß einmal der Schlag treffen, den man jetzt gegen die Juden führt, wen anders als uns selbst? Wenn Juden deutsche Art empfangen, unsern Reichtum gemehrt haben, so muß, wenn man ihr Dasein zerstört, diese Tat auch notwendig deutsche Güter vernichten. Die Geschichte lehrt uns, daß Länder, die Juden aus ihren Grenzen verjagten, dies stets durch Armut büßen mußten, daß sie der Verelendung und Mißachtung anheimfielen. Zwar schlägt man die Juden nicht mehr wie in den ersten Tagen auf der Straße nieder, man achtet ihr Leben öffentlich, um es ihnen im Geheimen auf qualvollere Weise zu nehmen. Ich weiß nicht wieviele der Nachrichten wahr sind, die man sich im Volke zuflüstert. Ganze Stadtviertel werden der Plünderung preisgegeben, Inschriften flammen nachts über den Häusern auf, wimpelbehängte Lastwagen mit singenden Soldaten jagen heulend die Straßen entlang, und jedermann beobachtet mit Angst diesen Gießbach, der alles fortzureißen droht. In Zeitungen und Bildern aber fügt man in der schwersten Stunde, die man Menschen bereiten kann, zu der traurigen Erniedrigung den Hohn. Hundert Jahre nach Goethe, nach Lessing kehren wir zu dem härtesten Leid aller Zeiten, zu dem blinden Eifer des Aberglaubens zurück. Besorgnis und Unsicherheit nehmen zu, die überfüllten Züge in das Ausland, Verzweiflungsklagen, Schreckensauftritte, Selbstmorde! Und während ein Teil des Volkes, das eine solche Haltung niemals vor seinem Gewissen verteidigen könnte, diesen Vorgängen zujubelt, in der Hoffnung auf einen Lohn, überläßt es die Verantwortung der Staatsregierung, die diese Maßregeln in kalter Austreibung fortsetzt, vielleicht noch schlimmer als ein Gemetzel, ja weniger entschuldbar als dieses, weil sie das Ergebnis ruhiger Überlegung ist und nicht anders enden kann, als in einer Selbstzerfleischung unseres Volkes. (...)

Sie berufen sich darauf, daß Deutschland sich in einer Notlage befinde, aber statt die Sache aller Unterdrückten zu führen, beruhigt man das Unglück des einen Teiles des Volkes durch das Unglück des anderen, ja, man gibt sogar zu, daß die Schuld der Juden zum Heile des Vaterlandes notwendig sei. Doch es gibt kein Vaterland ohne Gerechtigkeit! Unter hundert Deutschen befindet sich stets ein Jude, und dieser soll stärker sein? Setzt nicht ein mächtiges Volk sich selbst herab, wenn es Wehrlose dem Haß Enttäuschter preisgibt? Sie sprechen von den Juden, die durch ihre Anmaßung Feindschaft wecken. Geschah dies ganz ohne unser Zutun? Wenn Juden dazu beitrugen, den Boden umstürzlerischer Gedanken zu bereiten, erfolgte ihre Empörung nicht deshalb, weil wir sie ungerecht behandelten?

Sind wir ihnen nicht von Jugend auf mit Kränkung begegnet und erzeugt nicht jede Schicksalsgemeinschaft ebenso wie ein gemeinsames Recht eine gemeinsame Schuld? Ich bestreite diesen törichten Glauben; daß alles Unglück in der Welt von den Juden herrühre, ich bestreite ihn mit dem Recht, den Beweisen, mit der Stimme der Jahrhunderte, und wenn ich diese Worte an Sie richte, so geschieht es, weil ich keinen anderen Weg mehr weiß, mir Gehör zu verschaffen. Nicht als Freund der Juden, als Freund der Deutschen, als Sproß einer preußischen Familie, welche die Geschichte ihrer Ahnen bis in die Tage der Kreuzzüge verfolgen kann, aus Liebe zu meinem eigenen Volke richte ich diese Worte an Sie. Wenn alle in diesen Tagen stumm bleiben, will doch ich nicht länger schweigen gegenüber den Gefahren, die Deutschland dadurch drohen. (...)

Herr Reichskanzler! Aus der Qual eines zerrissenen Herzens richte ich diese Worte an Sie, und es sind nicht nur die meinen, es ist die Stimme des Schicksals, die Sie aus meinem Munde mahnt: Schützen Sie Deutschland, indem Sie die Juden schützen. (...) Führen Sie die Verstoßenen in ihre Ämter zurück, die Ärzte in ihre Krankenhäuser, die Richter auf das Gericht, verschließen Sie den Kindern nicht länger die Schulen, heilen Sie die bekümmerten Herzen der Mütter, und das ganze Volk wird es Ihnen danken. Denn wenn Deutschland auch vielleicht die Juden zu entbehren vermag, was es nicht entbehren kann, sind seine Ehre und seine Tugend!

„Es gibt nur einen wahren Glauben", ruft der weise Immanuel Kant aus der Gruft seines hundertjährigen Grabes Ihnen zu, „wenn es auch viele verschiedene Bekenntnisse geben mag." Folgen Sie dieser Lehre, die Ihnen auch das Verstehen jener offenbaren wird, die Sie heute bekämpfen. Was wäre ein Deutschland ohne Wahrheit, Schönheit und Gerechtigkeit? Zwar wenn einmal die Städte zertrümmert liegen, die Geschlechter verbluteten, wenn die Worte der Duldsamkeit für immer verstummten, werden die Berge unserer Heimat noch zum Himmel trotzen und über ihnen die ewigen Wälder rauschen, aber sie werden nicht mehr von der Luft der Freiheit und Gerechtigkeit unserer Väter erfüllt sein. Mit Scham und Verachtung werden sie von den Geschlechtern künden, die nicht nur das Glück des Landes leichtfertig auf das Spiel setzten, sondern auch sein Andenken für immer geschändet haben. Wir wollen Würde, wenn wir Gerechtigkeit fordern. Ich beschwöre Sie! Wahren Sie den Edelmut, den Stolz, das Gewissen, ohne die wir nicht leben können, wahren Sie die Würde des deutschen Volkes!

Armin T. Wegner, Die Warnung, 11. April 1933 (maschinenschriftliches Manuskript, Universitätsbibliothek der Freien Universität, Berlin)

1 Albert Ballin (Hamburg 1857–1918), Direktor der Hamburg-Amerika Linie (Hapag)
2 Emil Rathenau (Berlin 1838–1915), Gründer der AEG
3 Fritz Haber (Breslau 1868–1934 Basel), Chemiker, Nobelpreisträger, zusammen mit Carl Bosch Erfinder eines Verfahrens zur Ammoniaksynthese und des Giftgases als Kriegswaffe
4 Paul Ehrlich (Strehlen 1854–1915 Bad Homburg), Mediziner, Erfinder des Salvarsans zur Heilung der Syphilis
5 Helene Mayer (Offenbach 1910–1953 Heidelberg) Deutsche Fechtmeisterin, Olympiasiegerin 1928 (Gold), 1936 (Silber), danach US-Bürgerin; mehrfache Fechtmeisterschaft in den USA

Verwurzelung in der deutschen Heimat

13. April 1933

Bericht in der Zeitschrift „Der Schild“, dem Organ des Reichsbundes jüdischer Frontsoldaten, über die erfolgreichen Bemühungen des Bundesvorsitzenden, Dr. Leo Löwenstein, Ausnahmeregelungen zum Gesetz zur Wiederherstellung des Berufsbeamtentums vom 7. April 1933 zu erreichen. Durch Intervention des Reichspräsidenten v. Hindenburg bei Hitler wurden „nicht-arische“ ehemalige Frontkämpfer und altgediente Beamte aus der Kaiserzeit nicht entlassen. Die Ausnahmebestimmungen entfielen jedoch nach dem Tode Hindenburgs durch die Nürnberger Rassengesetze.

Für das deutsche Judentum

Der Reichsbund jüdischer Frontsoldaten hat in diesen Tagen eine Reihe wichtiger Schritte unternommen. Im Auftrage des Bundesvorstandes überreichte am 8. April der Bundesvorsitzende, Kamerad Dr. Löwenstein, gemeinsam mit dem Bundesgeschäftsführer, Kamerad Dr. Freund, im Büro des Reichspräsidenten eine Denkschrift für den Herrn Reichspräsidenten, die gleichzeitig dem Herrn Reichskanzler, dem Herrn Vizekanzler und sämtlichen Reichsministern zuging. In der Denkschrift ist die Verwurzelung des deutschen Judentums in der deutschen Heimat, die jüdischen Blutopfer für Deutschland geschildert. „Mit tiefem Schmerz müssen wir jedoch sehen, wie uns unsere Ehre genommen und wie der wirtschaftlichen Existenz weitester jüdischer Kreise die Grundlage entzogen wird.“ Es wurden dann in der Denkschrift positive Vorschläge für die Einordnung des deutschen Judentums in den nationalen Wiederaufbau unterbreitet.

Von Herrn Staatssekretär Dr. Meißner im Auftrage des Herrn Reichspräsidenten und von anderen maßgeblichen Stellen sind dem Bunde inzwischen Antworten zugegangen. Die Bundesleitung wird die aufgenommenen Besprechungen weiterführen. In den nächsten Tagen werden wichtige Rücksprachen erfolgen.

*

Wie die Bundesleitung, so hat auch eine Anzahl unserer Landesverbände und Ortsgruppen selbständig Aufrufe und Aktionen gegen die Greuelpropaganda unternommen. Es sind auch von einer Anzahl unserer Landesverbände und Ortsgruppen Versuche eingeleitet worden, der ungerechtfertigten Beschuldigung des gesamten deutschen Judentums durch Aufklärung maßgeblicher lokaler Stellen entgegenzuwirken.

Plakat des Reichsbundes jüdischer Frontsoldaten

Der Reichsbund jüdischer Frontsoldaten hat ein Plakat herstellen lassen, das auf weißem Grund mit schwarzen Buchstaben oder mit roten Buchstaben folgenden Inhalt trägt:

„Unser Führer in Krieg und Frieden

Herr Reichspräsident

Generalfeldmarschall von Hindenburg hat in herzlicher Kameradschaft aller Kameraden aus dem großen Kriege gedacht. Er rief auf zur Teilnahme an der nationalen Wiedergeburt im Geiste derer, die für Volk und Vaterland kämpften und fielen.

Unter denen, die für Deutschland kämpften, waren von 550 000 deutschen Juden 96 000 jüdische Soldaten.

Unter denen, die für Deutschland fielen, waren 12 000 Juden.

Wollt ihr sie vergessen?“

Die Plakate sind in weit über Zehntausenden von Exemplaren von uns am Freitag, den 31. März in ganz Deutschland verbreitet worden. Sie können im Inneren von Läden aufgehängt werden. Viele Firmen im Reich haben sie an dem Boykott-Sonnabend im Schaufenster ausgehängt. Nach Berichten aus vielen unserer Ortsgrupen sollen die Plakate sehr gut gewirkt haben. In einzelnen Städten sind die Plakate beschlagnahmt worden. **Die Bundesleitung macht darauf aufmerksam, daß die Plakate vom Berliner Polizeipräsidium und von der Plakatzensur des Innenministeriums für den Aushang in Schaufenstern und Läden selbstverständlich genehmigt worden sind, bevor die Bundesleitung sie versandte.**

Der Schild, Zeitschrift des Reichsbundes jüdischer Frontsoldaten e.V., Nr. 7 vom 13.4. 1933, S. 2

Aufruf zur Hilfe

28. April 1933

Unter dem Vorsitz von Rabbiner Dr. Leo Baeck wurde als Reaktion auf den Boykott-Tag und die Berufsverbote der Zentralausschuß der deutschen Juden für Hilfe und Aufbau gegründet, der sich mit folgendem Aufruf an die jüdische Öffentlichkeit wandte.

(...) Alle Meinungsverschiedenheiten zwischen uns, alles, was uns trennt, muß zurückgestellt werden. Die großen Organisationen und Hilfswerke des deutschen Judentums sind in dieser Richtung vorangegangen. Sie haben sich zusammengeschlossen zu gemeinsamer Arbeit im

Zentralausschuß der deutschen Juden für Hilfe und Aufbau.

In ihm schweigen alle Sonderinteressen und eigensüchtigen Wünsche. Die Menschen, die in ihm zusammenwirken, arbeiten nur mit einem großen gemeinsamen Ziel vor Augen:

Das Hilfswerk der deutschen Juden

Deutsche Juden, zeigt Euch der Größe der Aufgabe gewachsen! Glaubt nicht, daß die Probleme des deutschen Judentums ohne äußerste Opfer durch eine *zügellose Auswanderung* gelöst werden können. Es ist kein Verdienst, Deutschland zu verlassen, um frei von dem Los der Brüder in Deutschland in Sorglosigkeit seine Zinsen zu verzehren. Niemand wird dadurch geholfen, daß er ziellos, ohne Aussicht auf eine Existenz, ins Ausland wandert, um nur dort die Schar der Erwerbs- und Mittellosen zu vergrößern.

Es wird jede Aussicht geprüft werden, jede Möglichkeit benutzt, um Menschen, die im deutschen Vaterlande nicht mehr die Möglichkeit einer wirtschaftlichen Existenz haben, eine Existenz im Ausland gründen zu helfen!

Aber verlaßt nicht sinnlos Deutschland! *Erfüllt hier Eure Pflicht!* Schiebt nicht blindlings Menschen ab einem ungewissen Schicksal entgegen.

Keiner entziehe sich seiner Pflicht in der Stunde der Prüfung! Jeder trage an seinem Ort und nach seinem Können zu dem Werk der Hilfe bei! Die Stunde des deutschen Judentums ist gekommen, die Stunde der Verantwortung und die Stunde der Bewährung. Das deutsche Judentum möge sich ihr gewachsen zeigen.

Jüdische Rundschau, Nr. 34 vom 28.4.1933, S. 167

Max Liebermann tritt aus der Preußischen Akademie der Künste aus

11. Mai 1933

Max Liebermann

Einen Tag nach der Bücherverbrennung vor der Staatsoper Unter den Linden veröffentlichte die C. V.-Zeitung, Wochenzeitung des Centralvereins deutscher Staatsbürger jüdischen Glaubens, die Erklärung des Meisters des deutschen Impressionismus und Berliner Ehrenbürgers, Max Liebermann (Berlin 1847–1935), mit der er seinem Ausschluß zuvorkam.

Ich habe während meines langen Lebens mit allen meinen Kräften der deutschen Kunst zu dienen gesucht. Nach meiner Überzeugung hat Kunst weder mit Politik noch mit Abstammung etwas zu tun, ich kann daher der Preußischen Akademie der Künste, deren ordentliches Mitglied ich seit mehr als 30 Jahren und deren Präsident ich durch zwölf Jahre gewesen bin, nicht länger angehören, da dieser mein Standpunkt keine Geltung mehr hat. Zugleich habe ich das mir verliehene Ehrenpräsidium der Akademie niedergelegt.

C. V.-Zeitung, Nr. 19 vom 5. 11. 1933, S. 169, Sp. lf.

Nach dem Weggang aus Deutschland

Juli 1933

Alfred Kerr

Alfred Kerr (Breslau 1867–1948 Hamburg) war jahrzehntelang der bekannteste Theaterkritiker Berlins. Er emigrierte sofort nach dem Machtantritt der Nationalsozialisten und lebte nach einer Odyssee durch Europa in England. Bei seiner Ankunft zum ersten Besuch im Nachkriegsdeutschland starb er in Hamburg.

I.

Man geht nicht zum Vergnügen ins Exil. (Nur, das Vergnügen des Bleibens wäre noch geringer). Du liebst ein Land, in dem du Kind warst; du hängst an Orten, wo du Steuern zahltest...
Und: stets in fremder Sprache schreiben – ?

II.

Immerhin: die Vorstellung des Konzentrationslagers, weil man Verse, Prosa, Reden wider den Hitler drucken ließ; ferner der Gedanke, nicht zwar Demütigungen ausgesetzt zu sein... aber dem Versuch dazu; dann die Möglichkeit, sich etwas tot in einsamer Gegend wiederzufinden (denn es gibt Unfälle; wobei die Ursach' des Heimgangs nicht festzustellen ist): manche mögen das nicht. Darin bin ich komisch.
Die Verbrennung meiner Bücher ist zwar kaum so eindrucksvoll wie der Brand eines Reichstags. Aber: schüttle, Mensch, den Staub, zu dem sie wurden, von Deinem Pantoffelpaar. (Im Französischen schrieb ich: „Si on brûle tes livres, brûle du sucre.")

III.

Grunewald, Bodenbach, Prag, Wien, Zürich, Paris: die Wanderschaft liegt heut hinter mir im Nebel. In Prag seh' ich zwei Franzosenstücke: den „Ödipus" von Gide; die „Menschenstimme" von Cocteau. Beide deutsch gespielt; vor erstaunten, doch dankbaren Hörern. Hinten in einer Loge versink' ich in Düsternis; jählings fällt mir auf: ich bin ja nicht mehr Kritiker in Berlin! Nun – man dürfte doch die Wahrheit schwerlich dort sagen.
Im übrigen (pathosfrei gesprochen) ich weiß, daß es keine Rückkehr gibt.
Ich frage mich: „Was sollen bloß die Theater in Berlin ohne mich anfangen!"
Ulkig – Was?
(Nicht ganz für den, der es fühlt.)

Alfred Kerr, Die Diktatur des Hausknechts und Melodien, Hamburg 1981, S. 28f.

Vier Blätter aus Charlotte Salomons „autobiographischem Singspiel in 796 Bildern"; oben rechts ein Porträt von Dr. Kurt Singer

Man könnt' ein jüdisches Theater gründen...

16. Juni 1933

Charlotte Salomon

Charlotte Salomon (Berlin 1917–1943 Auschwitz), Tochter des Arztes Prof. Albert Salomon, studierte von 1936–1938 an der Kunsthochschule in Berlin-Charlottenburg. Sie verließ die Hochschule, nachdem sie wegen ihrer jüdischen Herkunft bei einer Preisvergabe für ein Bild ausgeschlossen wurde. Im Januar 1939 folgte sie den Großeltern in die Emigration nach Südfrankreich und wurde im Sommer 1940 einige Wochen zusammen mit dem Großvater im Lager Gurs interniert. Nach einer Nervenkrise malte sie ihre Autobiographie unter dem Titel „Leben oder Theater", einen Bilderzyklus von 769 Gouachen mit einem als Singspiel geschriebenen Begleittext. Sie heiratete im Frühjahr 1943 und wurde im September des Jahres, im dritten Monat schwanger, mit ihrem Mann nach Auschwitz deportiert. Vor der Deportation übergab sie ihr gesamtes künstlerisches Werk einem französischen Arzt mit den Worten zur Aufbewahrung: „Heben sie das gut auf, das ist mein ganzes Leben". In „Leben oder Theater" ist unter anderem auch die Entstehung des „Kulturbundes deutscher Juden" dokumentiert, dessen Gründer und Leiter, Dr. Kurt Singer, ein enger Freund der Familie Salomon war, und den Charlotte sehr verehrte. Charlottes Vater war in zweiter Ehe mit der Sängerin Paula Lindberg verheiratet, die in vielen Kulturbundveranstaltungen auftrat und eng mit Singer zusammenarbeitete. In ihrem Singspiel heißt er Dr. Singsang.

Aufruf zum Eintritt in den Kulturbund deutscher Juden

14. August 1933

Der Kulturbund deutscher Juden wurde gegründet, um den gerade in Berlin sehr zahlreichen, durch die Berufsverbote aus dem Kulturleben ausgeschlossenen jüdischen Künstlern Arbeit und Verdienstmöglichkeiten zu geben. Er sollte aber auch für das jüdische Publikum die Not der zunehmenden Isolierung lindern. Dem Berliner Kulturbund traten schon im ersten Jahr ca. 20000 Mitglieder bei. Am 1. Oktober 1933 wurde das Theater des Kulturbundes in der Charlottenstraße 92 mit einer Aufführung von Lessings „Nathan der Weise" eröffnet. – Die Nationalsozialisten genehmigten die Arbeit des Kulturbundes aus praktischen und propagandistischen Gründen, übten jedoch eine sich ständig verschärfende Zensur aus.

Wir rufen Euch!

Tretet ein in den

Kulturbund Deutscher Juden

(behördlich genehmigte Organisation zur Pflege des geistigen Lebens innerhalb des Judentums)

Was wir wollen?

Hunderten von entlassenen, zur Resignation verdammten Menschen Arbeit, Existenz, Lebensmut, Sammlung geben!

Die religiöse und stammesmäßige Verbundenheit der Juden manifestieren!

Aus dem Bekenntnis zum Judentum in der Not ein stolzes Bewußtsein für bessere Zeiten zimmern!

Kunstwerke sehen und erleben! Musik hören und begreifen! Den Geist am Geist Größerer stählen!

Hinstreben zu dem Ziel, ein erkennender, bescheidener Teil des großen Ganzen zu sein, als Einzelner der Gemeinschaft mit Fühlen und Handeln verpflichtet!

So fassen wir den Sinn des Kulturbundes. Hier wollen, hier müssen wir alle zusammengehen.

Ein Bund — eine Gemeinschaft — ein Wollen — eine Religion

Ehrenpräsidium:

Leo Baeck — Martin Buber — Ismar Elbogen — Arthur Eloesser
Georg Hermann — Leonid Kreutzer — Max Liebermann
Max Osborn — Franz Oppenheimer — Jacob Wassermann

Bundesvorsitzender: Dr. Kurt Singer, Intendant

(Hier bitte ausschneiden und einsenden!)

An den
Kulturbund Deutscher Juden
Berlin-Charlottenburg 4, Mommsenstr. 56

Hierdurch erkläre ich meinen Eintritt in den

Kulturbund Deutscher Juden

für das Bundesjahr 1933/34 zum monatlichen Mitgliedsbeitrag von RM 2,50 (einmalige Einschreibegebühr RM 0,50). Hierfür hat das Mitglied das Recht, 3 Bundesveranstaltungen monatlich, und zwar je eine Theatervorstellung (Schauspiel bzw. Oper), ein Konzert und einen Vortrag ohne weitere Zuzahlung zu besuchen. Der Zutritt zu den Veranstaltungen ist

nur Mitgliedern möglich

Name: ....

Adresse: ....

Telephon: ....

(Bitte deutliche Schrift)

DAS THEATER

WIRD SCHAUSPIEL UND OPER PFLEGEN

Künstlerische Gesamtleitung: Dr. KURT SINGER
vormals Intendant der Städtischen Oper, Berlin

Im Programm sind bisher u. a. vorgesehen:

Schauspiel

Dramaturgische Leitung: JULIUS BAB (stellvertr. Schauspieldirektor)

Regie: Oberreg. Dr. KARL LOEWENBERG (vorm. Schauspielhaus Frankfurt/M.) KURT BAUMANN

Gastinszenierungen: VICTOR BARNOWSKY u. a.

Lessing: Nathan der Weise
Shakespeare: Wie es euch gefällt
Emil Bernhard: Die Jagd Gottes (Erstaufführung)
Molière: Der Misanthrop
Beer-Hofmann: Jaacobs Traum

Oper

Musikalische Oberleitung: Generalmusikdirektor JOSEF ROSENSTOCK (Mannheim) (stellvertr. Operndirektor)

Regie: Dr. KURT SINGER

Gastinszenierungen prominenter Regisseure sind vorgesehen

Mozart: Figaros Hochzeit
Beethoven: Fidelio
Donizetti: Don Pasquale
Mehul: Josef in Ägypten
Verdi: Rigoletto
Tschaikowsky: Goldene Schuhe (Erstaufführung)

Bühnenbild und Kostümwesen:
HEINZ CONDELL (vorm. Ausstattungschef in Hannover)
Als Gäste: Prof. E. STERN und WALTER AUERBACH

KONZERTE

Abteilungsleiter:
Prof. LEONID KREUTZER
Dr. HERM. SCHILDBERGER
Dr. KURT SINGER

Dirigenten:
MICHAEL TAUBE
Generalmusikdirektor JOSEF ROSENSTOCK u. a.

Symphonische Werke und Konzerte von: **Händel, Haydn, Beethoven, Mozart, Schubert, Mendelssohn, Brahms, Mahler**

Kammermusik und Kammerchorkonzerte

Kompositionsabende lebender jüd. Musiker unter Mitwirkung namhafter Instrumental- und Gesangssolisten

VORTRÄGE

Abteilung für Geisteswissenschaft: Leitung Dr. Leo Baeck
Vortragende: Rabb. Dr. Leo Baeck — Prof. Dr. David Baumgart — Rabb. Dr. Joachim Prinz — Prof. Dr. Erwin Strauss.

Abteilung für Literatur und Theater: Leitung Julius Bab
Vortragende: Julius Bab — Arthur Eloesser — Kurt Walter Goldschmit — Lutz Weltmann

Rezitationsabende: Ludwig Hardt — Edith Herrnstadt-Oettingen

Abteilung für Kunstwissenschaft: Dr. Anneliese Landau — Dr. Alfred Einstein

Abteilung für Kunstgeschichte: Dr. Max Osborn — Hedwig Fechheimer

Interessengemeinschaft mit der Jüdischen Volkshochschule

Auskünfte und Informationsmaterial gibt das **Bundesbüro, Berlin-Charlottenburg 4,** Mommsenstraße 56, J 1 Bismarck 471

Aufruf zum Eintritt in den Kulturbund, in: Der Schild, Nr. 15 vom 14. 8. 1933

Wir wollen zusammenstehen

29. September 1933

Erste programmatische Kundgebung der am 17. September gegründeten Reichsvertretung der deutschen Juden. Sie versuchte die jüdischen Interessen vor den deutschen Behörden zu vertreten, das innere Leben der jüdischen Gemeinschaft autonom zu gestalten und insbesondere der Jugend die Auswanderung zu ermöglichen. Präsident war Rabbiner Dr. Leo Baeck (Lissa 1873–1956 London), Geschäftsführer der ehemalige württembergische Ministerialrat Dr. Otto Hirsch (Stuttgart 1885–1941 KZ Mauthausen).

Kundgebung

der neuen Reichsvertretung der deutschen Juden

In Tagen, die hart und schwer sind, wie nur je Tage der jüdischen Geschichte, aber auch bedeutungsvoll, wie nur wenige gewesen, ist uns durch die gemeinsame Entschließung der jüdischen Landesverbände, der großen jüdischen Organisationen und der Großgemeinden Deutschlands die Leitung und Vertretung der deutschen Juden übertragen worden.

Kein Parteigedanke, kein Sonderwunsch hat darin gesprochen, sondern allein und ganz die Erkenntnis dessen, daß Leben und Zukunft der deutschen Juden heute durch ihre Einigkeit und ihren Zusammenhalt bedingt sind. Darum ist es die erste Aufgabe, diese Einheit lebendig werden zu lassen. Jede Organisation und jeder Verband sollen in ihrer Lebenskraft und in ihrem Aufgabenkreise anerkannt sein, aber in allen großen und entscheidenden Aufgaben darf es nur die eine Gemeinschaft, nur die eine Gesamtheit der deutschen Juden geben. Wer heute Sonderwege geht, wer heute sich ausschließt, hat sich an dem Lebensgebote der deutschen Juden vergangen.

Im neuen Staate ist die Stellung der einzelnen Gruppen, auch derer, die weit zahlreicher und stärker sind als wir, eine ganz andere geworden. Gesetzgebung und Wirtschaftsführung haben ihren gewiesenen Weg, eingliedernd und ausgliedernd. Wir sollen dies einsehen ohne Selbsttäuschung. Nur dann werden wir jede ehrenvolle Möglichkeit beobachten können und um jedes Recht, um jeden Platz, um jeden Lebensraum zu ringen imstande sein. Die deutschen Juden werden als arbeitnehmende und arbeitgebende schaffende Gemeinschaft im neuen Staate sich bewähren können.

Eigene Gedanken, eigene Aufgaben zu verwirklichen, ist uns nur auf einem Gebiete, aber einem entscheidenden, gewährt, auf dem unseres jüdischen Lebens und unserer jüdischen Zukunft. Hier sind die bestimmtesten Aufgaben gestellt.

Neue Pflichten jüdischer E r z i e h u n g sind zu erfüllen, neue Bereiche jüdischer S c h u l e sind zu schaffen und alte zu wahren und zu schützen, damit dem heranwachsenden Geschlechte seelische Festigkeit, innere Widerstandskraft, körperliche Tüchtigkeit gegeben werde. Zu Berufen, die ihr einen Platz im Leben zeigen, soll unsere Jugend in besonnener Auswahl herangebildet und umgeschichtet werden, damit ihr Dasein seinen Ausblick gewinne. Das Bestehende wie alles Begonnene und Versuchte soll hier zusammengeführt werden, um zu helfen und zu stützen. Allem Zersetzenden soll entgegengearbeitet, dem Aufbau auf dem religiösen Fundament des Judentums alle Kraft geweiht werden.

Viel von einstiger wirtschaftlicher Sicherheit ist uns deutschen Juden genommen oder beeinträchtigt worden. Innerhalb dessen, was uns bleibt, soll der Einzelne aus der Vereinzelung herausgeführt werden. Ständische Verbindungen und Zusammenschlüsse, soweit zulässig, können vorhandene Kräfte erhöhen und dem Schwachen einen Rückhalt geben, können Erfahrungen und Beziehungen für alle nutzbar machen. — So manchem wird die Stätte der Arbeit und des Berufes auf deutschem Boden versagt sein. Vor uns steht als Tatsache, der gegenüber alles Fragen und Meinen aufhört, die deutliche, geschichtliche Notwendigkeit, unserer Jugend Neuland zu bereiten. Es ist zur großen Aufgabe geworden, Plätze zu erkunden und Wege zu bahnen, wie auf dem heiligen Boden P a l ä s t i n a s, dem die Vorsehung eine neue Zeit gefügt hat, so überall, wo Charakter, Fleiß und Tüchtigkeit des deutschen Juden sich bewähren können, niemandem Brot nehmend, sondern anderen Brot schaffend.

Hierfür wie für alles das andere erhoffen wir den verständnisvollen Beistand der Behörden und die Achtung unserer nichtjüdischen Mitbürger, mit denen wir uns in der Liebe und Treue zu Deutschland begegnen.

Wir bauen auf den lebendigen Gemeinschaftssinn und das Verantwortungsbewußtsein der deutschen Juden wie auch auf die opferwillige Hilfe unserer Brüder überall.

Wir wollen zusammenstehen und im Vertrauen auf unseren Gott für die E h r e d e s j ü d i s c h e n N a m e n s arbeiten. Möge aus dem Leiden dieser Tage das Wesen des deutschen Juden neu erstehen!

Die Reichsvertretung der deutschen Juden

Leo Baeck

Otto Hirsch-Stuttgart	Siegfried Moses-Berlin
Rudolf Callmann-Köln	Jakob Hoffmann-Frankfurt am Main
Leopold Landenberger-Nürnberg	Franz Meyer-Breslau
Julius L. Seligsohn-Berlin	Heinrich Stahl-Berlin

Jüdische Rundschau, Nr. 78 vom 29. 9. 1933

Mit unserem deutschen Vaterlande

27. Oktober 1933

Titelseite der Zeitschrift „Der Schild“ mit der Loyalitätserklärung des Reichsbunds Jüdischer Frontsoldaten auf den am 19. Oktober 1933 erfolgten Austritt Deutschlands aus dem Völkerbund und der Rückberufung der deutschen Delegierten von der Abrüstungskonferenz.

Erscheint jeden 2. und 4. Donnerstag im Monat

Herausgeber u. Verleger: Reichsbund jüdischer Frontsoldaten e. V. Berlin W 15, Kurfürstendamm 200

Anzeigenschluß: Jeden 1. und 3. Freitag im Monat

Der Schild

RjF

ZEITSCHRIFT DES REICHSBUNDES JÜDISCHER FRONTSOLDATEN E.V.

Nummer 20 Berlin, den 27. Oktober 1933 12. Jahrgang

Kameraden!

Es geht um Deutschlands Ehre und Lebensraum. Da übertönt in uns ein Gefühl alles andere. In altsoldatischer Disziplin stehen wir mit unserem deutschen Vaterlande bis zum Letzten!

Dr. Löwenstein
Hauptmann d. R. a. D.
Bundesvorsitzender

Die Stellungnahme des Reichsbundes jüdischer Frontsoldaten ist der Reichsregierung übermittelt worden.

Der Schild, Nr. 20 vom 27. 10. 1933

Identitätskrise: Wir Juden

1934

Joachim Prinz

Joachim Prinz (Burghardsdorf, Oberschlesien 1902), Mitglied des zionistischen Jugendbundes „Blau-Weiß", war von 1925 bis 1937 Rabbiner an der Synagoge Markgraf-Albrecht-Straße in Berlin-Wilmersdorf (Friedenstempel). Er galt als brillanter Kanzelredner. Seine Gottesdienste hatten großen Zulauf besonders von Juden, die dem Judentum bis zur Nazizeit völlig fern gestanden hatten. Er lebt seit seiner Ausweisung 1937 in den USA. Von 1958 bis 1968 war er Vizepräsident des American Jewish Congress.

Wir Juden zogen durch alle Länder der Erde. Von den Inseln Kleinasiens nach Spanien, Afrika, Griechenland, Italien, in die deutschen Rheingaue, in die russischen Steppen, in die Täler der Champagne und weit nach Indien und China. Das eigene Land war verloren. Über der heiligen Stadt Jerusalem zogen die Geier der Zerstörung und des Verfalles. Aber unser Weg aus der Heimat war stolz und stark: in uns lebte noch die männliche Entschlossenheit der Urväter-Beduinen, die Stärke der Helden, der Mut der Abenteurer. In uns lebte der Glaube der Väter, der uns Widerstandskraft gab. Denn der Gang in die Völker und Länder war wohl der abenteuerlichste Weg, den je ein Volk ging.

Wir Juden wurden durch das harte Schicksal unserer Geschichte Kleinbürger, Händler, Schacherer, Gelehrte, Ärzte, Astrologen, Sänger, Schauspieler, Literaten, Altkleiderhändler und Wissenschaftler. In allen Dingen unseres Lebens zerbrachen wir – wenn wir unsere Art vergaßen. Unser Leben verriet sich, wenn wir unsere Geschichte verrieten.

Wir Juden, Beduinen, Helden, Könige, Propheten, Sänger von einst vergaßen uns selbst, unsere Art und unseren Glauben, zerbrachen an diesem Vergessen und wurden zur großen, wunden Frage der Völker. Unsere heiße, oft sehnsuchtsvolle und tragische Liebe zu den Völkern milderte nicht die Wunde.

Wir Juden suchen die eigene Freiheit.

Joachim Prinz, Wir Juden. Besinnung, Rückblick, Zukunft, Berlin 1934, S. 173ff.

Wir deutschen Juden

1934

Hans-Joachim Schoeps

Hans-Joachim Schoeps (Berlin 1909–1980 Erlangen) Geisteswissenschaftler, konservativer preußischer Jude, gründete und leitete die kleine bündische Gruppe „Deutscher Vortrupp, Gefolgschaft deutscher Juden" (1933–35). Auf die Schrift von Joachim Prinz, „Wir Juden", antwortete er mit der Streitschrift „Wir deutschen Juden", die besonders beim Reichsbund jüdischer Frontsoldaten ein positives Echo fand. Seine Polemik richtete sich gegen Zionisten und assimilierte Juden. Die Schriften von Prinz und Schoeps wurden unter den deutschen Juden lebhaft diskutiert. Schoeps emigrierte 1938 nach Schweden. Von 1946 bis zu seinem Tod war er Professor für Religions- und Geistesgeschichte an der Universität Erlangen.

Wir deutschen Juden, seit vielen hundert Jahren lebend in deutschen Landen, wissen und bekennen, daß keine Macht der Welt uns Deutschland aus dem Herzen reißen kann, daß kein Gesetz und keine Verordnung uns von der Treupflicht gegen Volk und Vaterland entbindet. Die Wahrheit unseres Lebens kann man wohl bestreiten; man kann sie aber nicht unwahr machen. Auch wenn uns unser Vaterland verstößt, bleiben wir: Bereit für Deutschland.

Wir deutschen Juden, seit vielen hundert Jahren lebend in deutschen Landen, wissen und bekennen die Einzigkeit und Unvergleichlichkeit Israels, die es verbietet, daß wir uns zu einem künstlichen jüdischen Volk in Palästina rechnen, dessen intellektuelle Urheber und Organisatoren jüdisch so entwurzelt und an die Gesetzlichkeiten einer entgöttlichten Welt so assimiliert waren, daß sie in guter Meinung das Gottesvolk vom Sinai an den völkischen Imperialismus des 19. Jahrhunderts preisgeben konnten. (...)

Wir deutschen Juden wollen nicht unser Glück, sondern das Glück des Vaterlandes ist unser Glück. Wir suchen nicht die eigene Freiheit, sondern die eigene Gebundenheit. Wir warten auf den Tag des Einsatzes, an dem eine gläubige Jugend ihre Treue wieder bewähren darf. Wir stehen in Wartehaltung, alle Muskeln gespannt, jeden Tag aufs Neue bereit, einzuspringen und am deutschen Werk mit unseren Händen anzupacken. In uns glüht das Feuer der Bereitschaft, weil wir bereit für Deutschland sind.

Hans-Joachim Schoeps, Wir deutschen Juden, Berlin 1934, S. 51 ff.

Offener Brief an den Bewohner meines Hauses Mahlerstraße 8 in Berlin

20. März 1935

Lion Feuchtwanger

Lion Feuchtwanger (München 1884–1958 Los Angeles), Schriftsteller, lebte von 1925 bis 1933 in Berlin. Er blieb 1933 während einer Vortragsreise in den USA, als die Nationalsozialisten ihn ausbürgerten, ihm den Doktortitel aberkannten und seine Bücher verboten und verbrannten. Feuchtwangers Haus im Grunewald, heute Regerstraße 8, ist nur ein Beispiel für die vielen Häuser in Berlin, deren rechtmäßige Besitzer man zwangsenteignete und vertrieb. Die nach Gustav Mahler benannte Straße erhielt auch nach 1945 nicht wieder ihren alten Namen im dortigen Komponistenviertel.
Der offene Brief wurde zuerst in englischer Sprache veröffentlicht und erschien am 20. März 1935 im „Pariser Tageblatt", einer deutschsprachigen Emigrantenzeitung.

Ich weiß nicht, wie Sie heißen, mein Herr, und auf welche Art sie in den Besitz meines Hauses gelangt sind. Ich weiß nur, daß vor zwei Jahren die Polizei des Dritten Reiches mein gesamtes bewegliches und unbewegliches Vermögen beschlagnahmt und der Reichsaktiengesellschaft für Konfiskation des Vermögens politischer Gegner (Aufsichtsratsvorsitzender Minister Göring) überwiesen hat. Ich erfuhr das aus einem Schreiben der Hypothekengläubiger. Sie teilten mir erläuternd mit, die Rechtsprechung des Dritten Reiches verstehe, wenn es sich um das konfiszierte Vermögen politischer Gegner handle, unter ‚Vermögen' nur die Aktiva. Trotzdem also mein Haus und meine Banknoten, die die Hypothek um ein Vielfaches überstiegen, konfisziert seien, sei ich verpflichtet, die Hypothekenzinsen genauso wie meine deutschen Steuern aus meinem im Ausland neu zu erwerbenden Vermögen weiter zu bezahlen. Sei dem wie immer, jedenfalls sitzen jetzt Sie, Herr X, in meinem Haus, und ich habe nach der Auffassung deutscher Richter die Zinsen zu zahlen.

Wie gefällt Ihnen mein Haus, Herr X? Lebt es sich angenehm darin? Hat der silbergraue Teppichbelag der oberen Räume bei der Plünderung durch die SA-Leute sehr gelitten? Mein Portier hat sich damals in diese oberen Räume geflüchtet, die Herren wollten sich, da ich in Amerika war, an ihm schadlos halten, der Teppichbelag ist sehr empfindlich, und Rot ist eine kräftige Farbe, die schwer herauszubringen ist. Auch der Gummibelag des Treppenhauses war nicht gerade für die Stiefel von SA-Leuten berechnet. Wenn er sehr gelitten hat, wenden Sie sich am besten an die Firma Baake; (...)

Was fangen Sie wohl mit den beiden Räumen an, die meine Bibliothek enthielten? Bücher, habe ich mir sagen lassen, sind nicht sehr beliebt in dem Reich, in dem Sie leben, Herr X, und wer sich damit befaßt, gerät leicht in Unannehmlichkeiten. Ich zum Beispiel habe das Buch Ihres ‚Führers' gelesen und harmlos konstatiert, daß seine 140000 Worte 140000 Verstöße gegen den deutschen Sprachgeist sind. Infolge dieser meiner Feststellung sitzen jetzt Sie in meinem Haus. Manchmal denke ich darüber nach, wofür man wohl im Dritten Reich die Büchergestelle verwenden könnte. (...)

Und was haben Sie mit dem Terrarium angefangen im Fenster der Längswand meines Arbeitszimmers? Hat man wirklich meine Schildkröten und meine Eidechsen totgeschlagen, weil ihr Besitzer ‚fremdrassig' war? Und haben die Blumenbeete und der Steingarten sehr gelitten, als die SA-Leute meinen krumm und lahm geschlagenen Portier schießend durch den Garten verfolgten, wie er sich in den Wald flüchtete?

Kommt es Ihnen nicht doch manchmal merkwürdig vor, daß Sie in meinem Haus sitzen? Ihr ‚Führer' gilt sonst nicht für einen Freund der jüdischen Literatur. Ist es da nicht erstaunlich, daß er sich so gern an das Alte Testament hält? Ich selber habe ihn mit viel Stimmaufwand zitieren hören: „Auge um Auge, Zahn um Zahn" (womit er wohl „Vermögenskonfiskation um literarische Kritik" meinte). Und jetzt hat er auch an Ihnen eine Verheißung des Alten Testaments wahrgemacht, den Spruch: „Du sollst in Häusern wohnen, die du nicht gebaut hast."

Lassen Sie mein Haus nicht verkommen, Herr X. (...) Pflegen Sie es, bitte, ein bißchen. Ich sage das auch in Ihrem Interesse. Ihr ‚Führer' hat versprochen, daß seine Herrschaft tausend Jahre dauern wird: ich nehme also an, Sie werden bald in der Lage sein, sich mit mir über die Rückgabe des Hauses auseinanderzusetzen.

Mit vielen guten Wünschen für unser Haus

Lion Feuchtwanger

Heinz Knobloch, Der Berliner zweifelt immer. Feuilletons von damals, Berlin (Ost) 1978, S. 491 ff.

Das Leben ohne Nachbarn – Ghetto 1935

17. April 1935

Joachim Prinz

Joachim Prinz beschreibt in diesem in der Jüdischen Rundschau erschienenen Artikel die Bedingungen jüdischer Existenz im dritten Jahr unter dem Naziregime. Seine unermüdlichen Aufforderungen an die Juden, Deutschland zu verlassen, verschärften seinen ständigen Konflikt mit den Gemeindevertretern.

Daß wir im Ghetto leben, das beginnt jetzt in unser Bewußtsein zu dringen. Dieses Ghetto freilich unterscheidet sich in vielem, im Begriff und in der Wirklichkeit, von dem, was wir bisher darunter verstanden.

Das mittelalterliche Ghetto wurde abends geschlossen. Hart und grausam fiel das Tor zu. Sorgsam wurden die Riegel vorgeschoben; man kam aus der „Welt" und ging in das Ghetto. Heute ist es umgekehrt. Wenn sich unsere Haustür hinter uns schließt, kommen wir aus dem Ghetto und gehen in unser Heim. Das ist ein fundamentaler Unterschied. Das Ghetto ist kein geographisch umgrenzter Bezirk mehr, wenigstens nicht in dem Sinne, wie es das Mittelalter kannte. Das Ghetto, das ist die „Welt". Draußen ist das Ghetto für uns. Auf den Märkten, auf der Landstraße, in den Gasthäusern, überall ist das Ghetto. Es hat ein Zeichen. Das Zeichen heißt: nachbarlos. Des Juden Los ist: nachbarlos zu sein. Vielleicht gibt es das nur einmal auf der Welt, und wer weiß, wie lange man es ertragen kann: das Leben ohne Nachbarn. (...) Das ist nicht der Freund, aber einer, der gewillt ist, mit dem anderen das Leben zu tragen, es ihm nicht zu erschweren, sein Mühen und sein Hasten mit freundlichen Augen zu betrachten. Das fehlt. Die Juden der großen Stadt spüren das nicht so, aber die Juden der kleinen Städte, die am Marktplatz wohnen ohne Nachbarn, deren Kinder in die Schule gehen ohne Nachbarkinder, spüren die Isolierung, welche die Nachbarlosigkeit bedeutet, die grausamer ist als alles andere, und es ist vielleicht für das Zusammenleben von Menschen das härteste Los, das einen treffen kann. Wir würden das alles nicht so schmerzlich empfinden, hätten wir nicht das Gefühl, daß wir einmal Nachbarn besessen h a b e n.

Noch etwas anderes sei hinzugefügt. Wir leben in einer sehr merkwürdigen Kultursituation. Wenn man bedenkt, daß wir innerhalb des deutschen Kulturschaffens keinen legitimen Ort mehr haben, nicht so sehr von uns her, sondern von jener Kultur aus, dann entpuppt sich uns das alles, was wir so an Kultur „betreiben". Wir spielen Beethoven, Bach und Mozart, wir kehren zu Goethe und Hölderlin zurück, wir lauschen sehnsüchtig den großen Offenbarungen dieser Deutschen. Das ist eine gute Sache, und die Rückkehr zu alten

Dingen hat immer etwas Schönes und Ergreifendes. Aber welches Schauspiel, welche Tragödie für Menschen, die in einer Zeit leben, ohne in ihr zu leben. Die Tatsache, daß wir z. B. auf unseren Bühnen keinen heutigen deutschen Dramatiker spielen dürfen, die Tatsache, daß kein großes deutsches Orchester die Melodien, die Schöpfungen eines Juden von heute spielen würde, die großen Barrieren, die vor der Schöpfung unserer Maler stehen, verurteilen unsere kulturelle Situation zu einem Scheinleben von grausiger Wirklichkeitsferne. Da hilft auch kein Betrieb, kein Verein, kein Kulturbund. Denn es gibt keine „befristete Kultur"! Ich weiß nicht, wie lange man so leben kann. Ich weiß nicht, wie lange die Jugend so leben kann. (...)

Zum Ghetto, zu unserem Ghetto von 1935, gehört auch neben der Kultursituation etwas, was man schwer bezeichnen kann, und was unser Leben in der deutschen Landschaft umschreibt. Tönende Worte braucht man darüber nicht zu machen. Man braucht nur einmal am Tage durch die deutschen Lande zu fahren, jetzt im Frühling, wenn das neue Leben sich regt, und das frische Grün die Wiesen überzieht, die Bäche im Gebirge silbern glänzen, die Bäume blühen, und die Wälder auf den Bergen ringsum jung und frisch dastehen. Nur das braucht man, und man spürt es mit aller Gewißheit und mit einer elementaren Kraft, die stark ist wie ein Axiom: daß wir an diese Landschaft gebunden sind, gebunden sind bis in alle Zeit, und daß die Sehnsucht vieler Juden, die aus Deutschland in das karstige Palästina gingen, die Sehnsucht nach den rauschenden Wäldern und den fetten Wiesen, echt und sauber ist. In diese Landschaft sind wir hineingeboren. Und doch hat sie sich in den letzten zwei Jahren verwandelt. Denn zu wissen, daß Landschaften im Gebirge, in der Ebene und am Meere, kleine Dörfer und Städte den Eintritt des Juden, also meinen Eintritt, nicht wünschen, das macht nicht nur traurig. Es wäre zu wenig; sondern es verwandelt die Landschaft selbst auch, ihr objektives Bild, ihre Erscheinung, nicht nur meine Empfindung. Und Berge, Flüsse, Bäume und Wiesen beginnen in einer ungeahnten, nie geglaubten Verwandlung uns ihre Grimasse zu schneiden. An dieser Demaskierung einer Landschaft, die auch die unsere ist, zeigt sich unser Ghettobestand von neuem.

Dies alles wird hier ohne jeden Groll und ohne den Ton der Anklage gesagt. Wir sind uns viel zu sehr der Größe des geschichtlichen Umbruchs bewußt, als daß wir auf dieses Schicksal mit unfruchtbaren Klagen reagieren sollten. Wir wissen nur das eine: die geschilderte Existenzform kann nicht die repräsentative jüdische Lebensform sein. Und wir wissen, daß im gleichen Zeitalter, das uns diese unerwartete Veränderung unseres Lebens gebracht hat, eine neue Form des jüdischen Lebens und eine Umformung des jüdischen Menschen im Lande der jüdischen Geburt und der jüdischen Wiedergeburt vor sich geht.

Jüdische Rundschau vom 17.4. 1935, Nachdruck in: Eli Rothschild (Hrsg.), Meilensteine. Eine Sammelschrift, Tel Aviv 1972, S. 127ff.

Aufbau im Untergang

24. September 1935

Stellungnahme der „Reichsvertretung der deutschen Juden" – nun zwangsweise umbenannt in „Reichsvertretung der Juden in Deutschland" – zu den Nürnberger Rassengesetzen in der Jüdischen Rundschau vom 24. September 1935.

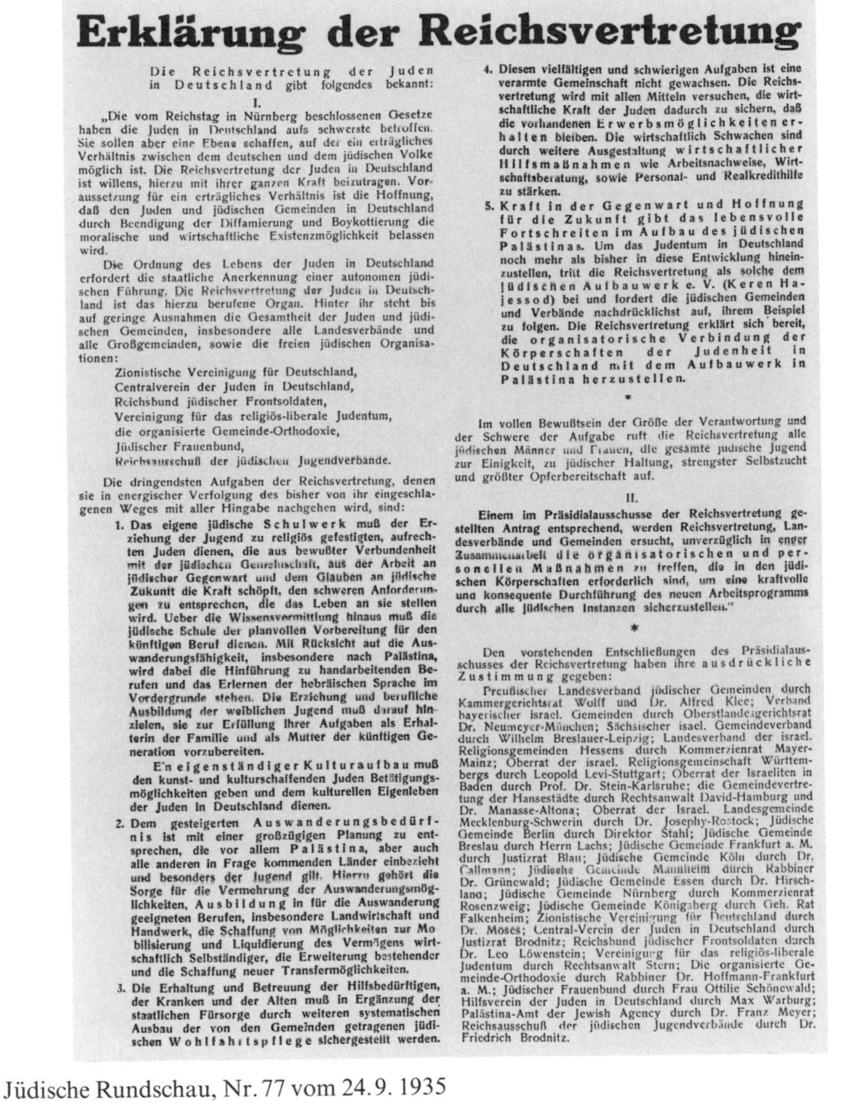

Erklärung der Reichsvertretung

Die Reichsvertretung der Juden in Deutschland gibt folgendes bekannt:

I.

„Die vom Reichstag in Nürnberg beschlossenen Gesetze haben die Juden in Deutschland aufs schwerste betroffen. Sie sollen aber eine Ebene schaffen, auf der ein erträgliches Verhältnis zwischen dem deutschen und dem jüdischen Volke möglich ist. Die Reichsvertretung der Juden in Deutschland ist willens, hierzu mit ihrer ganzen Kraft beizutragen. Voraussetzung für ein erträgliches Verhältnis ist die Hoffnung, daß den Juden und jüdischen Gemeinden in Deutschland durch Beendigung der Diffamierung und Boykottierung die moralische und wirtschaftliche Existenzmöglichkeit belassen wird.

Die Ordnung des Lebens der Juden in Deutschland erfordert die staatliche Anerkennung einer autonomen jüdischen Führung. Die Reichsvertretung der Juden in Deutschland ist das hierzu berufene Organ. Hinter ihr steht bis auf geringe Ausnahmen die Gesamtheit der Juden und jüdischen Gemeinden, insbesondere alle Landesverbände und alle Großgemeinden, sowie die freien jüdischen Organisationen:

Zionistische Vereinigung für Deutschland,
Centralverein der Juden in Deutschland,
Reichsbund jüdischer Frontsoldaten,
Vereinigung für das religiös-liberale Judentum,
die organisierte Gemeinde-Orthodoxie,
Jüdischer Frauenbund,
Reichsausschuß der jüdischen Jugendverbände.

Die dringendsten Aufgaben der Reichsvertretung, denen sie in energischer Verfolgung des bisher von ihr eingeschlagenen Weges mit aller Hingabe nachgehen wird, sind:

1. **Das eigene jüdische Schulwerk muß der Erziehung der Jugend zu religiös gefestigten, aufrechten Juden dienen, die aus bewußter Verbundenheit mit der jüdischen Gemeinschaft, aus der Arbeit an jüdischer Gegenwart und dem Glauben an jüdische Zukunft die Kraft schöpft, den schweren Anforderungen zu entsprechen, die das Leben an sie stellen wird. Ueber die Wissensvermittlung hinaus muß die jüdische Schule der planvollen Vorbereitung für den künftigen Beruf dienen. Mit Rücksicht auf die Auswanderungsfähigkeit, insbesondere nach Palästina, wird dabei die Hinführung zu handarbeitenden Berufen und das Erlernen der hebräischen Sprache im Vordergrunde stehen. Die Erziehung und berufliche Ausbildung der weiblichen Jugend muß darauf hinzielen, sie zur Erfüllung ihrer Aufgaben als Erhalterin der Familie und als Mutter der künftigen Generation vorzubereiten.**

   Ein eigenständiger Kulturaufbau muß den kunst- und kulturschaffenden Juden Betätigungsmöglichkeiten geben und dem kulturellen Eigenleben der Juden in Deutschland dienen.

2. **Dem gesteigerten Auswanderungsbedürfnis ist mit einer großzügigen Planung zu entsprechen, die vor allem Palästina, aber auch alle anderen in Frage kommenden Länder einbezieht und besonders der Jugend gilt. Hierzu gehört die Sorge für die Vermehrung der Auswanderungsmöglichkeiten, Ausbildung in für die Auswanderung geeigneten Berufen, insbesondere Landwirtschaft und Handwerk, die Schaffung von Möglichkeiten zur Mobilisierung und Liquidierung des Vermögens wirtschaftlich Selbständiger, die Erweiterung bestehender und die Schaffung neuer Transfermöglichkeiten.**

3. **Die Erhaltung und Betreuung der Hilfsbedürftigen, der Kranken und der Alten muß in Ergänzung der staatlichen Fürsorge durch weiteren systematischen Ausbau der von den Gemeinden getragenen jüdischen Wohlfahrtspflege sichergestellt werden.**

4. **Diesen vielfältigen und schwierigen Aufgaben ist eine verarmte Gemeinschaft nicht gewachsen. Die Reichsvertretung wird mit allen Mitteln versuchen, die wirtschaftliche Kraft der Juden dadurch zu sichern, daß die vorhandenen Erwerbsmöglichkeiten erhalten bleiben. Die wirtschaftlich Schwachen sind durch weitere Ausgestaltung wirtschaftlicher Hilfsmaßnahmen wie Arbeitsnachweise, Wirtschaftsberatung, sowie Personal- und Realkredithilfe zu stärken.**

5. **Kraft in der Gegenwart und Hoffnung für die Zukunft gibt das lebensvolle Fortschreiten im Aufbau des jüdischen Palästinas. Um das Judentum in Deutschland noch mehr als bisher in diese Entwicklung hineinzustellen, tritt die Reichsvertretung als solche dem Jüdischen Aufbauwerk e. V. (Keren Hajessod) bei und fordert die jüdischen Gemeinden und Verbände nachdrücklichst auf, ihrem Beispiel zu folgen. Die Reichsvertretung erklärt sich bereit, die organisatorische Verbindung der Körperschaften der Judenheit in Deutschland mit dem Aufbauwerk in Palästina herzustellen.**

*

Im vollen Bewußtsein der Größe der Verantwortung und der Schwere der Aufgabe ruft die Reichsvertretung alle jüdischen Männer und Frauen, die gesamte jüdische Jugend zur Einigkeit, zu jüdischer Haltung, strengster Selbstzucht und größter Opferbereitschaft auf.

II.

Einem im Präsidialausschusse der Reichsvertretung gestellten Antrag entsprechend, werden Reichsvertretung, Landesverbände und Gemeinden ersucht, unverzüglich in enger Zusammenarbeit die organisatorischen und personellen Maßnahmen zu treffen, die in den jüdischen Körperschaften erforderlich sind, um eine kraftvolle und konsequente Durchführung des neuen Arbeitsprogramms durch alle jüdischen Instanzen sicherzustellen."

*

Den vorstehenden Entschließungen des Präsidialausschusses der Reichsvertretung haben ihre ausdrückliche Zustimmung gegeben:

Preußischer Landesverband jüdischer Gemeinden durch Kammergerichtsrat Wolff und Dr. Alfred Klee; Verband bayerischer israel. Gemeinden durch Oberstlandesgerichtsrat Dr. Neumeyer-München; Sächsischer isael. Gemeindeverband durch Wilhelm Breslauer-Leipzig; Landesverband der israel. Religionsgemeinden Hessens durch Kommerzienrat Mayer-Mainz; Oberrat der israel. Religionsgemeinschaft Württembergs durch Leopold Levi-Stuttgart; Oberrat der Israeliten in Baden durch Prof. Dr. Stein-Karlsruhe; die Gemeindevertretung der Hansestädte durch Rechtsanwalt David-Hamburg und Dr. Manasse-Altona; Oberrat der Israel. Landesgemeinde Mecklenburg-Schwerin durch Dr. Josephy-Rostock; Jüdische Gemeinde Berlin durch Direktor Stahl; Jüdische Gemeinde Breslau durch Herrn Lachs; Jüdische Gemeinde Frankfurt a. M. durch Justizrat Blau; Jüdische Gemeinde Köln durch Dr. Callmann; Jüdische Gemeinde Mannheim durch Rabbiner Dr. Grünewald; Jüdische Gemeinde Essen durch Dr. Hirschland; Jüdische Gemeinde Nürnberg durch Kommerzienrat Rosenzweig; Jüdische Gemeinde Königsberg durch Geh. Rat Falkenheim; Zionistische Vereinigung für Deutschland durch Dr. Moses; Central-Verein der Juden in Deutschland durch Justizrat Brodnitz; Reichsbund jüdischer Frontsoldaten durch Dr. Leo Löwenstein; Vereinigung für das religiös-liberale Judentum durch Rechtsanwalt Stern; Die organisierte Gemeinde-Orthodoxie durch Rabbiner Dr. Hoffmann-Frankfurt a. M.; Jüdischer Frauenbund durch Frau Ottilie Schönewald; Hilfsverein der Juden in Deutschland durch Max Warburg; Palästina-Amt der Jewish Agency durch Dr. Franz Meyer; Reichsausschuß der jüdischen Jugendverbände durch Dr. Friedrich Brodnitz.

Jüdische Rundschau, Nr. 77 vom 24. 9. 1935

... ist ihnen das Zeigen der jüdischen Farben gestattet

28. September 1935 (Rosch Haschana)

Martin Fried-Lander

Der heute in Australien lebende Martin Fried-Lander berichtet in einem Brief 1980 an die Jüdische Abteilung des Berlin Museums, wie er nach Verkündung der Rassengesetze auf das Verbot, die „Reichs- und Nationalflagge" zu zeigen, reagierte. Er ließ eine jüdische Fahne anfertigen und hängte sie wenige Tage später am jüdischen Neujahrsfest aus dem Fenster seiner Wohnung in der Linienstraße. Diese Fahne von damals übersandte er nach fast fünfzig Jahren dem Museum.

Sehr geehrte Damen,
(...) 1935 sind in Deutschland die „Rassengesetze" herausgekommen, in denen es Juden verboten wurde, die Deutsche Fahne mit dem Hakenkreuz zu zeigen, aber, (was in meiner Meinung spöttisch gemeint war) es ihnen erlaubt wurde, die „Jüdische" Fahne zu adoptieren. Eine Kundin, Frau Gimler, die kurz darauf zum 2. Male einen Herrn Wolgast heiratete, hat diese Fahne für mich genäht, und das Ironische dabei war, daß ihr Schwager, ein SS-Mann, dabeistand und ihr zeigte, wie sie den David Stern einzunähen hatte. An den folgenden 2 Jüdischen Neujahrstagen September oder October 1935 hat diese Fahne aus meiner Wohnung (Berlin N. 54, Linienstr. 196, 2 Treppen rechts) aus dem Fenster gehangen. (...) Ein Photograph hat eine Zeit lang auf der Straße gewartet, bis diese Fahne, die vom Winde verwickelt war, sich frei geweht hatte, und er sie photographieren konnte. Ich hatte an diesen Feiertagen keine Verwandten oder Bekannten als Besucher gehabt, da sie befürchteten, sie könnten womöglich verhaftet werden – aber fremde Leute – Nichtjuden – haben mir auf der Straße die Hand gedrückt. Im Abendblatt des ersten oder zweiten Neujahrstages war diese Fahne im Angriff abgebildet mit der Bemerkung – Am heutigen Jüdischen Neujahrstage wurde an einem Hause im Norden Berlin's zum ersten Male die Jüdische National Fahne gezeigt. Die Farben sind blau weiss mit einem 6eckigen Stern. – Damit hat das Rätselraten, wie diese Fahne eigentlich aussieht, nun auch ein Ende gefunden. Auch im Warschauer „Haint", einer Zeitung die in Jiddisch gedruckt wurde und um diese Zeit von Millionen gelesen wurde, hat ein spaltenlanger Artikel gestanden. Leider konnte ich diese beiden Zeitungsberichte nicht (als ich am 8. Juni 1939 auswanderte) mitnehmen, da es sehr gefährlich war, Material, das gegen die National Sozialistische Regierung benutzt werden konnte, herauszunehmen. (...)

Hochachtungsvoll Ihr (gez.) Martin Fried-Lander

Berlin Museum, Akt.-Nr. R 600/F; Bf. v. 5. 1. 1980

Standhaftigkeit in aller Bedrängnis

10. Oktober 1935

Leo Baeck

Gebet des Rabbiners Dr. Leo Baeck zum Versöhnungstag Jom Kippur, dem höchsten jüdischen Feiertag, am 10. Oktober 1935. Das Gebet wurde von den meisten Rabbinern in den jüdischen Gemeinden Deutschlands verlesen. Leo Baeck und Otto Hirsch wurden daraufhin kurzzeitig inhaftiert.

„In dieser Stunde steht ganz Israel vor seinem Gott, dem richtenden und vergebenden. Vor ihm wollen wir allesamt unseren Weg prüfen, prüfen, was wir getan und was wir unterlassen, prüfen, wohin wir gegangen und wovon wir ferngeblieben sind. Wo immer wir gefehlt haben, wollen wir offen bekennen: ‚Wir haben gesündigt', und wollen mit dem festen Willen zur Umkehr vor Gott beten: ‚Vergib uns!'

Wir stehen vor unserem Gotte. Mit derselben Kraft, mit der wir unsere Sünden bekannt, die Sünden des Einzelnen und die der Gesamtheit, sprechen wir es mit dem Gefühl des Abscheus aus, daß wir die Lüge, die sich gegen uns wendet, die Verleumdung, die sich gegen unsere Religion und ihre Zeugnisse kehrt, tief unter unseren Füßen sehen. Wir bekennen uns zu unserem Glauben und zu unserer Zukunft. – Wer hat der Welt das Geheimnis des Ewigen, des einen Gottes gekündet? Wer hat der Welt den Sinn für die Reinheit der Lebensführung, für die Reinheit der Familie geoffenbart? Wer hat der Welt die Achtung vor dem Menschen, dem Ebenbilde Gottes gegeben? Wer hat der Welt das Gebot der Gerechtigkeit, den sozialen Gedanken gewiesen? Der Geist der Propheten Israels, die Offenbarung Gottes an das jüdische Volk hat in dem allen gewirkt. In unserem Judentum ist es erwachsen und wächst es. An diesen Tatsachen prallt jede Beschimpfung ab.

Wir stehen vor unserem Gott; auf Ihn bauen wir. In Ihm hat unsere Geschichte, hat unser Ausharren in allem Wandel, unsere Standhaftigkeit in aller Bedrängnis ihre Wahrheit und ihre Ehre. Unsere Geschichte ist eine Geschichte seelischer Größe, seelischer Würde. Sie fragen wir, wenn sich Angriff und Kränkung gegen uns kehren, wenn Not und Leid uns umdrängen. Von Geschlecht zu Geschlecht hat Gott unsere Väter geführt. Er wird auch uns und unsere Kinder durch unsere Tage hindurch leiten.

Wir stehen vor unserem Gott. Sein Gebot, das wir erfüllen, gibt uns Kraft. Ihm beugen wir uns, und wir sind aufrecht vor den Menschen. Ihm dienen wir, und wir bleiben fest in allem Wechsel des Geschehens. Demütig vertrauen wir auf Ihn, und unsere Bahn liegt deutlich vor uns, wir sehen unsere Zukunft.

Ganz Israel steht in dieser Stunde vor seinem Gotte. Unser Gebet, unser Vertrauen, unser Bekennen ist das aller Juden auf Erden. Wir blicken aufeinander und wissen von uns, und wir blicken zu unserem Gotte empor und wissen von dem, was bleibt.

‚Siehe, nicht schläft und nicht schlummert Er, der Israel hütet'. ‚Er, der Frieden schafft in seinen Höhen, wird Frieden schaffen über uns und ganz Israel'.

Trauer und Schmerz erfüllen uns. Schweigend, durch Augenblicke des Schweigens vor unserem Gotte, wollen wir dem, was unsere Seele erfüllt, Ausdruck geben. Eindringlicher als alle Worte es vermöchten, wird diese schweigende Andacht sprechen."

Ernst Simon, Aufbau im Untergang. Jüdische Erwachsenenbildung im nationalsozialistischen Deutschland als geistiger Widerstand, Tübingen 1959, S. 39f.

Ich sage Ihnen schriftlich Lebewohl

Juni 1937

Alice Salomon

Alice Salomon (Berlin 1872–1948 New York), promovierte 1906 als eine der ersten Frauen in Deutschland zum Dr. phil. und gründete 1908 in Schöneberg die erste Soziale Frauenschule, die sie bis 1925 leitete (heute Fachhochschule für Sozialarbeit und Sozialpädagogik Berlin). Sie war bis 1933 führend in der deutschen und internationalen Frauenbewegung. 1914 zum Christentum übergetreten, schloß sie sich der Dahlemer Gemeinde der Bekennenden Kirche und dem „Paulusbund", der Vereinigung „nichtarischer Christen", an. 1937 wurde Alice Salomon im Alter von 65 Jahren aus Deutschland ausgewiesen, zwei Jahre später ihr die deutsche Staatsbürgerschaft und der Doktortitel aberkannt.
Von ihrem großen Freundeskreis in Berlin verabschiedete sie sich mit dem folgenden Brief.

Ich sage Ihnen schriftlich Lebewohl. Wenn dies in Ihre Hände kommt, habe ich Deutschland für immer verlassen. Aber ich gehe nicht ohne Abschiedswort.

Es ist mir offiziell mitgeteilt worden, daß „Juden" – also in meinem Fall Christen jüdischen Blutes –, die sich oft und lange im Ausland aufhalten, zur Vermeidung der Überweisung in ein Schulungslager auszuwandern haben, und es sind mir 3 Wochen Zeit für die Liquidierung meines Lebens in Deutschland belassen worden.

Ich gehe zunächst zu den englischen Freunden und werde versuchen, bis zum Herbst ein Einwanderungsvisum für die Vereinigten Staaten zu erhalten.

Ihr alle wißt, daß ich nie etwas getan habe, was Deutschland schaden kann.

Ihr wißt, daß ich schon vor Antritt meiner Amerikareise den amerikanischen Freunden geschrieben habe, daß ich weder öffentlich noch unoffiziell über Deutschland reden werde, einerseits, weil ich nicht mehr befugt bin, deutsche Kulturbelange zu vertreten, und andererseits, weil ich nichts Nachteiliges über das Land, in dem meine Familie 225 Jahre gelebt hat, aussprechen kann.

Ihr wißt, daß ich immer unerschütterlich an den Sieg des Guten in der menschlichen Natur geglaubt und dafür gelebt habe. Ich werde das alles auch weiter so halten „nach dem Gesetz, nach dem ich angetreten".

Ich habe aus meiner christlichen Glaubenskraft alle Schicksale meines Lebens demütig aus Gottes Hand genommen. Ich nehme auch diese neue Wendung in der Gewißheit hin, daß denen, die Gott lieben, alle Dinge zum Besten dienen. So bin ich denn geneigt, auch die Anordnung zur plötzlichen Auswanderung als eine irdische Manifestation des göttlichen Willens zu deuten.

Ich gehe in ein Leben des Kampfes um Brot – aber guten Mutes und in froher Zuversicht – völlig ungebrochen in geistiger und sittlicher Kraft, in meinem Wertgefühl, das nicht von außen beeinträchtigt werden kann. Das Eine, wozu meine Kraft nicht reicht, ist zum persönlichen Abschiednehmen. Ihr werdet das verstehen. Ich bitte Euch, mir auch vorläufig nicht zu schreiben. Später, sobald ich weiß, wo ich bleibe, könnt Ihr durch meine engeren Freunde meine Adresse erfahren.

Ich bleibe auch in der Ferne die Eure. Immer in Leiden wie auch in Freuden!

Getreu Alice

(aus Privatbesitz)

Oft flogen Steine

1933–39

Selma Schiratzki

Selma Schiratzki (Frankfurt 1890, in den siebziger Jahren in Jerusalem verstorben) war von 1926 bis 1939 Leiterin der Schule in der Rykestraße im Bezirk Prenzlauer Berg. Sie emigrierte 1939 nach Schweden und wanderte 1945 von dort nach Palästina aus.

(...) Am 30. Januar 1933 fand eine Sitzung des Schul- und Gemeindevorstands und aller Schulleiter statt, und der Beschluß des Abbaus der Volksschulen wurde mitgeteilt. Alle Proteste halfen nichts. (...) Auch die Warnung Prof. Gutmanns, des Leiters des jüdischen Lehrerseminars: „Wer weiß, ob wir nicht schon bald wieder dieser jüdischen Schulen bedürfen, um die jüdischen Schüler der öffentlichen Volksschulen aufzufangen", wurde in den Wind geschlagen. (...) Bald zeigte sich, wie sehr Prof. Gutmann mit seiner Warnung recht gehabt hatte. Die Behandlung der jüdischen Schüler an den öffentlichen Schulen wurde immer schwieriger, der Andrang zu unserer Schule immer größer. (...) Täglich kamen Eltern, die mir ihr Leid, die unerträgliche Drangsalierung ihrer Kinder klagten und händeringend um Aufnahme baten. (...)

Das Schuljahr 1933/34 brachte auch für die jüdischen Lehrer an den öffentlichen Schulen einen Umschwung. Soweit sie in festen Stellungen gewesen waren, wurden sie pensioniert, alle anderen ohne weiteres entlassen. In Berlin war die Lage so, daß es kaum jüdische Lehrkräfte in den öffentlichen Volksschulen gab, dagegen verhältnismäßig viele jüdische Studienräte und Studienassessoren. Ihrer Einordnung standen große Schwierigkeiten im Wege, da ihre Vorbildung und bisherige Tätigkeit auf ganz andere Ziele eingestellt gewesen war, als es Erziehung und Unterricht an den Volkschulen erforderten. (...) Es galt nicht nur, die neuen Schüler in unserer Schule heimisch zu machen, besondere Gruppen für den hebräischen Unterricht dieser nicht vorgebildeten Schüler einzurichten, den neuen Lehrkräften die Einarbeitung in die Aufgaben unserer national-jüdisch betonten Schule zu erleichtern, wir standen auch vor der Aufgabe, den Lehrplan gründlich umzuarbeiten. Denn wir erkannten, daß die Ziele und der Stoff unserer jüdischen Volksschule nicht mehr mit denen der allgemeinen Volksschulen identisch sein konnten. (...)

Ziel mußte die Vorbereitung auf ein Leben in Israel oder irgendwo im Ausland sein. Neben Hebräisch wurde nun Englisch als zweite Fremdsprache eingeführt. Andersartige Aufgaben entstanden aus unserem Bestreben auch den Geschichts-, Erdkunde- und vor allem den Deutschunterricht selbst mit anderem Inhalt zu füllen. (...) Von dem deutschen Lesestoff wollten wir nur das Wertvollste in den neuen Plan hinübernehmen und uns im übrigen an Stoffe jüdischen Inhalts halten. (...)

Wie sah nun das Leben in unserer Umgebung aus? Wie bekannt, war die Straße mehr und mehr nur noch die unumgängliche Verkehrsader für Juden geworden, der sie schnellstens zu entkommen trachteten. Auch für Kinder gab es keine Spielplätze mehr, auf denen sie sich frei bewegen konnten. „Für Juden verboten" wurden mit der Zeit öffentliche Anlagen, Badeplätze und sogar Bänke. So mußte die Schule hierfür Ersatz bieten und der Schulhof immer mehr zum Aufenthaltsplatz unserer Schüler in ihrer Freizeit werden. (...)

Aber selbst der umfriedete Schulhof zwischen Schulhaus und Synagoge war nicht mehr sicher. Oft flogen Steine, selbst in den Vormittagspausen, auf die spielenden Kinder. Einmal, als wir genau festgestellt hatten, aus welchem Fenster die Steine geflogen waren, rief ich die Polizei zu Hilfe. Ein junger Polizist kam, hörte sich unsere Beschwerden an und weigerte sich einzuschreiten. Auch der Schulweg wurde immer gefährlicher für unsere Schüler. Gruppen von Jungen und Mädchen aus unseren Nachbarschulen, mit Stöcken und Steinen bewaffnet, lauerten ihnen auf, und es entwickelten sich kleine Straßenschlachten. (...)

Von all diesen grundlegenden Veränderungen, die sich in unserer Umwelt vollzogen, blieb der äußere Rahmen unserer amtlichen Beziehungen fast unberührt. Die Schule unterstand auch weiterhin der Aufsicht des Bezirksschulrats, unsere Junglehrer bereiteten sich in städtischen Kursen für die zweite Lehrerprüfung vor. Diese wurden wiederholt in unserer Schule von dem Schulrat und dem Kursleiter abgenommen und die entsprechenden Zeugnisse ausgestellt. Noch im Herbst 1938 sollte eine solche Prüfung bei uns stattfinden. Ich erinnere mich, daß der Schulrat mich am Jom-Kippur-Nachmittag in meiner Privatwohnung anrief, um mir das Datum für die Zweite Lehrerprüfung von Dr. E. mitzuteilen (der aber bereits nach Israel ausgewandert war).

Der 9. November 1938. In der Schule beschlossen wir, den Unterricht zunächst durchzuführen und uns mit der Schulverwaltung der jüdischen Gemeinde in Verbindung zu setzen, um ihre Beschlüsse zu hören. Aber schon während der ersten Stunde kamen viele aufgeregte Mütter, um ihre Kinder abzuholen. Während ich noch mit ihnen sprach und die betroffenen Kinder aus den Klassen holen ließ, kam Baurat Schiller, ein städtischer Beamter, dem die Überwachung unseres Schulhauses und die Anordnung etwaiger Reparaturen oblag. Unter dem Eindruck der ergreifenden Szene sagte er: „Man schämt sich, ein Deutscher zu sein!"

An jenem Vormittag wurde der Unterricht bald abgebrochen. Am Nachmittag erhielt ich die telefonische Mitteilung, daß die „Volkswut" sich nun auch über unser Schulhaus entladen habe. Die Straßenjugend der Choriner

Straße – etwa 200 Kinder – war unter Führung einiger Erwachsener in das Haus eingedrungen, hatte alle Fensterscheiben zerschlagen, den Bücherschrank im Lehrerzimmer erbrochen und einige Musikinstrumente mitgenommen.

1939. Der Beginn des Schuljahres 1939 brachte ein neues Verhängnis. Auch alle *christlichen* Schüler jüdischer oder halbjüdischer Herkunft hatten die öffentliche Schule zu verlassen und mußten in die jüdische Schule aufgenommen werden. Die christlichen Eltern wehrten sich natürlich gegen diesen Beschluß, machten Gesuche über Gesuche, mußten aber schließlich doch nachgeben; und eine Anzahl Kinder, die gestern noch im Hitlergeist erzogen worden waren, zogen in die „Judenschule" ein. Da kam u. a. ein kleiner Junge in unsere Schule, der am 9. November eifrigst Steine in unsere Fensterscheiben geworfen hatte und von dem die christliche Mutter mir wütend erklärte: „Das kann ich Ihnen sagen, das ist der größte Rischeskopf[1], den Sie sich vorstellen können."

Diese Schüler waren natürlich ein höchst unerfreulicher Zuwachs für unsere Schule. Und wenn wir auch mit den Problemen und den Schwierigkeiten, die ihr Eintritt mit sich brachte, fertig zu werden wußten, waren wir doch sehr froh, als sich nach einiger Zeit eine Möglichkeit zeigte, sie wieder auszuschulen: eine halbjüdische Lehrerin christlicher Konfession gründete im Missionshaus Oranienburger Straße[2] eine private Volksschule für diese Kinder.

Yad Vashem Archives, Jerusalem, Sammlung Ball-Kaduri 01/138

1 jiddische Bezeichnung für Judenfeind, Antisemit

2 gemeint ist die zwischen Februar 1939 und Juni 1942 bestehende „Familienschule", die in Verbindung zum „Büro-Grüber" stand, der Hilfsstelle für „evangelische nichtarische Christen". Die Schule befand sich anfangs im Haus der englischen Judenmission und zog im letzten Jahr ihres Bestehens in die Auguststraße in die dortige jüdische Volksschule um. Dies deutet darauf hin, daß auch die Reisevereinigung der Juden in Deutschland mitbeteiligt war

Das Ende des Leinenhauses F. V. Grünfeld

Fritz V. Grünfeld

Das bekannte Kaufhaus für Leinen und Wäsche hatte seit 1900 seinen Hauptsitz in Berlin, Leipzigerstraße 25 und ab 1928 auch am Kurfürstendamm 227 eine Zweigstelle. Der Enkel des Firmengründers, Dr. Fritz V. Grünfeld (Landshut 1897–1982 Tel Aviv), emigrierte nach dem Zwangsverkauf, bzw. der „Arisierung" der Firma kurz vor Kriegsanfang nach Palästina und baute dort, aller Geldmittel beraubt, unter schweren Bedingungen in Tel Aviv ein neues Geschäft auf.

War die Kundenfront die erste und wichtigste, die im Vernichtungskampf gegen uns mobilisiert wurde, so war die zweite die Personalfront. Systematisch wurde die Loyalität unserer Mitarbeiter zu uns untergraben, was in der gleichen „Stürmer"-Nummer mit der erstmaligen Veröffentlichung der Namen von „Judengenossen" in unserem Betriebe deutlich wurde. Zur Erleichterung des Terrors war bei jedem der so bezeichneten Angestellten die volle Wohnadresse im „Stürmer" abgedruckt. Die Einschüchterung, die Angst davor, öffentlich als „Judenknecht" gebrandmarkt zu werden, entmutigte alle im Betriebe, die bisher ihrem natürlichen Gefühl zur „Gefolgschaftstreue" auch uns gegenüber gefolgt waren, und ermunterte diejenigen, welche zu Sabotage, Bespitzelung und Verrat neigten, bis zum Überhören unserer Telefongespräche, „Überwachung" unserer Post und Durchsuchung unserer Papierkörbe. Unter den vielen Hunderten von Betriebszugehörigen waren – von den ohnehin isolierten jüdischen Angestellten abgesehen – diejenigen, welche wirklich zu uns hielten und das für sie selbst damit verbundene Risiko nicht scheuten, bald an den Fingern abzuzählen.

Die dritte Front in diesem Vernichtungskampf war die Presse: Zeitungen und Zeitschriften lehnten in rasch zunehmendem Ausmaß die Aufnahme unserer Anzeigen ab. Als wir schließlich in keiner deutschen Zeitung oder Zeitschrift mehr Anzeigen aufgeben durften, sahen wir uns unserer bewährtesten Werbemöglichkeit beraubt. (...)

Die vierte Front, die bestimmt war, uns in den Rücken zu fallen, waren die eigenen Lieferanten, welche sich nun in zunehmendem Umfang weigerten, der jüdischen Firma noch Garne oder Fertigwaren zu liefern. (...)

Gleichzeitig taten als fünfte Front alle Behörden und „Dienststellen" der Partei – wie „Treuhänder der Arbeit", „Arbeitsfront", Gestapo und Zollfahndungsstelle mit Vorladungen, Haussuchungen und „Betriebsprüfung" – alles nur irgend Mögliche, um unsere Position zu erschüttern. Hierzu kamen die staatlichen und örtlichen Steuerbehörden. (...)

F. V. Grünfeld in deutschem Besitz, 1938

Wie die Aasgeier einen Todgeweihten umkreisen, so tauchten nun ebenfalls „schlagartig" im Jahre 1938 in unvorstellbarer Fülle „Vermittler" aller Art auf, die mit Referenzen auf Grund der bereits von ihnen durchgeführten Arisierungen, mit Vorschlägen und kaum verhohlenen Drohungen (...) ihre Provision bei einem durch ihre Vermittlung durchzuführenden Verkauf der Firma F.V. Grünfeld zu verdienen hofften. Seriöse Interessenten dagegen fanden sich so gut wie gar nicht oder allenfalls für eines unserer „Objekte". (...)

Walther Kühl, Inhaber der Berliner Einzelhandelsfirma Max Kühl, erwies sich bald als der seriöseste unter ihnen. (...) Herr Kühl, der selbstverständlich wie jeder arische Erwerber eines jüdischen Unternehmens einen Preis zahlte, zu welchem normalerweise ein solches nie „zu haben gewesen wäre" (...), war damals und später überzeugt, uns durch seinen Erwerb unseres Unternehmens „gerettet" zu haben. Und „sub specie aeternitatis" hatte er darin recht: Infolge des Geschäftsverkaufs an ihn konnten wir Deutschland noch verlassen, ehe der Krieg ausbrach und ehe das Schicksal der deutschen Juden den Lauf nahm, an dem gemessen der Verlust von Vermögen und Firma nachträglich unerheblich erscheint. Es war auch nicht die Schuld von Herrn Kühl, daß von dem Kaufpreis, den er schließlich zahlte, uns nichts verblieb.

Die Praxis ergab bald, daß in die Verkaufsverhandlungen – sowohl auf Herrn Kühls wie auf unserer Seite – „Wirtschaftstreuhänder" und Parteimitglieder eingeschaltet werden mußten. „Ich bin nur für das Recht zuständig, nicht für die Gewalt", sagte damals Geheimrat Albert bitter. Alle Stellen – und es ist unvorstellbar, wie viele es waren –, die bei unserer Arisierung mitzureden hatten, waren schon so durchsetzt, daß es ohne die hoch honorierten braunen Mittelsleute nicht mehr ging. Schließlich forderte nach allem der zuständige Staatssekretär Brinkmann im Reichswirtschaftsministerium noch einen Betrag von 200000 RM für die „Genehmigung der Arisierung", den zur Hälfte Kühl, zur Hälfte wir aufbrachten.

Die Ende Oktober 1938 an unsere Kunden herausgehenden Werbeangebote trugen bereits auf dem Kuvert wie im Innern den herausgehobenen Satz „Grünfeld in deutschem Besitz".

Stefi Jersch-Wenzel (Hrsg.), Das Leinenhaus Grünfeld. Erinnerungen und Dokumente von Fritz Grünfeld, Berlin 1967, S. 121 ff.

Beflaggung zu den Olympischen Spielen

1936

Fritz V. Grünfeld

Der letzte Inhaber des bekannten Leinenhauses Grünfeld schildert in seinen Erinnerungen, wie er das „Flaggenproblem" damals löste. Das Geschäftshaus stand an der Stelle des heutigen Ku'damm-Karrees.

Schwer verständlich für den Rückblickenden, noch schwerer für jeden, der die Verteidigung einer der letzten jüdischen Bastionen in der deutschen Wirtschaft nicht miterlebt hat, ist es, sich zu vergegenwärtigen, in welche heiklen Situationen uns als jüdische Betriebsführer im Dritten Reich das Manövrieren zwischen Skylla und Charybdis brachte (...) etwa die Situation anläßlich der Olympiade (und Mussolinis Besuch beim Führer) im Jahre 1936, als wir aufgefordert wurden, das Kurfürstendamm-Geschäftshaus auf der Zufahrtsstraße zum Olympia-Stadion zu beflaggen. Ein unbeflaggtes Haus an dieser prominenten Ecke hätte das „Anderssein" des jüdischen Unternehmens zu deutlich gemacht. Andererseits konnten wir doch nicht die Hakenkreuzfahne hissen (die wir allerdings eine Zeit lang auf Bestellung herzustellen hatten!). So kam ich auf den Gedanken, das ganze moderne Haus mit Wimpeln, abwechselnd in den zwei Farben „Wäsche-weiß" und „Grünfeldblau" ausschmücken zu lassen; es waren auch die Farben der zionistischen Bewegung; sehr festlich wirkte der Anblick auf die Besucher der Olympiade zu Berlin.

Stefi Jersch-Wenzel (Hrsg.), Das Leinenhaus Grünfeld. Erinnerungen und Dokumente von Fritz Grünfeld, Berlin 1967, S. 121 ff.

Jüdischer Kulturbund in Deutschland

1938

Kurt Singer

Dr. Kurt Singer (Berent 1885–1944 Theresienstadt), Neurologe, Musikwissenschaftler und Dirigent, gründete 1913 den Berliner Ärztechor, den er bis 1938 leitete. Er war von 1927 bis 1933 Intendant der Städtischen Oper in Charlottenburg und leitete den „Kulturbund deutscher Juden" von 1933 bis zum Verbot im September 1941. 1935 mußte der Kulturbund in „Jüdischer Kulturbund" umbenannt werden. Er unterstand der scharfen Zensur und demütigenden Kontrolle des NS-Reichskulturverwalters Hinkel und sollte eine jüdische Kulturautonomie vortäuschen. Werke deutscher Klassiker wurden den Juden verboten aufzuführen. In Berlin erinnert heute in einem Foyer der Deutschen Oper eine Büste an Kurt Singer.

Wenn wir heute, im Jahre 1938, darüber nachdenken, welches die Keime des Jüdischen Kulturbundes waren und wie aus ihnen reifende Frucht wurde, so bekennen wir, eher Lehrende als Lernende gewesen zu sein, aus den Fehlern einer veralteten Ideologie aufgestiegen zu sein zu einer neuen Inbrunst des Schaffens, vom Alten das Lebendige übernommen und mit Neuem, Zukunfts-Heiligem verbunden zu haben. Ohne konstruktive Idee einer jüdisch erlebten, auch nur jüdisch betonten Kunst erwachten wir aus unserer Depression der Isolierung, hielten mit eiserner Kraft die innere Bindung zum Ewigkeits-Wert großer, all-gültiger Kultur aufrecht und tasteten uns, Blinde im Reich jüdisch-nationaler Werte, vorwärts zum Weg der Gemeinschaft eigener Sehnsucht, eigener Klänge, eigener Verse, eigener Physiognomie. Wenn wir sagten und fühlten, daß alle große Kunst, wirksam geformt, im Pathos von Klang und Wort, im Vibrieren seelischer Erschütterungen, im Hochflug von Gedanke und Stoff immer auch ein jüdisches Herz besonders dann treffen und bewegen mußte, wenn Juden vor Juden agierten: so war das die Betonung eines Kompromisses zwischen allbekanntem Einst und unbekanntem Morgen. Aber schon hier – 1933 – wandte sich unser Sinn für das Theater ab von jener Konjunktur des jüdischen Dramas, wie es zu Beginn des 20. Jahrhunderts von Asch, Nathanson, Bernstein, Herrnfeld, Galsworthy tendenziös propagiert wurde. Nein, das alles schien uns l'art pour l'art. Wenn wir damals mit Vorsicht an die Belebung des Publikum-Interesses für jüdisches Bühnen-Werk herangingen, so war zwar der Blick unrettbar mit der Blüte aller Emanzipierung verknüpft, aber das künstlerische Ergebnis hieß „Nathan der Weise" und nicht „Hinter Mauern".

Das Gebot der Stunde glaubten wir erkannt zu haben: Juden aus der Lethargie herauszureißen, Juden zu ketten an die großen Menschen-Werte der internationalen Kunst, vorzubereiten die Unvorbereiteten auf jene Werke, die, aus der Welt östlicher, hebräischer, alljüdischer Gedanken stammend, einmal Besitz von uns ergreifen sollten. Zu den Namen Beer-Hofmann und Zweig traten führend die Namen Perez, Bialik, Bistritzky, Scholem Alejchem. Was 1935 möglich wurde, wäre 1933 der Anfang vom Ende gewesen – auf Kosten einer plötzlichen, also unfruchtbaren, ungläubigen Wandlung. Wir zogen aus Gesinnung, nicht aus Mangel an Gesinnung, den Kompromiß einer radikalen Judifizierung des Spielplans, des Publikums, des künstlerischen Ensembles vor und fügten langsam, immer abwartend, immer werbend, dem Händel'schen Epos von der Geschichte jüdischer Helden, den Wortdramen jüdischer Inhalte (Judith, Esther, Uriel Acosta, König David) die Musik, das Drama jüdischer Autoren, schließlich das aus jüdischem Geist geborene Kunstwerk hinzu („Mischpat" von Bat Dori).

Die Geschichte wird unseren Weg richten. Wir glaubten zu wissen, daß nicht Autor und Stoff, nicht Thema und Gesinnung, nicht Form und Gestaltung das Wesen einer spezifisch jüdischen Kunst ausmacht, sondern das in der Sprache verankerte Heimatgefühl. Eine jüdische Kunst in diesem strengen Sinn haben wir nur in der synagogalen Musik, dem chassidischen Volkslied, im ostjüdischen und hebräischen Theater. Jede Bearbeitung, jede Herübernahme in den neuen, uns gewohnten Sprachgeist, jede Veränderung durch harmonische, klangliche, instrumentale Zutat ist ein Kompromiß. Wir haben – so glaube ich – im Galuth die Fahne jüdischer Kunst in aller Demut, aber beharrlich hochgehalten, viel gelästert, viel belehrt; wir haben unsere Tradition der Bindung an internationales Gedanken- und Erlebensgut nicht verloren, viel gelobt, seltener geschmäht; wir haben, ohne konstruktiven Plan, ohne neue jüdische Dramaturgie der unentwegt draufgängerischen Desperados unseren Weg der Mitte mit gutem Gewissen, reinem Glauben, höchstem Vertrauen auf die Bereitschaft der Juden in Deutschland, der Künstler in unseren Reihen beschritten; wir haben mit jüdischem Herzblut die Adern aller Kunstkörper, die wir verstehen und analysieren zu können glaubten, erfüllt, in jeder Geste, jedem Atem, jedem musikantischen Ton, jedem szenischen Einfall, jeder Empfindung von Leid und Freude, jedem Lachen, jeder Träne. Wir sind Juden geblieben im Spiel, in der leidenschaftlichen Arbeit unserer eigenen Kultur, in der Kultur unserer eigenen organisatorischen, sammelnden, Gemeinschaft bildenden, Gesellschaft formenden Arbeit. Das ist uns – bei allen Fehlern der Zeit, die einmal Sünde oder Tugend in der Geschichte sein werden – Stolz, Glück, Erinnerung, Hoffnung, Sehnsucht und Erfolg in einem gewesen. Und soll es bleiben. Wir haben nicht links und nicht rechts gestanden, wir haben unseren Weg mit geradem Blick und starkem Schritt mitten hindurch genommen durch das Chaos der jüdischen Gesellschaft von 1933. Wir haben sie alle gewonnen, als Ratgeber, Freunde, Führer und Mitgänger: die Zionisten und C. V.er, die Liberalen und die Konservativen. Wir haben eine Plattform der Juden ohne Unterschied des Standes und der Weltanschauung gebildet, wir Künstler unter den Juden, wir jüdischen Künstler. Neben dem Tempel der Religion haben wir den Tempel der Bühne, der Musik, des bildnishaften Erlebens aufgebaut. Und leisten Dienst, als Juden, an der Wahrheit, Schönheit, Kunst, am Glauben, an der Gemeinschaft, an der Religion, an Gott. Das ist unser Glück. Wir haben – in dem kleinen Rahmen, den das machtvolle Geschehen in der Welt jüdischer Existenz der Kunst gelassen hat – die Zeichen der Zeit verstanden.

Pult und Bühne. Ein Almanach hrsg. vom Reichsverband der jüdischen Kulturbünde in Deutschland, Berlin 1938, S. 4ff.

Die „Polen-Aktion“

28. Oktober 1938 / September 1939

Anni Nieder

Anni Nieder, geboren in Berlin, war polnische Staatsangehörige. Sie arbeitete vom Oktober 1938 im Büro des Verbandes der Polen in Berlin bis zu dessen Auflösung, anschließend im Palästinaamt bis zu ihrer Auswanderung nach Palästina.

Im September 1938 gingen Gerüchte über Abschiebung der Polen aus Deutschland um. Die polnische Regierung hatte mit der Ausbürgerung von polnischen Staatsangehörigen begonnen, die in Deutschland lebten und 5 Jahre nicht in Polen gewesen waren. Man glaubte die Gerüchte über eine bevorstehende Abschiebung zunächst nicht. In der Nacht vom 27. zum 28. Oktober hatte Rabbiner Freier[1], der in der Gegend des Schönhauser Tores wohnte, irgendwie erfahren, daß es am gleichen Tage zu einer Abschiebung kommen sollte, und warnte, soweit es ihm möglich war, Personen in seiner nächsten Umgebung. Früh um 5 Uhr begann diese Aktion. Ich erfuhr davon durch einen telefonischen Anruf kurz nach 5 Uhr von einer Freundin, bei der die Polizei gerade war, um den Bruder abzuholen. Mein Bruder und ich verließen daraufhin innerhalb weniger Minuten unser möbliertes Zimmer; 5 Minuten später kamen zwei Schutzleute, um meinen Bruder abzuholen, wie wir später von unseren Wirtsleuten erfahren haben.

Wir gingen dann zum polnischen Konsulat. Auf dem Weg dorthin sahen wir vor fast allen Häusern Schutzleute mit abgeholten Juden herauskommen. Vor dem Konsulat wartete bereits eine Menge von Frauen, welche sich nach dem Verbleib ihrer Männer erkundigen wollten. Das Konsulat war aber noch geschlossen. Wir gingen darauf zum Verband der Polen, deren Büro aber gleichfalls noch geschlossen war. Ich ging dann sofort zu dem damaligen Syndikus des Verbandes, Herrn RA Dr. Salinger, der nebenan wohnte.

Er war bereits telefonisch von der Sache unterrichtet und aufgestanden, und wir gingen sofort gemeinsam in das Büro. (...)

Bei Öffnung des Büros war ein großer Ansturm weinender Frauen, die nicht zu beruhigen waren. Irgendwie erfuhren wir, daß der Transport vom Schlesischen Bahnhof aus abgehen sollte. Wir gingen zum Schlesischen Bahnhof und sahen zu unserem Schrecken tatsächlich mehrere Eisenbahnzüge bereitstehen, welche schon mit den Verhafteten gefüllt waren und programmäßig gegen Mittag Berlin verließen. Mitnahme von Handgepäck war bei der Verhaftung gestattet. Dieser Transport wurde, wie wir später aus Berichten einzelner Zurückgekommener erfuhren, bis zur Grenze Benschen, d.h. nach Sponzin, gebracht, wo die Verhafteten aus den Waggons geladen und von den Deutschen – ich weiß nicht welche Formation – mit Gewehrkolben usw. über die Grenze getrieben wurden. Dort drängten sie die Polen zurück, bis sie schließlich im Lager Sponzin auf polnischem Boden unterkamen. (...)

Bei Ausbruch des Krieges mußten die polnischen Konsulate schließen und die schwedische Gesandtschaft übernahm den Schutz der polnischen Staatsangehörigen. Ich habe als Vertreterin des Polnischen Verbandes mit dem schwedischen Attaché persönlich verhandelt. Man rechnete damals mit einer Verhaftung als feindliche Staatsangehörige, d.h. als Civil-Internierte unter dem Schutz des Roten Kreuzes. Der schwedische Attaché sagte mir, daß den Polen vorläufig nichts geschehen werde.

Am Morgen des 13. September begann dann trotzdem die Verhaftung der Polen, d.h. der Männer, aber nicht als Civil-Internierte, sondern für das Konzentrationslager. Sie wurden alle gegen 5 Uhr früh von den Häusern abgeholt, kamen auf die Polizeireviere, durften nichts mitnehmen, kein Gepäck, selbst das mitgenommene Frühstück wurde ihnen auf der Wache abgenommen. Bei uns im Westen wurden sie von dem Polizeirevier mit den üblichen Wagen abgeholt und kamen zu den Ausstellungshallen als Sammellager (mein Bruder war dabei), und von dort kamen sie zum Stettiner Bahnhof, von da im Eisenbahnzug nach Oranienburg und dann ins Konzentrationslager Sachsenhausen. (...)

In Sachsenhausen wurden bei dieser Aktion täglich 40–50 Menschen ermordet. Bei der Abteilung der Jüdischen Gemeinde in der Rosenstraße kamen täglich die Kisten mit den verpackten Urnen an.

Yad Vashem Archives, Jerusalem, Sammlung Ball-Kaduri 01/15

1 Seine Frau, Recha Freier, Gründerin der Jugend Alijah, erreichte die Freilassung einiger Verhafteter, die nach zermürbender Odyssee 1944 in Palästina ankamen

Die Tage nach dem Pogrom vom 9. November 1938

Inge Unikower

Die Schilderung der Ereignisse vom 9. November 1938 beruht auf den Erlebnissen Abraham Pisareks (Przeclborz/Lodz 1901–1983 Berlin), der offizieller Fotograf des Kulturbundes war und dessen Lebensgeschichte Inge Unikower (1922 Mecklenburg) in ihrem Buch „Suche nach dem Gelobten Land – Die fragwürdigen Abenteuer des kleinen Gerschon“ beschreibt. Inge Unikower lebt als Schriftstellerin in der DDR.

Der 10. November 1938 ist ein trüber, diesiger Tag. Gerschon nimmt das nun siebenjährige Töchterchen bei der Hand, um die sechs Häuser weiterzugehen in sein Atelier in der Oranienburger Straße 31. Auf der Straße herrscht Unruhe. Gerschon spürt Brandgeruch. Er sieht einen Auflauf. Er muß sich durch einen Kreis von Menschen drängen. Neben dem Haus 31 steht schwarze SS. – SS heißt Schutzstaffel. Als er die Hand auf die Türklinke legen will, brüllt ihn einer der Schwarzen an: Hau ab.

Nun erfaßt Gerschon, was geschieht. Aus der Synagoge wallen Brandwolken. Zwei Häuser weiter ist die Buchhandlung Gonzer, wo es Bibeln, andere religiöse Schriften und Kultgegenstände zu kaufen gibt. Die Scheiben sind eingeschlagen, Schriftbände und kostbare Antiquitäten liegen auf der Straße, achtlos im Nieselregen auf einen Haufen geworfen, manches einzeln verstreut, zertreten. Gebetsumhänge werden zu schmutzigen Tüchern. Unter Stiefeln zerkracht ein vergoldeter Bilderrahmen. Das Jüdische Museum ist offenbar ausgeraubt. Manches darin war unersetzlich. Rund um den Ort der Zerstörung und des Wütens stehen Bewohner der Straße, auch Passanten, viele junge Menschen darunter, stumm, gucken nur. Die SS marschiert vor dem Hause hin und her. Schutz dem deutschen Volke.

Weder an diesem Tage noch später kommt Gerschon wieder an sein Archiv heran. Es wird abgeholt, auf Lastwagen geworfen wie die Tausende Bände Judaica der größten europäisch-jüdischen Bibliothek in den Räumen der Oranienburger Straße 28. Der Grundstock seines künftigen Bildverlages ist zum Teufel, das Labor zerstört, die Apparate geraubt bis auf die, die er zu Hause hat. Was nicht mitgenommen, ist zertrampelt. (...)

Aber der Jüdische Kulturbund hat weiterzuspielen, und zwar sofort und am nächsten Abend, hat Herr Hinkel[1] angeordnet. Doch der Jüdische Kulturbund kann nicht spielen, denn seine wichtigsten Mitglieder sind seit der Kristallnacht in Haft, ein Kunstfehler. Rudolf Schwarz, der Dirigent, und Fritz Wisten, Regisseur und Schauspieler, sind in Sachsenhausen. Der noch vorhandene stellvertretende Direktor, Dr. Werner Levie, meldet es Herrn Hinkel. Wird erledigt, sagt Herr Hinkel, und am nächsten Morgen gegen sechs Uhr früh klingelt bei Gerschon das Telefon. Gemeldet hat sich einer mit Namen Fritz Wisten, sagt Gerschon, seine Stimme hab ich nicht erkannt. Hab nicht geantwortet. Konnte ich wissen, wer da anrief? Hab aufgelegt. Doch es hat wieder geklingelt, und wieder nennt sich Fritz Wisten, der sich gedacht hat, welche Wirkung sein Anruf ausgelöst haben wird. Wir haben uns in seinem Haus in Schlachtensee verabredet. Ich bin gefahren, ihn aufzunehmen, wie er zurückgekommen ist, kahlgeschoren und zehn Jahre gealtert binnen achtundvierzig Stunden.

Nach dem Abendappell in Sachsenhausen tagszuvor waren die Namen der jüdischen Künstler aufgerufen worden, die noch in derselben Nacht nach Berlin zurückkehren mußten, um das Potemkinsche Jüdische Theater aufrechtzuerhalten. Es sollte der Weltpresse gezeigt werden, wie die Juden in Deutschland ihr Kulturleben haben können. Herr Hinkel sitzt mit ausländischen Journalisten in seiner Loge. Es wird eine schottische Komödie gespielt, mit der bildschönen Elfriede Borodin in der Hauptrolle. Sie ist fiebrig krank vor Aufregung (...). In den Auftrittspausen werden ihr Beruhigungsmittel gespritzt. Die Souffleuse muß fortwährend aushelfen.

Sehen die Korrespondenten Europas und Amerikas nicht den Popanz, nicht das makabre Spektakel, vermummt in diesen Studentenschwank von Merton Hodges „Regen und Wind"?

Inge Unikower, Suche nach dem Gelobten Land, Berlin (Ost) 1978, S. 236ff.

1 NS-Staatskommissar und Zensor des Kulturbundes

Konfiszierung jüdischer Kulturgüter...

November 1938

Am 12. November wurde den deutschen Juden die Zahlung von 1 Milliarde Reichsmark als „Sühneleistung" an das deutsche Reich auferlegt und die sofortige Beseitigung der durch den Progrom verursachten Schäden an Gebäuden und Wohnungen befohlen. Jüdische Versicherungsansprüche wurden zugunsten des Reiches beschlagnahmt. Darüber hinaus wurden die Archiv-, Bibliotheks- und Kunstbestände jüdischer Einrichtungen konfisziert. Aber auch öffentliche Archive und Bibliotheken wurden angewiesen, ihre Bestände an Judaica abzuliefern.

Ein Auszug aus der Liste der in Berlin nach Ende 1938 konfiszierten Kulturgüter folgender Institutionen:
Gesamtarchiv der deutschen Juden, gegründet 1905, untergebracht im Verwaltungsgebäude der Jüdischen Gemeinde in der Oranienburger Straße 28; Lehranstalt für die Wissenschaft des Judentums, Artilleriestraße 14, mit einer Bibliothek von ca. 58000 Bänden; Rabbiner-Seminar, Artilleriestraße 31, mit einer Bibliothek von ca. 25000 Bänden; Bibliothek der Jüdischen Gemeinde zu Berlin, Oranienburger Straße 29, etwa 64000 Bände; Jüdisches Museum (Kunstsammlung der Jüdischen Gemeinde zu Berlin), Oranienburger Straße 31; Zweigstelle der Bibliothek der Jüdischen Gemeinde, untergebracht in der Fasanenstraße 79–80, etwa 14000 Bände; Archiv der Jüdischen Gemeinde, das älteste Buch aus dem Jahre 1676 (Buch der Chewra Kadischa); der Central-Verein deutscher Staatsbürger jüdischen Glaubens,

mit einer Bibliothek und einem Archiv (ursprünglich untergebracht in der Lindenstraße 13 im heutigen Kreuzberg, doch dann wegen der antisemitischen Angriffe gegen das freistehende Gebäude schon vor 1938 in ein Mietshaus [4. Stock] in einem anderen Stadtteil Berlins verlegt); Bibliothek der Adass-Jisroel-Gemeinde, mit ungefähr 1500 Bänden rabbinischer Literatur; Gesellschaft der Freunde der Jerusalemer Bibliothek mit etwa 50000 Bänden; Zentralwohlfahrtsstelle der deutschen Juden mit Archiv und Bibliothek; Beth Ha-midrasch, eine religiöse Lehranstalt mit Bibliothek, in der Heidereutergasse 4 und die Collection von Silber und Textilien synagogischen Gebrauchs, deren älteste Stücke aus dem Jahre 1718 datierten, ebenfalls im Gebäude der Alten Synagoge in der Heidereutergasse 4 untergebracht.

... und Aneignung jüdischen Grundbesitzes

Zur Aufbringung der ungeheuren Summe von 1 Milliarde Reichsmark wurden alle jüdischen Organisationen, Vereine und Gemeinden und jeder einzelne Jude herangezogen.

Zur Absicherung der Zwangsabgabe wurde in Berlin bebauter und unbebauter Grundbesitz der jüdischen Gemeinde durch zwei heute noch bestehende Großbanken mit einer hohen Sicherungshypothek belegt, die so rasch wie möglich getilgt werden mußte. Die Höhe der Sicherungshypothek verringerte sich jedoch nicht nach der erfolgten Entlastung einzelner Grundstücke, sondern es wurden dann 1939 und 1940 jeweils weitere Grundstücke zur Mithaftung eingetragen. Auf diese Weise wurde fast der gesamte Grundbesitz der Gemeinde, Grundstücke, auf denen sich Synagogen, Schulen, Wohlfahrtseinrichtungen und sogar Friedhöfe befanden, faktisch enteignet.

Ein Auszug aus der Liste der ersten Grundstücke der Jüdischen Gemeinde Berlins (Eintragung vom 30. 12. 1938):

1. Oranienburger Straße 31 (in dem Haus befand sich das Jüdische Museum)
2. Oranienburger Straße 28, 29, 30 (Verwaltungsgebäude und Synagoge)
3. Auguststraße 11–17 (Jüdische Haushaltsschule, Mädchenschule, Jüdisches Kinder- und Jugendheim Ahawa)
4. Kaiserstraße 29–30 (Synagoge und Mädchenschule)
5. Große Hamburger Straße 27 (Lehrer-Seminar, Jüdische Mittelschule)
7. Rykestraße 53 (Synagoge)
8. Begräbnisplatz ab der Schönhauser Allee 23–25
9. Schönhauser Allee 22 (Altersheim)
10. Weinbergsweg 13 (Reichenheimsches Waisenhaus)
11. Jagowstraße 37–38 Ecke Levetzowstraße 7–8 (Synagoge und Gemeindezentrum)
12. Agricolastraße 18–19
13. Klopstockstraße 58 (Altersheim)
14. Lindenstraße 48–50 (Synagoge)
15. Thielschufer 10–16 (heute Synagoge Fraenkelufer)
16. Rosenstraße 2–4 (Verwaltungsgebäude, insbesondere Bauamt und Wohlfahrtsamt der Jüdischen Gemeinde).

Veronika Bendt, Die Synagogen unter dem Nationalsozialismus, in: Synagogen in Berlin Bd. 2, Berlin Museum 1983, S. 70, 86, 89

Geistiger Widerstand – Hochschule für die Wissenschaft des Judentums

1938–1942

Ernst A. Simon

Ernst A. Simon (Berlin 1899) lebt seit 1928 in Palästina/Israel. Er war Schüler Martin Bubers und lehrte an der Hebräischen Universität Jerusalem Erziehungswissenschaft. Im Rückblick schildert er die Arbeit der Hochschule für die Wissenschaft des Judentums, die sich in der Artilleriestraße 14 (heute Tucholskystraße) befand. Wie schon einmal, von 1883 bis 1920, durfte die Hochschule seit 1934 nur noch „Lehranstalt" heißen.

Die Berliner „Lehranstalt" hat sich am längsten von den drei Rabbinerseminaren in Deutschland erhalten können, das Berliner orthodoxe und das Breslauer konservative Seminar mußten schon vorher geschlossen werden. In den Jahren 1938/39 fanden einige allgemeine Vorlesungen gemeinsam für die Hörer der liberalen Lehranstalt und des orthodoxen Rabbinerseminars statt, woran vorher wegen des scharfen Gegensatzes der religiösen Richtungen nicht zu denken gewesen wäre. Der letzte Bericht der „Lehranstalt", der dem letzten Jahrgang der Monatszeitschrift für Geschichte und Wissenschaft des Judentums (Januar bis Dezember 1938) beigeheftet ist, beginnt mit den Worten: „Die Arbeit der Lehranstalt hatte im vergangenen Geschäftsjahr erhebliche Schwierigkeiten zu überwinden. Es ist aber möglich geworden, Dozenten und Hörern eine ständige Fortsetzung ihrer Arbeit zu bereiten." Man kann heute kaum mehr ermessen, wieviel Sorge, Leid und Mühe hinter diesen einfachen Worten steht, die mit größter Zurückhaltung streng sachlich formuliert sind, in einer fast neuen Sprache, die in knappster Form und so unangreifbar wie möglich den Angriff der Barbarei zugleich bezeugt und innerlich überwindet. Dementsprechend heißt es am Schluß des Berichtes: „Wir müssen mit der Möglichkeit rechnen, daß dieser Jahresbericht der letzte ist..." Er war es in der Tat, und er enthält wertvolles Material für die unter so schwierigen Umständen geleistete Bildungsarbeit. Es gab Kurse für Ägyptisch, Lateinisch und Griechisch *(Ernst Grumach)*; eine Einführung ins Äthiopische *(Goldmann)* neben Sprachübungen im modernen Spanischen, Englischen und Neuhebräischen. Seminare fanden statt über Platos Theaitet *(Grumach)*, über Tacitus und über den antiken Roman *(Liebeschütz)*. Die Vorlesungen behandelten u.a.: die Philosophie Platos, Geschichte der neueren Philosophie (von der Renaissance bis Kant) mit anschließenden Übungen über Kants Ethik *(Friedländer)*, allgemeine Wirtschaftsgeschichte der neuen Zeit, Geschichte des europäischen Staatensystems seit 1815, mit einem historischen Seminar über Rousseau: „Mensch und Gesellschaft" *(A. Berney)*, Kulturgeschichte der islamischen Völker von der Zeit der Omaijaden ab *(Goldmann)*, Geschichte Rußlands im 19. Jahrhundert *(Maximilian Landau)*, ausgewählte Kapitel aus der Soziologie und national-ökonomisches Seminar *(Franz Oppenheimer)*, Besprechungen zum Problem der religiösen Selbstbiographie im Anschluß an Augustinus' „Bekenntnisse" *(Liebeschütz)*, Kurse über die Philosophie David Humes *(Friedländer)*, die Geistesgeschichte der slavischen Völker *(Maximilian Landau)*, Einführung in die Soziologie *(Paul Eppstein)*, Übungen zur Geschichte der Pädagogik *(Rabbiner Baeck)* und manches andere, abgesehen von den jüdischen und theologischen Fachvorlesungen in Bibel, Talmud, jüdischer Geschichte usw.

Diese Fülle offenbar erstklassiger Vorlesungen, Übungen und Seminare – die sich allerdings wesentlich auf das geisteswissenschaftliche Gebiet beschränkten und auch dort, aus verständlichen Gründen, spezifisch deutsche Themen vermieden – wurde einer zunächst stark anwachsenden, dann aber immer kleiner werdenden Anzahl ordentlicher und außerordentlicher Hörer zugänglich gemacht, wie aus folgenden statistischen Angaben hervorgeht: Sommersemester 1936: 69 ordentliche und 38 außerordentliche Hörer, darunter 20 Mitglieder des Hechalutz; Sommersemester 1938: 40 ordentliche und 22 außerordentliche Hörer; Wintersemester 1938/39: 28 und 14. Für das Sommersemester 1939 hatten sich nur noch 17 ordentliche und 14 außerordentliche Hörer eingeschrieben. Als ein Ersatz für das den Juden nicht mehr zugängliche Abiturientenexamen wurden Prüfungen in Lateinisch, Griechisch und Deutsch eingerichtet, denen sich 4 Hörer mit Erfolg unterzogen haben. Im letzten Semester der Lehranstalt war Rabbiner *Baeck* der einzige Dozent; er unterrichtete noch 3 Schüler, bis die Anstalt im Juni 1942 zwangsweise geschlossen wurde. *Leo Baeck* sitzt und „lernt" mit 3 Schülern, mitten im Massenwahnsinn des zweiten Weltkrieges! Das Bild, das diese Worte erwecken, erinnert in seiner zeitlichen Perspektive an die schlimmsten Zeiten des Mittelalters; in seiner überzeitlichen verbürgt es die Dauer des Judentums als Bewegung geistigen Widerstandes, des „ewigen Non-Konformismus", wie *Baeck* selbst es charakterisiert hat.

Ernst Simon, Aufbau im Untergang, Jüdische Erwachsenenbildung im nationalsozialistischen Deutschland als geistiger Widerstand, Tübingen 1959, S. 62ff.

Die schlimmsten drei Wochen meines Lebens: Arbeitslager Wuhlheide

1.–22. August 1941

Gerhard W. Ehrlich

Gerhard W. Ehrlich (Berlin 1922), Professor für Staatsrecht und Rechtsphilosophie, lebt heute in den USA. Er besuchte bis 1938 das Französische Gymnasium, dann die private, jüdische Goldschmidt-Schule, an der er 1940 das Abitur machte. Anschließend mußte er als Schlossergehilfe in der Rüstungsindustrie arbeiten. Nach dem Überfall Nazi-Deutschlands auf die Sowjetunion wurde er im Arbeitserziehungslager Wuhlheide bei Berlin inhaftiert. Seine Erfahrungen dort veranlaßten ihn, nach der Deportation seiner Familie, im November 1942, in den Untergrund zu gehen. Ende 1943 gelang ihm die Flucht in die Schweiz.

Es waren ungefähr hundert Männer und vierzig Frauen verhaftet worden. Die meisten, weil sie um 9 Uhr nicht zu Hause gewesen waren. Einige, weil sie noch im Besitz irgendeiner Vorkriegsware gewesen waren, die Juden jetzt nicht mehr erhielten, oder etwas zu viel Bargeld im Hause gehabt hatten. Im ganzen erschienen die Verhafteten nur den reicheren Kreisen anzugehören. Es war nicht ein einziger wirklicher Arbeiter unter uns. (...)

Als das Kommando „Aussteigen" ertönte, standen wir vor einem Stacheldraht, hinter dem wir Baracken sahen. Wir mußten drinnen antreten, und ein Wachtmeister hielt uns einen langen, dummen Vortrag des Inhalts, daß wir hier ins Lager Wuhlheide gekommen seien, um arbeiten zu lernen. Dann mußten wir Freiübungen machen, die für die älteren Leute furchtbar anstrengend waren. Am Abend kamen dann die anderen Insassen des Lagers von der Arbeit zurück. Sie erzählten uns nicht gerade angenehme Sachen über die Behandlung, die wir gar nicht glauben konnten. Als Beweis für ihre Worte zeigten sie uns zwei Jungen, die an einen Baum gefesselt in der Sonne standen. Die beiden, zwei Polen von noch nicht 20 Jahren, sahen schlimm aus. Wie man uns berichtete, hatten sie am Vortage einen mißlungenen Ausbruchsversuch gemacht, waren dann vom Wachthabenden übel verschlagen worden und hatten dann als Strafe 8 Tage „Baum" zudiktiert bekommen. Sie mußten also jeden Morgen um 4 Uhr an den Pfahl gebunden werden, wo sie ohne Unterbruch bis abends 11 Uhr zu stehen hatten.

Wir Nachkömmlinge erhielten dann die Abendmahlzeit, eine widerliche Wassersuppe, die ich, trotzdem ich großen Hunger hatte, wir waren den ganzen Tag ohne Verpflegung gewesen, nicht essen konnte und deshalb einem darum bittenden Kameraden überließ. (...)

Die Einzelheiten dieser schlimmsten drei Wochen meines Lebens sind mir noch brennend gegenwärtig, nur die Namen der Henker und der Leidensgenossen habe ich leider zum größten Teil vergessen. – Der erste Nachmittag hinter Stacheldraht war also mit „Schliff“ verbracht worden. Zwei ältere Kameraden waren bereits ohnmächtig geworden, ohne daß ihr Zusammenbrechen den mindesten Eindruck auf unsere Schinder gemacht hätte. Die Nacht mußten wir im Waschraum des Lagers ohne Decken oder Stroh verbringen, da man nicht auf die Einlieferung einer so großen Zahl von Opfern gefaßt gewesen war. Ich werde diese Nacht, die ich unter einem tropfenden Wasserhahn verbracht habe, nie vergessen. Es war wie ein einem Abenteuerroman von Karl May, in dem man einen gefangenen Gegner unter eine ständig laufende Dusche gestellt hatte, um ihn so langsam zum Wahnsinn zu treiben. An Schlaf war selbstverständlich unter diesen Umständen nicht zu denken, und mit angstvollem Herzen wachten wir dem anbrechenden Morgen entgegen. Neue Torturen harrten unser. Tagwacht war um 4 1/4 Uhr. Durch großes Lärmen in der Tür wurden wir aufgescheucht, blieben aber in unserem Raum, bis die anderen Insassen des Lagers zur Arbeit ausgerückt waren. Dann wurden wir herausgeholt und in alte Kriegsgefangenenuniformen gesteckt. Ich bekam eine polnische Hose und eine belgische Jacke, an beiden sah man noch die Blutspritzer meiner Vorbesitzer. Selbstverständlich wimmelten diese Uniformen von Läusen, und es wunderte mich nur, daß die Typhusepidemie, die kurze Zeit nach meiner Entlassung ausbrach, nicht schon seit langem grassierte. Der Vormittag war wieder dem Exerzieren gewidmet. Diesmal war es ein wegen Veruntreuungen degradierter Zahlmeister, der uns kommandierte. Er war verhältnismäßig human und schonte besonders die alten Leute, indem er immer, wenn ein SS-Vorgesetzter in der Nähe war, einen von uns Jüngeren etwas vornahm. Er gab uns auch die unbedingt notwendigen Tips, wie man sich der SS gegenüber zu verhalten habe. Bei jeder Begegnung mit einem Wächter habe man Haltung anzunehmen, Mütze ab, und die Erlaubnis zu erbitten, an ihm vorbeitreten zu dürfen. Gegen Mittag kam ein SS-Mann und führte uns in Marschkolonne an einen Arbeitsplatz, wo wir bis zum Abend mit Pickel und Schaufel schwer schaffen mußten. Gegen 7 Uhr waren wir wieder im Lager und kamen gerade zum Essenappell zurecht. Die meiste Zeit innerhalb des Stacheldrahtes verging überhaupt mit Appellen. Man muß sich vorstellen, was es heißt, nach einem 12stündigen Arbeitstag noch ungefähr 3–4 Stunden in Reih und Glied zu stehen. Fiel man dem Lagerkommandanten irgendwie auf, so war man sich sicher, so lange um den großen Hof gehetzt zu werden, bis man ohnmächtig umsank. Wir Neuankömmlinge wurden dann beim abendlichen Arbeitsappell auf die verschieden Gruppen verteilt. Ich hatte das Glück, nicht in die Judengruppe zu kommen, sondern unter einen recht anständigen „Kapo“, der seine Leute nicht schikanierte, sondern ihnen so wie irgend möglich half. Ich bekam ein Bett in der „vierten Etage“ (die Betten waren übereinander angeordnet) in einem 40er Zimmer angewiesen. Da die Türen und Fenster während der Nacht fest verschlossen waren, kann man sich den Gestank vorstellen, den 40 schwer arbeitende

Männer, die kaum Waschgelegenheit haben, für deren Notdurft zwei Eimer bereitgestellt sind, in einem Zimmer von ungefähr 120 m^3 verbreiteten. Gegen 11 1/2 war ein Zimmerverlesen und bis zu diesem Zeitpunkt durften die Betten nicht berührt werden. Dann fielen alle in einen todesähnlichen Schlaf, aus dem wir leider nur allzu bald durch das Heulen der Lagersirene geweckt wurden. Fast jede Nacht beehrten uns die englischen Flieger. Wir hatten zwar keinen Unterstand, mußten uns aber ankleiden, und der Wachthabende inspizierte, ob auch keiner im Bett geblieben war. Kaum war die Runde vorbei, da schliefen wir auch wieder in unseren Sachen auf dem Boden liegend ein. Ins Bett zu gehen, bevor Endalarm gegeben war, war zu gefährlich, denn der Kommandant konnte nochmals nachsehen kommen, und wehe dem armen Teufel, den er in seinem Bette fand. – Um 4 1/2 war Wecken. Zum Frühstück gab es 250 gr Brot und einen Klecks Marmelade, oder 30 gr Butter oder irgend einen Aufstrich nebst einem warmen, schwarzem Gesöff. Um 5 Antreten vor der Barracke in Arbeitstruppen. Ausrücken zur Arbeitsstelle, die eine Stunde entfernt war. 6 Uhr Arbeitsbeginn. Wir bauten einen großen Güterbahnhof für die Reichsbahn und mußten Dämme schippen, Schwellen und Schienen verlegen, Unterführungen zementieren und ähnlich schwere, körperliche Arbeit verrichten. In der ganzen Arbeitszeit von 6–18 Uhr hatten wir nur eine halbe Stunde Mittagspause. Zu essen gab es aber nichts, und man hatte schon großes Glück, wenn der wachthabende SS-Mann gestattete, daß ein Eimer Wasser geholt wurde. Abends gegen 7 Uhr langten wir zumUmfallen müde, wieder im Lager an, und mußten uns gleich zum Essenappell anstellen. Der Fraß, ein Teller Gemüse, 5–6 Kartoffeln mit Sauce und zweimal die Woche ein kleines Stückchen Fleisch, mußte in großer Eile heruntergeschlungen werden, da um 8 Arbeitsappell war, der sich bis gegen 11 hinstreckte. – Das war das Tagesprogramm in Wuhlheide, und das galt unverändert sonntags wie wochentags.

Jedem Arbeiter billigt man ein kleines Verschnaufen beim Schippen in glühender Sonne oder strömendem Regen zu. Nicht dem Arbeitsvieh der Nazi-Gangster. Für jede Gruppe gab es einen „Kapo", einen verantwortlichen Häftling, und ein bis zwei SS-Männer. 2–3 Gruppen unterstanden einem Bauführer, d.h. einem von der Firma, an die das Lager uns vermietete, im Akkord bezahltem Polier. Die ganze Arbeit wurde noch von einem Stab Ingenieuren und Technikern geleitet, von denen einzelne furchtbare Treiber waren, andere dagegen so anständig, daß sie immer ein Päckchen Zigaretten in unserer Nähe „verloren". Es herrschte zwar strengstes Rauchverbot, aber mancher Wachthabende, der noch einen Funken menschliches Gefühl hatte (wohl verstanden nur wenn keiner seiner Kollegen in der Nähe war, denn die SS hatte furchtbare Angst vor einer Denunziation durch einen Kameraden), drückte ein Auge zu. Man mußte sehr aufpassen und ohne Unterbruch arbeiten. Unnötig zu sagen, daß man die Schaufel nur halbvoll nahm, wenn gerade niemand hinsah, aber wehe, wenn man sich dabei von irgend jemandem erwischen ließ. Die mindeste Strafe war Essenentzug für einen Tag, nach dem Grundsatz: wer nicht arbeitet, braucht auch nichts zu fressen.

Ich frage mich noch heute, wie es Menschen geben konnte, die das Leben in Wuhlheide länger als 2 Monate ausgehalten haben. Allerdings waren auch nur wenige länger dort, denn meistens wurde man nach diesem Zeitablauf entweder entlassen, oder ins KZ Sachsenhausen überführt. (...) Zum Abschluß dieses schlimmsten Kapitels meines Lebens will ich nur noch sagen, daß ich in den drei Wochen, die ich im Lager Wuhlheide war, über 10 Kilo abgenommen habe. Ich muß so schlecht ausgesehen haben, daß selbst meine Mutter mich kaum wiedererkannte.

Gerhard W. Ehrlich, Mein Leben in Nazi-Deutschland. Aufgezeichnet Winter 1945 in Genf (bisher unveröffentlichtes Manuskript im Besitz des Autors, auszugsweiser Abdruck mit freundlicher Genehmigung von G. W. Ehrlich)

Auswanderungsgesuch

14. November 1941

Julius Schoeps

Dem 78jährigen Dr. Julius Schoeps (Vater von Hans-Joachim Schoeps) wurde die Auswanderung verweigert. Am 29. Mai 1942 wurde er im Zuge der Strafaktion nach dem Brandanschlag der Widerstandsgruppe Herbert Baum verhaftet und am 1. Juni nach Theresienstadt deportiert, wo er wenige Monate später an einer schweren Krankheit starb. Seine Frau, die ihm freiwillig nach Theresienstadt gefolgt war, wurde 1944 in Auschwitz ermordet. Im Frühjahr 1987 wurde die Kaserne des Sanitätsbataillons I der Bundeswehr in Hildesheim zu seinem Andenken „Sanitätsrat Dr. Schoeps-Kaserne" benannt.

Charlottenburg, den 14.11.1941
Bismarckstr. 67

An die Auswanderungsberatungsstelle der Juden.

Ich habe für mich und meine Ehefrau Käte Schoeps geb. Frank bei dem schwedischen Konsulat vor einiger Zeit einen Antrag auf Erteilung des Visums zur Einreise nach Schweden gestellt.

Wie mir von meinem Sohn, Dr. Hans-Joachim Schoeps, der sich bereits seit Jahren in Schweden befindet, jetzt mitgeteilt wird, hat die evangelische Kirchengemeinde in Schweden zur Unterstützung meines Einwanderungsantrages die notwendige Bürgschaft für mich und meine Ehefrau übernommen, so daß der Visumserteilung nichts mehr entgegenstehen dürfte.

Die schwedische Gesandtschaft teilte mir am 22.10. mit, daß mein Einwanderungsantrag auch bereits dem Schwedischen Auswärtig. Amt vorliege. Nach meinen Informationen aus Schweden ist mit dem Eintreffen der Einreisegenehmigung in kurzer Zeit zu rechnen.

Von der jüdischen Gemeinde ist mir meine Wohnung Bismarckstr. 67 aufgekündigt worden.

Ich wäre dankbar, wenn mir die Möglichkeit gegeben würde, von hier aus nach Schweden auszuwandern, was – wie gesagt – in ganz kurzer Zeit geschehen würde. Ich beabsichtige von Schweden nach Südamerika weiter auszuwandern.

Ich selbst stehe im 78., meine Ehefrau im 56. Lebensjahr. Zur Begründung meines Antrags darf ich noch ausführen, daß ich als Oberstabsarzt d. L. I. Weltkriegsteilnehmer war und Besitzer folgender Orden bin:

„Landwehrdienstauszeichnung 1. Kl."
„Rote Kreuzmedaille III. Kl."
„Das Eiserne Kreuz" am schwarz-weißen Bande.
Für ehrenvolle Teilnahme am Weltkrieg 1914/18 die
„Kriegsgedenkmünze 1914/18 des Kyffhäuser Bundes".
Auf Grund nachgewiesener Würdigkeit die
„Deutsche Ehrengedenkmünze des Weltkrieges" am schwarz-weiß-roten Bande.
In Anerkennung meiner Verdienste um das Kriegervereinswesen
„Das Kriegervereins-Ehrenkreuz" II. Kl.
„Das Ehrenkreuz für Kriegsteilnehmer".

Nach Beendigung des Krieges war ich noch bis Ende 1919 militärisch tätig. Durch Jahrzehnte war ich Ehrenmitglied des ehemaligen II. Garde-Dragoner-Regiments.

Sanitätsrat Dr. Julius Israel Schoeps

(Privatbesitz des Enkels, Julius H. Schoeps)

Politischer Widerstand: Die Baum-Gruppe

1942

Charlotte Holzer

Charlotte Holzer (Berlin 1919–1980 Berlin), Krankenschwester, gehörte zu den ganz wenigen Überlebenden der Widerstandsgruppe um Herbert Baum (1912–42), war zum Tode verurteilt und verbrachte fünfzehn Monate in verschiedenen Todeszellen. Während eines Bombenangriffs gelang ihr die Flucht, und sie konnte in Berlin untertauchen. Charlotte Holzer lebte bis zu ihrem Tod 1980 in Berlin (Ost).

Etwa in den Jahren 1938/39 fand sich eine Anzahl junger Genossen jüdischer Herkunft zu einer Widerstandsgruppe zusammen. Die meisten kamen aus dem jüdischen Mittelstand, waren durch die bürgerliche Jugendbewegung gegangen und hatten sich schon dort mit sozialistischem Gedankengut beschäftigt. Fast alle von ihnen waren Facharbeiter geworden und waren schon zum Teil vor 1933 im Kommunistischen Jugendverband oder in der Kommunistischen Partei Deutschlands organisiert gewesen. (...)

Es ist das Verdienst von Herbert Baum, dieser Gruppe einen politischen Inhalt und ein festes Ziel gegeben zu haben. Nach außen hin trat die Gruppe als ein Kreis befreundeter junger Menschen in Erscheinung, die gemeinsame Wanderungen unternahmen, Musik- und Leseabende veranstalteten und versuchten, die drückenden Folgen der Vereinsamung jüdischer Menschen zu überwinden. Zugleich entwickelte sich in der Gruppe eine systematische Schulungsarbeit mit dem Zweck, die Mitglieder der Gruppe auf illegale Arbeit vorzubereiten. (...)

Jedes einzelne Mitglied der Gruppe begann systematisch auf seiner Arbeitsstelle unter den jüdischen Zwangsarbeitern und auch anderen Arbeitern, die Arbeitskameraden um sich zu scharen, ihnen Mut zuzusprechen und ihnen klarzumachen, daß man nicht in Lethargie versinken darf, sondern gemeinsam mit allen Antifaschisten den Kampf gegen die Nazis aufnehmen muß.

Der Einfluß der Guppe Baum breitete sich sehr rasch aus und war besonders stark in den Siemens-Werken, wo die meisten Mitglieder der Gruppe arbeiteten. Anfang 1941 wurde noch eine weitere Gruppe jüdischer Jugendlicher, die sich bei Siemens zusammengefunden hatten, zur Mitarbeit herangezogen. (...) Die Angehörigen dieser Gruppe hatten außerdem jeweils einen kleinen Kreis von Jugendlichen im Alter von 14–16 Jahren um sich geschart. Die Zahl der Mitglieder aller genannten Gruppen, die zusammen die Herbert-Baum-Gruppe ausmachten, dürfte etwa 70 betragen haben. (...)

Nach der ersten schweren Niederlage der Faschisten vor Moskau versuchten die Nazis mit allen Mitteln, in der Bevölkerung den Haß gegen die Sowjetunion ins Maßlose zu steigern. Sie bereiteten in Berlin zu diesem Zweck eine Ausstellung vor, die sie das „Sowjetparadies“ nannten. Mit der Ausstellung wollten die Nazis die sozialistischen Errungenschaften in den Schmutz ziehen und eine panische Furcht vor dem Bolschewismus hervorrufen.

Schon bei Bekanntwerden dieses Planes wurde in den einzelnen Zirkeln unserer Gruppe beraten, was gegen diese faschistische Verhetzung unternommen werden kann. Es wurde beschlossen, auf der A usstellung Flugblätter zu verbreiten. Das erwies sich als undurchführbar, und es wurde der Entschluß gefaßt, einen Anschlag auf die Ausstellung auszuführen und dadurch weithin sichtbar gegen den Faschismus zu protestieren. Die Ausstellung sollte in Brand gesetzt werden. Die Mitglieder der Gruppe fertigten das Material an ihren Arbeitsplätzen selbst an. Die Brandsätze (Zündstoffe) wurden aus dem Kaiser-Wilhelm-Institut für Chemie beschafft.

Am 18. Mai 1942 nachmittags begaben sich sieben Genossen der Gruppe Baum und vier Genossen aus der Gruppe Werner Steinbrink in die Ausstellung, die im ehemaligen Berliner Lustgarten aufgebaut war. Sie setzten diese an mehreren Stellen in Brand und konnten das Gelände unbehelligt verlassen. Der Brand in der Ausstellung sprach sich schnell herum. Die Aktion war aber durch einen Spitzel schon vorher an die Gestapo verraten worden. (...)

Die Gestapo nahm furchtbare Rache. Zur Vergeltung wurden auf den Straßen Berlins für jeden verhafteten jüdischen Genossen je 100, insgesamt 500 Juden, zusammengetrieben. Von ihnen wurden noch am gleichen Tage 250 auf dem Hofe der SS-Kaserne Berlin-Lichterfelde erschossen.[1] Die übrigen Opfer wurden bald danach im Konzentrationslager Sachsenhausen umgebracht.

Alle Verhafteten der Gruppe wurden auf das Entsetzlichste gefoltert. Aber trotzdem gelang es der Gestapo nicht, weitere Angaben und Namen zu erpressen. Herbert Baum fiel den Mißhandlungen am 11. Juli 1942 zum Opfer. Sala Kochmann wollte lieber sterben als die Genossen preisgeben und stürzte sich in den Lichtschacht des Polizeipräsidiums. Sie wurde schwer verletzt in das Jüdische Krankenhaus gebracht; die Gestapo wollte ihr Leben für die Hinrichtung „erhalten“. (...)

Es gelang der Gestapo allmählich, fast die gesamte Gruppe zu verhaften. Es fanden drei Prozesse statt, in denen 22 Todesurteile verhängt wurden. Die ersten Urteile wurden am 18.8. 1942 vollstreckt und die übrigen Verhafteten in verschiedenen Konzentrationslagern ermordet. Keines der Opfer der Gruppe Baum erreichte das dreißigste Lebensjahr. Die Jüngsten waren noch nicht achtzehn Jahre alt.[2]

Alle Kämpfer dieser Widerstandsgruppe sind dem faschistischen Gericht getreu ihrer Überzeugung stolz und würdig gegenübergetreten. Mitgefangene berichten, daß auf ihre letzte Bitte vor ihrer Hinrichtung die Zellentüren geöffnet wurden, so daß sie sich noch einmal sehen und sie gemeinsam ihre Lieder singen konnten. Sie starben wie Helden.

Yad Vashem Archives, Jerusalem, Sammlung Ball-Kaduri 01/297 und 298

1 Die Erschießung der Geiseln fand nicht in der Lichterfelder Kadettenanstalt statt, sondern im KZ Sachsenhausen. Von den am 28. 5. 1942 erschossenen 250 jüdischen Geiseln waren 154 wahllos Verhaftete aus Berlin und 96 Häftlinge des KZ. Die Angehörigen der 154 Berliner Geiseln wurden am 5. Juni nach Theresienstadt deportiert. In den gleichen Tagen wurden weitere 250 Juden verhaftet und nach Sachsenhausen gebracht. Die Reichsvereinigung wurde darüber informiert, daß im Wiederholungsfall mit weiteren Maßnahmen zu rechnen sei. Die Legende um die Lichterfelder Kaserne als Exekutionsort entstand schon in den Wochen nach dem Ereignis und konnte erst kürzlich korrigiert werden. S. a. Wolfgang Scheffler, Der Brandanschlag im Berliner Lustgarten und seine Folgen, in: Berlin in Geschichte und Gegenwart. Jahrbuch des Landesarchivs, Berlin 1984, S. 91 ff.

2 Das Gedenken an die Widerstandsgruppe Baum wird bisher nur in der DDR gepflegt. Der Vorschlag von Studenten der TU Berlin Ende 1983, das Hauptgebäude nach Herbert Baum zu benennen, wurde von der Universitätsleitung abgelehnt

Die „Fabrik-Aktion“ am 27./28. Februar 1943 – Demonstration der Frauen in der Rosenstraße

27./28. Februar 1943

Ernst Gross

Aus den Erinnerungen von Ernst Gross (Berlin 1905–1984 Jerusalem), Handelsvertreter. Er lebte von 1933 bis 1945 in Berlin in sogenannter „privilegierter Mischehe“. Gross wanderte 1946 mit seinem Sohn nach Palästina/Israel aus.

Am 18. September 1933 wurde unser Sohn Siegfried, den ich immer Sigi nenne, geboren. Er wurde also als Jude eingetragen, aber die Nazis machten meiner Frau Schwierigkeiten und haben sie zweimal vorgeladen und von ihr gefordert, daß sie ihn christlich taufen ließe, aber sie hat sich standhaft geweigert, und zunächst ist es dann so geblieben. Aber sie hat zur Strafe, daß sie sich weigerte, Uniformen nähen müssen. Das ging eine Zeitlang so, aber dann kam sie durch ein Krankheitszeugnis davon frei und konnte wieder ihren Beruf als Schneiderin ausüben. Sie war eine sehr gute Schneiderin, hatte ihre private Kundschaft und verdiente sehr gut. Als mein Verdienst durch die Schwierigkeiten in der späteren Hitlerzeit immer geringer wurde, sagte sie nur: „Mach Dir nichts daraus, ich verdiene ja genug, da können wir drei von leben.“

Im Jahre 1940 sollte der Sigi in die Schule kommen, aber da hatten wir große Schwierigkeiten, und so entschlossen wir uns denn doch, den Jungen taufen zu lassen. Aber das war gar nicht so leicht. Die meisten Pfarrer hatten Angst, Juden zu taufen, weil das ihre Pfarrkinder oder auch die Behörden übelnahmen. Schließlich fanden wir einen Pfarrer in Kaulsdorf, Pfarrer Grüber, der war später der berühmte Gegner der Nazis (der spätere Probst Heinrich Grüber). (...)

Er (Sigi) kam dann erst in eine „judenchristliche" Schule, die von Pfarrer Grüber geleitet wurde, aber etwa ein Jahr später in die allgemeine Schule, und hat weiter keine speziellen Unannehmlichkeiten gehabt. (...)

Ich mußte ebenso Zwangsarbeit machen, als die Zwangsarbeit begann. Da ich durch mein Bein(leiden) für Bauarbeiten nicht fähig war, so kam ich in die Spinnstoff-Fabrik in Zehlendorf. Da habe ich lange gearbeitet. Wir arbeiteten in drei Schichten, da arbeiteten nur Juden, und die Behandlung war scheußlich.

Dann begann die Zeit der großen Razzien. Am 28. Februar 1943 war eine ganz große Razzia. Sie machten das immer so, daß sie die Leute nachts direkt aus den Betrieben holten. Dieses Mal ließen sie die „Mischehen" nicht frei, sondern nahmen uns alle mit und brachten uns in das Lager Große Hamburger Straße. Dort wurden wir „Mischehen" zunächst in ein Zimmer in der oberen Etage gebracht, das waren etwa hundert Mann, und nachher wurden wir in das Lager Rosenstraße gebracht. Dort waren wir eine Woche, und niemand wußte, was mit uns werden würde. Sie wollten uns offenbar auch abtransportieren. Aber damals haben die Frauen gemeutert. Das ist wohl das einzige Mal, daß sowas vorgekommen ist. Da haben die christlichen Frauen tagelang vor dem Gebäude der Rosenstraße Skandal gemacht, und schließlich haben sie es erreicht, und sie haben uns wieder freigegeben.

Da muß ich noch gleich die tragische Geschichte meines guten Freundes Jimmy erzählen. Der war mein Arbeitskollege bei der Spinnerei. Er war auch Jude und hatte eine christliche Frau. Aber während die meisten Frauen sich tadellos benahmen, hat die ihn im Stich gelassen, und infolgedessen wurde er nicht freigelassen, sondern nach dem Osten deportiert.

Yad Vashem Archives, Jerusalem, Sammlung Ball-Kaduri 01/123

Statt Auswanderung – Deportation

1939–1943

Jürgen Löwenstein

Jürgen Löwenstein (Berlin 1925) lebt heute in Israel im Kibbutz Yad Hanna. Aufgewachsen im Scheunenviertel am Alexanderplatz, von 1939 bis 1943 in verschiedenen Vorbereitungslagern (Hachschara) für die Einwanderung nach Palästina, zuerst im Rahmen der Jugend-Alija, zuletzt im Zwangsarbeitseinsatz, wurde er 1943, gerade achtzehnjährig, nach Auschwitz deportiert. Er überlebte den Todesmarsch von Auschwitz nach Mauthausen, wo er am 5. Mai 1945 befreit wurde. 1985 schrieb er seine Erinnerungen auf.

1. September 1939 – auf dem Perron des Bahnhofes in Sommerfeld steht verlassen ein kleiner Junge, einen mit Bindfaden verschnürten Pappkarton krampfhaft an die Brust gedrückt. Er ist sorgfältig in eine Chauffeur-Uniform mit Breeches und Knobelbechern gekleidet, die er erst letzte Woche aus der Kleiderkammer in der Chorinerstraße[1] erhalten hat. Er fühlt sich gar nicht so wohl in dem neuen Anzug. (...) Die Schmalspurbahn kommt asthmatisch stöhnend in den Bahnhof, und auf geht es, einer neuen, wenn auch ungewissen Zukunft entgegen. Die Hauptsache ist, erst mal raus aus Berlin, das Scheunenviertel verlassen, etwas Neues beginnen, anfangen zu arbeiten und dabei noch lernen. Vielleicht hat man Glück und kann noch aus Deutschland weg.

Das jüdische Jugendlager liegt auf einer Anhöhe unweit des Dorfes (Schniebinchen, Niederlausitz, A.E.) (...). Das 18. Zimmer ist wohl das richtige für so einen Neuankömmling. Doppelstöckige Betten, nicht viel Raum, seine Persönlichkeit zu entfalten, und alles neu und unbekannt. Keine Freunde oder Bekannte. Man läßt dich links liegen. Entweder du wirst dich hier eingewöhnen oder zurück nach Hause. Ob es ein Zuhause gibt, interessiert hier scheinbar keinen. (...) Aber die Arbeit macht Spaß, und es gibt viel zu lernen. Sachen und Begriffe, von denen man noch nie etwas gehört hat: Von Zionismus, Arbeiterbewegung, Kibbutz und Gleichberechtigung, Palästinakunde, aber auch Chassidismus[2] und deutscher Literatur hören und lernen wir. Man wird nach Alter und Wissen aufgeteilt. Abends Theater und Musikzirkel, aber auch Helfen in der Küche und beim Abwaschen. Nachts manchmal auch Nachtwache (...).

Schniebinchen ist ein in sich abgeschlossener Platz, und man hört nicht viele Neuigkeiten von draußen. Jeder wartet und hofft auf eine baldige Alijah. Aber wonach werden die Leute ausgewählt? Wer bestimmt die Reihe? Spielt da nicht Geld doch eine gewisse Rolle?

Und dann kam eine grausame Überraschung. „Für Dich ist kein Platz bei uns, Du bist für ein Gemeinschaftsleben nicht geeignet". Da helfen keine Tränen und kein Geschrei. (...)

Zu meinem großen Glück kam in diesen Tagen Therese Hemmerdinger aus Rüdnitz zu Besuch und erklärte sich bereit, mich zu ihrer Gruppe mitzunehmen. (...)

In Rüdnitz bei Bernau lebt eine kleine Gruppe jüdischer Jungen und Mädel, fest überzeugt, daß für sie der Tag kommen wird, wo sie nach Erez (Israel, A.E.) gehen werden. Die Arbeit im Gemüsegarten ist nicht schwer und bringt zusätzliche Verpflegung. Erste Freundschaften werden geschlossen, Zukunftspläne geschmiedet, und man vergißt vollkommen, was sich in der Welt abspielt. Der Krieg mit allen seinen Schrecken scheint so weit weg. Die ersten Nachrichten über Verschickungen ganzer jüdischer Familien und Gemeinden nach dem Osten erreichen uns (Frankfurt am Main, Mannheim). Einige Kameraden, deren Eltern auf der Liste stehen, wissen nicht, wie sie sich verhalten sollen, sich den Angehörigen anschließen oder auf Hachschara bleiben? Es wird beschlossen, daß wir alle zusammenbleiben.

Rüdnitz wird aufgelöst, und wir werden auf andere Plätze verteilt. Alles ist uns so selbstverständlich. Man kommt an einen neuen Ort, setzt die Arbeit derer fort, die nicht mehr dort sind, und fragt nicht einmal „Wo sind sie geblieben?" (...)

Weiter nach Eichow-Mühle im Spreewald... Deutsche Truppen brechen in Rußland ein. Wir sind schon kein Vorbereitungslager mehr, sondern einfach ein Arbeitslager. Wir arbeiten auf einem Gut zusammen mit französischen und polnischen Kriegsgefangenen. Arbeitsstunden je nach Notwendigkeit vom Morgengrauen bis spät in die Nacht. Wir werden gezwungen, den Judenstern an alle unsere Kleidung zu machen. Aber uns macht das nichts aus; solange wir noch zusammen sind, wird alles noch gut gehen. Aber auch Eichow wird geschlossen, und Ende 1941 geht die Fahrt nach Westfalen-Paderborn. (...)

Da Paderborn eines der letzten Arbeitslager in Deutschland ist, sind dort viele unserer Madrichim[3], die von anderen Plätzen hierher kamen. Dies hat natürlich einen großen Einfluß auf das Leben der Gruppe und, so glaube ich, auch auf unsere Zukunft. Trotz der schweren körperlichen Arbeit wird die kulturelle Seite unseres Lebens nicht vergessen. Natürlich feiern wir alle jüdischen Feste und lernen fleißig hebräisch. Beim Eingang zum Speisesaal hängt das Tagesmenü in iwrith(...) Wir sitzen in Gruppen und hören Gedichte und Musik. Fritz Schaefer hält Vorträge, über die viel diskutiert wird. „Ein Gespenst geht um in Europa, das Gespenst des Kommunismus." Wie viele wissen, daß so das Manifest beginnt? „Wenn wir nach Erez kommen, muß uns klar sein, daß uns der arabische Fellache näher steht als der jüdische Bourgois!"

1. März

Lieber Herr Groß.
nun ist es so weit wir sind
alle guter Laune und es klappt
alles sehr gut. Wir bekamen
nicht viel mit. Sonst ist alles
in Ordnung. Wenn es geht

DETMOLD 1
1.3.43.21

Postkarte

Familie
Ernst Groß
Berlin N
...straße 125

Absender:

Postkarte von Jürgen Loewenstein, auf dem Weg nach Auschwitz aus dem Zug geworfen; Einschulungsphoto 1931

Fanny Bergas spricht über das Thema: „Wenn wir alleine auf einer einsamen Insel sind und nur ein Buch mitnehmen können, welches wird es sein?"

Man kann es heute nur schwer verstehen, wie wir im 3. Kriegsjahr gelebt haben. Die schwere Arbeit im Paderborner Fuhrpark und in der Stadt, zusammen mit Deutschen und trotzdem abgeschlossen vom Wissen über unsere bevorstehende Zukunft.

„Wir sind unabkömmlich, und so wird es wohl auch bleiben. Das Leben geht weiter, wir sind jung und halten fest zusammen." Zitate aus Briefen an den Freund meiner Eltern, Herrn Ernst Gross in Berlin, den ich in Jerusalem wiedertraf und der alle Korrespondenz für mich aufbewahrte.

23.12.42:

„Sie wissen doch sicherlich, daß meine Eltern nicht mehr da sind. Sie wurden am 3. dieses Monats abgeholt. Seitdem habe ich noch keine Nachricht. Ich hatte nicht mal einen Brief, nur eine Mitteilung von Leuten, die ich nicht kenne. Da sitze ich nun und merke, daß man doch ganz alleine ist, daß man keine Verwandten mehr hat, und morgen ist Weihnachten, und unser Chanukka[4] war auch schon, und kein Brief kam, kein Päckchen... Hier ist alles beim alten. Die Arbeit ist schwer, und das Essen ist mäßig. Daß wir kein Fleisch, keine Eier, keine Kuchenkarte usw. bekommen, wissen Sie ja wohl. Aber es muß gehen. Manchmal hat man einen ganz schönen Kohldampf."

1.3.43:

„Nun ist es soweit, wir sind alle guter Laune, und es klappt alles sehr gut. Wir bekamen nicht viel mit. Sonst ist alles in Ordnung. Wenn es geht" – diese Karte, mitten im Satz unterbrochen, wird aus dem fahrenden Zug geworfen. Ein ordnungsliebender Deutscher hebt sie auf, und nachdem sie, wie es sich gehört, mit Adresse versehen und frankiert ist, wirft er sie in den Briefkasten. Eine letzte Nachricht auf dem Weg nach Osten.

Wir bekamen nicht viel mit, aber Goethes „Faust" war bestimmt dabei. Wieviele solcher Reclam-Hefte wohl nach Auschwitz kamen? Nach tagelanger Fahrt in verriegelten Viehwaggons erreichen wir in einer eiskalten Nacht die Rampe von Birkenau. Was steht uns bevor?

Die Riegel werden zurückgeschoben. „Männer und Frauen abgesondert!" Wir formieren uns, die Madrichim in die Mitte nehmend, marschieren wir dem Ende der Rampe entgegen. Hell gleißt das Licht der Scheinwerfer. Hunde bellen. Wo sind wir? Früh genug werden wir es erfahren. Wir erreichen eine Gruppe SS-ler. „Arbeitseinsatzgruppe Paderborn", ruft jemand zackig, und alle werden auf Lastwagen geladen, keiner wird ausgesondert, Richtung Bunawerke.

Die ersten Tage gehören wohl zu den schwersten. Wir erkennen kaum einer den anderen, nackt, kahlrasiert, in der Kälte stehend. Die ersten unserer Freunde kommen in den Krankenbau. Ein Junge schleicht sich ängstlich in die Krankenbaracke. „Wo liegen die Kameraden aus Paderborn?" Aus der

Hachschara-Gruppe Paderborn, Frühjahr 1943. Mitte: Ludwig Kuttner, Leiter der Gruppe, links außen, stehend, seine Frau Hilde. Beide wurden in Auschwitz ermordet. Von den ca. 120 Jugendlichen der Paderborner Gruppe überlebten nur 10

Bluse holt er einige Brotschnitten. „Wir haben beschlossen, einen Teil unserer täglichen Brotration Euch zu geben, damit Ihr wieder zu Kräften kommt und bald wieder bei uns seid."

5 Uhr morgens. Es ist stockdunkel. Zählappell. Benny Stein fehlt. Unter seiner Koje finden wir ein paar Lederschuhe mit einem Zettel: „Ich war in Sachsenhausen. Dies halte ich nicht durch. Gebt die Schuhe dem, der sie am nötigsten hat. Verzeiht..." In dieser Nacht ging Benny, unser Madrich, barfuß an den Draht. „Vorwärts und nicht vergessen, worin unsere Stärke besteht. Beim Hungern und auch beim Essen, vorwärts und nicht vergessen, die Solidarität" (Bertolt Brecht).

Jürgen Loewenstein, Erinnerungen vierzig Jahre nach der Befreiung. Yad Hanna, März 1985 (Unveröffentlichtes Manuskript, Photos und Faksimiles A. Ehmann)

1 dort befand sich die „Jugend-Alija" Schule
2 religiös-mystische jüdische Volksbewegung, Polen 18. Jh.
3 hebräische Bezeichnung für die Gruppenleiter einer Hachschara
4 achttägiges Lichtfest zur Erinnerung an die Tempelweihe

Auf dem Weg nach Auschwitz – Das Sammellager in der Großen Hamburger Straße 26

Frühjahr 1943

Anneliese-Ora Borinski

Anneliese-Ora Borinski (Berlin 1914), Tochter von Dr. Paul Borinski, der bis 1933 Direktor des Hauptgesundheitsamtes in Berlin war, lebt heute im Kibbutz Maayan Zwi in Israel. Im April 1943 wurde A.-O. Borinski mit ihrer zionistischen Jugendgruppe vom Hachschara-Lager Neuendorf über Berlin nach Auschwitz deportiert. Ihre Eltern wurden in Auschwitz ermordet.

In Berlin aussteigen! In Kolonnen antreten! Wir marschieren durch die Straßen, vor, neben, hinter uns: Bewachung. Die Berliner scheinen an Bilder dieser Art gewöhnt. Wir biegen in die Große Hamburgerstraße ein. Und dann in das Haus, dessen große Tore sich öffnen, um sich hinter den letzten von uns wieder zu schließen. – Damit wir auch ganz sicher wissen: Wir sind jetzt „Inhaftiert".

Wir steigen Treppen empor, an Korridoren vorbei, die mit Gittertüren abgeschlossen sind, hinter deren Stäben sich Menschengesichter pressen, die uns neugierig beobachten. – Es läuft einem ein bißchen kalt den Rücken hinunter. – Wir beziehen unsere Zimmer. Die Chewrah[1] wohnt in vier Räumen nebeneinander auf dem einen Flur. Wir sind am Freitag nachmittag angekommen, am Abend singen wir in allen Räumen: Schir Hamalot![2]

Seltsame Atmosphäre, die in diesem Haus herrscht. Mischung von hoffnungsloser Verzweiflung und ein wenig Sarkasmus, von einem letzten Auflodern des Lebenwollens und einer Begierde, noch einmal alles auszukosten, was dieses Leben bieten konnte. Eine Art „Zauberberg". Und dazwischen stehen jetzt wir, mit unserer vielleicht ein wenig zu bewußt zur Schau getragenen Kraft und Sicherheit und unserem Wohlgerüstet-Sein. Am Morgen machen wir unseren Appell auf dem Flur, die Kommandos schallen durchs Haus. Wir machen Frühsport, nachdem wir die Erlaubnis dazu von dem für uns verantwortlichen SS-Chef bekommen haben, in dem kleinen Garten, der zum Haus gehört. In dem wir außerdem jeden Tag eine halbe Stunde, zwei und zwei hintereinander, spazieren gehen dürfen. Und an den angrenzend der kleine, alte Friedhof liegt, in dem sich das Grab Moses Mendelssohns befindet. – Es mutet einen an wie eine Art tragischer Ironie. Einmal machen wir dort unten auch einen ganz offiziellen Singkreis, wir singen unsere Lieder, und die Gestapo hört zu, und wenn sie es verstehen, dann lächeln sie vielleicht über diese Toren, die in dieser Situation singen: „Wir formen ein neues starkes Geschlecht! Wir fordern die jüdische Ehre! – Wir kämpfen für Freiheit, Gleichheit und Recht!"

Anneliese-Ora Borinski, Erinnerungen 1940–43, Nördlingen 1970, S. 43f.

1 Gruppe
2 Psalm zur Feier des Schabbath: „Wenn Du uns zurückführst, Herr..."

Pessach – Fest der Freiheit

19./20. April 1943

Joel König

Joel König (eigentlich Ezra Feinberg, heute Ezra Ben Gershom, Würzburg 1922), Sohn eines orthodoxen Rabbiners, lebt heute in Jerusalem als Arzt. Er erlebte die Jahre 1937 bis 1943 als Jugendlicher in Berlin, zuletzt als „Untergetauchter". Ihm gelang die Flucht. 1967 erschien sein Lebensbericht unter dem Titel „Den Netzen entronnen", der 1979 verfilmt wurde („David").

Nach Feierabend fuhr ich, mit zwei Aktentaschen beladen, zum Alexanderplatz. An der bewußten Wohnungstür gab ich das verabredete Klopfzeichen. Herr Friedmann bat mich gleich beim Hereintreten, mich weder den anderen Eingeladenen vorzustellen, noch die Anwesenden nach ihren Namen zu fragen. Ich hatte noch nicht abgelegt, da klopfte es aufs neue an die Tür. Friedmann öffnete und gab dem neuen Besucher dieselben Anweisungen, die er mir gegeben hatte.

Im Wohnzimmer waren schon etwa zehn Männer und einige Frauen und Mädchen versammelt. Wir begrüßten uns wechselseitig mit einem Nicken und einem Lächeln stummen Einverständnisses. Da überraschte mich unter den Anwesenden ein Gesicht, das ich kannte. Der Jugendleiter, dem ich in einem zionistischen Kursus im ersten Kriegsjahr begegnet war, erkannte mich wieder.

„Was, du noch hier?“ flüsterte er mir zu. „Auch untergetaucht?“

Endlich saßen wir um die frugale Festtafel versammelt. Der Kiddusch, der Segensspruch zur Weihe des Tages, wird nach altem Brauch über einen Becher Wein gesprochen. Da wir keinen Wein hatten, halfen wir uns mit einem Zitronenextrakt. Nun mußte der Hausherr, in diesem Falle der Inhaber der illegalen Wohnung, die Haggada vortragen[1]. Friedmann begnügte sich damit, den gedruckten Text vorzulesen, ohne, wie es sonst üblich ist, zeitgemäße Betrachtungen anzuknüpfen.

Die Tafelrunde stimmte flüsternd in die traditionellen Dankhymnen ein. Keiner der Anwesenden rührte mit einem Wort an unsere verzweifelte Lage. Niemand fragte, warum Gott die Juden einst aus der Sklaverei befreite und sie nun in Viehwaggons verschleppen ließ, warum die Räder nicht von den Waggons fielen, warum die Beamten der Reichsbahn nicht vor ihrem verbrecherischen Auftrag flüchteten.

Wer von uns hätte nicht an die Marranen gedacht, die zwangsgetauften spanischen Juden, die das Pessachfest in unterirdischen Gelassen heimlich begingen, umlauert von den Spitzeln der katholischen Inquisition? Die Ähnlichkeit unserer Pessach-Feier mit der ihren war zu augenfällig, um vergleichender Fingerzeige zu bedürfen. Daran dachten wir ohne Worte, und wir gaben uns jener Heiterkeit hin, die aufkommt, wo eine Festlichkeit der Todesangst abgetrotzt wird, jener Heiterkeit, von der nur erfüllt sein kann, wer Gottes schützende Nähe fühlt, wer auf viertausend Jahre unauslöschlicher Geschichte zurückblickt und nur wenig davon weiß, was in der gegenwärtigen Stunde der Weltgeschichte geschieht.

Wir hoben das Glas Zitronenextrakt und dankten für die Rettung Israels und für den Hauch der Freiheit, der uns inmitten aller Gefahr vergönnt war, und ahnten nicht, wie die Ereignisse jener Tage den Gebeten aller gottergebenen Menschen Hohn sprachen.

Wenn ich heute in den kriegsgeschichtlichen Kalender sehe, wird mir klar, daß am 19. April die Panzer von Jürgen Stroop, Generalmajor der deutschen Polizei, ins Warschauer Ghetto rollten, um den verzweifelten Aufstand der restlichen Juden niederzuwerfen. Seine Truppen bestanden aus SS-Kavallerie, Panzergrenadieren, Pionieren und Sicherheitspolizisten, ferner aus polnischen Polizisten und litauischen Milizsoldaten. Die deutschen Panzer, Flakgeschütze, Brand- und Sprengstoffladungen waren stärker als die armselig bewaffneten, von aller Welt abgeschnittenen jüdischen Kampfgruppen. Stroops ledergebundenes Fotoalbum blieb erhalten. Darin fanden die Ankläger in Nürnberg dokumentiert, wie Stroops Truppen gegen annähernd fünfzigtausend ausgehungerte, kraftlose Ghettobewohner vorgehen, wie sie im Feuerschein brennender Häuserblocks Männer, Frauen und Kinder aus den Kanalisationsschächten herauszerren und der Vernichtung zuführen.

Und hier, in Berlin-Alexanderplatz, dankten wir Gott.

Joel König, David-Aufzeichnungen eines Überlebenden, Frankfurt am Main 1979, S. 310f.

1 Die Haggada ist eine in der Antike begonnene, erst im Mittelalter abgeschlossene Sammlung von Historien, Legenden, Homilien und Gebeten zur Gelegenheit des Pessachmahles. Neben der Erzählung vom Auszug aus Ägypten enthält sie Reminiszenzen an die Unterdrückung der Juden durch Babylonier, Syrer, Römer und Christen und Dankgebete für die vielfachen Rettungen durch Gottes Hand

Die unbesungenen Helden

1943–45

Hans Rosenthal

Hans Rosenthal (Berlin 1925–1987) kam nach dem Tod der Eltern ins Waisenhaus, mußte Zwangsarbeit verrichten und entging mehrere Male der Deportation. Er wurde in der Schrebergartenkolonie „Dreieinigkeit" in Berlin-Lichtenberg von 1943 bis zur Befreiung im April 1945 versteckt. Später wurde er einer der populärsten Fernsehunterhalter und war bis zu seinem Tode Repräsentant der Jüdischen Gemeinde zu Berlin.

(...) Am nächsten Morgen kam Frau Harndt wieder. Sie brachte eine furchtbare Nachricht. Frau Jauch war in der Nacht gestorben. Zum zweiten Mal hatte ich eine Mutter verloren. (...) Ich mußte schleunigst weg. Aber wohin? Bei Frau Harndt konnte ich nicht unterkriechen. Ihr Mann war vorzeitig aus dem Krieg zurückgekommen. Er hatte ein Bein verloren. Die Nazis hatten auf ihn, den alten Kommunisten, ein besonderes Augenmerk. (...) Mir fiel eine andere Nachbarin ein, Frau Schönebeck. Von ihr wußte ich, daß sie gegen die Nazis war. Sie hatte einen Sohn in meinem Alter, der bei der Kriegsmarine als Funker war, mehr wußte ich nicht. (...) Abends, nachdem es dunkel geworden war, verließ ich mein Versteck und ging über den knirschenden Kies zur Laube der Frau Schönebeck. (...) Sie bat mich herein. Und ich erzählte meine Geschichte. Dabei ließ mich die Erleichterung, endlich wieder einmal offen mit jemandem sprechen zu können, meine Angst vergessen. Still und ernst hörte Frau Schönebeck mich an. Dann sagte sie: „Gut. Sie bleiben bei mir. Sie brauchen sich nicht zu stellen. Ich werde Sie aufnehmen."

Wenn ich heute auf mein Leben zurückblicke, so waren es diese drei Frauen aus der Kolonie „Dreieinigkeit" – Frau Jauch, Frau Schönebeck und Frau Harndt –, deren Hilfe es mir bis heute möglich gemacht hat, nach dieser für uns jüdische Menschen so furchtbaren Zeit unbefangen in Deutschland zu leben, mich als Deutscher zu fühlen, ohne Haß ein Bürger dieses Landes zu sein. Denn diese Frauen hatten ihr Leben für mich gewagt. Ich war nicht mit ihnen verwandt. Sie hatten mich gar nicht oder nur flüchtig gekannt. Ich hätte ihnen gleichgültig sein können. Aber sie waren gute und gerechte Menschen.(...)

Es war im August 1944, als ich bei Frau Schönebeck einzog. Einen verborgenen Raum, wie in Frau Jauchs Laube, gab es dort nicht. Tagsüber hielt ich mich im Schlafzimmer versteckt, nachts schlief ich auf einer Couch im kleinen, ärmlichen Wohnzimmer. Auch meine neue Retterin teilte ihre kargen Lebensmittelrationen mit mir. Ab und zu – sehr selten – schickte ihr Mann, der an der Ostfront war, ein Paket mit einer Büchse Schmalz oder einer Wurst. Das waren Festtage für uns. Der Alltag war Hunger.

Eines Tages kam der Sohn auf Urlaub. (...) Frau Schönbeck sagte, wer ich war und warum ich bei ihr lebte. Der Sohn war wie versteinert. Empört, betroffen, zornig. „Wenn das herauskommt, bin ich auch dran", sagte er, „da machen die kurzen Prozeß. Nein, Sie können nicht hierbleiben. Das ist zuviel verlangt." (...) Aber die Mutter bat für mich bei ihrem Sohn. Und stimmte ihn um. „Na gut", sagte er, „dann bleiben Sie eben. Aber ich weiß von nichts. Ich habe Sie hier nicht gesehen". (...) Er verließ uns, als sein Urlaub endete, für immer – er kam von einem Einsatz im Eismeer nicht mehr zurück. Frau Schönebeck hatte mich gerettet, den eigenen Sohn aber hatte sie verloren. (...)

Der Kreis derer, die von meiner illegalen Existenz wußten, wurde größer – meine Sorgen auch. Die Front kam jetzt deutlich näher. Die Alarme häuften sich. (...) Also wurde eine Art Bunker gebaut, aus Balken und Erde. Er war zunächst für Frau Schönebeck und mich gedacht. Der alte Herr Nemnich hatte die Hauptarbeit geleistet. Aber mit der Zeit füllte sich unser kleiner selbstgemachter Bunker. (...) Zuletzt waren wir mindestens zehn Menschen in diesem Unterstand, wenn draußen die Bomben fielen. Aber keiner dieser Menschen hat mich verraten. Keiner. Ich habe es nicht vergessen.

Hans Rosenthal, Zwei Leben in Deutschland, Bergisch-Gladbach 1980, S. 79ff.

Besuch eines seltsamen Friedhofs

Am Kurfürstendamm liegt ein großes, städtisches Verwaltungsgebäude.

Früher der Sitz des weltbekannten statistischen Reichsamtes, beherbergt es jetzt die Generalsteuer-Direktion des Finanzamtes Berlin[1], ein Bau, dunkelgrau gestrichen, dem man im voraus seinen nüchternen Zweck ansieht.

Wir treten ein.

Kaum, daß man durch die Drehtür geschleust ist, wird man von Aktenluft umweht. Von diesem Dunst von Staub modernder Formulare.

Im Treppenhaus herrscht ein lebhaftes Kommen und Gehen.

Der Uneingeweihte, der an der Zimmerflucht im 1. Stock vorübereilt und durch die schwach erleuchteten Gänge versucht, zu dem Steuerbeamten vorzudringen, kommt auch nichtsahnend an dem Zimmer 104 vorgbei, an dessen Tür ein kleines Schild mit der Aufschrift »Kartei« hängt....

In diesem Raum befindet sich der papierene Friedhof der mehr als fünfzigtausend Berliner Juden, die mit den berüchtigten Judentransporten in der Nazizeit nach dem Osten verschleppt worden sind.

Diese wichtige Kartei hat eine gnädige Fügung alle Phasen des Krieges überleben lassen. Wie durch ein Wunder blieb sie von Brand und Bomben verschont, während rechts und links neben diesem Gebäude die ausgebrannten Mietshäuser stehen, stumme Zeugen verheerender Luftangriffe während der Kampftage.

Nicht das ist allein ein Wunder, ein noch erstaunlicheres ist es, daß die Nazis nicht mehr die Zeit fanden, sie vor der Eroberung Berlins zu vernichten.

Mit deutscher Gründlichkeit und Beamten-Akkuratesse ist diese Kartei, die heute einen unschätzbaren Wert besitzt, zusammengestellt worden. Nicht etwa darum, um den verschleppten Juden ein Ehrenmal zu errichten, noch viel weniger, um vielleicht Rechenschaft abzulegen über die begangenen

Mordtaten. Nein, mit dieser Kartei wollte man das gestohlene jüdische Vermögen erfassen. Was an Hab und Gut nur von den Todgeweihten zu rauben war, das ließ man hier, mit Hoheitsstempel des Dritten Reiches beglaubigt, gewissenhaft registrieren.

Tritt man durch die Doppeltür in das Zimmer Nr. 104, so prallt man vor dem mächtigen Umfang dieser Kartei erschrocken zurück. Hochgetürmt, Karteikasten auf Karteikasten, fast bis zur Decke reichend, steht da dieser gewaltige, papierene Friedhof. Schmach und Schande für die deutsche Vergangenheit und ein warnendes Memento für die deutsche Zukunft.

Wir dürfen einen beliebigen Karteikasten herausziehen und entnehmen ihm eine graue, nüchterne Karteikarte. Darauf ist eingetragen: der Name des Verschleppten, ohne Berufsangabe, mit Geburtsdatum, Geburtsort und schließlich letzter Berliner Adresse.

Auf nicht wenigen Karten sind die gesamten Opfer aufgezeichnet, die man zum Abtransport des Nachts aus den Wohnungen oder am Tage aus den Fabriken herausgeholt hatte.

Natürlich tragen sie alle den gleichen Vornamen Israel oder Sara, doch glücklicherweise auch den urspünglichen deutschen Rufnamen. Oben in der rechten Ecke steht eine geheimnisvolle Zahl, vielstellig, mit halb römischen und halb arabischen Schriftzeichen.

Wie wir erfahren, gibt die römische Zahl die Deportationsswelle an, während die arabische die Transportnummer festhält, unter denen die Unglücklichen ins ewige Dunkel gejagt wurden.

Einen unserer Lieben haben wir gewählt, der, wie wir betrübt erfahren mußten, nicht wieder zurückgekehrt ist. Weder bei der Jüdischen Gemeinde noch beim Zentral-Einwohnermeldeamt Berlin lag eine Rückmeldung vor.

Die Beamtin in Zimmer Nr. 104 hat die Registrierkarte gefunden. Sie notiert die merkwürdige Doppelzahl, durch die die Träger dieser Nummer ihrer menschlichen Würde entkleidet wurden, dann greift sie am Schreibtisch zu einer Liste, die auf hartem Pappkarton aufgezogen ist. »Wie war noch die Nummer?« wiederholt sie leise vor sich hin. Ihr Finger läuft die langen Kolonnen der aufgezeichneten Transporte ab, die nach Riga, Lublin, Lodz, Theresienstadt usw. geschickt wurden. Sie liest laut vor: »– Mit dem vierten großen Alterstransport vom 17. 3. 1943 nach Theresiensatadt verschleppt.« ... Wir tun einen Blick auf diese Liste. Weit über 100 Transporte (jede Welle 500 bis 1000 Juden umfassend) sind bis zum Ende des Krieges zusammengestellt worden, vom denen vielleicht 2–3 v. H. der Opfer die Schrecknisse des KZ. und des Ghettos überlebten ...

Bei Beginn der Juden-Transportaktion machte man sich noch die Mühe, das Bestimmungsziel anzugeben. Später ließ man das fallen und begnügte sich damit, lakonisch zu vermerken: »Mit dem soundsovielten Osttransport evakuiert.«

Da fällt uns eine andere Karteikarte in die Hand, auf der mit Blaustift quer herübergeschrieben der Vermerk »Freitod« steht.

Viele Unglückliche haben diesen letzten Ausweg aus ihrer Not um Pein gewählt. Diese Eintragung geschah auch für jene Fälle, wo der Verfolgte sich stellen mußte, jedoch nicht aufzufinden war, oder wo die Vermutung vorlag, daß er durch Bomben umgekommen sei. Um so größer ist die Genugtuung und Freude, daß einzelne der »Freitod-Registrierten« heute noch leben, weil sie in der Verfolgungszeit in die Illegalität untertauchen konnten.

Welches Gefühl – denkt man – müßte auch jene bewegen, die gerettet wurden aus den KZ–Lagern, wenn sie Gelegenheit hätten, ihr eigene Totenkarte in Händen halten zu können. Ihre Errettungen sind wie lichte Farbpunkte, die das Schicksal wundersam in dieses schauerliche Werk der Vernichtung hineinwob. Doch der papierene Friedhof wird das bleiben, was er ist: für die Hinterbliebenen das einzige aufwühlende Denkmal, das erhalten blieb für die vielen geschändeten Juden, deren Leiber man nicht mit Ehrfurcht und Würde in geweihter Erde bestatten konnte.

Der Weg, Nr. 41 vom 6. 12. 1946

1 Die Vermögensakten und Transportlisten der deportierten Berliner Juden befinden sich bis heute bei der Oberfinanzdirektion Berlin

Deportationen aus Berlin

55000 jüdische Bürger wurden in Konzentrationslagern ermordet. Es gab 63 sogenannte Osttransporte mit 35000 Opfern und 117 „Alterstransporte" nach Theresienstadt mit 15000 Opfern. Die Aufstellung der 63 Osttransporte mit dem Datum ihres Abganges aus Berlin und der Zahl der Deportierten ist eine authentische Zusammenstellung aus den verschiedenen nach dem Kriege aufgefundenen Akten.

1	18.10.41	Lodz Welle I	nicht bekannt (jedoch mindestens 500)
2	24.10.41	Lodz Welle II	nicht bekannt (jedoch mindestens 500)
3	27.10.41	Lodz Welle III	nicht bekannt (jedoch mindestens 500)
4	1.11.41	Lodz Welle IV	1038
5	14.11.41	Minsk Welle V	1030

6	17.11.41	Kowno Welle VI	nicht bekannt
7	27.11.41	Riga Welle VII	nicht bekannt
8	13. 1.42	Riga Welle VIII	1037
9	19. 1.42	Riga Welle IX	1006
10	25. 1.42	Riga Welle X	1051
11	28. 3.42	Trawniki Welle b XI	974
12	2. 4.42	Trawniki Welle b XII, a XII	654
13	14. 4.42	Trawniki Welle XII a	65
14	2. 6.42	„Osten“ Welle XIV	758
15	26. 6.42	„Osten“ Welle XVI	202
16	11. 7.42	Auschwitz Welle XX	210
17	15. 8.42	Riga 18. Osttransport	1004
18	5. 9.42	Riga 19. Osttransport	790
19	26. 9.42	Reval (Raziku-Jägala) 20. Osttransport	811
20	19.10.42	Riga 21. Osttransport	963
21	26.10.42	„Osten“ 22. Osttransport	791
22	29.11.42	Auschwitz oder Riga 23. Osttransport	1001
23	9.12.42	Auschwitz 24. Osttransport	997
24	14.12.42	Riga 25. Osttransport	811
25	12. 1.43	Auschwitz 26. Osttransport	1210
26	29. 1.43	Auschwitz 27. Osttransport	1000
27	3. 2.43	Auschwitz 28. Osttransport	952
28	19. 2.43	Auschwitz 29. Osttransport	1000
29	26. 2.43	Auschwitz 30. Osttransport	1100
30	1. 3.43	Auschwitz 31. Osttransport	1736
31	2. 3.43	Auschwitz 32. Osttransport	1758
32	3. 3.43	Auschwitz 33. Osttransport	1732
33	4. 3.43	Auschwitz 34. Osttransport	1143
34	6. 3.43	Auschwitz 35. Osttransport	662
35	12. 3.43	Auschwitz 36. Osttransport	947
36	19. 4.43	Auschwitz 37. Osttransport	688
37	17. 5.43	Auschwitz 38. Osttransport	395
38	28. 6.43	Auschwitz 39. Osttransport	297
39	4. 8.43	Auschwitz 40. Osttransport	99
40	24. 8.43	Auschwitz 41. Osttransport	50
41	10. 9.43	Auschwitz 42. Osttransport	53
42	28. 9.43	Auschwitz 43. Osttransport	74
43	14.10.43	Auschwitz 44. Osttransport	50
44	29.10.43	Auschwitz 45. Osttransport	50
45	8.11.43	Auschwitz 46. Osttransport	50
46	7.12.43	Auschwitz 47. Osttransport	55
47	20. 1.44	Auschwitz 48. Osttransport	48
48	22. 2.44	Auschwitz 49. Osttransport	32
49	9. 3.44	Auschwitz 50. Osttransport	32
50	18. 4.44	Auschwitz 51. Osttransport	30
51	3. 5.44	Auschwitz 52. Osttransport	30
52	19. 5.44	Auschwitz 53. Osttransport	24
53	15. 6.44	Auschwitz 54. Osttransport	29
54	12. 7.44	Auschwitz 55. Osttransport	30
55	10. 8.44	Auschwitz 56. Osttransport	38

56	6. 9.44	Auschwitz 57. Osttransport	29
57	12.10.44	Auschwitz 58. Osttransport	31
58	24.11.44	KL Ravensbrück 59. Osttransport Frauen	13
	24.11.44	KL Sachsenhausen 59. Osttransport Männer	15
59	8.12.44	KL Sachsenhausen 60. Osttransport Männer	7
	8.12.44	KL Ravensbrück 60. Osttransport Frauen	8
60	5. 1.45	Auschwitz 61. Osttransport Männer	7
	5. 1.45	Auschwitz 61. Osttransport Frauen	7
	5. 1.45	KL Bergen-Belsen 61. Osttransport	6
61	2. 2.45	KL Sachsenhausen 62. Osttransport Männer	14
	2. 2.45	KL Ravensbrück 62. Osttransport Frauen	11
62	März/April 1945	KL Ravensbrück 63. Osttransport Frauen	13
63	März/April 1945	KL Sachsenhausen 63. Osttransport Männer	11

Robert M.W. Kempner, Die Ermordung von 35000 Berliner Juden. Der Judenmordprozeß in Berlin schreibt Geschichte, in: Gegenwart im Rückblick. Festgabe für die Jüdische Gemeinde zu Berlin, hrsg. v. H. A. Strauss u. K.G. Grossmann, Heidelberg 1970, S. 180ff.

Stadtführung

Christoph Heubner

Christoph Heubner (Niederaula 1949), Schriftsteller und Mitarbeiter der Aktion Sühnezeichen/Friedensdienste, lebt in Berlin.

Sicher: Es gäbe viel zu erzählen. Aber, was bleibt ist: Ein Koffer und eine Geschichte. Die Geschichte der Berta Sara Rosenthal aus der Uhlandstraße 194 in Berlin-Charlottenburg, meine Geschichte und deine Geschichte. (...)

Ich stehe in der Uhlandstraße vor einem Haus, das es nicht mehr gibt: Nummer 194. Dort, wo es stand, ist heute ein freier Platz, auf dem Autos parken. Fast immer ist der Parkplatz überfüllt. Die Nähe des glitzernden Kurfürstendamms – Schaufenster des freien Berlin und des Wohlstandes seiner Bewohner ebenso wie Beweis für den zähen Wiederaufbauwillen nach den Schreckenstagen des Krieges – verlockt viele Autofahrer, ihren Wagen hier abzustellen. Unter verkehrstechnischen Gesichtspunkten kann man also getrost begrüßen, daß es das Haus Uhlandstraße 194 nicht mehr gibt. (...)

Daß es dieses Haus gegeben hat, der Parkplatz also neueren Datums ist, wie auch der Wohlstand der Bewohner des freien Berlin, das habe ich an einem anderen Ort erfahren.

Diesen anderen Ort gibt es nicht. Es hat ihn nie gegeben. Von ihm hat keiner gewußt. Der andere Ort heißt Auschwitz.

In Auschwitz, genauer gesagt: Im ehemaligen Konzentrations- und Vernichtungslager Auschwitz-Birkenau habe ich erfahren, daß es in Berlin-Charlottenburg an der Ecke von Kant- und Uhlandstraße nicht immer einen freien Platz gegeben hat, auf dem Autos parkten und parken, sondern daß dort früher Häuser gestanden haben, in denen Menschen lebten.

Berlin-Charlottenburg, Uhlandstraße 194, das steht auf einem Koffer in Auschwitz. Einem der zahllosen Koffer aus vielen Ländern. Dieser Koffer gehörte Berta Sara Rosenthal, die eigentlich Berta Rosenthal hieß. Das Tragen des Vornamen Sara war ihr in einer Verordnung vom 17. August 1938 befohlen worden. Alle Jüdinnen und Juden, die einen nicht-jüdischen Vornamen trugen, mußten vom 1. Januar 1939 ab ihrem Namen „Sara“ oder „Israel“ hinzufügen.

Ich weiß wenig von dieser Frau. Ich habe ihren Koffer gesehen: Überbleibsel und Beweisstück. Ein Koffer, ein Mensch.

Von Berlin nach Auschwitz. Hat es einer gesehen? Erinnert sich jemand an diese Frau? Wie lebte sie in dieser Stadt, ihrer Heimat, die sie schließlich ausstieß? Begriff sie, was um sie herum vorging – daß sie einen gelben Stern tragen mußte, auf einmal auch Sara hieß, daß die Nachbarn sie nicht mehr kannten, der Blockwart sie anschrie?

Hat es einer gesehen?

Und während in der Uhlandstraße 194 Berta Sara Rosenthal ihre Freunde und ihre Heimat verlor, hörte sie den Gesang der braunen Kolonnen, die den Kurfürstendamm herunterzogen: Heute gehört uns Deutschland, morgen die ganze Welt.

Das Ende vom Lied: Auschwitz.

Ich gehe zurück. Von der Uhlandstraße in die Kantstraße. Nur wenige Meter vom Haus, in dem Berta Rosenthal lebte, steht in der Kantstraße ein Gebäude, an dem eine Tafel befestigt ist. Auf der steht:

In diesem Hause wirkte Nobelpreisträger Carl von Ossietzky von 1927–1933, als Herausgeber der Weltbühne, für Recht, Freiheit, Frieden und Völkerverständigung.

Ob sich Carl von Ossietzky, der bereits 1933 KZ-Häftling in Esterwegen war, 1938 an den Folgen der Haft starb und nach dessen Namen man heute hierzulande keine Universität benennen kann, und Berta Sara Rosenthal je begegnet sind? Sie vielleicht auf dem Wege zu einer Freundin in Steglitz oder zum Arzt, er unterwegs zu einer Besprechung wegen der nächsten Ausgabe der Weltbühne?

Die Kantstraße hinunter, und dann biege ich in die Fasanenstraße ein. Links liegt das jüdische Gemeindehaus. Ein Neubau. Nur das Portal ist alt: Überbleibsel und Beweisstück aus der Nacht vom 9. zum 10. November 1938, in der im ganzen deutschen Reich Synagogen brannten.

„Was morgen sein wird, wissen wir nicht; aber was heute geschehen ist, wissen wir. Draußen brennt die Synagoge. Das ist auch ein Gotteshaus." Dompropst Bernhard Lichtenberg am Schluß des Abendgottesdienstes in der Berliner Hedwigskirche am 10. November 1938. Hat es jemand gesehen?

Und zum Schluß, bevor ich nach Hause gehe, Einkauf im KaDeWe. Ein altes Kaufhaus im Zentrum Berlins. Bekannt und berühmt. Sicher hat Berta Rosenthal hier manchmal eingekauft, sicher ist Carl von Ossietzky hier gewesen. Heute gegenüber dem Kaufhaus ein Schild:

Orte des Schreckens, die wir niemals vergessen dürfen:
Auschwitz, Stutthof, Majdanek, Treblinka, Theresienstadt, Buchenwald, Dachau, Sachsenhausen, Ravensbrück, Bergen-Belsen.

Sieht es jemand?

Sicher, es gäbe noch viel zu erzählen. Aber, was bleibt ist: Ein Koffer und eine Geschichte. Die Geschichte der Berta Sara Rosenthal aus der Uhlandstraße 194 in Berlin-Charlottenburg, meine Geschichte und deine Geschichte.

Christoph Heubner, Alwin Meyer, Jürgen Pieplow, Gesehen in Auschwitz: Lebenszeichen, Bornheim Merten 1979, S. 34ff.

Koffer in Auschwitz

Epilog I

Die Jüdische Gemeinde in Berlin (Ost)

Nach der Zerschlagung der faschistischen Herrschaft in Deutschland im Mai 1945 lebten noch etwa 5000 Juden in der Stadt. Sie hatten zum Teil in Mischehen oder in der Illegalität lebend das Inferno überstanden. Hinzu kamen knapp 2000 jüdische Menschen, die aus den Vernichtungslagern nach Berlin in ihre alte Heimat zurückkehrten. Schon früh konstituierte sich eine neue Gemeindeverwaltung, die ihren Sitz in den erhalten gebliebenen Räumen der früheren Hauptverwaltung in der Oranienburger Straße 28, im Stadtbezirk Mitte, neben der einst schönsten und größten Berliner Synagoge hatte. Unter der Leitung von Dr. Hans-Erich Fabian nahm sie am 20. Dezember 1945 ihre offizielle Arbeit auf. Die vordringlichste Aufgabe bestand in der Bewältigung der Schwierigkeiten, die die jüdischen Menschen in der größtenteils zerstörten Stadt vorfanden und deren soziale Lage es in erster Linie zu verbessern galt. Neben der Verwaltungsstelle für die Opfer des Faschismus, geleitet von Ottomar Geschke, hatte sich eine ebensolche für die rassisch Verfolgten unter der Leitung von Julius Meyer gebildet. Nach dem Ausscheiden von Dr. Fabian im Jahre 1949 übernahm Heinz Galinski die Funktion des Vorsitzenden der Gesamtgemeinde. Schon früh war man bemüht, das religiöse Leben in der Stadt wieder zu intensivieren und die wenigen noch vorhandenen Synagogen für Gottesdienste nutzbar zu machen. So konnte auch die im Ostteil der Stadt gelegene und während der Nazizeit u.a. als Lagerraum mißbrauchte Synagoge in der Rykestraße 53 wieder ihrer ursprünglichen Bestimmung übergeben werden.

Bereits wenige Jahre nach dem Kriege kam es in der in vier Sektoren aufgeteilten Stadt Berlin zu einer Trennung der offiziellen städtischen Verwaltungen. Auch die Jüdische Gemeinde blieb von dieser Trennung in einen West- und einen Ostteil nicht verschont. Nach einem Beschluß vom 19. Januar 1953 ging der damalige Vorsitzende Heinz Galinski mit dem größten Teil seiner Verwaltungsmitarbeiter in den Westteil der Stadt, und es entstanden nunmehr zwei von einander getrennte Gemeinde-Institutionen. Zu diesem Zeitpunkt lebten im Ostteil Berlins etwa 900 Personen, die als Mitglieder in der Jüdischen Gemeinde erfaßt wurden. Hier bemühte sich zuerst Georg Heilbrunn um die Wahrnehmung der Funktion des Vorsitzenden. Später wirkte bis zu seinem Tode im Jahre 1971 Heinz Schenk als Sekretär und später als Vorsitzender der Gemeinde. Ihm zur Seite arbeiteten im Vorstand die Herren Wexberg, Rosenberg, Heilbrunn und Behrendt mit. Die Hauptaufgabe dieses neuen Vorstandes war es, die bis 1953 gemeinsam begonnenen Vorhaben weiterzuführen, wobei im Mittelpunkt der Erhalt der gemeindeeigenen Institutionen stand. Von Anbeginn hatte sich der Magistrat von Groß-Berlin als Verwaltung des Ostteils der Stadt bereit erklärt, die Jüdische Gemeinde ausreichend mit finanziellen Mitteln zu unterstützen, und diese seine Bereitschaft auch bis in die Gegenwart fortgeführt. Das ehemalige Kinderheim in Berlin-Niederschönhausen wurde im Jahre 1953 in ein jüdisches Altenheim umgewandelt und versieht diese Funktion bis heute.

Als Seelsorger der Gemeinde amtierte der vor dem Kriege als Prediger im Altenheim Große Hamburger Straße tätige und später zum Rabbiner berufene Martin Riesenburger. Nachdem im Herbst 1953 die Synagoge Rykestraße 53 aus Mitteln des Magistrats vollkommen neu gestaltet worden war, weihte er sie in einem feierlichen Akt als „Friedenstempel" ein. Dieses Gotteshaus, gebaut im Jahre 1904 und einstmals 2000 Gläubigen Platz bietend, ist auch heute noch der religiöse Mittelpunkt der Jüdischen Gemeinde von Berlin. Bis zu seinem Tode am 14. Februar 1965 amtierte Dr. h.c. Martin Riesenburger als Rabbiner dieser Gemeinde und war darüber hinaus durch den Verband Jüdischer Gemeinden in der Deutschen Demokratischen Republik zum Landesrabbiner aller Jüdischen Gemeinden auf dem Staatsgebiet der DDR berufen worden.

Die Jüdische Gemeinde in Berlin ist als Körperschaft des öffentlichen Rechts eine eigenständige Institution. Sie gehört jedoch seit über 20 Jahren dem Verband der Jüdischen Gemeinden in der DDR an, in welchem insgesamt acht Gemeinden zusammengeschlossen sind (Berlin, Dresden, Erfurt, Halle, Karl-Marx-Stadt, Leipzig, Magdeburg und Schwerin). Die Zahl der Mitglieder in allen diesen Gemeinden beträgt im Jahre 1988 etwa 350 Personen, davon innerhalb der Berliner Gemeinde 200. Das durchschnittliche Alter der Gemeindemitglieder beträgt zur Zeit 56 Jahre. Während vor 1933 die Berliner Gemeinde durch Zuwanderung von auswärtigen jüdischen Menschen ständig an Zahl zugenommen hatte, ist sie heute ganz allein auf sich gestellt und als Folge der Massenvernichtungen während der nationalsozialistischen Epoche auf eine Kleingemeinde zusammengeschrumpft. Sie wird geleitet von einer Gemeindevertretung, die aus neun Personen besteht und aus deren Mitte wiederum der Vorsitzende und sein Stellvertreter gewählt werden.

Bereits kurz nach dem Kriege hatte der erste Berliner Vorsitzende, Dr. Hans-Erich Fabian, ein Mitteilungsblatt – „Der Weg" – herausgegeben. Nach der Teilung der Stadt publizierte die Berliner Jüdische Gemeinde ein „Nachrichtenblatt", dem sich 1961 der Verband der Jüdischen Gemeinden als Mitherausgeber anschloß. Heute ist dieses vierteljährlich erscheinende und 32 Seiten starke Publikationsorgan einerseits ein Bindeglied zwischen den einzelnen Gemeinden und ihren Mitgliedern, aber gleichzeitig auch eine Verbindung zu den im Ausland lebenden jüdischen Bürgern, die einst aus Deutschland dorthin emigrierten. Das in einer Auflagenhöhe von 2500 Exemplaren gedruckte Nachrichtenblatt berichtet nicht nur über die Arbeit in den einzelnen Gemeinden, sondern bietet auch Raum für freie Artikel, in denen zu Fragen des Judentums, jüdischer Kultur und dem Schaffen und Leben bekannter jüdischer Persönlichkeiten Stellung genommen wird.

Alljährlich wird vom Verband der Jüdischen Gemeinden auf der Insel Rügen in den Sommermonaten ein Kinderferienlager veranstaltet, zu dem auch die Kinder unserer Gemeinde fahren und das sich großer Beliebtheit erfreut und gleichzeitig den Kontakt zwischen den jüngsten Mitgliedern der verschiedenen Gemeinden in unserem Lande herstellt.

Das von der Berliner Gemeinde unterhaltene jüdische Altenheim in Berlin-Niederschönhausen beherbergt derzeit nur 20 alte Mitbürger, da es vollständig renoviert wird. Nach Abschluß der Renovierungsarbeiten wird es 40 Bewohner aufnehmen können. Die Verringerung der Mitgliederzahlen in den letzten Jahren hat dazu geführt, daß dieses ebenfalls vom Magistrat großzügig finanziell unterstützte Altenheim auch nichtjüdischen Personen einen Platz der Ruhe und Geborgenheit bietet. Hier findet auch der gemeinsame Sederabend für die Mitglieder der Gemeinde statt, und es werden Veranstaltungen für die Bewohner durchgeführt, an denen u. a. der als Gast amtierende Oberkantor der Jüdischen Gemeinde zu Berlin, Herr Estrongo Nachama, mitwirkt. Ein sehr wesentliches Aufgabengebiet innerhalb der Gemeindearbeit stellt die Erhaltung der historischen jüdischen Friedhöfe, die sämtlich in unserem Stadtgebiet liegen, dar. Besonders der Friedhof in Berlin-Weißensee, Herbert-Baum-Straße 45, der mit 115000 Grabstellen zu den größten jüdischen Friedhöfen Europas gehört, bereitet dabei in der pflegerischen Betreuung erhebliche Schwierigkeiten. Wiederum ist es nur durch die großzügige Unterstützung des Magistrats möglich, die notwendigen gärtnerischen Arbeiten zu realisieren und die Einfassungsmauer des Gesamtgeländes zu erneuern. Die Beisetzungen auf diesem Friedhof werden liturgisch ebenfalls durch Herrn Oberkantor Estrongo Nachama seit nunmehr über 30 Jahren gestaltet.

1985/86 konnte der lange Jahre nicht zugängliche Friedhof der separaten Synagogengemeinde Adass Jisroel an der Wittlicher Straße in Weißensee wieder hergerichtet werden. Dieses Vorhaben gelang jedoch nur mit der Unterstützung und praktischen Hilfe vieler, durch Spenden von Kirchengemeinden, freiwilligen Arbeitseinsätzen von Jugendlichen der Aktion Sühnezeichen, des Stadtjugendconvents, der Domjugend u. a. sowie der Mitarbeit von Theologiestudenten, die bei der Rekonstruktion der Friedhofskartei und der Grabstellen durch Übersetzung der hebräischen Inschriften halfen. Vor allem dank der Initiative des in West-Berlin lebenden Enkels eines ehemaligen Vorstehers der Adass Jisroel, Dr. Mario Offenberg, der sich persönlich an den Vorsitzenden des Staatsrates der DDR und Generalsekretär der SED Erich Honecker um Unterstützung gewandt hatte, wurden in großzügigster Weise die stattlichen Mittel zur Verfügung gestellt, die die umfassende Restaurierung und landschaftsgärtnerische Sanierung des Friedhofes ermöglichten.

Am 26. Juni 1986 kamen ehemalige Adassianer aus aller Welt zur feierlichen Wiedereröffnung ihres Friedhofes und dem Gedenken an die Opfer der faschistischen Verfolgung. Am gleichen Tag wurde auch an dem vorbildlich renovierten Gebäude Tucholskystraße 40, in den sich das orthodoxe Rabbinerseminar der Gemeinde befand, eine Gedenktafel enthüllt.

Bereits kurz nach dem Kriege war auch in unserem Teil der Stadt eine koschere Schlachterei eingerichtet worden, die auch weiterhin besteht und allen Mitgliedern der Gemeinde die Möglichkeit bietet, eine dem Ritus entsprechende Küche zu führen. Das schwierige Problem der koscheren Schlachtung konnte dadurch gelöst werden, daß in Zusammenarbeit mit der Jüdischen Gemeinde in Budapest alle 14 Tage ein Schächter von dort nach Berlin kommt, um die Schlachtungen vorzunehmen.

Nach dem Tode von Rabbiner Dr. h.c. Martin Riesenburger war für vier Jahre ein ungarischer Gastrabbiner in unserer Stadt tätig. Über 22 Jahre war das Amt eines Rabbiners unbesetzt. Von September 1987 bis Mai 1988 übte Isaak Neumann aus den USA das Amt des Gemeinderabbiners aus. Ein Nachfolger, ebenfalls aus den USA, wird demnächst die Arbeit aufnehmen. Die Gottesdienste, die an jedem Freitagabend und Sonnabendvormittag sowie zu allen Feiertagen durchgeführt werden, gestaltet Herr Oljean Ingster als Kantor unserer Gemeinde, zu den Hohen Feiertagen unterstützt durch Gastkantoren, ebenfalls aus Ungarn. Neben diesen Gottesdiensten findet einmal jährlich in der Synagoge Rykestraße ein Synagogenkonzert statt, das in Zusammenarbeit mit Oberkantor Estrongo Nachama entweder mit dem Berliner Rundfunkchor, dem Magdeburger Domchor oder dem Synagogalchor Leipzig gestaltet wird. Letzterer ist ein überwiegend aus Nichtjuden bestehender Chor, der vom Verband Jüdischer Gemeinden in der Deutschen Demokratischen Republik unterhalten wird und sich die Pflege des hebräischen und jiddischen Liedgutes zur Aufgabe gestellt hat und dafür mehrfach ausgezeichnet wurde.

Für die Gemeindevertreter der Berliner Jüdischen Gemeinde war es von Anbeginn eine wesentliche Verpflichtung, neben der Aufrechterhaltung der Gottesdienste auch ein darüber hinaus bestehendes kulturelles Leben innerhalb der Gemeinde zu ermöglichen. So finden in der Zeit von Oktober bis Mai monatlich ein bis zwei Veranstaltungen im Kulturraum in der Oranienburger Straße statt. Dabei stehen Fragen des Judentums und Themen der jiddischen Literatur bzw. jüdischer und hebräischer Musik ebenso im Mittelpunkt wie Gedenkveranstaltungen für große jüdische Kunst- und Geistesschaffende. Daneben werden regelmäßig Autorenlesungen mit Schriftstellern durchgeführt, die, aus dem Judentum kommend, zwar heute nicht mehr der Gemeinde angehören, jedoch in ihren Werken das Leben jüdischer Menschen gestalten. Diese Veranstaltungen bieten auch Personen, die außerhalb der Gemeinde stehen, die Möglichkeit, sich am Gemeindeleben zu beteiligen.

Seit 1978 besteht innerhalb der Gemeinde eine Fachbibliothek für Judaica und Hebraica, deren Bestand sich in diesem Zeitraum vervielfachte und einen weit über den Kreis der Mitglieder hinausgehenden Leserkreis verzeichnen kann. Die derzeit in der Bibliothek zur Verfügung stehenden über 5000 Bücher kommen zu einem großen Teil als Spenden ausländischer Gemeinden und Privatpersonen zu uns und bilden somit den Grundstein für ein vertieftes Sich-auseinandersetzen mit allen Problemen des Judentums. Einen Schwerpunkt bildet die Geschichte der Juden in Deutschland und ganz besonders in Berlin.

Am 4. Juli 1988 wurde die Stiftung „Neue Synagoge – Zentrum Judaicum" gegründet, die den Wiederaufbau des Synagogengebäudes in der Oranienburger Straße als Stätte der Begegnung zum Ziel hat. In ihr werden sowohl ein jüdisches Museum als auch die aus dem Staatsarchiv der DDR zurückgeführten Bestände des ehemaligen „Gesamtarchivs der deutschen Juden" ihren Platz finden. Die Grundsteinlegung zum Synagogenaufbau erfolgt am 10. November 1988 im Rahmen der Gedenkveranstaltungen anläßlich des 50. Jahrestages des Novemberpogroms. Aus dem gleichen Anlaß wird in dem rekonstruierten und 1987 fertiggestellten Ephraimpalais, das als städtisches Museum genutzt wird, in diesem Jahr eine Ausstellung über die Geschichte des Judentums in Berlin gezeigt.

Die in der DDR lebenden jüdischen Menschen fühlen sich in allen Fragen als gleichberechtigte Bürger eines Staates, in welchem sie frei von jeglicher antisemitischer Verfolgung und Anfeindung leben und ihren religiösen Neigungen nachgehen können. Auf Grund der in der Verfassung garantierten Religionsfreiheit sind sie keinerlei Beschränkungen unterlegen. Die als Opfer des Faschismus anerkannten Bürger können ein von wirtschaftlichen Sorgen freies Leben führen, da sie neben ihrer Rente monatlich eine staatliche Ehrenpension in Höhe von 1000,– M erhalten. Sie erfahren eine besondere Zuwendung in der ärztlichen Betreuung und können jährlich kostenlose Kuraufenthalte in den jeweils erforderlichen Kureinrichtungen des Landes in Anspruch nehmen.

Obwohl sich die Zahl der Mitglieder der Berliner Gemeinde in den letzten Jahren verringert hat, besteht doch die berechtigte Hoffnung, daß auch für die Zukunft eine Jüdische Gemeinde in unserem Teil Berlins weiterhin bestehen wird. Wenngleich die Zahl der Kinder und Jugendlichen gering ist, läßt sich doch erkennen, daß gerade unter diesen Jugendlichen die Zuwendung zu den Fragen der Religion und der jüdischen Geschichte sich in den letzten Jahren verstärkt hat. Weitere jüngere Menschen aus Familien, deren Eltern und

Großeltern einst Mitglieder dieser Gemeinde gewesen sind, kommen zu uns und bitten um Aufnahme in die Gemeinde. Kontakte zu anderen Jüdischen Gemeinden über die Grenzen des Landes hinaus, sowohl in den sozialistischen Ländern als auch in westlichen Ländern, haben sich entwickelt. Seit vielen Jahren nehmen wir als Beobachter an den Sitzungen des Jüdischen Weltkongresses teil, haben Kontakte zu anderen internationalen Organisationen, empfangen Gäste aus diesen Ländern und sind bemüht, als Vertreter einer souveränen Gemeinde uns in dem internationalen Dialog zu jüdischen Fragen ebenfalls zu äußern.

Peter Kirchner
Vorsitzender der Jüdischen Gemeinde in Berlin (Ost)

Epilog II

Die Jüdische Gemeinde zu Berlin

Jüdische Gemeinden, wo immer sie bestehen, waren stets in einem besonderen Maße von Veränderungen betroffen, die sich in ihrer Umwelt vollzogen, und solche Veränderungen haben stets die existentiellen Probleme jüdischer Gemeinden in sehr starkem Maße beeinflußt und geprägt. Das bezog und bezieht sich auch auf die Fernwirkung von Vorgängen in anderen Ländern, von denen dort jüdische Menschen betroffen werden.

In den Jahren und Jahrzehnten vor 1933 haben Entwicklungen, die in der nichtjüdischen Welt stattfanden, in erheblichem Maße dazu beigetragen, daß in Berlin eine der größten jüdischen Gemeinden Europas, ja der Welt entstand. So bot beispielsweise der rasante Aufstieg Berlins zum Rang einer echten Metropole nach der Reichsgründung im Jahre 1871 vielfältige und vielseitige Betätigungsmöglichkeiten im Wirtschaftsleben, in der Wissenschaft, im künstlerischen Bereich, in der Publizistik und anderen freien Berufen, die den Kenntnissen und Fähigkeiten einer beträchtlichen Zahl jüdischer Menschen entgegenkamen.

Dies bedingte einen verstärkten Zuzug jüdischer Menschen nach Berlin. Ebenso erhielt damals die Berliner Jüdische Gemeinde ständigen Zuwachs durch die Zuwanderung osteuropäischer Juden, die ihre ursprünglichen Wohnstätten verlassen hatten, um Diskriminierungen und Pogromen im zaristischen Rußland zu entgehen. Somit stand Berlins Jüdische Gemeinde schon in einer Vergangenheit, die vielen sehr fern vorkommt, vor der immerwährenden Aufgabe, Menschen zu integrieren.

Jüdische Gemeinde im Wandel der Zeiten – das galt vor 50 bis 60 Jahren für alle jüdischen Gemeinden hierzulande. In jener Zeit der ersten deutschen Demokratie besaßen Juden hier erstmalig alle staatsbürgerlichen Rechte ohne die Einschränkungen, die noch bis zum Jahre 1918 galten. Aus der, wie wir heute wissen, damaligen allzu optimistischen, ja naiven Sicht schien es ein jüdisches Problem in Deutschland nicht mehr zu geben. Antisemitische Strömungen wurden zumindest solange nicht ernst genommen, wie ihre Verankerung in einer politischen Massenbewegung nicht offenkundig war, und eine politische Massenbewegung war die NSDAP erst ab 1930. Politische Auseinandersetzungen führten die jüdischen Gemeinden damals nicht, und auch der Zionismus war für sie kein Thema. Daß diese Haltung dem Wandel der Zeiten und damit der Wirklichkeit nicht gerecht wurde, bewiesen die Jahre ab 1933.

Auf die furchtbare Leidenszeit, die damals begann und die in der schrecklichsten Katastrophe in der Geschichte unserer Gemeinschaft gipfelte, waren weder die jüdischen Gemeinden noch die meisten ihrer Mitglieder so vorbereitet, wie sie es objektiv gesehen hätten sein können. Aus diesen Erfahrungen zu lernen und diese Lehren anzuwenden, sahen wir wenigen Überlebenden des Holocaust nach der Befreiung vom Nationalsozialismus als conditio sine qua non weiterer jüdischer Arbeit hierzulande an.

Vornehmlich unter diesem Aspekt erfolgte in Berlin 1945 die Neugründung der Jüdischen Gemeinde. Die traditionellen Aufgaben der Jüdischen Gemeinde nahmen eine veränderte Gestalt an, und neue traten hinzu. Auch das dokumentierte den Wandel der Zeit. Traditionelle Aufgaben in veränderter Gestalt, das bezog sich in sehr hohem Maße auf die jüdische Sozialarbeit. Es bezog sich auch auf das religiöse Leben insofern, als die durch die nationalsozialistischen Verfolgungs- und Vernichtungsmaßnahmen auf furchtbare Weise dezimierte jüdische Gemeinschaft sich eine Rivalität verschiedener religiöser Richtungen nicht mehr leisten konnte. Konsequenz dieser Einsicht war das Prinzip der Einheitsgemeinde, dessen zentraler Gedanke der unbedingte Respekt vor der Gewissensentscheidung des einzelnen jüdischen Menschen ist. Aus diesem Prinzip ergibt sich das gleichberechtigte und konfliktfreie Miteinander von Juden orthodoxer und liberaler Richtung. In der Jüdischen Gemeinde zu Berlin hat sich dieses Prinzip sehr bewährt.

Der Begriff „Einheitsgemeinde" indessen kann nicht allein im Hinblick auf das Religiöse verstanden werden. Er ist auch ein jüdisches Integrationsprinzip; denn genauso unzeitgemäß, ja schädlich wie heute religiöse Rivalitäten innerhalb unserer Gemeinschaft wären, genauso fehl am Platze wären landsmannschaftliche Abkapselungen. Unsere Gegner haben keinen Unterschied zwischen deutschen, polnischen, russischen und anderen Juden gemacht, warum sollten wir solche Unterschiede machen, Unterschiede, die zu nichts anderem führen könnten als zu einer Aufsplitterung unserer Energien.

Sehr bald nach ihrer Neugründung bekam die Jüdische Gemeinde zu Berlin Gelegenheit, spezielle Erfahrungen auf diesem Gebiet zu machen. Im Frühjahr 1946 hatten wir in Berlin eine Zuwanderung jüdischer Menschen aus Polen zu verzeichnen, die den Holocaust entweder im Untergrund überlebt hatten oder ihre Rettung der Tatsache verdankten, daß sie sich ab September 1939 auf sowjetischem Gebiet befanden. Wohl ging der weitaus größere Teil dieser Menschen 1948 nach Israel, doch eine gewisse Anzahl blieb in Berlin und mußte in die Gemeinde eingegliedert werden. Diese Integration ist bereits seit geraumer Zeit in vollem Umfang gelungen. Zu diesem Erfolg hatten zweifellos bestimmte Erfahrungen und Überlieferungen der früheren Jüdischen Gemeinde beigetragen.

Der Wandel der Zeit verlangte von uns nach 1945 eine Neubestimmung unseres Verhältnisses zur Umwelt. Im Mittelpunkt stand die unbedingte Entschlossenheit, jüdische Identität zu wahren, die sich mit der Einsicht verband, daß in der Isolierung jüdisches Leben keine Zukunft haben konnte. Daraus folgte, daß wir ein klares Nein zur Assimilation sagten und ein ebenso eindeutiges Ja zur Integration in eine pluralistische Gesellschaft, die Menschenrechte wahrt und Minderheiten schützt. Auf dieser Grundlage stellten wir uns dem Dialog mit den Teilen unserer Umwelt, die bereit waren, aus der Geschichte zu lernen, und die wie wir in der parlamentarischen Demokratie die einzige menschenwürdige Regierungsform sehen. Im Zeichen dieses Dialogs steht unsere gesamte Öffentlichkeits- und Kulturarbeit, die davon ausgeht, daß ein Transparentmachen des Judentums der Ausbreitung antijüdischer Vorurteile entgegenwirkt. Klar ist, daß bei unserem Dialog mit der Umwelt kein Weg an Israel vorbeiführt.

Zu Beginn meiner Ausführungen habe ich davon gesprochen, daß wir unter Umständen auch von Vorgängen betroffen werden, die sich in anderen Ländern vollziehen. Vor allem in der zweiten Hälfte der siebziger Jahre hat sich dies insbesondere für die Jüdische Gemeinde zu Berlin bestätigt.

Die allgemeine Situation in der Sowjetunion und die der dortigen jüdischen Bevölkerung im besonderen hat bereits seit längerer Zeit bei einer größeren Zahl jüdischer Bürger jenes Landes den Wunsch nach Auswanderung reifen lassen. Möglichkeiten dazu boten sich seit Mitte der siebziger Jahre. Eine relativ große Anzahl solcher Menschen kam nach Berlin, und heute gehören etwa 50 Prozent der Mitglieder der Jüdischen Gemeinde zu Berlin zum Kreis dieser Zuwanderer. Auch das signalisiert einen Wandel. Vor allem aber brachte es vielfältige Probleme für die Jüdische Gemeinde zu Berlin mit sich. Die Erfahrungen, die wir dabei gesammelt haben, sind ganz sicher auch für andere Gemeinden interessant und wertvoll. Es waren völlig neue Erfahrungen. Sie besagten, daß die Eingliederung dieser Zuwanderer sehr viel komplizierter war als alle Integrationsaufgaben, die jemals in Berlin die Jüdische Gemeinde zu lösen hatte. Schwierig genug gestaltete sich hierbei bereits die soziale und wirtschaftliche Seite. Gerade bei der Inangriffnahme der diesbezüglichen Probleme wurde offenbar, wie wichtig für eine jüdische Gemeinde ein guter und möglichst enger Kontakt zu den Teilen unserer Umwelt ist, die auf dem Boden der Demokratie stehen. Anders wäre es der Jüdischen Gemeinde zu Berlin nicht gelungen, für die Zuwanderer so viel zu erreichen. Für die meisten von ihnen konnten Fragen der Arbeitsvermittlung, der Wohnraumbeschaffung und bestimmte rechtliche Fragen zufriedenstellend gelöst werden. Oft war in solchen Angelegenheiten meine persönliche Intervention erforderlich.

Bei der Lösung all dieser Probleme haben wir die Erfahrung gemacht, daß man auf der mittleren Entscheidungsebene der Behörden oftmals sehr formalistisch und bürokratisch zu verfahren pflegte, zuweilen sogar in einer realitätsfernen Weise, die auf jüdische Menschen direkt herausfordernd wirken mußte. Letzteres war z. B. der Fall, wenn für den Nachweis der Zugehörigkeit zum deutschen Sprach- und Kulturkreis aus den dreißiger Jahren datierte Bekenntnisse zum deutschen Volkstum verlangt wurden. Solchen negativen Erfahrungen stand ein sehr hohes Maß an Verständnis und Entgegenkommen auf höherer Ebene, d.h. beim Regierenden Bürgermeister, den Senatoren und Senatsdirektoren, dem Präsidenten der Bundesanstalt für Arbeit und bei den Fraktionen des Abgeordnetenhauses gegenüber. Das gute Verhältnis der Gemeinde zu diesen Persönlichkeiten und meine persönlichen Beziehungen zu ihnen haben bewirkt, daß manche Entscheidungen nachgeordneter Stellen zugunsten der Zuwanderer korrigiert werden konnten. Ich meine, daß diese Erfahrungen auch für die Gemeinden hier im Bundesgebiet wertvoll sind. Generell ist die jüdische Auswanderung aus der Sowjetunion nicht beendet, und nicht alle jüdischen Menschen, die die UdSSR verlassen, werden ihren ständigen Aufenthalt in Israel nehmen. Ebenso ist eine Zuwanderung aus anderen Ostblockstaaten nicht auszuschließen.

Im Hinblick auf eine Zuwanderung jüdischer Menschen aus den Ostblockstaaten, vor allem aus der Sowjetunion, ergeben sich für eine jüdische Gemeinde Integrationsprobleme, die sich noch bei keiner früheren Zuwanderung gestellt haben. Auch in den Zeiten, in denen es nirgends im kommunistischen Machtbereich eine offenkundige Diskriminierung jüdischer Bürger gab, lief die dortige Politik darauf hinaus, im Einklang mit der dort herrschenden Ideologie eine totale Assimilation der jüdischen Menschen herbeizuführen. Das bedeutete entweder – wie im Falle der Sowjetunion – eine völlige oder – wie im Falle einiger anderer Ostblockstaaten – eine partielle Atomisierung der jüdischen Gemeinschaft sowie eine gezielte Entfremdung der einzelnen Juden von allem Jüdischen. Das war im Prinzip die Situation, in die jüdische Menschen in den Ostblockstaaten hineingeboren wurden, bzw. in der sie jahrzehntelang lebten. Manche dieser Menschen wurden an ihre jüdische Herkunft erst erinnert, als man sie mit Israel und dem Zionismus in Verbindung brachte und diskriminierte. Es ist ganz klar, daß diese Menschen keine oder nur eine sehr geringe Beziehung zur jüdischen Glaubenswelt haben. Werden für diese Menschen die allgemeinen Eingliederungsprobleme schon dadurch erschwert, daß sie aus einem Gesellschaftssystem kommen, welches den einzelnen zwar auf das nachhaltigste bevormundet, ihm aber auch weitgehend die eigenverantwortliche Vorsorge für seine Lebensgestaltung abnimmt, so ergeben sich aus der erzwungenen Entfremdung dieser Menschen vom Judentum noch zusätzliche komplizierte Probleme der Integration in das jüdische Leben. Hier stehen die jüdischen Gemeinden vor Aufgaben, die sie nur lösen können, wenn ihr Gemeindeleben mehr ist als die bloße Verwaltung jüdischer Angelegenheiten. Nur die jüdischen Gemeinden werden diese Aufgabe meistern können, die die Wahrung jüdischer Identität, die Pflege der geistigen und sittlichen Werte des Judentums, als zentrale Anliegen zeitgenössischer jüdischer Arbeit und vor allem jüdischer Erziehung verstanden haben.

In unserer Zeit der Veränderung, des Wandels, der ein weltweites Phänomen darstellt und von dem auch die jüdische Gemeinschaft nicht ausgenommen ist, bildet die Besinnung auf die zeitlosen Werte unseres Glaubens die entscheidende Voraussetzung dafür, daß wir ohne Erschütterungen des inneren Gefüges unserer Gemeinschaft, ohne empfindliche Störungen und Konflikte, unseren Platz in der veränderten Welt von morgen einnehmen können. In einer sich wandelnden Welt stehen wir auch insofern, als für uns die Nachkriegszeit zu Ende gegangen ist. Die Mehrheit der Menschen unserer Umwelt gehört den Geburtsjahrgängen nach 1945 an. Sie haben naturgemäß ein anderes Verhältnis zur Geschichte – sofern sie ein solches überhaupt haben – als die Generation davor, und sie haben ein anderes Verhältnis zu uns. Ich will jetzt einmal von Randgruppen absehen, die nicht in ein demokratisches Spektrum integrierbar sind. Auch unter denen, die nicht dazu gehören, nimmt die Zahl derer zu, die für sich keine besondere Verpflichtung gegenüber der jüdischen Gemeinschaft akzeptieren. Sie meinen, was in der Vergangenheit geschehen ist, betreffe sie nicht. Es ist ganz klar, daß von einer solchen Bewußtseinslage vieler Menschen unsere Beziehungen zu unserer Umwelt mitbeeinflußt werden. Um es ganz deutlich zu sagen: Manches gestaltet sich heute schwieriger als noch vor zehn oder zwanzig Jahren, und wo jüdische Gemeinden es in den zurückliegenden Jahren und Jahrzehnten versäumt haben, ein dichtes Netz enger Umweltbeziehungen zu schaffen, werden sie es mit solchen Bemühungen, auf die sie nicht verzichten könnten, jetzt schwerer haben.

Insgesamt gesehen bestätigen die Erfahrungen, die wir mit der Intensität antisemitischer Regungen machen, Feststellungen früherer Jahre, denenzufolge die Anfälligkeit für antijüdische Vorurteile nach wie vor in bestimmten Bevölkerungskreisen besteht. Dies weist darauf hin, daß in dieser Gesellschaft sehr wohl ein durchaus nennenswertes rechtsextremistisches Gesinnungspotential vorhanden ist. Es kann unter gewissen Umständen durchaus aktiviert werden und würde dann dem Neonazismus eine viel breitere Basis geben, als heute allgemein vermutet wird. Daraus ergibt sich für uns die verstärkte Notwendigkeit, auf wirksame Maßnahmen zur Eindämmung des Rechtsextremismus zu dringen. Für uns kann es gar keinem Zweifel unterliegen, daß Kampfmaßnahmen gegen den Rechtsextremismus unter dem Gesichtspunkt der Festigung der Demokratie erfolgen, der einzigen Staatsform, unter der jüdisches Leben echte Entfaltungsmöglichkeiten und günstige Zukunftsperspektiven besitzt. Das bedingt eine klare Abgrenzung gegenüber dem Linksextremismus, und nicht allein eine klare Abgrenzung, sondern auch die Bereitschaft zur kämpferischen Auseinandersetzung mit ihm. Die Notwendigkeit dazu ergibt sich im übrigen aus Gründen, die ich bereits nannte, aus unserem Eintreten für Israel. Wir sind – das kann gar nicht oft und gar nicht deutlich genug gesagt werden – Israels einzig verläßliche Partner. Mit Israel bilden die jüdischen Gemeinschaften in der Diaspora eine Schicksalsgemeinschaft, die es gerade jetzt noch mehr zu festigen gilt. Das schließt unsere Bereitschaft zu materiellen Opfern für den jüdischen Staat ein.

Wenn die jüdischen Gemeinschaften in der Diaspora im Wandel dieser Zeiten bestehen wollen, dann erfordert dies zuerst und vor allem ein Handeln im Sinne einer solchen Schicksalsgemeinschaft, die sich in dem Maße bewähren wird, in dem sie dem jüdischen Staat die Stärke verleiht, die er braucht, um den Friedensprozeß im Nahen Osten voranzutreiben und auszuweiten, einen Friedensprozeß, dessen Fortschreiten auch unsere Gesamtsituation nur in günstigem Sinne beeinflussen kann.

Heinz Galinski
Vorsitzender der Jüdischen Gemeinde zu Berlin

Zu den Autoren

Annegret Ehmann, geboren 1944, Pädagogin und Historikerin, z. Zt. Forschungsarbeit am Zentrum für Antisemitismusforschung der Technischen Universität Berlin, im Vorstand der Aktion Sühnezeichen/Friedensdienste e. V. Berlin.

Rachel Livné-Freudenthal, M. A., geboren 1940, Studium der Judaistik und Philosophie in Jerusalem und Berlin, z. Zt. wissenschaftliche Forschungstätigkeit an der Hebrew University of Jerusalem.

Monika Richarz, Dr. phil., geboren 1937, Historikerin, nach Tätigkeiten u. a. am Leo Baeck Institut in New York und an der Technischen Universität Berlin seit 1984 Leiterin der Germania Judaica, Kölner Bibliothek zur Geschichte des deutschen Judentums. Zahlreiche Veröffentlichungen zum Thema deutsch-jüdische Sozialgeschichte, u. a. „Jüdisches Leben in Deutschland", 3 Bde, Stuttgart 1976–82.

Julius H. Schoeps, Prof. Dr. phil., geboren 1942, Professor für Politische Wissenschaften in Duisburg, Direktor des Salomon Ludwig Steinheim-Instituts für deutsch-jüdische Beziehungen an der Universität Duisburg. Zahlreiche Veröffentlichungen zur deutsch-jüdischen Geschichte und zur Geschichte des Zionismus. Mitherausgeber der Briefe und Tagebücher von Theodor Herzl.

Raymond Wolff, M. A., geboren 1946, Historiker, Mitarbeit an mehreren Ausstellungen zumeist mit jüdischer Thematik, Publikationen u. a. zum Thema „Deutsch-jüdische Beziehungen". 1988 wissenschaftlicher Leiter des Projekts „Zehn Brüder waren wir gewesen. Spuren jüdischen Lebens in Berlin-Neukölln".

Literatur

Adam, Uwe D.: Judenpolitik im Dritten Reich, Königstein/Taunus, Düsseldorf 1972
Adler, H.G.: Der verwaltete Mensch. Studien zur Deportation der Juden aus Deutschland, Tübingen 1974
Ders.: Die Juden in Deutschland von der Aufklärung bis zum Nationalsozialismus, München 1961
Adler-Rudel, Scholem: Jüdische Selbsthilfe unter dem Naziregime 1933–1939, Tübingen 1974
Angress, Werner T.: Generation zwischen Furcht und Hoffnung. Jüdische Jugend im Dritten Reich, Hamburg 1985
Arendt, Hannah: Rahel Varnhagen. Lebensgeschichte einer deutschen Jüdin, München 1962

Baker, Leonard: Hirt der Verfolgten. Leo Baeck im Dritten Reich, Stuttgart 1982
Ball-Kaduri, Kurt Jakob: Das Leben der Juden in Deutschland 1933, Frankfurt am Main 1963
Ders.: Vor der Katastrophe – Juden in Deutschland 1934–1939, Tel Aviv 1967
Barkai, Avraham: Vom Boykott zur „Entjudung". Der wirtschaftliche Existenzkampf der Juden im Dritten Reich 1933–43, Frankfurt am Main 1988
Bautz, Franz J. (Hrsg.): Geschichte der Juden. Von der biblischen Zeit bis zur Gegenwart, München 1983
Benjamin, Walter/Scholem, Gershom: Briefwechsel 1933–1940, Frankfurt am Main 1980
Bering, Dietz: Der Name als Stigma. Antisemitismus im deutschen Alltag 1812–1933, Stuttgart 1987
Blumenfeld, Erwin: Durch tausendjährige Zeit. Erinnerungen, München 1980
Brandt, Leon: Menschen ohne Schatten. Juden zwischen Untergang und Untergrund 1938–1945, Berlin 1984
Borinski, Anneliese Ora: Erinnerungen 1940–43, Nördlingen 1970

Deutschkron, Inge: Ich trug den gelben Stern, Köln 1978
Dreßen, Wolfgang: Jüdisches Leben, Berliner Topographien 4, Berlin 1985
Dunker, Ulrich: Der Reichsbund jüdischer Frontsoldaten 1919–1938, Düsseldorf 1977

Eloesser, Arthur: Vom Ghetto nach Europa, Berlin 1936
Edel, Peter: Die Bilder des Zeugen Schattmann, Berlin (Ost) 1980
Eschwege, Helmut: Kennzeichen J, Frankfurt am Main 1979
Edvardson, Cordelia: Gebranntes Kind sucht das Feuer, München, Wien 1986
Engelmann, Bernt: Die unfreiwilligen Reisen des Putti Eichelbaum, München 1986

Frankenthal, Käte: Jüdin, Intellektuelle, Sozialistin. Lebenserinnerungen einer Ärztin in Deutschland und im Exil, Frankfurt am Main, New York 1985
Freeden, Herbert: Jüdisches Theater in Nazideutschland, Frankfurt am Main, Berlin, Wien 1985
Friedlander, Albert H.: Leo Baeck. Leben und Lehre, Stuttgart 1973
Fürst, Max: Talisman Scheherezade. Die schwierigen zwanziger Jahre, München, Wien 1976

Gay, Peter: Freud, Jews and other Germans, New York 1978
Geiger, Ludwig: Geschichte der Juden in Berlin, Berlin 1971, Reprint Berlin 1988
Geisel, Eike: Im Scheunenviertel, Berlin 1981
Grab, Walter (Hrsg.): Jahrbücher des Instituts für deutsche Geschichte, Universität Tel Aviv 1973–1986
Granach, Alexander: Da geht ein Mensch, München 1984
Grünfeld, Fritz V.: Heimgesucht – Heimgefunden, Berlin 1979

Hartwig, Thomas/Roscher, Achim: Die verheißene Stadt. Deutsch-jüdische Emigranten in New York, Berlin 1986
Heubner, Christoph, u. a.: Gesehen in Auschwitz: Lebenszeichen, Bornheim-Merten 1979

Jersch-Wenzel, Stefi (Hrsg.): Das Leinenhaus Grünfeld, Erinnerungen und Dokumente, Berlin 1967
Juden in Preussen, Katalog der Ausstellung in Berlin 1981, Dortmund 1981

Kaplan, Marion A.: Die jüdische Frauenbewegung in Deutschland, Hamburg 1981
Kerr, Alfred: Die Diktatur des Hausknechts und Melodien, Hamburg 1981
Knobloch, Heinz: Herr Moses in Berlin, Berlin (Ost) 1979
Ders.: Meine liebste Mathilde. Das unauffällige Leben der Mathilde Jacob, Berlin 1986
Ders.: Der Berliner zweifelt immer – Feuilletons von damals, Berlin (Ost) 1978
König, Joel: David – Aufzeichnungen eines Überlebenden, Frankfurt am Main 1979
Kroh, Ferdinand: David kämpft. Vom jüdischen Widerstand gegen Hitler, Hamburg 1988
Kwiet, Konrad/Eschwege Helmut: Selbstbehauptung und Widerstand. Deutsche Juden im Kampf um Existenz und Menschenwürde 1933–45, Hamburg 1984

Landau, Lola: Vor dem Vergessen. Meine drei Leben, Frankfurt am Main, Berlin 1987
Laqueur, Walter: Jahre auf Abruf, Stuttgart 1980
Leistung und Schicksal. 300 Jahre Jüdische Gemeinde zu Berlin, Berlin 1971
Liebermann, Mischket: Vom Ghetto in die Welt, Berlin (Ost) 1977

Maimon, Salomon: Geschichte des eigenen Lebens 1754–1800, Berlin 1935
Malek-Kohler, Ingeborg: Im Windschatten des Dritten Reiches, Freiburg 1986
Manger, Itzig: Lieder und Balladen, Tel Aviv o. J.
Maurer, Trude: Ostjuden in Deutschland 1918–1933, Hamburg 1986
Mehring, Walter: Der Kaufmann von Berlin, Berlin 1929
Melcher, Peter: Weissensee – Ein jüdischer Friedhof als Spiegelbild jüdischer Geschichte in Berlin, Berlin 1986

Offenberg, Mario (Hrsg.): Adass Jisroel – Die jüdische Gemeinde in Berlin (1869–1942). Vernichtet und Vergessen, Berlin 1986

Philo-Lexikon. Handbuch des jüdischen Wissens, Berlin 1935, Reprint 1987
Prinz, Joachim: Wir Juden, Berlin 1934

Richarz, Monika (Hrsg.): Jüdisches Leben in Deutschland, 3 Bde, Stuttgart 1976–82
Riesenburger, Martin: Das Licht verlöschte nicht, Berlin (Ost) 1983
Rosenthal, Hans: Zwei Leben in Deutschland, Bergisch-Gladbach 1980
Rothschild, Eli (Hrsg.): Meilensteine – eine Sammelschrift, Tel Aviv 1972
Rürup, Reinhard: Emanzipation und Antisemitismus, Göttingen 1975

Salomon, Alice: Charakter ist Schicksal. Lebenserinnerungen, Weinheim, Basel 1983
Salomon, Charlotte: Leben oder Theater? Ein autobiographisches Singspiel in 769 Bildern, Köln 1981
Scheffler, Wolfgang: Judenverfolgung im Dritten Reich, Berlin 1961
Scheurenberg, Klaus: Ich will leben. Ein autobiographischer Bericht, Berlin 1982
Schoenberner, Gerhard: Der gelbe Stern, Gütersloh 1968
Ders. (Hrsg.): Wir haben es gesehen. Augenzeugenberichte, Wiesbaden 1987
Schoeps, Hans-Joachim: Wir deutschen Juden, Berlin 1934
Schoeps, Julius H.: Moses Mendelssohn, Königstein 1979
Scholem, Gershom: Von Berlin nach Jerusalem, Frankfurt am Main 1977
Schottlaender, Rudolf: Trotz allem Deutscher, Freiburg 1986
Schwersenz, Jitzchak/Wolff, Edith: Jüdische Jugend im Untergrund, Tel Aviv 1969
Shepherd, Naomi: Wilfried Israel, Berlin 1985
Simon, Ernst: Aufbau im Untergang. Jüdische Erwachsenenbildung in nationalsozialistischen Deutschland als geistiger Widerstand, Tübingen 1959
Ders.: Entscheidung zum Judentum, Frankfurt am Main 1980
Simon, Hermann: Das Berliner jüdische Museum in der Oranienburger Straße, Berlin 1983
Sinasohn, Max: Die Berliner Privatsynagogen und ihre Rabbiner 1671–1971, Jerusalem 1971
Stern, Selma: Der preußische Staat und die Juden, 4 Bde, Tübingen 1962–1975
Strauss, Herbert A./Grossmann, Kurt: Gegenwart im Rückblick, Heidelberg 1970
Synagogen in Berlin, 2 Bde, Berlin 1983

Tal, Josef: Der Sohn des Rabbiners. Ein Weg von Berlin nach Jerusalem, Berlin 1985
Thalmann, Rita/Feinermann, Emmanuel (Hrsg.): Die Kristallnacht, Frankfurt am Main 1988
Toury, Jakob: Die politische Orientierung der Juden in Deutschland. Von Jena bis Weimar, Tübingen 1966
Ders.: Soziale und politische Geschichte der Juden in Deutschland 1847–1871, Düsseldorf 1977

Unikower, Inge: Suche nach dem Gelobten Land, Berlin (Ost) 1978

Walk, Joseph (Hrsg.): Das Sonderrecht für die Juden im NS-Staat, Karlsruhe 1981
Weiß, Gittel: Ein Lebensbericht, Miniaturen zur Geschichte, Kultur und Denkmalpflege Berlins, Nr. 8, Berlin (Ost) 1982
Weltsch, Robert (Hrsg.): Deutsches Judentum – Aufstieg und Krise, Stuttgart 1963
Ders.: Ja-Sagen zum Judentum, Berlin 1933

Zweig, Arnold: Caliban oder Politik und Leidenschaft, Potsdam 1927
Ders.: Das ostjüdische Antlitz, 1920, Reprint Wiesbaden 1988

Bildnachweis

Bildarchiv Preußischer Kulturbesitz: 22, 39, 43, 44, 54, 74, 79, 82, 92, 99, 121, 166

Berlin Museum: 152

Schiller Nationalmuseum Marbach am Neckar: 157

Aus: Edgar Alfred Regener, E. M. Lilien, Goslar, Berlin, Leipzig 1905: 155

Aus: Margot Klausner, Julius Klausner – Eine Biographie, Düsseldorf-Benrath 1974: 158

Aus: Max Liebermann in seiner Zeit. Katalog der Ausstellung der Nationalgalerie Berlin 1979: 234

Aus: Berlin, Berlin. Katalog der Ausstellung zur Geschichte der Stadt, Berlin 1987: 205

Aus: H. Simon, Das Berliner Jüdische Museum 1983: 251; Abdruck mit freundlicher Genehmigung von J. Y. Rosenthal

Aus: Charlotte Salomon, Leben oder Theater? Ein autobiographisches Singspiel in 796 Bildern, Amsterdam 1981: 270

Aus: Stefi Jersch-Wenzel (Hrsg.), Das Leinenhaus Grünfeld. Erinnerungen und Dokumente von Fritz Grünfeld, Berlin 1967: 290

Aus: Josef Meisel (Hrsg.), Protokoll der jüdischen Gemeinde Berlin (1723–1854), Jerusalem 1962: 28

Abbildungen aus Privatbesitz: 257, 258, 266, 272, 273, 274, 281, 313, 315

Aufnahme Alwin Meyer: 327

Für die freundliche Genehmigung des Abdrucks danken wir allen beteiligten Autoren, Verlagen und Institutionen.

Personenregister